W9-CTU-587

# WORLD
## GUIDE

### JTB世界自由行

美國西海岸

JTB世界自由行

# WORLD
## CONTENTS
# GUIDE

## 美國西海岸
### U.S.A.Westcoast

# 目 錄

## 洛杉磯
### LOS ANGELES

# 舊金山
## SAN FRANCISCO

# 拉斯維加斯
## LAS VEGAS

# TRAVEL INFORMATION
## 旅遊資訊

# MAP
## 地圖索引

# 如何使用《JTB世界自由行》

《JTB世界自由行》系列是由日本最暢銷的旅遊書籍出版社JTB為追求自由行的遊客編寫的旅遊指南。對於打算利用套裝旅遊的自由活動時間，或者買張機票就上路的自由行遊客，這套鉅細靡遺的旅遊指南會是您最佳的選擇。根據本書精挑細選的「材料」配合讀者個人所需善加利用，相信《JTB世界自由行》對諸位讀者的自創行程將有很大的助益，也會讓您有一趟滿載而歸的旅行。

## 使用本書注意事項

◆本書係由日本JTB Publishing Inc.最新授權直譯而成。由於本書資料浩繁，且旅遊資訊更異甚速，為保旅程順利，請於行前前往各國相關網站查詢最新資料。讀者在旅行途中若有發現新狀況，歡迎來函檢具相關資料（例如圖片、當地解說等），一經採用，最早來函者本公司將贈送紀念品一份以表謝意。

◆原則上書上的電話號碼都冠上區域代碼。若未冠上區域代碼時，請參考章節起頭的資料欄（如何打電話參考P434）。

◆美國的貨幣單位為美元（本書以$標示）。輔助貨幣單位為美分（￠），100￠=$1。匯率$1≒新台幣34元（2009年3月）

◆本書省略聖誕節、年初年底、臨時休息日期等。

## 地圖解讀

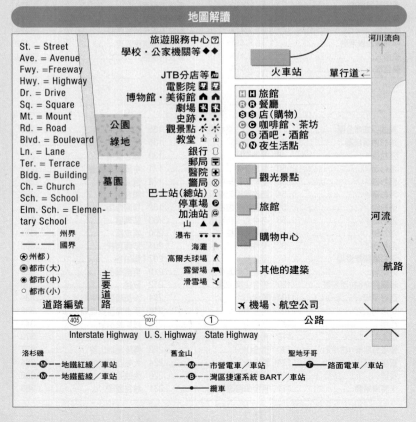

## 1 觀光

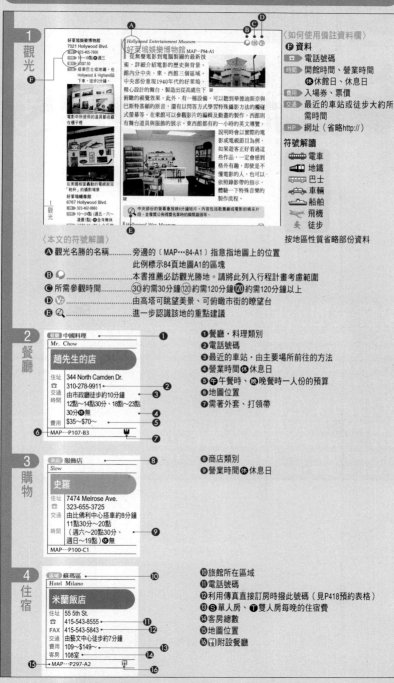

**好萊塢娛樂博物館**
7021 Hollywood Blvd.
☎ 323-465-7900
時間 10～18點 休週三
費用 US$7.50
交通 搭東巴士或地鐵,在
Hollywood & Highland站
下車,徒步2分鐘

電影中所使用的道具都收藏
在櫃子裡

**好萊塢蠟像館**
6767 Hollywood Blvd.
☎ 323-462-8860
時間 10～24點(週五、六、
凌晨1點)休全年無休

Ⓐ Hollywood Entertainment Museum
**好萊塢娛樂博物館** MAP…P84-A1 Ⓑ Ⓒ 120 Ⓓ V8
從無聲電影到電腦製圖的最新技
術,詳細介紹電影的歷史與背景。
館內分中央、東、西館三個區域。
中央部份重現1940年代的好萊塢,
精心設計的舞台,製造出從高處往下
俯瞰的視覺效果,此外,有一種設備,可以聽到華德迪斯奈與
巴斯特基頓的原音,還有以問答方式學習特殊攝影方法的螢幕
式螢幕等。在東館可以參觀影片的編輯及動畫的製作,西館則
有舞台道具與服飾的展示。東西館都有約一小時的英文導覽,
說明時以實際的電
影或電視節目為例,
如果遊客正好看過這
些作品,一定會感到
格外有趣,即使是不
懂電影的人,也可以
依照錄影帶的指示,
體驗一下特殊音樂的
製作流程。

Ⓔ 🔍 中央部份的螢幕會放映6分鐘短片,內容包括取景劇或電影的精采片
段,含像眾公佈得獎名單的瞬間鏡頭等。

Ⓔ Hollywood Way Museum

〈本文的符號解讀〉

Ⓐ 觀光名勝的名稱…………旁邊的〔MAP…84-A1〕指這指地圖上的位置
　　　　　　　　　　　　　此例標示84頁地圖A1的區塊
Ⓑ …………………………本書推薦必訪觀光勝地。請將此列入行程計畫考慮範圍
Ⓒ 所需參觀時間…………30 約需30分鐘 120 約需120分鐘 V8 約需120分鐘以上
Ⓓ V8…………………………由高塔可眺望美景、可俯瞰市街的瞭望台
Ⓔ 🔍…………………………進一步認識該地的重點建議

〈如何使用備註資料欄〉

**Ⓕ 資料**
☎ 電話號碼
時間 開館時間、營業時間
　　 休 休館日、休息日
費用 入場券、票價
交通 最近的車站或徒步大約所
　　 需時間
HP 網址(省略http://)

**符號解讀**
🚃 電車
🚇 地鐵
🚌 巴士
🚗 車輛
🚢 船舶
✈ 飛機
🚶 徒步

按地區性質省略部份資料

## 2 餐廳

餐廳 中國料理 — ❶
Mr. Chow
**趙先生的店**
住址 344 North Camden Dr.
☎ 310-278-9911 — ❷
交通 由市政廳徒步約10分鐘 — ❸
時間 12點～14點30分、18點～23點
　　 30分 休無 — ❹
費用 $35～$70～ — ❺
❻ — MAP…P107-B3 👔 — ❼

❶ 餐廳・料理類別
❷ 電話號碼
❸ 最近的車站・由主要場所前往的方法
❹ 營業時間 休休息日
❺ 午午餐時、晚晚餐時一人份的預算
❻ 地位置
❼ 需著外套、打領帶

## 3 購物

商店 服飾店 — ❽
Slow
**史羅**
住址 7474 Melrose Ave.
☎ 323-655-3725
交通 由比佛利中心搭車約8分鐘
時間 11點30分～20點
　　 (週六～20點30分、
　　 週日～19點)休無 — ❾
MAP…P100-C1

❽ 商店類別
❾ 營業時間 休休息日

## 4 住宿

區域 蘇瑪區 — ❿
Hotel Milano
**米蘭飯店**
住址 55 5th St.
☎ 415-543-8555 — ⓫
FAX 415-543-5843 — ⓬
交通 由藝文中心徒步約7分鐘
費用 109～$149～ — ⓭
客房 108室 — ⓮
⓯ — MAP…P297-A2 🍴 — ⓰

❿ 旅館所在區域
⓫ 電話號碼
⓬ 利用傳真直接訂房時撥此號碼(見P418預約表格)
⓭ S單人房、T雙人房每晚的住宿費
⓮ 客房總數
⓯ 地位置
⓰ 🍴附設餐廳

吳文欽攝影

# 優勝美地公園

『沒有任何人造神殿能和優勝美地媲美』──這是美國自然生態學家的見解,在這片奇山異水中,我確實感受到這句話的震撼!到優勝美地,可聽、可看、可感的東西太多,你可以尋找幾萬年來冰火焠鍊的痕跡、你也可以靜聽淙淙奔流的瀑布聲,還有你可以──只是躺在翠綠的草地上深呼吸,開放全身的毛細孔,體會生命中的優·勝·美·地!

# 黃石國家公園

探險家賀古斯說:『這個地方不應該屬於任何人所有。』因為這句話,黃石公園成為世界第一座國家公園;因為這句話,我來到這個嚮往已久的「世界瑰寶」。在這裡,我見證了六十萬年來大自然的鬼斧神工,在這片峽谷與火山地形錯綜建構的地貌中,我看見水與火的衝擊、天堂與地域的交纏,大自然用他最神奇的創造力,將每一吋土地、每一個景象,或俊偉、或湍急、或深冷、或洶湧、或磅礴,成就得如此渾然天成、美不勝收。

2

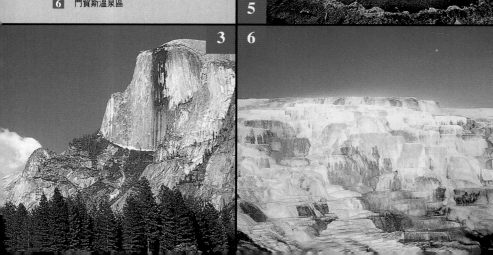

# 大堤頓國家公園

走過無數國家、拍過無數美景，我始終相信：旅程中永遠有令人意外的收穫！來到大提頓的那一天，如果不是一開始碰到壞天氣、然後很幸運地轉為好天氣，我想，我不可能有機會目睹白雲層層繚繞、簇擁七座海拔3,600公尺高峰的景象；當然，我也將無法親身體驗——十九世紀法國人Don Mckenzie,將這裡命名為：Teton『乳房』的狂野樂趣！

# 羚羊峽谷

這裡的一切是橘色的——很光鮮亮麗、多層次的那種橘色。來看這裡的橘色，一定要挑日正當中，因為，這時候的陽光夠強、夠直、夠亮、夠透，可以穿透辦公此道兩公尺寬的峽谷，任意直射、反射、折射、翻射、映射....
映在橘色的山洞裡、岩壁上，一層又一層、一遍又一遍，舞出一場婆娑曼妙的 "橘光之舞"。

1 日出時分

2 雨過天晴的大堤頓

3 傑克森湖

4 一柱擎 "光" 之一

5 一柱擎 "光" 之二

6 入門口處

## 死谷國家公園

死谷，一個令人驚悚的名字57℃炎熱的高溫記錄、48公釐年降雨量的稀薄紀錄。死谷被三座高山擋在前面，飽含溼氣的海風、清涼的水氣，吹不進低於海平面282英呎的谷底，於是，谷底便有了絕無僅有的地理奇景。

## 喜多納公園

在大峽谷與鳳凰城之間，有個地方叫喜多納，她的日出和日落都很紅豔，她真的很紅！

到了喜多納，我終於明白：自然生態也和人類生態一樣，想 "紅"，本身還必須有紅的條件。

就像紅遍半邊天的喜多納，她的紅，來自虹彩岩石、來自赤紅陽光，紅上加紅，哪能不紅？

**2**

# 摩洛湖&石拱國家公園 &紀念碑谷&布萊斯國 家公園&錫安國家公園

2

3

5

世界旅遊攝影會會長：吳文欽
e-mail：TWTP@ms58.hinet.net

# Hollywoo

全美最大的娛樂廣場

## 好萊塢高地娛樂廣場

　　2001年11月，電影之都好萊塢呈現嶄新的面貌。耗資6億1500萬美元，佔地6萬m²的好萊塢高地娛樂廣場，已經成為洛杉磯的新門面。與周邊歷史悠久的格勞門中國劇院與奧斯卡金像獎的頒獎會場柯達劇院，結合成一個閃亮繁華的空間，這可以說是全球娛樂訊息的發源地。

　　象徵好萊塢的流行服飾店、世界高級品牌、紅酒、禮品等應有盡有的免稅店、世界各國的餐廳、最前衛的音樂俱樂部、4星級豪華酒店，受到美國與全球人士的青睞，好萊塢特有的莊嚴氣氛，打造出迷人的觀光新景點。

HOLLYWOOD & HIGHLAND®

**DATA**
Hollywood Blvd. & Highland Ave.
(6801 Hollywood Blvd.)
☎ 323-960-2331
　各店家未統一
HP www.hollywoodandhighland.com

# Highland

大象出門迎接的豪華空間

## *Babylon Court* 巴比倫廣場

大型階梯可直達古代巴比倫風格的拱門

巴比倫廣場已經成為好萊塢高地娛樂廣場的招牌，這是根據1916年的著名電影《偏見的故事》的佈景所設計而成。爬上一層面向好萊塢大道的階梯，走過拱門，就可以看到巨大的白象在門口迎接。被大象守護的廣場經常舉辦各項表演與活動，販賣各種流行飾品的流動商店也到處可見。在拱門的另一頭，遠遠地可以看到山上的好萊塢標誌，隨時守護著洛杉磯街頭。

巨大的白象仰望西海岸的藍天

感受劇院的特殊光環

奧斯卡金像獎頒獎會場

# *Kodak Theatre* 柯達劇院

奧斯卡金像獎的頒獎會場,剛開始是設在好萊塢的羅斯福飯店,之後有很長一段時間移師到市區的音樂中心,直到最近,這場大型的頒獎盛會才又回到了好萊塢。往後的20年,我們都可以看到奧斯卡金像獎頒獎典禮在金碧輝煌的柯達劇院舉行。當天,來自全球一流的影星、導演、電影從業者集聚一堂,將柯達劇院點綴得閃閃發亮。從大階梯一直延伸到會場的紅色絨布地毯可以說是奧斯卡金像獎永遠的表徵。3500個座位,採用最新的科技,創造出全球最頂級的劇院,每年至少有100場以上的表演活動在此舉行。

18 好萊塢高地娛樂廣場

高品味、高格調的奧斯卡金像獎永久會場

出自全球著名大師大衛洛克威爾的設計

世界一流影星所嚮往的階梯

2002年奧斯卡金像獎最佳影片獎

「美麗境界」

榮獲最佳影片、最佳導演等四項大獎,在柯達劇院首次的頒獎典禮上大放異彩。站在紅地毯上的男主角羅素克成為全球矚目的焦點。

文藝復興酒店
637間客房的
豪華4星級酒店

游泳池畔及戶外表演區

高地娛樂廣場街道
停車場入口

柯達劇院
可容納3500座位的
藝術表演設施

巴比倫廣場
好萊塢高地娛樂廣場的中心

中國六大影城
6個螢幕的複合式電影院

高級餐廳區

橘色廣場
觀光巴士與
LA復古觀光巴士的總站

藝人館

超過70家以上的店面

地鐵車站

頒獎大道
鋪滿紅地毯的玄關與
動人心弦的電影海報

停車場入口

星光大道
洛杉磯的著名觀光景點

格勞門中國劇院
電影的至高殿堂

擁有637間客房的4星級飯店

# *Renaissance Hollywood Hotel*
### 文藝復興飯店

每間客房都可上網連線

好萊塢高地娛樂廣場內，最引人注目的一棟高樓建築就是
4星級的文藝復興飯店。面向高地大道，山上的好萊塢字樣
一覽無遺。包含33間的豪華套房，共有637間客房。游泳
池、健身房、餐廳等設備齊全。

☎323-856-1200 FAX323-856-1205 ⑩ ⑤ US169～

大型套房的面積超過300m²

# Grauman's Chinese Theatre
## 格勞門中國劇院

從1927年起，格勞門中國劇院就深受觀光客們的喜愛，即使已超過半個世紀以上的歷史，至今仍是上演首映電影的優質電影院。隨著好萊塢高地娛樂廣場的開幕，中國劇院也重新整修門面。但是前庭的水泥地板仍然保存著超過170位巨星的手印、足印與簽名。

劇院內的裝潢值得參觀

星形符號是好萊塢影星的表徵

前庭有影星的手印與足印，可愛的唐老鴨也來湊一腳。

名牌、精品琳瑯滿目

# DFS Galleria　免稅商品店

店內面積寬廣，1樓名為「好萊塢影城」，分成「好萊塢」、「露天片廠」、「加州」等主題區。猶如身在製片廠內，可以盡情地享受購買好萊塢產品的樂趣。2樓命名為「好萊塢風格」，全球一流品牌應有盡有，除了高級精品之外，還有化妝品、珠寶、手錶等貨色齊全。

店內的好萊塢產品眾多

賣座的星型坐墊
US$14～

種類齊全的香奈兒化妝品

寬廣的化妝品賣場

好萊塢巧克力US$9

好萊塢紅酒
US$14,30

貓導演絨毛娃娃US$18

彷彿置身於製片廠內的好萊塢免稅商品店

## 旅遊醍醐味
# 商店、餐廳、俱樂部

好萊塢高地娛樂廣場內還有許多迷人的景點。商店、餐廳任君挑選,熱鬧的俱樂部夜生活也是一項不錯的選擇。

## Shop

美國誕生的人氣品牌GAP

成功進駐日本的名牌化妝品 SEPHORA

Benetton專櫃在3樓　有LV等世界一流品牌

## Restaurant

牛排海鮮餐廳
The Grill on Hollywood

日本料理
Koji's sushi & shabu shabu Restaurant

## Club

俱樂部 The Highlands的營業時間為週五・六,晚上9點到凌晨3點。

---

### 提供各項好萊塢高地娛樂廣場的相關訊息

#### ●便捷的JTB服務處

服務項目除了接受JTB當地旅遊團的預約(→P42)、販售LA復古觀光巴士車票(→見右、P79)、主題樂園入場券之外,也針對市區觀光、觀賞球賽等需求提供諮詢,贈送購物中心的折價券等,提供旅客各項貼心的服務。地點在格勞門中國劇院內側2樓(680 Hollywood Blvd.#305,時10~16點,全年無休,不接受任何電話諮詢或預約)

JTB服務處在2樓

※ 洛杉磯觀光局在2002年7月成立「好萊塢旅客服務中心」,提供各項旅遊訊息與諮詢服務。

### 前往萊塢高地娛樂廣場的交通

#### ●連結觀光景點間的LA復古觀光巴士

JTB旅遊團的旅客只要出示「ENJOY卡」,即可不限次數免費搭乘,在JTB服務處購買車票的旅客也可享受相同的服務。

巴士總站在橘色廣場,請參考P79。

#### ●汽車

從市中心上好萊塢公路,往北約10分鐘。由Highland Ave.出口即可到達好萊塢大道與高地大道的路口,並設有收費停車場。

#### ●MTA郡立巴士

在好萊塢大道與高地大道的路口下車,從市中心的車程約30分鐘。

#### ● 地鐵

乘坐紅線地鐵,直接在「好萊塢高地娛樂廣場」(HOLLYWOOD/HIGHLAND)站下車。

美國西海岸
U.S.A.WEST

50mil
0
100km
0

洛磯山脈 Rocky Mountains

黃石國家公園 Yellow Stone National Park

大提頓國家公園 Grand Teton National Park

洛磯山脈

艾凡斯頓 Evanston

傑克遜 Jackson

阿爾平 Alpine

鹽湖城 Salt Lake City

大鹽湖 Great Salt Lake

洛磯山脈

愛達荷州 IDAHO

波夕 Boise

哥倫比亞高原 Columbia Plateau

斯波肯 Spokane

華盛頓州 WASHINGTON

奇蘭 Chelan

Cascade Range

達爾斯 The Dalles

哥倫比亞河 Columbia

奧勒岡州 OREGON

胡德山 Mt.Hood

聖海倫火山 Mt.St.Helens

喀斯開山脈

克雷特湖國家公園 Crater Lake National Park

奧林匹克國家公園 Olympic National Park

西雅圖 Seattle P.179

塔科馬 Tacoma

雷尼爾山國家公園 Mt. Rainier National Park

奧林匹亞 Olympia

波特蘭 Portland

塞雷姆 Salem

尤金 Eugene

春田 Springfield

羅茲堡 Roseburg

海岸山脈

佛羅倫斯 Florence

Coast Range

22

# 計畫行程的訣竅

想要暢遊廣大的西海岸，必須事先想好以哪一個城市作為據點，要繞多少景點等，做好周詳的規劃，千萬不要因為趕時間而錯過了美景。

### 符號解讀

- 🚃…電車
- 🚇…地下鐵
- 🚌…巴士
- 🚗…汽車
- 🚢…船舶
- ✈…飛機
- 🏃…徒步

## 日程別 基本行程範例

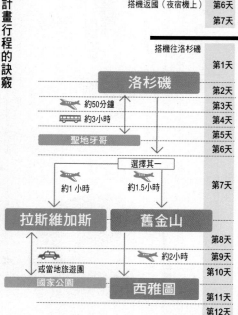

搭機往洛杉磯

- 第1天 洛杉磯
- 第2天
- 第3天
- 選擇其一
- ✈約1小時　✈約1小時30分鐘
- 第4天
- 拉斯維加斯　舊金山
- 第5天
- 搭機返國（夜宿機上）第6天
- 第7天

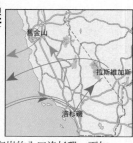

## 一星期行程

遊覽兩大城市

　一星期之內要遊遍三個城市稍嫌勉強，最好還是保守地選擇兩個城市。一般的行程會選擇西海岸的入口洛杉磯，再加上另外一個城市。交通工具最好選擇飛機，無論是到舊金山或拉斯維加斯，班次都很多，移動上不會有問題。洛杉磯與舊金山各有好幾個機場，但都會在國際機場起降，因此回程可以直接從這些城市搭機返國。

搭機往洛杉磯

- 第1天 洛杉磯
- 第2天
- ✈約50分鐘　第3天
- 🚃約3小時　第4天
- 聖地牙哥　第5天
- 第6天
- 選擇其一
- ✈約1小時　✈約1.5小時
- 第7天
- 拉斯維加斯　舊金山
- 第8天
- 🚗或當地旅遊團　✈約2小時　第9天
- 國家公園　第10天
- 西雅圖　第11天
- 第12天
- 搭機返國（夜宿機上）第13天
- 第14天

## 兩星期行程

遊覽2～3個大城市

　大城市之間的移動盡量搭飛機，洛杉磯與聖地牙哥之間，無論是巴士或飛機，時間上都差不多，只是早晚高速公路會塞車，如果選擇搭巴士，要特別注意時間的掌握。前往國家公園租車比較方便，如果想去大峽谷或死亡谷，則可利用當地的旅遊團 (→P44)。前往西雅圖建議搭飛機，舊金山與西雅圖之間每天都有班機，平均每小時就有1～6班的飛機，回程可由這些城市直接搭機返國。

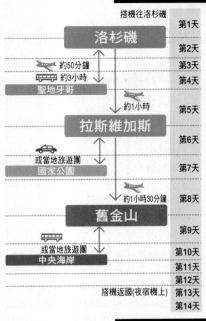

## 兩星期行程
掌握時間，暢遊3大城市

　　走訪3大城市與近郊。平均一個城市停留3天，其實行程很緊湊，不可能玩得很透徹，因此建議有些城市的觀光重點放在市中心，有的則可搭配郊外踏青。各大城市之間最好選擇飛機。郊外景點則可以考慮當地旅遊團(→P42～44)，可以節省不少時間。為了時間上的考量，聖地牙哥最好選擇當天來回。

# 三星期行程
3大城市兜風逍遙遊

　　遊玩廣大的美國最理想的方法就是開車。除了不用搬運笨重的行李之外，更可以隨時停車，盡情地欣賞優美宜人的風景。如果不直接前往舊金山的市中心，也可以考慮繞遠路由奧克蘭，經由海灣大橋，遠眺高聳林立的摩天大樓，會令人流連忘返、深受感動。本行程雖然是從洛杉磯出發，但是如果能在舊金山就地還車，直接搭機回國，那麼兩星期開車遊3個城市其實也是可行的。另外也不要忘了中央海岸的美麗景致，因此最好不要拘泥於3個城市，而是要有彈性地做好區域的搭配。

主題別
# 深度之遊

```
┌─────────────────┐
│      西雅圖      │
└─────────────────┘
      ✈ 約2小時    ●觀看道奇隊球賽
┌─────────────────┐
│      舊金山      │
└─────────────────┘
   ✈ 約1.5小時或   ●觀看水手隊球賽
   🚌 約8～12小時
┌─────────────────┐
│      洛杉磯      │
└─────────────────┘
   🚕 約1小時    觀看巨人隊球賽
  ┌──────────────┐
  │    安納罕姆    │
  └──────────────┘
    觀看天使隊球賽
```

安納罕姆球場　　　天使隊主球場

## 觀看戰況激烈的美國大聯盟球賽

　　最近幾位傑出的日本選手，炒熱了西海岸的棒球熱潮。球迷可以配合賽程，選擇要搭機前往的城市，無論是西雅圖、舊金山、洛杉磯都有直飛。如果時間充裕，可以考慮搭乘舊金山與洛杉磯之間的長程巴士，沿路欣賞迷人的海岸風光。迪士尼樂園所在地，也就是洛杉磯近郊的安納罕姆，這裡也有球場，可以觀看大聯盟賽事。

---

```
┌─────────────────┐
│      酒鄉        │
└─────────────────┘
 那帕、索諾瑪等地參        🚕 約1小時
 觀酒廠
                    ┌──────────────┐
  ↑↓ 約1.5小時       │     金鄉      │
  或當地旅遊團        └──────────────┘
                     沙加緬度附近
                          │
                       🚌 約2小時
                          ↓
┌─────────────────┐
│      舊金山      │
└─────────────────┘
                       🚂 約1小時20分鐘
                          ↓
                    ┌──────────────┐
                    │     矽谷      │
                    └──────────────┘
  🚌 約4.5小時         聖荷西等地
  或當地旅遊團            │
                       🚌 約2小時
                          ↓
┌─────────────────┐
│     中央海岸      │
└─────────────────┘
  蒙特利與濱海卡梅爾
```

濱海卡梅爾的海灘

## 以舊金山為據點參觀酒廠與欣賞中央海岸迷人景致

　　可搭乘火車到矽谷，搭灰狗巴士到中央海岸，但是要注意巴士的班次不多，1天只有5班左右。至於酒鄉與金鄉，因為沒有大眾交通工具可利用，只能租車或參加當地旅遊團（→P43）。如果只鎖定沙加緬度一處，則可乘坐灰狗巴士。建議中央海岸與酒鄉等景點，最好能住宿一晚，盡情地遊玩。

# 欣賞大自然景觀的兜風行程

**舊金山**

🚗 約3小時30分鐘
⑧⓪→⑧⑨

↓

**太浩湖**

🚗 約3小時
⑤⓪→④⑨→⑫⓪

↓

**優勝美地**

🚗 約4小時
④①→①⑧⓪

↓

**水杉及國王谷**

🚗 約6小時 ①⑨⑧→
⑨⑨→⑤⑧→①④→①⑨⑨→①⑨⓪

↓ 🚗 約5小時
①⑨⑧→⑨⑨→⑤

**死谷**

🚗 約3小時
①⑨⓪→①②⑦→③⑦③→⑨⑤

↓

**洛杉磯**　　**拉斯維加斯**

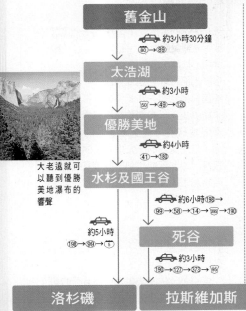

大老遠就可以聽到優勝美地瀑布的響聲

## 內華達雄偉山峰之旅
(約6天)

太浩湖　舊金山　優勝美地　水杉及國王谷　死谷　拉斯維加斯　洛杉磯

本行程必須翻山越嶺，腳程通常會比預定時間慢些。冬天會降雪，除了滑雪旅客之外，建議還是選擇夏天。積雪溶化時景色最美，但是要留意有些道路會因為積雪而封閉。

**拉斯維加斯**

🚗 約4小時 ⑮→⑨

↓

**錫安**

🚗 約2小時30分鐘
⑨→⑧⑨→⑫

↓

**布萊斯峽谷**

🚗 約3小時 ⑫→⑧⑨

↓

**鮑威爾湖**

🚗 約3小時30分鐘
⑨⑧→①⑥⓪→①⑥③

↓

**紀念碑峽谷**

🚗 約4小時30分鐘
①⑥③→①⑥⓪→⑧⑨→⑥④

↓

**大峽谷**

🚗 約9小時
①⑧⓪→⑥④→④⓪→⑮→①⓪

🚗 約6小時
①⑧⓪→⑥④→④⓪→⑨③

↓　　　↓

**洛杉磯**　　**拉斯維加斯**

也可以到大峽谷的北緣走一趟

## 荒涼的沙漠之旅
(約1星期)

布萊斯峽谷　錫安　鮑威爾湖　拉斯維加斯　紀念碑峽谷　大峽谷　往洛杉磯

以拉斯維加斯為據點，順時鐘方向走訪大自然，可以看到千變萬化的景觀。這個地區雖然是沙漠型氣候，但是到了冬天，有時也會下雪，建議還是選擇夏天。主要的城市與道路交叉口都設有加油站，最好還是提早加油比較安心。回程如果要配合飛機或其他行程的時間，也可以考慮回到洛杉磯。

27
計畫行程的訣竅

差別在這裡！

# 計畫行程
## 的重點

行前做好萬全的準備，才能滿足個人需求，充分享受旅遊的樂趣。確認相關訊息，規劃一趟有效率又舒適的旅程。

## 西海岸之旅
## 該從哪裡出發？

從台灣有飛機直達洛杉磯、舊金山、西雅圖與拉斯維加斯。首次前往的遊客，建議先到市區較集中、交通便捷的舊金山；已經有多次旅遊經驗的老鳥，則可直接從洛杉磯切入較為方便。

舊金山市區四通八達的著名纜車

## 飯店是否要
## 事先預約？

如果不挑剔，一般而言，西海岸的大城市都可以不用事先預約。但是旅客較集中的旺季，如夏季、過年前後及感恩節等可能會客滿。住宿費用會隨季節而變動，預約時最好先做確認。

## 參觀美術館也是
## 一項不錯的選擇

蓋堤中心(→P88)
免入場券

西海岸一向是以風光明媚的自然景觀、主題樂園與購物中心取勝，因此很多人都忽略了美術館與博物館。在緊湊的行程當中，不妨安排一天參觀美術館或博物館，優閒地欣賞一些全球著名的珍貴作品。這些館內的店家與餐廳的水準都很高，或許還能找到一些獨具風格的禮物呢！大部份美術館的休館日都是星期一。

## 你是屬意都市？
## 還是崇尚自然？

美國是一個娛樂與大自然共存的國家，該如何取捨，往往會傷透旅客的腦筋。迪士尼樂園(→P141)、環球影城(→P148)等主題樂園，以及最近才剛開幕的好萊塢高地娛樂廣場(→P16)都非常值得一遊。此外，日本選手相當活躍的美國大聯盟球賽(→P8)，也成了西海岸的一大特色，雖然如此，還是建議能夠安排一天的戶外行程，輕鬆地與大自然為伍。

## 幅員遼闊的美國，
## 該如何選擇交通工具？

洛杉磯的高速公路
四通八達

美國境內的移動方式，最常見的是灰狗巴士，行車範圍涵蓋全美各城市，且經濟實惠。只可惜西海岸的城市較少，路線只限於一些大城市，稍嫌不方便。另外，也可以乘坐長距離的美國國鐵列車，欣賞車外的優美景致，享受一趟優閒的旅行。但是火車之旅時間較長，時刻表也不準確，除了不趕時間、隨心所欲的旅客之外，並不推薦搭乘火車。其他最有效率的方法就是搭飛機，但是在旅行當中，只是一直坐飛機，似乎又嫌有些單調。當然如果對開車技術有信心，也可以選擇租車，沿路欣賞風景，充分享受自由的時間，但是在租車之前，要考慮開車的辛苦與道路的狀況，不要因為太勉強而被迫改變行程。

# 國內的交通

行駛在連綿不斷、永無止境的公路上，體驗美國廣大的土地。

西海岸的移動方式有飛機、灰狗巴士、美國國鐵列車及租車。交通工具的選擇，主要是根據目的、期間、目的地等各種不同的旅遊型態而定。無論是西海岸，或是美國其他地區的移動，租車為最理想的交通工具，時間最省的是飛機、最便宜的是巴士、而最有情調的是火車。

## 以旅遊的型態選擇交通工具

### 大城市之旅
如果只要暢遊大城市，那就只有選擇飛機了。一星期的旅遊當中，應該要把握時間觀光或購物，而不應該浪費在交通上。如果有1星期以上的時間，就可以體驗一下乘坐巴士或租車的感覺，讓整個旅遊更生動有趣。

### 跨足到大城市近郊
即使可以搭飛機到近郊的小城市，有的地方還是乘坐巴士或租車較方便。對於喜歡購物的人來說，暢貨中心是他們的最愛，通常這些地方交通不方便，再加上行李的考量，最好是靠自己驅車前往。有少數旅遊團也會安排暢貨中心的購物行程，但不見得能符合每一個人的要求。

### 到國家公園享受大自然美景
到大峽谷、優勝美地等較著名的國家公園，可以利用飛機、巴士等大眾運輸工具，但是其他如峽谷圓環、死亡谷等大部份的國家公園，都必須自行開車前往，有些地方也可以考慮參加當地的旅遊團。

■洛杉磯往舊金山的交通
### ●飛機
尖峰與離峰時間班次不同，平均1小時3～10班，飛行時間約1.5小時。附帶條件的優惠票價US$100～120。
### ●灰狗巴士
分成內陸線與海岸線兩種。內陸線設有特快車，可節省許多時間。1天約有15班，所需時間8～12小時。
### ●美國國鐵
共有兩條路線，但是都無法進入舊金山市區，必須在奧克蘭近郊的愛莫利維爾Emeryville下車，再改乘接駁巴士。1天有1～3班，所需時間9小時。
### ●租車
如果走內陸只要花1天的時間，但還是建議走中央海岸路線，沿路欣賞美麗的景致。如果有路過不錯的城市，也可以考慮停留一晚，享受自在逍遙的旅程。最短的車程約需9小時。

| | 優點 | 注意事項 |
| --- | --- | --- |
| 飛機 | ●可以購買便宜的區域制機票或周遊券。另外也有不得變更行程的優惠機票。<br>●舊金山、洛杉磯等大城市之間，有許多家航空公司的飛機可以選擇，班次多又方便。 | ●像是洛杉磯到聖地牙哥之間的距離不長，可能就要考慮前往機場或等待的時間是否會造成不便。 |
| 灰狗巴士 | ●大眾運輸工具當中涵蓋路線最廣<br>●價格便宜，如果使用周遊券更划算。 | ●有的路線1天的班次非常少 |
| 美國鐵路 | ●可取代飛機或巴士<br>●推薦洛杉磯到聖地牙哥路線，班次多，風景最美。 | ●路線固定，班次也不多<br>●中程以上的車資比巴士貴 |
| 租車 | ●以車代步的美國社會，道路狀況非常理想，是最方便的交通工具。尤其是以洛杉磯為據點前往各地時最快速便捷。<br>●舊金山市區停車稍嫌不方便。 | ●車道的方向與台灣相同，交通規則也不盡相同，盡量避免一個人開車，最好裝有導航系統。<br>●部份時段，一般道路與高速公路容易塞車。 |

美國可以說是全世界航空路線最密集的國家。要在這片偌大的土地上旅行，最有效率的方法就是搭飛機了。美國人搭飛機，就如同國人坐火車一般稀鬆平常。善用區域制機票或周遊券等各家航空公司的優惠機票，有效地利用時間旅遊。

## 善用各項優惠機票

一向標榜自由經濟的美國，由於航空的法令鬆綁與自由競爭的結果，可以在市面上看到許多優惠機票，內容也隨各家航空公司、期間、路線與區域的不同而有所區隔。在出發之前，不妨比照旅遊計畫，找到最適合自己的優惠機票。

美國的機場規模都很大，一定要事先確認好航空公司的出發航站。轉乘時也要特別留意，有的機場內航站之間的距離很遠，必須坐接駁車、專用地鐵或單軌電車，因此最好提早出門。

**區域制機票** 在國際線抵達的城市之外，可以另選三個同一區域內的城市，即不用再加任何費用就可以周遊4個城市，這也是目前美國最受歡迎的一種機票。各家航空公司所劃分的區域不盡相同，以美西為例，幾乎所有的城市都適用，例如購買舊金山的來回機票，就可以免費坐到同一區域內的洛杉磯或聖地牙哥。使用時的一些注意事項如下：
①國際線與國內線必須是同一家美系的航空公司。
②在國內出發前就要決定好路線與班機，並做好預約，預約後不得變更。
③適用的城市僅限於航空公司的規定，小城市幾乎不能使用。
④全程機票必須在60天內搭乘完畢。

**周遊券** 行程超過5個城市，或是搭乘的國際航線為區域制機票所不適用的非美系航空公司時，就可以考慮使用周遊券較為方便。要注意這是美國的航空公司針對外國人所發行的機票，因此不能在美國國內購買。各家航空公司所發行的周遊券張數(一張券可坐一趟單程)、費用、使用期限等都不相同，必須依自己的行程做選擇。即使是周遊券，在國內出發前就必須決定好目的地，和一般的機票一樣，上面會標明起降地點與使用者姓名。使用時的一些注意事項如下：

機票的細節可以請教旅行社，但是也可以根據各家航空公司所發行的時刻表，研究自己的旅遊路線。航空公司都有免費提供時刻表，當然也可以上網確認。

①依照規定，國內線的第一個行程，必須在國內做好預約。

②只有機票持有人可以使用，例如有4張票，不能由兩個人各使用兩張。

③只要繳手續費，就可以變更路線。但各家航空公司所規定的費用都不相同。

## 機場的注意事項

**安全檢查**
**Security Check** 美國的任何機場，為了防止恐怖行動，行李的檢查都非常嚴格。如果要搭乘國內線前往舊金山或紐約等大城市，最好在3小時前辦好登機手續。此時，航空公司一定會確認旅客有無攜帶他人託付的行李，過濾來路不明的行李也是預防恐怖行動的相關措施。不只是國內線，搭乘國際航線時也會被問到一樣的問題。

**轉乘**
**Transit** 使用區域制機票或周遊券時，不一定可以直飛目的地。有時轉乘的時間較短，容易發生遺失行李的情形，不過通常會在下一班飛機送達。跟航空公司的人員做好確認之後，可以在機場等待，或是請專人送到下榻的飯店。

使用國內線的注意事項
①原則上不需要再做確認，不過為了安全起見，還是確認較好。
②登機手續通常是2小時前即可，但是2001年之後，安檢變得非常嚴格，最好在3小時前就到達機場。
③全面禁菸。
④大城市都有好幾個機場，最好事先做好確認。

在辦理登機手續時，有的航空公司的人員會說中文，有的備有中文表格。

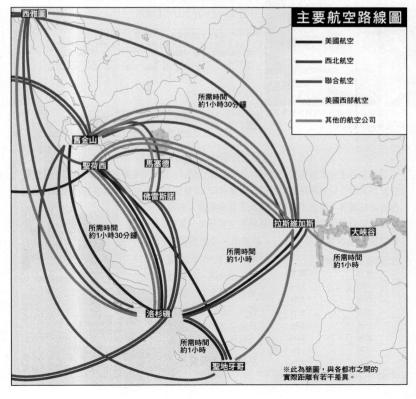

**主要航空路線圖**

— 美國航空
— 西北航空
— 聯合航空
— 美國西部航空
— 其他的航空公司

西雅圖

所需時間
約1小時30分鐘

舊金山

聖荷西

馬塞德

佛雷斯諾

拉斯維加斯

大峽谷

所需時間
約1小時30分鐘

所需時間
約1小時

所需時間
約1小時

洛杉磯

所需時間
約1小時

聖地牙哥

※此為簡圖，與各都市之間的實際距離有若干差異。

# 灰狗巴士 Greyhound Bus

長程灰狗巴士將美國的大城市連成一個巨大的公路網絡。大城市之間的巴士較密集，約1小時1班，價格也很公道，對於到處遊玩的旅客來說，可以考慮購買有折扣的巴士周遊券Ameripass。

■灰狗巴士
☎ 1-800-229-9424(免費電話)、402-330-8552
時間 24小時
HP www.greyhound.com
在網站上除了可以查到時刻、費用之外，也可以看到路線圖及各種優待表的訊息。可直接在網上購票，但只限美國國內。

■換車時的車票處理
中途要換車時，要分別購買車票，例如換3次車，就得買3張票，但是收據通常只發行1張。

## 時刻表

沒有時刻表。有關巴士的班次與時間，可以打電話詢問，或直接到巴士總站的客服中心、售票窗口做確認，也可事先在國內上網查詢。

## 車票

在巴士總站的售票口購買，不需要先預約，在確定行程之後，告訴售票員日期、出發時間、目的地、單程或來回票等細節，可使用旅行支票或信用卡付款。買之後，會拿到車票與收據，上車時要給車票，因此收據要保管到下車，小心不要遺失。巴士並沒有劃位，早點上車才能搶到好位子，最好在發車一小時前就到達總站。

在沒有客服中心的地方，就得到售票窗口確認時刻與票價等訊息。

車票的收據上記載著巴士編號、出發時間與目的地等。

### 巴士周遊券 Ameripass

可自由乘坐全美灰狗巴士的周遊券稱為Ameripass。這種周遊券到底划不划算，完全取決於旅客的行程與所花費的時間。可參考P33的價格表。周遊券可以在旅行社或當地的巴士總站購買，但並不是每一個地方都有販賣，有些城市甚至還有指定的旅行社。使用方法很簡單，首先要拿周遊券與護照到售票口，登記第一次使用的日期，之後到車站排隊，上車時，將周遊券與護照拿給司機看即可。第二次之後，只要直接排隊上車就可以了。國內的部份旅行社也有販賣。

#### 巴士周遊券的價格表

| 期限 | 價格 |
| --- | --- |
| 7天 | $219 |
| 10天 | $269 |
| 15天 | $339 |
| 21天 | $389 |
| 30天 | $449 |
| 45天 | $499 |
| 60天 | $629 |

(2003年5月的價格，僅供參考之用))

上：周遊券的封面。下：第2頁記載著發行日期、地址、姓名等，在確認內容無誤之後，在購買時必須簽名。

## 灰狗巴士城市間的價格／班次／所需時間

第一行：價格
第二行：一天的班次
第三行：所需時間

(2003年8月的資料)

| 西雅圖 | 舊金山 | 沙加緬度 | 蒙特利 | 聖塔芭芭拉 | 洛杉磯 | 聖地牙哥 | 拉斯維加斯 | 旗竿市 |
|---|---|---|---|---|---|---|---|---|
|  |  |  |  |  |  |  |  |  |
| $69<br>6班<br>19～28小時 |  |  |  |  |  |  |  |  |
| $69<br>5班<br>16～22小時 | $46<br>9班<br>7～10小時 |  |  |  |  |  |  |  |
| $69<br>3班<br>24～26小時 | $41.50<br>3班<br>10～13小時 | $34.50<br>4班<br>5～13小時 |  |  |  |  |  |  |
| $135<br>4班<br>28～33小時 | $34<br>5班<br>8～10小時 | $47.50<br>9班<br>10～13小時 | $37.50<br>3班<br>6～8小時 |  |  |  |  |  |
| $88<br>5班<br>25～33小時 | $42<br>18班<br>8～13小時 | $46<br>18班<br>7～10小時 | $41.50<br>3班<br>7～10小時 | $10.80<br>9班<br>2～3小時 |  |  |  |  |
| $98<br>4班<br>29～30小時 | $58<br>10班<br>11～15小時 | $57<br>9班<br>11～12小時 | $50<br>3班<br>10～13小時 | $27.50<br>10班<br>5～8小時 | $15<br>28班<br>2～4小時 |  |  |  |
| $112<br>6班<br>31～36小時 | $73<br>3班<br>13～18小時 | $76<br>9班<br>13～16小時 | $105<br>2班<br>15～17小時 | $67<br>6班<br>8～12小時 | $38<br>20班<br>5～8小時 | $47<br>11班<br>7～12小時 |  |  |
| $155<br>5班<br>36～43小時 | $123<br>9班<br>18～25小時 | $123<br>6班<br>18～22小時 | $123<br>4班<br>22～23小時 | $95<br>7班<br>13～17小時 | $55<br>9班<br>10～12小時 | $105<br>7班<br>12～17小時 | $79<br>2班<br>9～10小時 |  |

■注意事項
①週末有較多的路線會增加班次。
②來回票是單程票的兩倍。有的路線或地點可以享有9折優待。
③主要路線有快速巴士與地方巴士之分，所需時間相差很多，要特別留意。
④全美有一些地名是相同的，例如內華達與新墨西哥都有拉斯維加斯，在購票時一定要確認清楚。

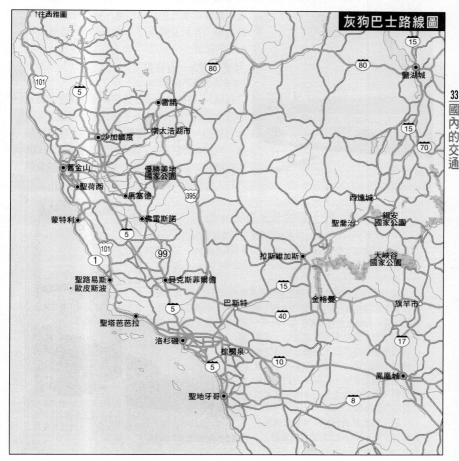

灰狗巴士路線圖

在巴士玻璃的左上方會標示終點站的名稱。所有的巴士都跟飛機一樣有編號，根據站牌上的號碼就可以找到巴士。例如標示「洛杉磯617」，在車票上也有一樣的號碼。

高速公路的大型休息站，有可能同時停好幾輛灰狗巴士，經常有人會忘記自己的巴士。下車時，最好記得貼在玻璃上的號碼。

## 上車

①出發20分鐘前會廣播，告知發車地點。

②提著行李排隊。

③到巴士門口，接受查票。

④查票結束之後，辦理行李的託運。與搭飛機一樣有行李牌，要小心保管。

⑤上車後找位子坐好。

## 下車

　快到站時車內會廣播，應該不會下錯站。下車之後，將行李牌交給司機交換行李。

## 旅途中的注意事項

**遺失行李**
Lost Baggage
託運的行李有時會被載到其他城市，尤其是換車時要特別留意。較安全的方法是，在起站時就不要將行李託運到目的地，而是託運到換車的地點，等到要轉搭下一班巴士時，再做一次行李的託運。

### 用餐休息&一般休息
Meal Stop & Rest Stop

　每隔3小時休息一次，通常會停在高速公路旁的速食店或自助式餐廳。停車之前，司機會廣播休息時間，千萬要聽清楚。發車時不會招呼旅客，也不會清點人數，如果趕不上出發時間，就有可能上不了車，一定要特別小心。記得座位附近的人或許是一個好方法。

## 巴士總站 Bus Depot

　一般人對於Depot一詞或許會覺得陌生，其實就是Bus Terminal的意思，有些城市習慣說Bus Terminal，而不說Bus Depot。在問路的時候，可以說Bus Depot、Bus Terminal、甚至Bus Station，大家都可以理解。

　像洛杉磯等的大城市，巴士總站都是開放24小時，非常方便，但是通常這些地方的治安都不太好。如果是晚上到達總站，要去飯店時，最好坐計程車較安全。此外，有一些小城市沒有巴士總站，通常會將站牌設在加油站、速食店或汽車飯店門口，站牌上會清楚地標示「Bus Stop」字樣與灰狗巴士的標誌，很容易辨識。這些地方也會代售車票，例如在加油站上車時，就可以在加油站買票。

　巴士總站都有投幣式置物櫃與洗手間等設備，規模較大的還設有餐廳。

灰狗巴士的標誌是一隻在跑步的狗

聖塔芭芭拉的巴士總站規模較小

聖地牙哥的巴士總站在市中心，非常方便，四周有不少飯店，住宿也沒問題。

## 美國國鐵 Amtrak

美國國鐵是貫穿全美國的長程鐵路。西海岸的鐵路路線比灰狗巴士少，班次不多，又經常誤點，並不是非常方便的交通工具。應該只適合不趕時間、想要享受優閒旅遊的人吧！

## 時刻表

美國國鐵的路線時刻表，在各車站的旅遊服務中心，可取得。

首先要在當地取得一本時刻表，有的是全路線的班次，有的是根據不同鐵路做介紹。與灰狗巴士一樣，可以在國內先上網查詢。

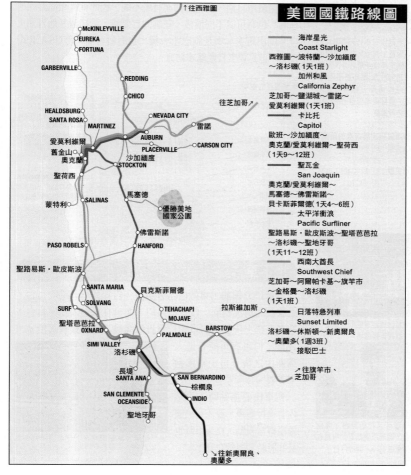

**美國國鐵路線圖**

— 海岸星光
Coast Starlight
西雅圖～波特蘭～沙加緬度
～洛杉磯（1天1班）

— 加州和風
California Zephyr
芝加哥～鹽湖城～雷諾～
愛莫利維爾（1天1班）

— 卡比托
Capitol
歐班～沙加緬度～
奧克蘭/愛莫利維爾～聖荷西
（1天9～12班）

— 聖瓦金
San Joaquin
奧克蘭/愛莫利維爾～
馬塞德～佛雷斯諾～
貝卡斯菲爾德（1天4～6班）

— 太平洋衝浪
Pacific Surfliner
聖路易斯・歐皮斯波～聖塔芭芭拉
～洛杉磯～聖地牙哥
（1天11～12班）

— 西南大酋長
Southwest Chief
芝加哥～阿爾帕卡基～旗竿市
～金格曼～洛杉磯
（1天1班）

— 日落特急列車
Sunset Limited
洛杉磯～休斯頓～新奧爾良
～奧蘭多（1週3班）

— 接駁巴士

有些鐵路路線沒有經過的城市，可以利用接駁巴士，但要注意在購票時就得先預約。例如美國國鐵不經過舊金山，在奧克蘭北方約3km處的愛莫利維爾車站就可以乘坐接駁巴士。

接駁巴士的站牌

聖塔芭芭拉車站入口

■美國國鐵
☎ 1-800-872-7245
（免費電話）
時間 24小時
HP www.amtrak.com
加州相關的資訊，則參考
www.amtrakcalifornia.com

■美國國鐵周遊券
USA Rail Pass
依照期限有有15天票與30天票兩種，其中又有全線使用與限定區域使用之分，而票價也分旺季(每年都不同)與非旺季兩種，種類有點複雜。最好是確認自己的行程之後再購買。

●西部指定周遊券的票價
15天票：旺季US$325、非旺季US$220
30天票：旺季US$405、非旺季US$270

## 車票與預約

聖地牙哥聖塔菲車站的旅遊服務中心

跟國內的情形一樣，在車站的售票口購買車票。時刻表上有標示R的列車，都必須事先預約，這些通常都是長程的路線，使用者不多，車票應該很好買。票價的算法非常複雜，隨使用日期、搭乘時間而有所不同，因此就算相同路線的區間，也有可能不同價格。在詢問票價時，最好清楚地告知出發時間與班次。與灰狗巴士一樣，也有發行周遊券USA Rail Pass，但是要坐長距離才划算。

**車票收據的說明**

乘客姓名
出發站名
抵達站名
列車編號
車廂號碼
付款方式
票價
車票號碼
發行日期

美國國鐵的車票跟飛機票的登機證一樣，在查票時，會撕去車票的左半邊，右半邊的收據要自行保管。

如果是需要預約的列車，收據上才會標示乘車日期。

UNRESERVED是沒有劃位的意思。需要接駁巴士的車票上，會標示THRUWAY BUS。

預約號碼

## 上下車

發車15分鐘前，車站內才會廣播，告知列車進站的月台。跟歐洲的情況相同，沒有剪票口，而是直接進入指定月台，站在車票上所標示的車廂位置排隊等候。這時候有可能會來查票，但也有可能是進入車廂內之後，再由車掌過來查票。

列車快要進站時，車站內會進行廣播，要注意美國國鐵經常誤點，在乘車時也最好將時刻表帶在身上。

洛杉磯聯合車站的候車室，在這裡等候廣播。

聖塔芭芭拉的月台。與國內、歐洲不同的是，只有在列車進站時才開放月台。

洛杉磯聯合車站的月台。在美國稱月台為Track。

# 租車

要在美國自由行動，並親身體驗美國的幅員遼闊，開車是最好的方法。一些觀光設施、飯店、餐廳等都會考慮到客人停車的問題，因此不像在國內，經常會為了找停車位而傷透腦筋。交通規則與國內不同，必須先熟悉之後再上路。為了安全起見，最好能說些簡單的英文。

租車盡情暢遊加州

## 在國內上網預約

在當地也可以預約租車，但不一定可以立刻交車，再加上必須用英文填寫複雜的表格，要花較多的時間與精力。如果事先在國內上網預約，只要在租車當天，將預約確認書交給租車公司或機場櫃檯即可。租車的條件各州不同，原則上必須年滿21歲，並持有國際駕照與信用卡。有的地方未滿25歲要另外收費；有的車種也不租給25歲以下的人。

在領車時，必須帶著預約確認書、國際駕照、國內駕照與護照。

租車費用的計算，隨租車公司、車種、租用時間、租車地點、還車地點等條件而有所不同，預約時要先做好確認。有些租車公司為了確認租車人的身份與駕駛經歷，也會要求提示國內駕照，最好隨身攜帶。

## 保險

如同海外旅遊保險一樣，在國外租車最好也買保險。每一家租車公司的保險內容與費用都不盡相同，預約時要先確認。租車者的同伴如果也開車，必須在所有的合約書上簽字。

## 租車 Check Out

①如在國內已先預約，租車當天直接帶預約確認書、護照、國際駕照(國內駕照)、信用卡到租車公司。

②填寫租車合約書Rental Agreement，確認無誤之後簽名。租車費用在還車時才計算，但要事先問清楚付款貨幣為美金或台幣。

③拿到證件與車鑰匙之後，到停車場確認車子的規格、行李箱的開關等細節。通常汽油都已經加滿。

在租車公司或書店，都可以買得到全美國及各州的地圖。各州或各城市的地圖一本約US$5。

■租車費用
各家算法不同，有的租車費用內已含部份保險。平均一天約為US$45～55，租車時間越長越便宜。

■附加選項保險
租車費用內通常已含強制第三者任險，但對人、對物的保險金額非常低，如果擔心安全，最好再加保其他附加選項保險。種類如下：
①LIS(追加第三責任險)
②PAI(個人意外險)
③PEC(個人財物保險)

37
國內的交通

機場內並無租車公司，必須乘坐租車公司的免費接駁巴士，到機場附近的租車公司辦理手續。

高速公路的入口標示東南西北，出口則標示道路名稱。

■注意學校校車
校車停車讓小朋友上下車時會閃紅燈，這時除了後方來車不能前進之外，如正好在沒有中央分隔島的公路上，連對面來車都必須停車等待校車重新發車。通常校車的顏色是黃底黑線。

在城市的市中心可以同時看到很多標誌。

## 開車的注意事項

### 行車速限

首先要記住美國的行車速度與距離的單位是哩(1哩=1.6公里)。每一州的行車速限不同，加州與亞利桑那的最高速限為55哩、內華達與猶他州為65哩，市中心道路的速限較低，約25～35哩。此外，全美國都規定要繫安全帶，一定要嚴格遵守。如果開車跨州，有些道路設有檢查站，會詢問攜帶食品與目的地等問題，通常都會安全過關。

### 右側通行與單行道

美國與台灣一樣是右側通行。要注意大城市的市中心有很多單行道，通常每隔一條道路的單行道方向才會相同。

### 交叉口的交通規則與台灣不同

①即使是紅燈，只要確認左右來車，有些路口可以直接右轉。如果是禁止右轉的路口會特別標示，一定要確認清楚。直行時只要是紅燈就不能前進。

②在沒有信號燈的路口，如果看到「STOP」加上「ALL WAY」、「4WAY」標示，就得依照到達路口的順序，一輛接著一輛駛向路口方向。

③洛杉磯的交通以汽車為主，高速公路最左側是兩人以上的高乘載專用車道，遇到塞車或緊急時較為方便，當然也可以行駛其他車道。

### 夜間行駛

除了市中心及主要的高速公路之外，其他的公路幾乎都沒有路燈，最好避免晚上開車。由於治安不是很好，晚上也盡量少去加油。

## 禁制標誌
### Regulatory Signs

介紹交通規則當中的主要禁制標誌。通常以紅色或黑色的文字及符號表示，特別重要的標誌是紅底白字。

▲兩個都是行車速限，通常高速公路速限55哩，市中心為25哩。如從高速公路駛向小鎮，會看到很多行車速限的標誌，表示應立即減速。有些地方會先看到「Speed Zone Ahead」的標誌。

▲上下都是禁止進入的意思。經常出現在單行道或快速道路的出口，通常這兩個標誌會一起出現。

左：禁止左轉。中：禁止右轉。右：在禁止右轉(或左轉)的標誌底下看到「On Red」，表示在紅燈時禁止左右轉，如果不是紅燈，只要確定左右來車即可轉彎。

停車　　　單行道　　　右側通行　　　讓車

## 公有停車場

幾乎所有的觀光景點都設有公有停車場Public Parking。洛杉磯或舊金山等大城市的購物中心，有的停車場甚至跟購物中心的面積一樣大。在使用公有停車場時，首先從入口處的機器抽取記載停車時間的卡片，出停車場時，再將卡片插入機器內就會顯示金額，可以利用機器付款，也可以直接到窗口繳錢。有些地方夜間不收費。如果在購物中心有消費，通常可以免費停車兩小時。

## 代客停車

在飯店或餐廳裡最常見到的停車方式是代客停車，服務生在門口隨時準備幫客人停車。如果有看到代客停車的招牌，不用自己開到停車場，直接交給服務生即可，車子也不用熄火，領取號碼牌之後就可進入飯店或餐廳，取車時也是一樣拿號碼牌給服務生，就會把車子開過來了。不要忘了付小費，約US$1～3左右。

## 路邊停車

路邊停車容易遭竊，最好選擇有管理員的停車場，如果非得要停車，記得將物品放在行李箱內較安全。此外，違規停車的取締非常嚴格，千萬不要超時停車。

如果違規停車，雨刷上會夾著信封，也就是罰單。通常是以購買郵局匯票的方式付款，如果不付款就回國，帳單還是會找上門的。

路邊的收費停車場，每個地方價格不同，市中心約一小時US$5。

記得確認路邊停車的標誌

嚴格遵守計費錶上的時間

洛杉磯較常見的是數位式計費錶，十五分鐘約US25￠。

標誌顯示停車時間為星期一至星期五的8～19點。舊金山斜坡很多，有些地方指定車子要橫向停車。

### 警告標誌
### Warning Signs

告知道路狀況與注意事項的標誌，有些標誌底下會指定適當的距離與速度。

**▲右邊急轉彎**
內華達等山區經常會看到的標誌

**▲禁止超車區域**
在視野不佳、單向只有一線道的高速公路上經常會看到的標誌，如果是「PASS WITH CARE」，表示小心超車的意思。

**▲車道縮減**
通常在進入高速公路的山區、山頂，或車道變窄時會看到的標誌。

**▲中間分界的公路**
高速公路上，從一線道變成三線道，車道變多時常見。

**▲前有道路施工**
有的地方不寫「HEAD」，而是具體地標示哩數，表示應減速。

**▲當心動物穿越**　國家公園及其附近經常會看到的標誌。

**◀雙線道**
通常標示在結束單線道時，有的地方會同時出現標誌與文字。

**◀前面3哩當心路滑**
沙漠地帶的道路，只要一下雨就路滑，容易發生危險，即使沒有標誌也要特別小心。

**▲平交道**
有些載貨列車，通過時間長達10～20分鐘。

也有賣食品的商店

## 加油

美國的加油站分成自助式與全套服務兩種，其中以自助式較為普遍。有的地方從加油到付款，都按照機器的指示進行，有的則是先付錢後加油的傳統方法，每家加油站的作業方式都不同。

美國人稱加油站為Gas Station。城市近郊的加油站很多是24小時營業，但是考慮晚上的治安，最好還是在白天加油。

### 加油與付款

如使用信用卡付款，並按照機器的指示加油者，請參考以下的圖說。如直接付款就比較麻煩，有先付款與後付款兩種，其中又以先付款的情形居多。後付款比較單純，加多少油就付多少；先付款的程序如下①告訴收銀員加油機的號碼（加油機都有編號）②刷卡，或先繳現金、旅行支票當做保證金③加油④回到收銀機後再結算。

先付款的加油站，在加油機的地方會看到標示。

### 加油機

加油機的使用方法隨各家加油站，或加油機本身的新舊而有所不同，但基本的操作方法都大同小異。不見得每次都在同樣的地方加油，因此最好熟悉各種不同的加油機。操作方法並不難，剛開始可能會不習慣，最好能趕快適應。有些加油機會用英文加上圖解說明。此外，有些加油站的

---

### 使用信用卡加油

在美國最普遍的是自助式加油，只要抓到訣竅就很簡單，在此介紹信用卡加油的步驟，非常方便，絕對值得一試。

將車子開向標示有「Self」或「Self Serve」字樣的加油機，停車後拔出鑰匙。

打開油箱蓋，有的敞篷車的油箱蓋在車內，租車時要確認清楚。

將信用卡插入指定的位置，等到「Remove the card」字樣出現後，再將卡片慢慢抽出。

拔出油槍。如果只有一支油槍，則按鈕選擇。

如果沒有啟動的按鈕，就將安全閥往上推。

將油槍注入油箱內，握緊把手，直到加滿油為止，此時會自動跑出收據。

加油機是依照不同汽油分類，有些則混在一起使用，無論是哪一種，都要確認好自己車子適用的汽油。

## 還車 Check in

①加滿油後還車，如果無法加滿，則依照各家租車公司的算法補繳油費。
②將車子停在租車公司附近，標示「RENT A CAR RETURN」的停車場內。
③確認行駛距離，檢查車內及行李箱有無物品遺漏。
④將租車合約書交給租車公司後再結算。

## 遇到麻煩時

●**違反交通規則**…違規停車時，盡快依照罰單的指示付款，如果在當地無法解決，回到國內之後，應購買銀行或郵局匯票，以郵寄的方式付款。當超速被警察攔下時，要立刻停車，將雙手放在駕駛盤上，不要隨便亂動，記得一定要付罰金。
●**交通事故**…如果有人受傷，立刻打911叫救護車，保持鎮定，通知警察與租車公司，在警察未到之前維持現狀，也不要忘了打電話給保險公司。
●**遭竊**…聯絡保險公司與租車公司，將現場狀況攝影存證，並向竊盜現場的管轄警察局報案，請警方開意外證明。
●**故障**…一定要通知租車公司，有些公司會提供中文或翻譯服務，如果有需要，應善加利用。

在美國稱加油站為 Gas Station。

■租的車該加哪一種油？
答案是加無鉛汽油(Unleaded)。其中又有分Regular, Super, Special , Plus, Supreme 等不同等級，記得只要是無鉛就可以了，千萬不能加有鉛汽油。

■美國汽車協會
AAA (American Auto-mobile Association)
在大城市的辦公室內可免費索取地圖或旅遊資料。
☎ 1-800-222-4357(免費)

---

### 美國的高速公路

**州際公路 Interstate**
編號從一位數到兩位數，可以說是貫穿整條公路的大動脈，偶數代表東西向，奇數代表南北向。

**美國高速公路US Highway**
可以說是州際公路的支線

**州道State Highway**
每一州的路標設計都不相同

美國的高速公路跟台灣最大的不同，就是不收費。三種公路(見圖說)分別由聯邦、州等不同的單位管理。高速公路的路標上都有公路號碼與東西南北的指示，尤其在分岔的路口經常出現。此外，高速公路與快速道路最大的不同，在於前者以道路的種類；而後者是以道路的型態劃分。快速道路上沒有信號燈，進出必須經過交流道，例如從單向只有一線道的州道進入市區時，有可能就變成四線道的快速道路。與高速公路重疊的部份，有可能會看到兩個不同號碼的路標，幾乎所有的高速公路都免收費。

# 當地旅遊團

西海岸腹地廣大，有些景點是大眾運輸工具無法到達的，有些遊樂場所又必須團體預約，這個時候最方便的方法，就是在當地找一個包含接送與導遊服務的旅遊團了。如果是華人導遊，可以幫助遊客解決溝通的問題，省時又省力。在此推薦美西三大城市的一些旅遊團，內容包羅萬象、令人目不暇給。

## 〈洛杉磯出發〉

### 市區觀光 (上午/下午)

時間短、價格便宜。參觀影城好萊塢的夢幻之旅。上下午的行程都不相同，內容豐富多變化。

- 費用　US$35(兒童US$30)
- 出發日期　每天
- 出發地點　好萊塢高地娛樂廣場、新大谷飯店、多蘭斯萬豪飯店等地。
- 所需時間　約3小時

### 環球影城之後的購物行程

在暢遊環球影城之後所參加的行程。傍晚出發到羅迪歐X道逛街1小時，再到比佛利中心享受購物的樂趣。

- 費用　US$55(兒童US$45)
- 出發日期　每天(週日除外，10～2月不確定，預約時須確認)
- 出發地點　環球影城地球儀前。
- 所需時間　約5小時

### 瑪麗皇后號浪漫郵輪之旅

停泊在長堤的瑪麗皇后郵輪內，著名的卻爾希餐廳讓旅客享用浪漫豐盛的晚餐。飯後搭乘小型飛機，欣賞迷人的夜景。

- 費用　US$150(兒童US$130)
- 出發日期　每天(有時會變更，預約時須確認)
- 出發地點　洛杉磯市中心、安納罕姆的主要飯店
- 所需時間　約4小時

### 海洋公園一日遊

震撼人心的鯨魚、靈活聰明的海豚、逗趣可愛的海狗，這些大明星的精采演技，令旅客百看不厭，喝采聲不斷。

- 費用　US$105(3～9歲兒童US$95)
- 出發日期　每天
- 出發地點　洛杉磯市中心、安納罕姆的主要飯店
- 所需時間　約11小時

### 道奇隊精采賽事之旅

在佷大的美國大聯盟球場，觀看日本選手輩出的道奇隊精采賽事，臨場感十足。是喜歡看球賽的旅客絕不可錯過的行程。

- 費用　US$65 (安納罕姆出發US$85，兒童票同價)
- 出發日期　4～9月的球季
- 出發地點　洛杉磯市中心、安納罕姆的主要飯店
- 所需時間　約4小時
- 觀賽到9局下半結束

### 洛杉磯的亞洲城市之旅

參觀洛杉磯的亞洲城市。在中國城、韓國城、泰國城、小東京等地盡情購物、享受各國口味的美食。

- 費用　US$55 (兒童同價)
- 出發日期　每天(週日、例假日除外)
- 出發地點　洛杉磯市主要飯店、好萊塢高地娛樂廣場
- 所需時間　約5小時
- 餐費由旅客自行負擔

## 〈舊金山出發〉

| 優勝美地<br>國家公園一日遊 | 蒙特利＋卡梅爾<br>一日遊 | 那帕一日遊 |
| --- | --- | --- |
|  |  |  |
| 在加州東部的優勝美地國家公園內，欣賞優勝美地瀑布、半分頂、船長岩等由冰河侵蝕所形成的自然奇景。 | 欣賞以蒙特利、圓石灘等地聞名的17哩觀景道之後，到卡梅爾參觀，回程路經吉爾若依的暢貨中心，盡情採購。 | 加州紅酒的著名勝地、超過250家酒廠規模的那帕山谷。在參觀酒廠之後，還可以免費試喝。 |
| ●費用　US$140 (兒童US$125)<br>●出發日期　每天<br>●出發地點　預約時須確認<br>●所需時間　約12小時<br>●附午餐 | ●費用　US$95 (兒童US$80)<br>●出發日期　每天(11/28、12/25除外)<br>●出發地點　主要飯店<br>●所需時間　約10小時 | ●費用　US$80 (兒童US$65)<br>●出發日期　每天(11/28、12/25除外)<br>●出發地點　主要飯店<br>●所需時間　約7小時<br>●未滿21歲的旅客不能試喝 |
| 舊金山市區觀光<br>(上午/下午) | 惡魔島半日遊 | 舊金山市區觀光<br>＋惡魔島一日遊 |
|  |  |  |
| 有效率地參觀舊金山市區的著名景點，可以配合自己的行程選擇上午或下午，頗受好評。 | 搭乘渡輪前往舊金山的監獄外島，此地曾經是《石破天驚》等電影的拍攝現場。 | 有效利用一天的時間，是暢遊舊金山市區與惡魔島的黃金組合。 |
| ●費用　US$50 (兒童US$45)<br>●出發日期　每天<br>●出發地點　主要飯店<br>●所需時間　約3小時(上午9:30～12:30，下午13:30～16:30) | ●費用　US$55 (兒童US$45)<br>●出發日期　每天(12/25、1/1除外)<br>●出發地點　主要飯店<br>●所需時間　約4小時<br>●導遊只負責飯店到碼頭之間的行程 | ●費用　US$95 (兒童US$85)<br>●出發日期　每天<br>●出發地點　主要飯店<br>●所需時間　約8小時<br>●參觀惡魔島時，導遊只負責飯店到碼頭之間的行程 |

在洛杉磯也可至好萊塢高地娛樂廣場洽詢・報名。

〈當地旅遊團洽詢・報名處〉
- ●洛杉磯出發　JTB洛杉磯分店內的當地旅遊團櫃台
☎213-623-5353 時8點45分～19點 休無
- ●舊金山出發　JTB舊金山分店
☎415-357-4648 時7點30分～19點30分（週六・日、節日8點～）休無

＊ 旅遊時間、費用、出發日期、內容等偶有變動，預約時須確認。

## 〈拉斯維加斯出發〉

### 拉斯維加斯
### 豪華旅遊團

看完夢幻秀之後先享用一頓豐盛的晚餐，然後搭乘直升機，從高空鳥瞰繽紛炫麗、五光十色的賭城全貌。

- 費用　US$138 (兒童US$138)
- 出發日期　每天(週五、7/4、11/27、12/24.25.31除外)
- 出發地點　熱帶飯店門口
- 所需時間　約7小時
- 附晚餐

### 拉斯維加斯出發，
### 優勝美地一日遊

從拉斯維加斯出發，到優勝美地國家公園觀光的旅遊團，由冰河侵蝕所形成的自然景觀，吸引來自全球遊客的目光。

- 費用　US$324 (兒童US$284)
- 出發日期　每天(週日除外)
- 出發地點　主要飯店門口(預約時須確認)
- 所需時間　約13小時
- 附午餐
- 拉斯維加斯~大峽谷之間搭小型飛機

### 布萊斯峽谷
### ＋大峽谷一日遊

一天之內，暢遊夢幻般的布萊斯峽谷與令人嘆為觀止的大峽谷奇景，也可以從空中俯瞰。

- 費用　US$354 (兒童US$294)
- 出發日期　每天
- 出發地點　指定飯店門口
- 所需時間　約11小時
- 附午餐與點心

### 錫安國家公園
### 優閒一日遊

從拉斯維加斯出發，約3小時車程就可抵達猶他州的錫安國家公園，有多條的健行步道任君選擇，輕鬆地享受大自然的洗禮。

- 費用　US$150 (兒童US$120)
- 出發日期　每天(12/31除外)
- 出發地點　指定飯店門口(預約時須確認)
- 所需時間　約12小時
- 健行步道的難度不高

### 燈火通明的夜景之旅

搭乘巴士，漫遊賭城的夜景，包括史卓脫斯非爾塔在內，欣賞難得一見的閃亮景緻。

- 費用　US$45 (兒童US$25)
- 出發日期　每天(12/31除外)
- 出發地點　佛朗明哥飯店、蒙地卡羅飯店、金字塔飯店等地
- 所需時間　約4小時

### 紀念碑峽谷
### 一日遊

在西部影片中常見的紀念碑峽谷景觀，直接搭飛機來回，其中最有看頭的部份則坐巴士遊覽，約有三小時半的時間沉醉於大自然風光。

- 費用　US$318 (兒童US$298)
- 出發日期　每天(週3除外)
- 出發地點　指定飯店門口
- 所需時間　約8小時

〈當地旅遊團洽詢・報名處〉
- 拉斯維加斯出發
JTB拉斯維加斯分店 ☎1-800-371-4040（限美國國內撥號）時9~19點休無

盡享拉斯維加斯風光

＊ 旅遊時間、費用、出發日期、內容等偶有變動，預約時須確認。

好萊塢大道上五光十色的表演

# 洛杉磯

LOS ANGELES

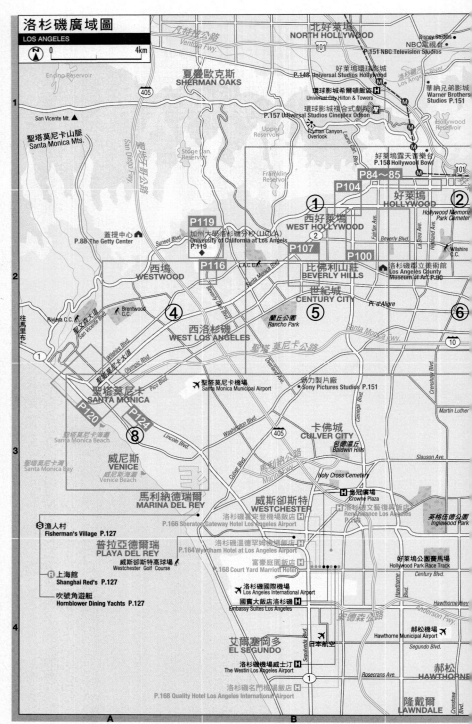

# 洛杉磯廣域圖
## LOS ANGELES
0 — 4km

北好萊塢
NORTH HOLLYWOOD

Disney Studios
NBC電視台
P.151 NBC Television Studios

夏慶歐克斯
SHERMAN OAKS

好萊塢環球影城
P.148 Universal Studios Hollywood

華納兄弟影城
Warner Brothers
Studios P.151

環球影城希爾頓飯店 H
Universal City Hilton & Towers

環球影城複合式劇院
P.157 Universal Studios Cineplex Odeon

San Vicente Mt. ▲

聖塔莫尼卡山脈
Santa Monica Mts.

好萊塢露天音樂台
P.158 Hollywood Bowl

P.84～85

P.104

① 西好萊塢
WEST HOLLYWOOD

好萊塢
HOLLYWOOD ②

Hollywood Memorial
Park Cemetery

蓋提中心
P.88 The Getty Center

加州大學洛杉磯分校(UCLA)
University of California at Los Angeles
P.119

P119

P.107

P100

比佛利山莊
BEVERLY HILLS

洛杉磯郡立美術館
Los Angeles County
Museum of Art P.90

P116

西塢
WESTWOOD

世紀城
CENTURY CITY

往馬里布

Riviera C.C.

Brentwood
C.C.

④ 西洛杉磯
WEST LOS ANGELES

蘭丘公園
Rancho Park

⑤

Pl. d'Alare

⑥

聖塔莫尼卡公路
Santa Monica Fwy.

10

聖塔莫尼卡機場
Santa Monica Municipal Airport

新力製片廠
Sony Pictures Studios P.151

46
洛杉磯廣域圖

聖塔莫尼卡
SANTA MONICA

P120

P124

⑧

卡佛城
CULVER CITY

包德溫丘
Baldwin Hills

Martin Luther

威尼斯
VENICE

威尼斯海灘
Venice Beach

聖塔莫尼卡灣
Santa Monica Bay

Holy Cross Cemetery

馬利納德瑞爾
MARINA DEL REY

威斯郤斯特
WESTCHESTER

曼冠廣場
Crowne Plaza

洛杉磯文藝復興興飯店 H
Renaissance Los Angeles P.165

英格伍德公園
Inglewood Park

S 漁人村
Fisherman's Village P.127

洛杉磯喜來登機場飯店 H
P.166 Sheraton Gateway Hotel Los Angeles Airport

普拉亞德爾瑞
PLAYA DEL REY

威斯郤斯特高球場
Westchester Golf Course

洛杉磯溫德罕機場飯店 H
P.164 Wyndham Hotel at Los Angeles Airport

好萊塢公園賽馬場
Hollywood Park Race Track

R 上海館
Shanghai Red's P.127

P.168 Court Yard Marriott Hotel

Century Blvd.

吹號角遊艇
Hornblower Dining Yachts P.127

洛杉磯國際機場
Los Angeles International Airport

國賓大飯店洛杉磯 H
Embassy Suites Los Angeles

日本航空

郝松機場
Hawthorne Municipal Airport

艾爾塞岡多
EL SEGUNDO

洛杉磯機場威士汀 H
The Westin Los Angeles Airport

郝松
HAWTHORNE

Segundo Blvd.

P.168 Quality Hotel Los Angeles International Airport

隆戴爾
LAWNDALE

A                                    B

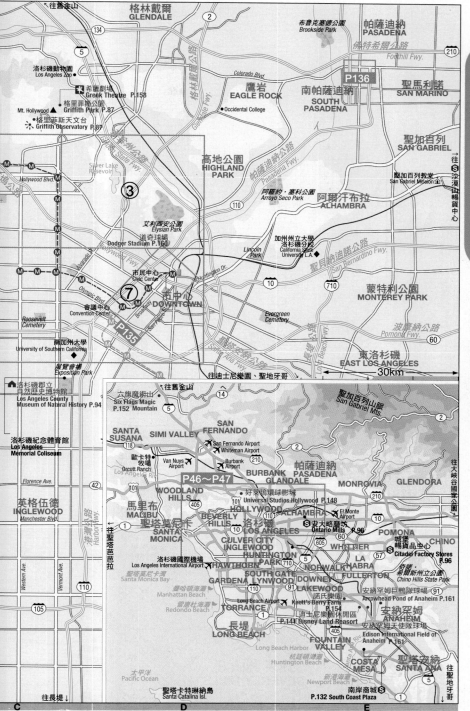

往舊金山

格林戴爾
GLENDALE

2

布魯克塞德公園
Brookside Park

帕薩迪納
PASADENA

佛特希爾公路
Foothill Fwy.

210

134

5

洛杉磯動物園
Los Angeles Zoo

P136

聖馬利諾
SAN MARINO

Colorado Blvd.

希臘劇場
Greek Theatre P.158

鷹岩
EAGLE ROCK

南帕薩迪納
SOUTH PASADENA

聖加百列
SAN GABRIEL

格里菲斯公園
Griffith Park P.87

Mt. Hollywood

Occidental College

聖加百列教堂
San Gabriel Mission

往沙漠暢貨中心

格里菲斯天文台
Griffith Observatory P.87

高地公園
HIGHLAND PARK

阿爾汗布拉
ALHAMBRA

M M

Silver Lake Reservoir

110

Hollywood Blvd.

3

阿羅約·塞科公園
Arroyo Seco Park

艾利西安公園
Elysian Park

加州州立大學
洛杉磯分校
California State University L.A.

聖貝納迪諾公路

道奇球場
Dodger Stadium P.160

Lincoln Park

10

聖貝納迪諾公路
San Bernardino Fwy.

710

蒙特利公園
MONTEREY PARK

市民中心
Civic Center

市中心
DOWNTOWN

7

會議中心
Convention Center

P.135

Evergreen Cemetery

波摩納公路
Pomona Fwy.

60

Roosevelt Cemetery

南加州大學
University of Southern California

東洛杉磯
EAST LOS ANGELES

30km

展覽會場
Exposition Park

往迪士尼樂園、聖地牙哥

往舊金山

14

聖加百列山脈
San Gabriel Mts.

2

洛杉磯郡立
自然歷史博物館
Los Angeles County
Museum of Natural History P.94

六旗魔術山
Six Flags Magic P.152
Mountain

5

洛杉磯紀念體育館
Los Angeles
Memorial Coliseum

SANTA SUSANA

SIMI VALLEY

SAN FERNANDO

San Fernando Airport

Whiteman Airport

118

帕薩迪納
PASADENA

往大峽谷國家公園

2

42

英格伍德
INGLEWOOD

Manchester Blvd.

歐卡特牧場
Orcutt Ranch

Van Nuys Airport

Burbank Airport

210

BURBANK
GLANDALE

MONROVIA

GLENDORA

Los Angeles Riv.

101

WOODLAND HILLS

405

101

好萊塢環球影城
Universal Studios Hollywood P.148

10

Florence Ave.

馬里布
MALIBU

HOLLYWOOD

110

ALHAMERA

El Monte Airport

聖塔莫尼卡
SANTA MONICA

1

往聖塔芭芭拉

聖莫尼卡海灣
Santa Monica Bay

BEVERLY HILLS

10

洛杉磯
LOS ANGELES

安大略磨坊
Ontario Mills P.96

POMONA

CHINO

Western Ave.

Vermont Ave.

哈伯公路
Harbor Fwy.

CULVER CITY
INGLEWOOD

605

WHITTIER

城堡暢貨中心
Citadel Factory Stores P.96

110

洛杉磯國際機場
Los Angeles International Airport

HUNTINGTON PARK

710

5

LA HABRA

57

奇諾·希爾斯州立公園
Chino Hills State Park

HAWTHORN

NORWALK

FULLERTON

105

曼哈頓海灘
Manhattan Beach

GARDENA
SOUTH GATE
LYNWOOD

DOWNEY

91

安納罕巨鴨球場
Arrowhead Pond of Anaheim P.161

雷東杜海灘
Redondo Beach

510

LAKEWOOD

安納罕
ANAHEIM

TORRANCE

Long Beach Airport

諾氏樂園
Knott's Berry Farm P.154

安納罕天使隊球場
Edison International Field of
Anaheim P.161

1

長堤
LONG BEACH

迪士尼樂園休閒區
Disney Land Reasort P.141

FOUNTAIN VALLEY

405

5

太平洋
Pacific Ocean

聖塔卡特琳納島
Santa Catalina Isl.

Long Beach Harbor

杭廷頓海灘
Huntington Beach

COSTA MESA

聖塔安納
SANTA ANA

往聖地牙哥

新港海灘
Newport Beach

南岸商城
P.132 South Coast Plaza

1

往長堤

C

D

E

洛杉磯 ②
LOS ANGELES ②

0        500m

格拉塞爾公園
GLASSELL PARK

回音公園
ECHO PARK

**C** **D** **E**

派特‧諾斯特高中
Pater Noster High Sch.

葛倫哈斯特公園
Glenhurst Park

Glendale Fwy.
洛杉磯道路

San Fernando Rd.

Lavell Dr.

Cazator Dr.

Rome Dr.

Wollam St.

Division St.

格拉塞爾公園小學
Glassell Park Elm. Sch.

Isabel Dr.

Scarboro St.

亞歷山卓小學
Allesandro Elm. Sch.

華盛頓山 ▲
Mt.Washington

天堂谷娛樂中心
Elysian Valley Recreation Center

Future Pl.

Elm St.

Cliff Dr.

Cypress Ave.

Isabel St.

Arvia St.

Granada St.

Alice St.

亞拉岡街小學
Aragon Avenue Elm. Sch.

Alice St.

Reserve Ave.

Maceo St.

多里斯廣場小學
Dorris Place Elm. Sch.

Los Angeles River

Chene St.

Howard Ave.

Gatewood St.

Thorpe Ave.

Merced Ave.

Pepper Ave.

53

塞普雷斯公園
Cypress Park

天堂高地小學
Elysian Heights Elm. Sch.

Riverside Dr.

黃金州公路 Golden State Fwy.

艾利西安公園
Elysian Park

警察學校
Police Academy

Ave. 26

Huron St.

往帕薩迪納方向

San Fernando Rd.

運動中心
Recreation Center

Park Row Dr.

巴羅醫院
Barlow Hospital

道奇球場
Dodger Stadium
P160

Elysian Park Ave.

諾拉諾街小學
Solano Avenue Elm. Sch.

Amador St.

Pasadena Fwy.

Everett Park
艾維雷特公園

Sunset Blvd.

Lilac Ter.

Stadium Way

Broadway

Spring St.

天主教高中
Cathedral High Sch.

**C** **D** **E**

**A**      **B**      往聖胖南德

405

Kenter Ave.
Bonhill Rd.
Robinwood Dr.
Tigertail Rd.
Bundy Dr.
Barrington Ave.

土爾的聖馬丁小學
St-Martin of Tours Elm. Sch.

瑪利蒙特小學
Marymount Elm. Sch.

巴靈頓運動中心
Barrington Recreation Center

軍人之家
Soldiers Home

**1**

布連特伍德
**BRENTWOOD**

Dalmont Dr.
Homewood Rd.
Westboro St.
Ashford St.
Rockingham Ave.
Cliffwood Ave.
Bristol Ave.
Parkyns St.
Carmelina Ave.
Kenter Ave.
Highwood St.
Saltair Ave.
Sunset Blvd.
Foxboro Dr.
Kearsarge St.

日落大道

Marlboro St.
Hanover St.
Burlingame Ave.
Avondale Ave.
Evanston St.
Anita Ave.
Canon View Dr.
Mesto Dr.
Carmelina Ave.
Gretna Green Way
Bundy Dr.
邦迪街
Saltair Ave.
Westgate Ave.
Chenault St.

**2**

San Vicente Blvd.

聖文森大道

布雷特伍德小學
Brentwood Elm. Sch.

Gorham Ave.
Dorothy St.
Darlington Ave.
Mayfield Ave.
Kiowa Ave.
Westgate Ave.
Goshen Ave.
Barrington Ave.
Brandlie Ave.

**54**

布雷特伍德鄉村俱樂部
Brentwood Country Club

Brentwood Ter.
Burlingame Ave.
Moreno Ave.
Gretna Green Way
Bundy Dr.
Wellesley Ave.

聖雷吉斯
St-Regis

大學高中
University High Sch.

布羅克頓街小學
Brockton Avenue Elm. Sch.

Brockton Ave.
Armenest Ave.
Saltair Ave.

**3**

Carlisle Ave.
25th St.
24th St.
23rd St.
22nd St.
21st Pl.
20th St.
19th St.
Malguerta St.
Alta Ave.
Montana Ave.

法蘭克林小學
Franklin Elm. Sch.

Franklin Ave.
Berkeley St.
Stanford St.
Lipton Ave.
Yale St.
Harvard St.
26th St.
25th St.

威爾緒大道
Wilshire Blvd.

Teresa Ave.
Santa Monica Blvd.
聖塔莫尼卡大道
Arizona Ave.
Idaho Ave.
Chelsea Ave.
Princeton Ave.
Idaho Ave.
Carmelina Ave.
Franklin St.
Nebraska Ave.

道格拉斯公園
Douglas Park

**4**

萊利歐中學
Lincoln Jr. High Sch.

Idaho Ave.
Washington Ave.
21st St.
22nd St.
20th St.
California Ave.
Chelsea Ave.
16th St.
17th St.
19th St.

馬金雷小學
McKinley Elm. Sch.

聖約翰醫院
St-Jones Hospital

霞道公園
Schader Park

杜尼公園
Park Dme
Broadway
Colorado Blvd.
Cloverfield Blvd.
Pennington St.
Stewart St.
Olympic Blvd.

聖林匹克大道

史都藝術公園
Stewart Street Park

Exposition Blvd.
Delaware Ave.
Virginia Ave.

(2)

聖安妮小學
St-Anne Elm. Sch.

① ② ③
④ ⑤ ⑥ ⑦
⑧

聖塔莫尼卡
**SANTA MONICA**

聖塔莫尼卡美術館
Santa Monica Museum of Arts

聖塔莫尼卡公路
往聖塔莫尼卡市中心

**A**      **B**

洛杉磯 ④
LOS ANGELES ④

0　　　　500m

C　　D　　E

P119

加州大學
洛杉磯分校 (UCLA)
University of California
at Los Angeles P.119

魯肯特街
Le Conte Ave.

希爾佳
Hilgard House

西洛杉磯飯店
W. Los Angeles

威靈樹大道

加太洛杉磯分校哈默美術館及文化中心
P.94 UCLA Hammer Museum

西塢紀念公園
Westwood Memorial Park

聯邦大廈
Federal Office Building

西塢公園
Westwood Park

行政中心
Administration Center

西洛杉磯榮民醫院
Veteran Affairs Medical Center
West Los Angeles

聖西巴斯堅醫院
St-Sebastian Elm. Sch.

史泰利小學
Stacy Elm.Sch.

工商會議所
Chamber of Commerce

史特納運動場
Stoner Playground

狄卡布里
Dei Capri

西塢
WESTWOOD

西塢雙樹飯店
Doubletree Hotel Westwood

世紀威爾樹飯店
Century Wilshire Hotel P.168

聖保羅小學
St-Paul Elm. Sch.

愛默生中學
Emerson Jr. High Sch.

摩門教會
Mormon Temple

洛杉磯西方旅館
Los Angeles West Travelodge

西塢
Westside Pavilion

往比佛利山莊方面

往市中心方面

55

西洛杉磯
WEST LOS ANGELES

阿克的聖約翰小學
St-Jean of Arc Elm.Sch.

西部中學
Western Jr. High Sch.

里查蘭德街小學
Richland Avenue Elm.Sch.

洛杉磯國立公墓
Los Angeles
National Cemetery

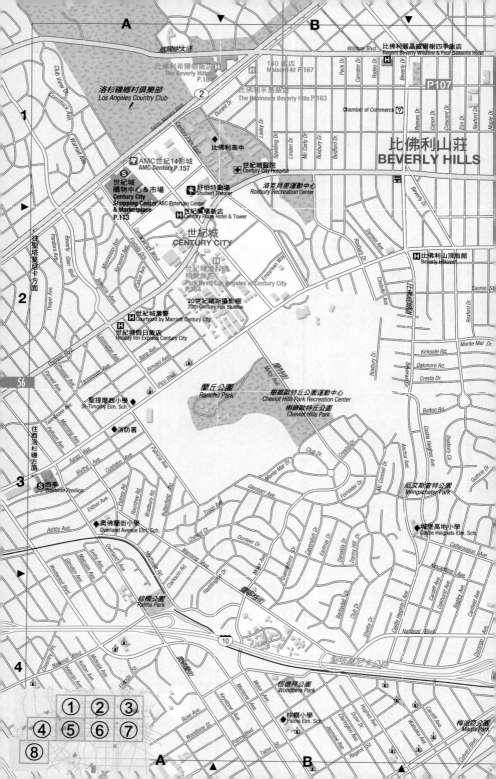

洛杉磯 ⑦
LOS ANGELES ⑦
0                    500m

C          D          E

101
Hollywood Fwy
P135

首都水道地域本部
Metropolitan Water
District H.Q.

阿爾卑公園
Alpine Park

Pasadena Fwy

College St

Alpine St.

Ord St.

中國城
CHINATOWN

教育局
Board of
Education

安街小學
Ann St. Elm. Sch

1

Main St.

郡立監獄
County Jail

Bauchet St.

首樂中心
Music Center

Temple St.

市民中心
Civic Center

奧維拉坊
Olvera St. P.133

聯合車站
UNION STATION

聯合車站
UNION STATION

Cesar Chavez Ave.

現代美術館(MOCA)
The Museum of
Contemporary Art
P.94

威士汀邦
愛凡提·洛杉磯
The Westin Bonaventure
Los Angeles

日本總領事館

帝王畢特摩·洛杉磯
Regal Biltmore Los Angeles

市民中心 湯姆布萊德利
CIVIC CENTER TOM BRADLEY

川田飯店
The Kawada Hotel
P.169

洛杉磯奧麗飯店
Omni Los Angeles
P.164

洛杉磯醫局
City Police

Commercial St.

Ducommun St.

Hollywood Fwy
101

往安納空姆方面

2

Broadway

Spring St.

2nd St.

1st St.

洛杉磯
新大谷飯店
The New Otani Los Angeles
P.166

Banning St.

Jackson St.

小東京
LITTLE TOKYO

61

帕辛格廣場
PERSHING SQ.

3rd St.

小東京圖書館
米克馬凱特廣場

瑪利諾爾小學
Maryknoll Elm. Sch

Mono St.

市中心
DOWNTOWN

Winston St.

4th St.

R23
R23 P.134

4th Pl.

Santa Fe Ave.

Bovd St.

Artemus St.

4th st

San Julian Park

5th St.

6th St.

Colyton St.

Hewitt St.

Molino St.

Mateo St.

3

7th St.

Los Angeles St.

Maple Ave.

Wall St.

San Pedro St.

Crocker St.

Towne Ave.

Stanford Ave.

Kohler St.

Merchant St.

Central Ave.

Market St.

Seaton St.

Palmetto St.

Willow St.

Factory Pl.

8th St.

San Julian St.

Santee St.

San Pedro St.

Industrial St.

7th St.

灰狗巴士總站
Greyhound Bus Terminal

大都會高中
Metropolitan High Sch.

往安納空姆方面

10th St.

Maple Ave.

Bay St.

Sacramento St.

8th St.

4

14th St.

14th Pl.

15th St.

Hemlock St.

Birch St.

Naomi Ave.

Long Beach Ave.

Hunter St.

Hunter st.

Porter St.

18th St.

Pomona St.

Essex St.

McGarry St.

10

Olympic Blvd.

METRO BLUE LINE

20th St.

Santa Monica Fwy

往長堤

C          D          E

A            B

聖塔莫尼卡高中
Santa Monica
High Sch.

林肯公園
Lincoln Park

2

紀念公園
Memorial
Park

伍德隆公墓
Woodlawn
Cemetery

1

往馬里布

Palisades Beach Rd.

Idaho Ave.

Washington Ave.

California Ave.

Wilshire Blvd.

Arizona Ave.

Santa Monica Blvd.

威爾喜爾大道

威爾喜爾大道

聖塔莫尼卡大道

10th St.

Broadway

Colorado Ave.

科羅拉多街

奧林匹克大道

11th St.

Michigan Ave.

12th St.

Pico Blvd.

Euclid St.

聖塔莫尼卡公路
Santa Monica Fwy.

費爾特密拉瑪飯店
The Fairmont Miramar Hotel
H

第3街步道
3rd St. Promenade

香格里拉飯店
Shangri-La
Hotel P.165

2nd St.

3rd St.

4th St.

5th St.

6th St.

7th St.

Convention &
Visitors Bureau

聖塔莫尼卡廣場
S　Santa Monica Place
P.113

聖塔莫尼卡高中
Santa Monica
High Sch.

皮克街道

Bay St.

Grant St.

Cedar St.

Pine St.

碼頭假日飯店
Holiday Inn Pier　H

聖塔莫尼卡海灘
Santa Monica Beach
P.164

聖塔莫尼卡羅效海邊飯店
Loew's Santa Monica Beach Hotel

The Promenade

Ocean Ave.

Appian Way

市公會堂
Auditorium

喬斯林
公園
Joslyn Park

繆爾小學
Muir Elm. Sch.

10

2

聖塔莫尼卡碼頭
Santa Monica Pier
P.123

P120

海景飯店
Bay Side Hotel P.166

枝葉海濱飯店
Shutters on the Beach
P.165

H

洛斯
阿米哥公園
Los Amigos Park

海洋公園
OCEAN PARK

2

聖塔莫尼卡灣
Santa Monica Bay

聖塔莫尼卡海灘
Santa Monica Beach

Main St.

庇寧頓街道

Nielson Way

P.124

井街

Raymond Ave.

Ashland Ave.

3rd St.

聖克雷門小學
St. Cement
Elm. Sch.

3

Bike Ave.

4

太平洋
Pacific Ocean

俄羅斯街道

Speed Way

威尼斯海灘
Venice Beach
P.127

運動中心
Recreation Center

① ② ③
④ ⑤ ⑥ ⑦
⑧

A            B

62

洛杉磯的棕櫚樹到處林立

# 洛杉磯基本概念
## L O S   A N G E L E S

小檔案

● 人口：952萬人
● 面積：約1215 km²

可同時享受購物與沙灘樂趣的聖塔莫尼卡

## 多元種族城市、洛杉磯尋根

洛杉磯位於加州西南部，面臨太平洋，是僅次於紐約的全美第二大城市。城市區域由洛杉磯郡與週邊的四個郡所組成，市中心有櫛比鱗次的辦公大樓，四通八達的公路網，堪稱西海岸地區的經濟樞紐。

然而，這樣的洛杉磯早在18世紀末期之時，不過是原住民部落散在的不毛之地。城市的起源要追溯自1781年，當時統治這塊土地的西班牙人於現在的市中心奧維拉街建立「天使聖母的城鎮El Pueblo de Nuestro Señora la Reina de los Angeles del Río Porciúncula」，從這個小村落慢慢發展成今日的洛杉磯。而城市名稱不久即縮減為Los Angeles，通稱L.A.。1821年隨墨西哥脫離西班牙而獨立，洛杉磯成了墨西哥的領地，至1848年始納入美國國土。整個城市的發展軌跡，其時代背景正是美國淘金熱、南北戰爭、橫貫鐵路開通等重要史實發生的年代。

如今洛杉磯的城市區域共有來自140餘國家的移民，語言種類多達86種。當地的多數民族是英格蘭裔、愛爾蘭裔等白人，但也有近三成的居民是西班牙裔美國人。其次是非洲裔、亞裔等少數族裔。南加州的日裔人口有25萬人左右，大多集居在市區的小東京。

## 「電影之都」好萊塢 全新風貌

　　好萊塢不僅是美國也是全球的電影發祥地，同時也是全美最受歡迎的觀光勝地。2001年11月盛大開幕的好萊塢高地娛樂廣場，奧斯卡金像獎的頒獎會場柯達劇院即坐落於此，又緊鄰格勞門中國劇院，休閒娛樂機能完備。好萊塢地區地下鐵、巴士等大眾運輸發達，充滿了蓬勃的朝氣。鄰近的日落大道、玫洛絲街地區有各式各樣時尚感十足的餐廳、酒吧。此外，還有星光熠熠的比佛利山莊，隨意走在街上與您擦身而過的就可能是銀幕上的大明星呢。

## 滿足您所有夢想與玩心的主題樂園

　　環球城週邊可說是電影公司的片場集中地，大有取代好萊塢成為新「電影之都」的氣勢。重現電影實景而受到歡迎的環球影城即在此處。同樣以電影為主題的樂園中，最受歡迎的莫過於以米老鼠、唐老鴨等可愛的卡通人物為主題的安納罕迪士尼樂園。附近還有以果園起家的奇特主題樂園諾氏樂園。而洛杉磯北部聖塔克雷力塔市則有集各項瘋狂刺激遊樂設施於一身的魔術山。種類繁多令人目不暇給的各項主題樂園不僅是小孩的天堂，也是大人流連忘返的所在。

## 金色陽光灑滿海岸線

　　要充分感受加州的朝氣蓬勃氣息，千萬不能錯過海灘地區。洛杉磯面海，一年到頭別具特色的各大景點都充滿了熙來攘往的運動愛好者。聖塔莫尼卡的海邊遊樂設施一應俱全，不僅吸引當地人造訪，還有來自各地的遊客。聖塔莫尼卡北有玩風帆的熱門景點馬里布海灘，南有號稱街頭藝人發祥地的威尼斯海灘，以及遊艇一字排開，景色雅致的馬利納德爾瑞。再往南深入，是舉辦國際級滑水比賽的杭廷頓海灘，當地人的最愛──新港沙灘，世界級豪華郵輪所停泊的長堤，以及純天然未經人工雕琢的聖塔卡特琳納島。

## 享受道地的洛杉磯生活

　　洛杉磯的歷史性建築物與古蹟並不多，當地人如何消磨假日與下班後時光呢？對於購物一族，歐洲高級名品聚集的比佛利山莊、二手衣集中地梅爾羅斯街都不可錯過；餐廳林立的拉西安哥是饕客們的首選；西好萊塢地區則是熱愛夜生活的人不容錯過的酒吧、俱樂部集中區域；而博物館一族必得前往朝聖的，是西海岸首屈一指的蓋堤中心、洛杉磯郡立美術館。此外，洛杉磯還是職棒大聯盟道奇隊、職籃湖人隊的主場所在，而美國的熱門運動項目冰上曲棍球等，也都是運動愛好者親臨現場觀賽的最佳選擇。

世界一流精品店、餐廳進駐的好萊塢高地

「星光大道」上米老鼠也來留一手

美國西海岸的奢華象徵──比佛利山莊

百玩不厭、魅力四射的迪士尼樂園

盡情享受加州陽光──杭廷頓海灘

**洛杉磯是犯罪的溫床？**
洛杉磯的治安是不少觀光客擔心的問題。的確，從扒手、偷竊等情節較輕微的案件，乃至汽車竊盜、性犯罪、強盜殺人等重大案件都時有所聞。然而，真正犯罪率高的僅限於某些特定區域，多不屬遊客會到訪的區域。因此無須過度緊張，只要掌握正確的治安訊息，保持適當的警覺性即可。

# 前往洛杉磯的交通

從國內搭飛機，橫越太平洋，抵達美國西海岸的第一大城洛杉磯。洛杉磯是進入美國的門戶之一，同時也是國內線起降非常密集的城市。公路網路四通八達，巴士、汽車等都是大家前進洛杉磯的重要交通工具，此外，浪漫風情的鐵路也是一個不錯的選擇，前往洛杉磯的方法可以說是五花八門。

## 洛杉磯國際機場Los Angeles International Airport (LAX)

美系以外的航空公司，使用湯姆‧布拉德利國際航站起降。

國內有直飛航線可以到達洛杉磯。洛杉磯國際機場位於市中心西南部約20km處，平均一年出入境的旅客約有6700萬人次，是全球數一數二的大型機場。機場內共有8個航站，美國的航空公司使用1～7航站，其他國家的航空公司則使用湯姆‧布拉德利國際航站。起降班機的航站經常變更，尤其是轉機時要確認清楚。

觸碰式螢幕可提供旅遊訊息

■洛杉磯國際機場旅客服務中心
☎ 310-646-5252
MAP P46-B4

■旅遊詢問台
☎ 310-646-2270
時間 8點30分～17點
休 週六‧日

## 機場內的主要設施

洛杉磯國際機場的任何航站，1樓都是入境大廳，2樓是出境大廳。入境大廳的規模並不大，不用擔心找不到路。要注意所有的航站都是全面禁菸的。

### 旅遊服務中心Information

介紹機場內設施的是**旅客服務中心**；而有關觀光、往市中心的交通、飯店等問題可以找**旅遊詢問台**Travel Aid，有專門的志工可以提供意見。此外也可以利用機場內到處可見的觸碰式螢幕(參考左圖)查詢，不但免費，還可提供到市區的方法、費用，及航班等訊息，必要時還可以列印出來。

旅遊服務中心，提供轉機與班機時間等訊息。

### 兌換外幣處Money Exchange

匯率與市區內的銀行幾乎一樣。到達之後，最好換一些現金準備搭車，如果要搭市區巴士，就得準備硬幣，兌換外幣處的前面同時也設有兌換機，非常方便。另外也可以用信用卡在ATM領錢。

投幣式推車US$2，使用後交還機場員工。

出發前來不及換錢的旅客可以在兌換外幣處換美金（7點30分～23點，全年無休）。

## 飯店預約專線Hotel Information

　　每個航站都設有飯店專線，同時在介紹飯店的看板上可以看到地點等基本訊息，但不會顯示費用與訂房狀況，如果有屬意的飯店，可以直接打專線預約。

預約專線免費。機場附近的接駁巴士的收費的飯店服務有，預約時須確認。

## 機場循環巴士LAX Shuttle

　　換機時，使用行駛各航站間的免費循環巴士非常方便，也可以坐到巴士總站及地鐵車站。

也有紅、黃相間的機場循環巴士，乘車前先確認路線。

機場循環巴士的站牌，標示各路線的停車站名。

控制台附近的主題大樓內有觀景餐廳

■租車預約專線
1～7號航站內才有租車服務台，湯姆‧布拉德利國際航站則須使用預約專線。但機場內的租車服務台都不受理租車手續，必須到機場外的租車公司直接辦理。

到達入境大廳之後，會看到機場及租車公司的標示，可搭乘接駁巴士前往。

■機場循環巴士
群駛 24小時，每10分鐘一班
A. 機場航站間循環
B. 往機場內停車場111th.St.方向
C. 往機場內停車場96th.St.方向
G. 往地鐵綠線車站方向

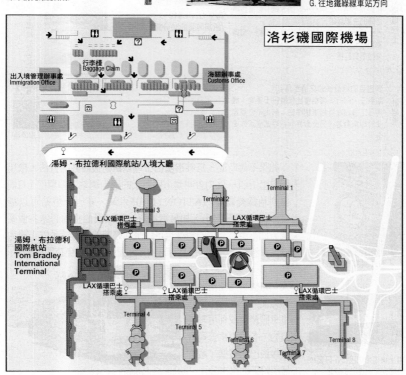

洛杉磯國際機場

出入境管理辦事處 Immigration Office
行李樓 Baggage Claim
海關辦事處 Customs Office
湯姆‧布拉德利國際航站/入境大廳

Terminal 1
Terminal 2
Terminal 3
LAX循環巴士搭乘處
LAX循環巴士搭乘處
湯姆‧布拉德利國際航站 Tom Bradley International Terminal
LAX循環巴士搭乘處
LAX循環巴士搭乘處
LAX循環巴士搭乘處
Terminal 4
Terminal 5
Terminal 6
Terminal 7
Terminal 8

# 機場至市中心的交通

決定目的地之後，評估自己的預算與時間，選擇最適合自己的交通工具。除了市中心之外，人氣旺盛的觀光景點，如好萊塢，聖塔莫尼卡、迪士尼樂園所在地安納罕姆等，都有巴士可以直達。所有的交通工具都在入境大廳外上下車，如果標示不清楚，可以請問戴紅帽子的機場員工。

## 機場至市中心的交通

| 方法 | 建議／使用方法 | 聯絡方法／目的地／費用 | |
|---|---|---|---|
| 接駁巴士 | 涵蓋全洛杉磯，是最普遍的交通工具。<br>感覺像是10人共乘的計程車，行駛機場與住宿飯店之間，路線的標示都很清楚，根據自己的目的地選擇正確的巴士。<br>有些巴士為了載滿客人會不斷地繞航線，有的甚至會敲詐客人，因此最好還是依照機場員工的指示上車。<br>如果多人同行，有的可以享有折扣。 | 超級接駁巴士<br>Super Shuttle<br>☎323-775-6600<br>☎310-782-6600<br>⏰24小時 | <br>最大的一家接駁巴士—超級接駁巴士，藍色車身是一大特徵。 |
| | | 市中心：US$20<br>(所需時間約30分鐘)<br>好萊塢：US$18<br>比佛利山莊：US$19<br>聖塔莫尼卡：US$14 | <br>在這塊藍色的標誌底下等接駁巴士。 |
| 機場巴士 | 一般的大型巴士。<br>路線為機場～市中心～安納罕姆～帕塞迪納之間的主要飯店。<br>巴士按照時刻表行駛，不用事先預約。超過33×43×81cm的行李不能帶上車。<br>來回票有打折。 | ☎714-938-8900 6點～凌晨1點，每隔1小時發1班車。<br><br>市中心：US$12<br>(所需時間約30分鐘)<br>安納罕姆：US$16<br>帕薩迪納：US$12<br>好萊塢：US$20 | <br>機場巴士價錢公道又安全。 |
| 計程車 | 到達目的地最快的交通工具。<br>如果三人同行，價格會比接駁巴士便宜。機場員工會站在計程車招呼站，防止不合規定的計程車載客，因此最好到招呼站坐車較安全。 | 市中心：US$32.50～<br>(所需時間約25分鐘)<br>好萊塢：US$30～<br>比佛利山莊：US$30～<br>聖塔莫尼卡：US$30～ | <br>出發之後，不要忘了確認碼表是否已啟動。 |

合法的計程車門上貼有標誌。

乘坐機場循環巴士，只要10分鐘就可到達巴士總站。

如果不趕時間，搭乘**市區巴士**或**地鐵**是最省錢的方法。機場循環巴士C(→P67)會開到市區巴士的巴士總站；循環巴士G則會到地鐵綠線AVIATION／I-105車站。在巴士總站可以搭MTA、BBB等巴士，如果再換車，可以很便宜地到達各個區域。以市中心為主的地鐵也可以坐到好萊塢。無論是巴士或地鐵，雖然從清早到深夜都有班次，但還是盡量避免夜間搭乘。

另外，想要租車的人，在機場內先預約較為方便。在入境大廳的租車服務台或利用專線預約，各家租車公司會派接駁巴士接機，載往機場附近的租車公司。

租車公司的接駁巴士行駛在各航站之間

## 灰狗巴士Greyhound Bus

貫穿全美路線的灰狗巴士會停在市中心東邊的車站。建議到站之後，先到市中心，然後再前往各地區。到市中心可搭60、53號MTA巴士，站牌在灰狗巴士車站前面，過馬路就可以

灰狗巴士是中程旅遊最普遍的一種交通工具

看到西向的巴士；如果要坐計程車，車子就停在車站內的停車場，但有時也會看到野雞車，因此一定要確認是否有洛杉磯市所認可的標誌(→P68)。若要到其他城市，可直接在車站內的售票窗口確認下一班巴士，在客服中心也可以查得到時刻表。

■灰狗巴士車站
1716 East 7th St.
☎ 1-800-231-2222(免費電話)
時間 24小時
MAP P61-D4

車站附近的治安不是很好，最好在白天到達洛杉磯市中心。

**灰狗巴士的出發地點／班次／所需時間／費用**

| 出發地點 | 1天的班次 | 所需時間 | 費用 |
|---|---|---|---|
| 舊金山 | 15～20班 | 8～13小時 | US$43 |
| 拉斯維加斯 | 15班 | 5～8小時 | US$33 |
| 聖地牙哥 | 26班 | 2～5小時 | US$13 |
| 西雅圖 | 5～6班 | 25～32小時 | US$120 |

## 美國國鐵Amtrak

洛杉磯的鐵路據點，是位於市中心東北方的聯合車站Union Station。除了來自其他州的遠距離列車、加州州內中型城市之間的列車之外，還有近郊列車的MTA(→P75)、駛向市中心的地鐵紅線、市區小巴士等都在此會合。

美國國鐵是鐵路迷的憧憬

聯合車站的白色外觀與古典雅致的內部設計。可搭乘地鐵紅線或市區小巴士(→P77)到市中心。

■美國國鐵(聯合車站)
800 North Alameda St.
☎ 1-800-872-7245(免費)
MAP P135-C1

美國國鐵時刻表

※從聯合車站可坐MTA巴士33、333號到聖塔莫尼卡；439號到洛杉磯國際機場。

**美國國鐵的出發地點／班次／所需時間／費用／列車名稱**

| 出發地點 | 1天的班次 | 所需時間 | 費用 | 主要的列車名稱 |
|---|---|---|---|---|
| 奧克蘭(CA) | 1～2班 | 11小時45分鐘 | US$45～66 | 星光號 |
| 聖地牙哥 | 7～12班 | 2小時30分鐘～3小時5分鐘 | US$24～27 | 星光號／聖地牙哥號 |
| 聖塔芭芭拉 | 6～12班 | 2小時30分鐘～2小時45分鐘 | US$17～20 | 星光號／聖地牙哥號 |
| 西雅圖 | 1～2班 | 12～13小時 | US$107～145 | 星光號 |

※費用會隨日期與換車情況而有所變動

# 洛杉磯一點靈

洛杉磯的每一個地區都有特色，呈現多變的萬種風情。電影之都、高級購物街、陽光燦爛的海灘等令人目不暇給。近郊還有老少咸宜的主題樂園與暢貨中心，讓來到洛杉磯的遊客依依不捨、流連忘返。

## 西好萊塢 （→P104）

西好萊塢的著名人物？萬寶路的人物招牌歡迎旅客的造訪。

景點集中的不夜城。滿街都是時尚的咖啡館、餐廳與俱樂部；Pub現場演唱及劇院表演將每個夜晚點綴得熱鬧無比。影星們也常會光臨這附近的高級飯店，山上的豪宅有些就是他們的住家呢。

● 交通：MTA巴士2、4、10、105、302、304號。
● 治安：會敲詐的酒吧或俱樂部並不多見，夜歸的人最好還是叫計程車較安全。

## 西塢 （→P116）

以加州大學洛杉磯分校UCLA為中心的區域，到處可以看到學生的足跡，充滿濃濃的學術氣息。在校園內散步、或是到**哈默美術館**欣賞梵谷、雷諾瓦等藝術家的作品也是不錯的選擇。電影院的首映會場上，有時還會看到藝人呢。

● 交通：MTA巴士2、20、302號；BBB巴士1、8號。
● 治安：一般的街道很安全，到了晚上，校門口雖然有警察巡邏，還是盡量不要進入校園內。

西海岸的名校-UCLA。印有學校標誌的T恤與運動衫可以在校內商店購買。

## 聖塔莫尼卡 （→P120）

以**聖塔莫尼卡碼頭**為中心，在海邊可以玩水、騎單車。行人專用的第三街步道上有許多露天咖啡及商店，可以看到街頭藝人的表演。南邊有時髦的**威尼斯海灘**及遊艇碼頭的**馬利納德爾瑞**。

深夜還是燈火通明的第3街步道

ℹ️旅遊服務中心Convention & Visitors Bureau
1400 Ocean Ave. ☎310-393-7593，10～17點，全年無休，MAP/P120-B3

## 比佛利山莊 （→107）

世界一流品牌集中在**羅迪歐道**。獨立店面的商店街是洛杉磯最高級，同時也是比佛利山莊住戶的最愛。北邊的高級住宅區內可以看到一些影星的豪宅，西班牙式建築的地方政府及著名的豪華建築物都魅力十足。

比佛利山莊的核心—羅迪歐道

ℹ️旅遊服務中心
Chamber of Commerce
239 South Beverly Dr. ☎310-248-1000，8點30分～17點，週六、日休息，MAP/P56-B1

● 交通：MTA巴士4、14、20、27、304號
● 治安：高級精品店內都有警衛人員，小心扒手。

西好萊塢 ② 好萊塢
西塢
比佛利山莊 梅爾羅斯＆拉西安哥
聖塔莫尼卡
✈洛杉磯國際機場

## 好萊塢（→P95）

奧斯卡金像獎頒獎典禮的會場─好萊塢高地娛樂廣場於2001秋天正式開幕，讓電影之都的好萊塢又重現過去的金碧輝煌，同時也可享受一流名牌與免稅商品的購物樂趣。在格勞門中國劇院與星光大道上行走，彷彿可以遇到好萊塢巨星。

●交通：MTA巴士2、4、180、212、302、304號
●治安：有些扒手專門針對在星光大道上尋找影星手印的旅客下手。此外，小巷內或葡萄街以東的地區較為偏僻，並不安全。

威爾考克斯街道上的好萊塢影星壁畫

好萊塢高地娛樂廣場已成為代表好萊塢的娛樂新景點

## 帕薩迪納（→P136）

氣質高雅的商店與餐廳林立，華麗的帕索科羅拉多購物中心也正式開幕了。此外也可以考慮到**諾頓·賽門美術館**，參觀畢卡索等畫家的近代美術作品。

ℹ️ 旅遊服務中心
Convention & Visitors Bureau
171 South Los Robles Ave. ☎626-795-9311
10〜16點，週日休息，MAP/P136-C1

科羅拉多大道附近有很多高雅的商店與露天咖啡

●交通：MTA巴士180、401、402號
●治安：科羅拉多大道是治安最好的地區，傍晚之後還可以步行，但晚上最好不要外出。

當代建築物到處林立

## 市中心（→P133）

大型企業的辦公大樓高聳，形成繁華的商業中心，北邊有政府機構密集的市政中心及劇場聚集的音樂中心，另外還有洛杉磯的發祥地**奧維拉街**、**小東京**、**現代美術館**、**道奇球場**等。

ℹ️ 旅客服務中心
Convention & Visitors Bureau
685 South Figueroa St. ☎213-689-8822，8點〜17點30分，週日休息，MAP/P135-A4

●交通：MTA巴士2、4、10、14、27、33、60號；BBB巴士10號
●治安：小東京以南的地區及5點過後的辦公大樓都比較危險，盡量避免到人少的地方。

## 梅爾羅斯＆拉西安哥（→P100）

標榜街頭服飾的商店街，深受觀光客的喜愛，其他著名景點還有可參觀的派拉蒙片場及影星長眠的**好萊塢紀念公園**。以美食聞名的拉西安哥街道，餐廳的評價都很高。距離漢考克公園內的**洛杉磯郡立美術館**也很近，值得參觀。

梅爾羅斯的二手衣店，有的旅客甚至遠從國外前來批貨，貨色齊全。

●交通：MTA巴士10、14、20、105號
●治安：梅爾羅斯的商店，營業時間不會超過晚上8點，最好趁人多的時候前往。

### 資訊的取得方法

在各地的旅遊服務中心可以取得最新的購物與美食資訊，市中心辦公室的員工也會提供旅遊建議與解決各種糾紛。在此特別介紹幾本精緻的旅遊雜誌，由洛杉磯時代雜誌所編製的《洛杉磯官方導覽》(Official Guide to Los Angeles)，內容包括著名的觀光景點介紹與推薦行程，非常實用，此外「快速導覽」(Quick Guide)的內容也很生動活潑。

《洛杉磯官方導覽》依主題分類介紹。右：《快速導覽》。

# 市區的交通

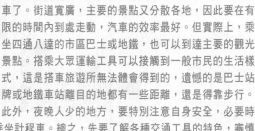

所有的路口都有標示街道名稱

洛杉磯的快速道路相當發達,最方便的交通工具就是汽車了。街道寬廣,主要的景點又分散各地,因此要在有限的時間內到處走動,汽車的效率最好。但實際上,乘坐四通八達的市區巴士或地鐵,也可以到達主要的觀光景點。搭乘大眾運輸工具可以接觸到一般市民的生活樣式,這是搭車旅遊所無法體會得到的,遺憾的是巴士站牌或地鐵車站離目的地都有一些距離,還是得靠步行。此外,夜晚人少的地方,要特別注意自身安全,必要時也可乘坐計程車。總之,先要了解各種交通工具的特色,審慎考慮,選擇最適合自己的旅遊方式。

主幹線的聖塔莫尼卡大道站牌,很多人在此轉車。

## MTA巴士

路線涵蓋整個洛杉磯的MTA巴士(從前的RTD巴士),是都市交通局(Metropolitan Transportation Authority)所經營,每日的載客量約120萬人次,是非常重要的交通工具。200條路線向各方延伸,除了市中心、好萊塢、比佛利山莊之外,觸角更遠至近郊的帕薩迪納、迪士尼樂園等地。對旅客而言,複雜的路線似乎會令人困惑,事實上,只要掌握到聖塔莫尼卡大道、日

市區的交通

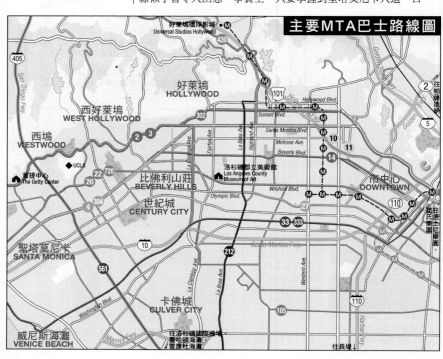

主要MTA巴士路線圖

MTA巴士的顏色是白底加上紅、橘兩色的條紋。

巴士站牌的標誌。在路線重疊的地方,會將站牌依照路線的方向擺在不同的地方,如果找不到站牌,可以到附近的其他站牌確認。

落大道、威爾樹大道等幾條主幹線的路線,就可以很輕鬆地到達主要的景點。此外,如果搭乘只停大站的快速巴士(Metro Rapid)或行駛快速道路的快車,還可以節省很多時間。如果真的沒把握,可以到市中心的發車站坐車,幾乎都可以直達目的地而不用擔心換車等問題。

在此介紹幾條主要的路線。參考P72的路線圖與以下的路線表格,研究如何抵達目的地的方法。路線如有重疊,表示是轉車的地方,例如,要從好萊塢到比佛利山莊,首先在好萊塢大道搭乘往拉布萊爾大道方向的212號巴士,坐到聖塔莫尼卡大道下車,然後再轉搭往聖塔莫尼卡方向的4或304號巴士,坐到比佛利大道下車。當然巴士的路線還有很多,可以根據住宿的飯店與目的地之間的地理位置,選擇最有效率的路線。如有問題,可求助MTA客服中心或電話資訊中心(→P76)。

都市交通局也經營地鐵,與MTA巴士一樣可以換車。

■MTA巴士的路線劃分
●2～96號
市中心發車
●102～188號
市中心以外的地方發車
●302～394號
全區域發車的快速巴士
●401～497號
市中心發車的快速巴士
●500～599號
市中心以外地區發車的快車
●600～699號
臨時巴士(只限舉辦活動時)
●720～750號
MTA其他路線

**MTA巴士的主要路線與經過地點**

| 路線號碼 | 主要經過地點 |
|---|---|
| 2、3、302 | 市中心～日落大道來回區間車 |
| 4、304 | 市中心～西好萊塢～比佛利山莊～聖塔莫尼卡 |
| 10、11 | 市中心～梅爾羅斯街～西好萊塢 |
| 14 | 比佛利山莊～比佛利大道(拉西安哥)～市中心 |
| 20、22、720 | 市中心～拉西安哥～比佛利山莊～西塢～聖塔莫尼卡 |
| 27 | 市中心(春天街道)～ 比佛利山莊～世紀城 |
| 33、333 | 市中心(聯合車站)～威尼斯海灘～聖塔莫尼卡 |
| 60 | 市中心(聯合街)～灰狗巴士總站～長堤 |
| 96 | 市中心(橄欖街)～ 謝爾曼奧克斯(路經LA動物園) |
| 105 | 拉西安哥大道～西好萊塢 |
| 181 | 好萊塢(好萊塢大道)～帕薩迪納(科羅拉多大道) |
| 212 | 好萊塢(好萊塢大道)～拉布萊爾大道(梅爾羅斯)～市中心 |
| 401、402 | 市中心(第一街)～ 帕薩迪納(科羅拉多大道) |
| 426 | 市中心～好萊塢(高地大道)～威爾樹中區 |
| 439 | 市中心～洛杉磯國際機場～曼哈頓海灘～瑞當多海灘 |
| 460 | 市中心～諾氏樂園～迪士尼樂園 |
| 561 | 蓋提中心～西塢～UCLA～洛杉磯國際機場巴士總站～機場MTA站 |

## ■MTA巴士

**票價** 基本票價US$1.35
夜間折扣價(21點～隔
天5點US$75¢)轉乘票
價US$25¢
長程與快速巴士
US$50¢～US$2.50
也可使用代幣或周遊
券(→P76)

**時間** 每條路線不同，通常
是5點～24點，也有24
小時巴士。

從前門上車後就付車錢，如
果不確定，可以直接問駕
駛。

轉乘票的有效時間上有鑽孔

車內禁止飲食與抽菸，違規
者罰金US$250，以英文及西
班牙文標示。

**上車** 巴士站牌上
標示有路線號
碼與終點站名稱，巴
士的前面玻璃上也會
貼出號碼、終點站與
經過地點。看到自己
的巴士，要舉手招
車，一律由前門上
車。為了預防坐到反

代幣與硬幣投入左邊的收銀箱，1美元紙鈔則塞進右邊
的箱內，要注意不能使用1分美元硬幣。

方向的巴士，上車後要跟駕駛確認目的地，甚至麻煩他在到站
時告知。車上不找零，因此要事先準備好車錢，注意紙鈔只能
用US$1。如果乘坐往迪士尼等較遠的地區，或是快速巴士時，
必須再補車錢，在告訴駕駛目的地之後依照指示付費。票價隨
目的地的距離而有所不同，如中途要轉車，在上車時就要先付
轉車的費用，並領取一張「轉乘」的車票，在乘坐下一班巴士
時記得交給駕駛。

**車內** 靠近駕駛的座位是禮讓殘
障者與老年人的博愛座，
要遵守巴士的規則。後門附近的
空間則是預留給坐輪椅的乘客使
用。如有麻煩駕駛告知目的地，
尤其是女性乘客，最好坐在離駕
駛座較近的位子。

大部份都是兩人座的位子，可以跟隔
壁的人聊聊天。

**下車** 到站時，車內並不會廣播，因此要隨時確認路上的指
標。如果錯過了下車，也不要慌亂，除了快速巴士之
外，其他巴士的間距都不會太長。快到達目的地時，記得拉車
內的鐵線，或是按一下
橡皮帶，前方「Stop
Required」的紅燈如果
亮了，表示要下車的意
思。這些動作記得在到
站前做好，否則駕駛有
可能會來不及停車。前後門都可以下車。

左：按橡皮帶，會亮起「下車」
的紅燈。
右：有的要拉鐵線

**轉乘** 轉乘地點通常都在主要道路的路口，乘車前要先確認
好路線，如果不確定轉乘的巴士站牌，在下車時可詢問
駕駛。轉乘時要注意以下幾點：1.原路回程的巴士不能坐。2.有
效時間為1小時，最多可轉3次。3.第二次以後的轉乘，要多付
25¢。轉乘的方法與國內不同，最好盡快適應。

## 地鐵

MTA都市交通局所經營的地鐵，路線橫貫洛杉磯，分成到好萊塢的**紅線**；從市中心到長堤的**藍線**；從南灣向東延伸的**綠線**等三條。雖然說是地鐵，但除了紅線之外都在路面上行駛，無論如何都不會有塞車的困擾。地鐵的每個車站都很乾淨，還可以看到圖畫、別致的銅像等藝術作品；或是記載小說中至理名言的板子等，非常有創意。旅遊據點不在市中心，較沒有機會搭地鐵的旅客也不妨去瞧瞧。車站內雖有警察經常巡邏，但是幾乎看不到地鐵的員工，最好避免晚間搭乘。

往好萊塢方向的地鐵紅線，目前正在擴建當中，將來預定將路線延伸到比佛利山莊。

地鐵路線的標示。路線的顏色，底色表示

■各路線經過的主要地點
●紅線
好萊塢高地娛樂廣場～環球城
●藍線
第七街／地鐵中心車站～帝國／威明頓車站～安納罕姆車站～長堤
●綠線
帝國／威明頓車站～洛杉磯國際機場～瑞當多海灘

長堤藍線的轉乘站

■洛杉磯地鐵
800 North Alameda St.（聯合車站內）
☎ 1-800-371-5465（免費）
票價 US$4.00～10.25
洛杉磯與鄰郡之間的短程列車，有時會跟地鐵並行。7條路線當中有6條的總站在聯合車站。遊客較常搭乘的是，經過安納罕姆的橘郡線與往聖塔克拉利塔方向的聖塔克拉利塔線。要注意這兩條都是通勤路線，因此通常只開放早上與傍晚的時間，週末有時會停駛。

75
市區的交通

### 地鐵 & Metrolink 路線圖

圖例：
- 地鐵紅線
- ▄ ▄ ▄ 地鐵紅線（預定）
- 地鐵藍線
- 地鐵藍線（預定）
- 地鐵綠線
- Metrolink
- ○ 轉乘站

往蘭卡斯特
PRINCESSA
SANTA CLARITA
安特羅普谷線 ANTELOPE VALLEY LINE
（西米谷、歐克斯納德等）往凡特拉郡
CHATSWORTH
NORTHRIDGE
VAN NUYS
SYLMAR/SAN FERNANDO
凡特拉線 VENTURA COUNTY LINE
北好萊塢 NORTH HOLLYWOOD
BURBANK AIRPORT
帕科伊馬 PACOIMA
帕薩迪納 PASADENA
往聖伯納迪諾郡
EL MONTE
UNIVERSAL CITY 環球城 UNIVERSAL CITY
BURBANK
聖伯納迪諾線 SAN BERNARDINO LINE
好萊塢 HOLLYWOOD
HOLLYWOOD/WESTERN
HOLLYWOOD/VINE
HOLLYWOOD/HIGHLAND
GLENDALE
CAL STATE L.A.
VERMONT/SUNSET
VERMONT/SANTA MONICA
VERMONT/BEVERLY
WILSHIRE/VERMONT
PERSHING SQUARE
CIVIC CENTER TOM BRADLEY
MONTEBELLO
河濱線
比佛利山莊 BEVERLY HILLS
WILSHIRE/NORMANDIE
WILSHIRE/WESTERN
SUN VINCENTE OLYMPIC
7TH ST./METRO CENTER
UNION STATION
RIVERSIDE LINE
往河濱郡（東安大略等）
馬里布 MALIBU
市中心 DOWNTOWN
PICO
GRAND
SAN PEDRO
WASHINGTON
VERNON
SLAUSON
FLORENCE
FIRESTONE
103RD ST./KENNETH HAHN
COMMERCE
聖塔莫尼卡 SANTA MONICA
AVIATION/I-（105）
HAWTHORNE/I-（105）
洛杉磯國際機場
LONG BEACH/I-（105）
LAKEWOOD/I-（105）
（105）（NORWALK）
（605）
NORWALK/SANTA FE SPRINGS
橘郡線 ORANGE COUNTY LINE
MARIPOSA/NASH
EL SEGUNDO/NASH
DOUGLAS/ROSECRANS
MARINE/REDONDO BEACH
CRENSHAW/I-（105）
VERMONT/I-（105）
HARBOR FWY./I-（105）
AVALON/I-（105）
IMPRIAL/WILMINGTON
COMPTON
AETWSIA
DEL AMO
瑞當多海灘 REDONDO BEACH
WARDLOW
WILLOW
特蘭斯 TORRANCE
往橘郡、聖地牙哥郡（安納罕姆、聖塔安納）
PACIFIC COAST HWY.
太平洋 Pacific Ocean
ANAHEIM
PACIFIC
5TH ST.
TRANSIT MALL
1TH ST.
長堤 LONG BEACH

■地鐵
票價▶ 基本票價US$1.35
　　基本票價＋轉乘票價
　　US$1.60
　　來回票US$2.70
　　也可使用代幣或周遊券
時間▶ 每條路線不同，通常
　　是5～23點，每隔5～
　　10分鐘發車。

票三種，可按鈕選擇。
C來回票，可按鈕選擇。
車票的種類分為A單程票、B附轉乘的單程票、

除了飲食與抽菸之外，破壞
車廂內整潔者也須罰款。

■MTA客服中心
路線圖與時刻表的資料齊
全，可直接向窗口或利用電
話專線洽詢。

■主要的客服中心
聯合車站(市中心)
1 Gateway Plaza
時間 8點～16點15分
　　休 週六、日
MAP P135-C1
阿科廣場(市中心)
515 South Flower St. level C
時間 7點30分～15點30分
　　休 週六・日
MAP P135-A3

■電話洽詢專線
☎ 1-800-266-6883(免費)
時間 6點～20點30分(週六8
　～18點)休 例假日

■代幣與周遊券
代幣：(10枚) US$9
周遊券：一星期US$11
　　　半個月US$21
　　　一個月US$42

**購票**　月台前備有路線圖與時刻表，確認好目的地的路線之後，到自動售票機買票。如須轉乘其他路線，或要轉搭MTA巴士，記得要購買附加轉乘的車票。此外雖然有販賣來回票，但都沒有特別的折扣。

**上車**　所有的車站都沒有剪票口，買好車票後直接進入月台，有時警察也會在月台幫忙驗票，因此在到達目的地之前車票要自行保管好，免得遺失被罰款。這裏的警察也負責車站內的保全工作，站在警察附近等電車會比較安全。在月台上可以看到終點站的標示，雖然不顯眼，最好還是確認好自己的路線，不要坐錯了方向，鐵路進站時也不會廣播，再核對一次貼在車門上的路線標示比較保險。

**車廂內**　車廂內保持得很乾淨，和MTA巴士的規定一樣，車內禁止飲食與抽菸。藍線與綠線都行駛在路面上，可以很優閒地欣賞洛杉磯的景致。車內因為沒有車掌，如果有突發狀況，直接到駕駛室較安全。

**下車**　和巴士不同，地鐵的門會自動開關。要注意到站都不會廣播，因此要看好窗外月台上的站名與車廂內的路線圖，確認好自己要下車的車站。此外，並不是每一

車站名稱的旁邊會標示路線的顏色

個國家的車站治安都很好，如果不坐地鐵，最好不要進出車站，尤其是晚上要格外注意自身安全。

**轉乘**　第七街／地鐵中心車站與帝國／威明頓車站都各有兩條路線交會，在下車後須依照路標轉乘，有些地方的路標顏色與地鐵的路線一樣，如藍色或綠色。要注意紅線的威爾榭／佛蒙特車站，即使是同一路線，又分為往威爾榭／西部車站與往好萊塢／瓦恩車站的兩條支線，在上車前，要看清楚地鐵上的標示。路經主要道路的車站，通常距離MTA巴士站都不遠，轉乘非常方便。

輪椅專用的設備齊全

## 市區小巴士DASH

　　DASH是洛杉磯交通局LADOT(City of Los Angeles Department of Transportation)所經營的短程巴士。剛開始是為了洛杉磯上班族所規劃的通勤車，後來不斷地擴充路線，現在已經到了西塢、北好萊塢等地。此外，連結各社區與市中心之間的快速巴士及週邊交通網也是LADOT的管轄範圍。對遊客而言，使用頻率較高的應該只有DASH行駛市中心的 7條路線。雖然週末的班次較少，還是比MTA巴士便宜，行車範圍又集中，是遊覽洛杉磯不可缺乏的交通工具。

### 使用方法
　　基本上比照MTA巴士，但DASH之間的轉乘是免費的。此外，持有MTA系統的車票及週邊交通網的轉乘票者，同樣可以免費乘坐。

■DASH
票價 一般票價US$25￠
周邊交通網US$1.75～3.10
回數券60次US$15
時間 每條路線不同，通常是6點30分～18點30分
（週六‧日～17點）

■DASH聯絡處
●LADOT-Dash
4th Fl., Cashiers Office
221 N. Figueroa St.
☎ 808-2273 (不用加區域號碼)
時間 9～17點(週六10～14點)⑥⑩週日
MTA客服中心(→P76)內也有路線圖與時刻表

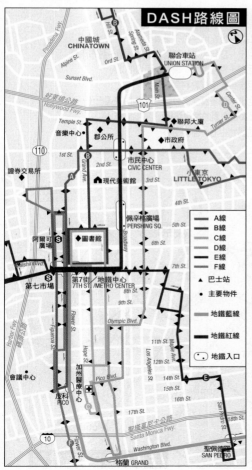

DASH路線圖

中國城 CHINATOWN
聯合車站 UNION STATION
聯邦大廈
音樂中心
郡公所
市政府
市民中心 CIVIC CENTER
現代美術館
東京 LITTLE TOKYO
證券交易所
佩辛格廣場 PERSHING SQ.
圖書館
阿爾可廣場
第7街／地鐵中心 7TH ST./METRO CENTER
第七市場
加州醫療中心
會議中心
皮科 PICO
聖佩德羅 SAN PEDRO
格蘭 GRAND

━━ A線
━━ B線
━━ C線
━━ D線
━━ E線
━━ F線
▲ 巴士站
• 主要物件
━━ 地鐵藍線
━━ 地鐵紅線
Ⓢ 地鐵入口

上：DASH巴士的車身顏色是白底藍線
右：DASH巴士的站牌，平日的路線是A、B、C、F；週末的路線是DD(市中心～中國城～小東京)。

### 路線巴士與轉乘

　　大城市洛杉磯除了MTA巴士、DASH巴士、BBB之外，還有很多不同的路線。如行駛馬利納德爾瑞東部地區的Culver City Bus；以迪士尼樂園所在地安納罕姆為中心行駛的OCTA巴士(Orange County Transportation Authority)等。這些都是區域性的巴士，因此對於以市中心或好萊塢為據點的旅客，使用的機會並不多。

　　轉乘服務只限於同公司的巴士。例如MTA巴士不能轉乘BBB，必須重新買票。剛開始，旅客對於美國的轉乘系統或許不適應，但只要熟悉內容之後，一定可以擴展旅遊的活動範圍。

洛杉磯

77
市區的交通

**票價** 基本票價US$50 ¢
基本票價＋快速巴士
US$1.25
代幣(10枚) US$4.50

**時間** 每條路線不同，通常
是6點～24點

■BBB巴士聯絡處
Santa Monica Municipal Bus
Lines
1660 7th St.
☎ 310-451-5444
**時間** 8～17點**休**週六・日

■循環巴士Tide Shuttle
聖塔莫尼卡第三街步道與主
要道路之間的循環巴士，由
聖塔莫尼卡市與沿線的飯店
共同經營。總站設在購物旅
客眾多的聖塔莫尼卡商城，
非常方便。詳情請洽BBB巴
士聯絡處。

**票價** US$25 ¢
**時間** 12～22點(週五・六～
24點)、每隔15分鐘發
車

右左
：：
路時
線刻
圖表

# BBB巴士 (Big Blue Bus)

上面有Big Blue Bus字樣的新
型車身

BBB巴士是聖塔莫尼卡市所經營的一
條市營巴士，也就是Santa Monica
Municipal Bus。以聖塔尼卡市為起
點，主要行駛在洛杉磯西部地區，車身
為藍色。共有14條路線，經常穿梭在聖
塔莫尼卡與西塢一帶。由於行駛的路線不多，且都集中在西部
的觀光景點，對遊客而言相當方便。

## 使用方法

基本上比照MTA巴士，但與DASH巴士一
樣，可免費轉乘。路線圖與時刻表可在第三街
步道的旅遊服務中心(MAP／P120-B2)取得。

**BBB巴士的主要路線與經過地點**

1、2號　威尼斯海灘～聖塔莫尼卡～西塢(UCLA)

3號　洛杉磯國際機場～馬利納德爾瑞～聖塔莫尼卡～西塢
(UCLA)

4號　卡利街～市中心

5號　比佛利山莊～世紀城～拉布萊爾

7號　聖塔莫尼卡～皮科大道～聖塔莫尼卡碼頭～拉布萊爾

8號　聖塔莫尼卡～聖塔莫尼卡機場～西塢(UCLA)

9號　聖塔莫尼卡～太平洋帕利塞德

10號　聖塔莫尼卡～聖塔莫尼卡公路～市中心(快速巴士)

11號　第14與第20街之間的循環路線

14號　森提尼拉購物中心～蓋提中心

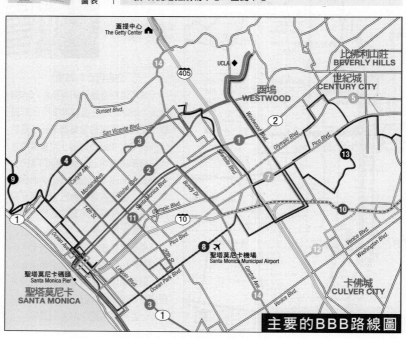

主要的ＢＢＢ路線圖

## LA復古觀光巴士

　　復古風十足的觀光巴士，行程
網羅洛杉磯的新景點-好萊塢高地
娛樂廣場、娛樂景點的環球影
城、購物景點的西好萊塢、羅迪
歐道，甚至到聖塔莫尼卡等地，
是一種方便又有趣的交通工具。

售價 1日券$12、2日券
　　　$16、3日券$20
☎ 1-800-896-4545
車票販售處JTB櫃台（→
P19）、訪客服務中心
☎ 213-689-8822

### 西行主線（小東京—《好萊塢》—世紀城）

| 停車站 | A | B | A | B | A | B |
|---|---|---|---|---|---|---|
| Little Tokyo | - | - | - | 14:30 | 15:45 | 18:15 |
| Biltmore | 8:30 | - | - | 14:35 | 15:50 | 18:20 |
| Wilshire Grand | 8:35 | - | - | 14:40 | 15:55 | 18:25 |
| Bonaventure Bo | 8:40 | - | - | 14:45 | 16:00 | 18:30 |
| Marriot | 8:45 | - | - | 14:50 | 16:05 | 18:35 |
| Little Tokyo | 8:55 | - | - | 15:00 | 16:15 | 18:45 |
| Dogers Stadium | - | 10:40 | - | - | - | - |
| Universal City Walk | 9:30 | - | - | 15:45 | 17:00 | 19:15 |
| Hollywood & Highland | 9:45 | 11:10 | 12:50 | 16:00 | 17:25 | 19:30 |
| Melrose | - | 11:20 | 13:00 | 16:10 | 17:25 | - |
| Farmers Market | 10:05 | 11:30 | 13:10 | 16:20 | 17:35 | - |
| Beverly Center | 10:15 | 11:40 | 13:20 | 16:30 | 17:45 | - |
| Le Meridien | 10:20 | 11:45 | 13:25 | 16:35 | 17:50 | 限下車 |
| Rodeo Drive | 10:35 | 12:00 | 13:40 | 16:50 | 18:05 | 限下車 |
| Beverly Hilton | 10:45 | 12:10 | 13:50 | - | 18:15 | 限下車 |
| Century Plaza | 10:50 | 限下車 | 13:55 | - | 18:20 | 限下車 |

### 往東主線（世紀城—《好萊塢》—小東京）

| 停車站 | A | B | A | B | A | B |
|---|---|---|---|---|---|---|
| Century Plaza | 8:30 | 10:05 | 13:15 | 14:10 | - | 18:35 |
| Beverly Hilton | 8:35 | 11:10 | 13:20 | 14:15 | - | 18:40 |
| Rodeo Drive | 8:45 | 11:20 | 13:30 | 14:25 | 16:50 | 18:50 |
| Beverly Center | 8:55 | 11:30 | 13:40 | 14:35 | 17:00 | 19:00 |
| Hollywood & Highland | 9:15 | 限下車 | 14:00 | 14:55 | 17:20 | 19:20 |
| Universal City Walk | 9:30 | - | - | 15:10 | 17:35 | 19:35 |
| Dogers Stadium | 10:00 | - | - | - | - | - |
| Little Tokyo | - | - | 14:30 | 15:45 | 18:15 | 限下車 |
| Biltmore | - | - | 14:35 | 15:50 | 18:20 | 限下車 |
| Wilshire Grand | - | - | 14:40 | 15:55 | 18:25 | 限下車 |
| Bonaventure | - | - | 14:45 | 16:00 | 18:30 | 限下車 |
| Marriot | - | - | 14:50 | 16:00 | 18:30 | 限下車 |
| Little Tokyo | - | - | 15:00 | 16:15 | 18:45 | - |

## 搭專用接駁巴士觀賞道奇球賽
## Shuttle Service to Dogers Stadium

　　由聯合車站往道奇球場的專用接駁巴士已正式運行，使得前往觀賞球賽更加方便。
此接駁巴士於舉行球賽的週五行駛。從比賽開始的1小時40分鐘～開賽50分鐘之間由
聯合車站的Transit Plaza、Stop 9出發，每10分鐘1班。回程由道奇球場的LOT3發車。行
駛時間為第8回合上半場～閉賽後30分鐘。

■計程車的費用
費用▶ 基本費用…US$1.90
碼表價格…每走200m
加20￠、每隔40秒加
20￠，遠程加價…
US$2.50
■主要的計程車公司
●L.A. Taxi/
United Checker Cab
☎ 213-627-7000
☎ 310-715-1968
●United independent Taxi
☎ 1-800-822-8294
●City Yellow Cab Co.
☎ 1-800-711-8294
※以上都是免費電話
■洛杉磯市交通局
City of Los Angeles, Dep. of
Transportation
☎ 213-897-3656

在計程車招呼站叫車。上車
後告知駕駛目的地，為了安
全，最好記下駕駛的姓名與
公司名稱。

■轎車公司
●Fox Limousine Service
☎ 310-553-4251
●OK Tour
☎ 213-691-1334
●Beverly Hills Tours
☎ 1-800-310-9916

■費用概況 (約1小時)
加長型禮車…US$65～100
四門房車…US$40～50
小型休旅車…US$33～70

搭乘加長型禮車參加首映會
的藝人

# 計程車

洛杉磯計程車的駕駛穿襯衫、打領帶，態度
親切有禮。

　　對沒有開車的遊客而言，計程車可以說是一種最有效率的交通工具。尤其是購物行李增加，或是要到巴士路線較少的地方時最為方便。但不要忘了洛杉磯土地廣闊，一趟下來可能車資不菲。雖然如此，在天黑後，如果找不到地鐵車站或巴士站牌，或是回飯店的路上人煙稀少時，最好叫計程車比較安全。萬一遇到了麻煩，要記下駕駛的姓名與公司名稱，立刻通知洛杉磯市的交通局。

## 使用方法

計程車並不會隨叫隨停，必須到飯店門口或招呼站等候，如果用電話叫車，要告知自己的所在地與目的地。乘車時要確認前門是否貼有洛杉磯市所認可的標誌（→P68），偶爾也會看到冒牌的野雞車。購物中心的招呼站上，有的計程車駕駛會招攬客人，只要確定是合法計程車，應該不會有問題。車門為手動，除了在飯店上車之外，要自己開門，並坐後座。為了安全起見，上車後最好問一下大概的車資。駕駛的種族不一，有西班牙裔、俄羅斯裔等，一般而言，態度都還不錯，如果語言溝通有問題，可以用手寫的方式告知。車子出發之後，不要忘了確認碼表是否已啟動，到達了目的地，必須付碼表上的價錢再加上15%的小費。此外，類似從市中心搭到機場的遠距離，有些地方的計程車會追加費用，這些細節都須在乘車時做好確認。

# 加長型禮車／轎車

　　一般人提到加長型禮車，都會立刻聯想到大明星，其實在畢業典禮、結婚典禮等活動或儀式時，也有不少人使用。即使是遊客，在羅迪歐道購物或西好萊塢享受晚餐時，不妨嘗試坐加長型禮車，讓自己感受一下豪華的氣氛。通常駕駛對於當地的路程都非常熟悉，可以順便請他帶路觀光。如果是多人一起使用，其實價格不會太貴。車型有8～16人座的各種禮車、復古型的勞斯萊斯，還有價錢公道的四門房車、小型休旅車等。

## 使用方法

除了加長型禮車的公司之外，也可以找專辦旅行團的旅行社。費用隨公司而異，通常至少要租3～4小時，千萬不要忘了給駕駛15%的小費。

## 租車

市中心周圍的快速道路相當複雜，看清楚路標，提早做判斷。

　　洛杉磯是一個公路的城市，租車旅遊，不但活動範圍變大，觀光的效率也會大幅提升。其中最重要的關鍵在於如何善用快速道路，因為一般的旅客對路段不熟悉，再加上在六線道的公路上以100km的速度行駛，即使是常開車的人，剛開始最好還是使用導航系統。快速道路沿路不收費。在進入快速道路時，有些地方規定須暫停後再開，一定要看好路標的指示。基本上道路的出入口都是靠右側，只有市中心附近的少數地方是靠左側。出口的標示都是以地名為主，因

此在開車之前，最好做好確認。除市中心之外，一般的公路幾乎都是雙向通車。此外，在停車方面，為了避免遭竊等安全考量，最好選擇有管理員的公有停車場，路邊停車雖然方便，但不見得找得到車位。

市區內公有停車場的標示，路段好的地方並不好停。

「Pacific Coast Hwy」其實是代表①號公路，大部份的地方都是以道路名稱標示。

如要路邊停車，記得看清楚路標，確定是否為可停車路段。

■主要租車公司的聯絡電話
● 接近租車 Access
☎ 1-800-922-7227(免費)
● 艾維斯 AVIS
☎ 1-800-331-1212(免費)
● 省錢 Dollar
☎ 1-800-800-4000(免費)
● 赫茲 Hertz
☎ 1-800-654-3131(免費)
● 預算 Budget
☎ 1-800-527-0700(免費)

### 洛杉磯公路地圖

| | | | |
|---|---|---|---|
| ▬▬▬ 110 | Interstate Highway | | |
| ▬▬▬ 101 | U.S. Highway | | |
| ▬▬▬ 2 | State Highway | | |

好萊塢公路 Hollywood Fwy.
夏曼歐克斯 Sherman Oaks
格林戴爾 Glendale
塞拉・馬德雷 Sierra Madre
帕薩迪納 Pasadena
Huntington Dr.
聖加百列谷 San Gabriel Valley
聖伯納迪諾公路 San Bernardino Fwy.
Sunset Blvd.
好萊塢 Hollywood
世紀城 Century City
比佛利山莊 Beverly Hills
Wilshire Blvd.
市中心 Downtown
太平洋 海岸公路 ① 往 聖塔芭芭拉 Pacific Coast Hwy.
西塢 Westwood
Santa Monica Fwy.
馬里布 Malibu
聖塔莫尼卡 Santa Monica
威尼斯 Venice
Slauson Ave.
達尼 Downtown
馬利納濱瑞 Marina Del Ray
洛杉磯國際機場
Manchester Ave.
聖塔菲泉 Santa Fe Springs
Lakewood Blvd.
英格伍德 Inglewood
Gardena Fwy.
安納罕姆 Anaheim
Hawthorne Blvd.
雷克伍德 Lakewood
塞普雷斯 Cypress
迪士尼樂園 Disneyland Park
Western Ave.
太平洋 Pacific Ocean
南灣碼頭 South Bay Harbor
長堤機場
長堤 Long Beach
Long Beach Fwy.
Garden Grove Fwy.
聖安娜 Santa Ana
往聖地牙哥
杭廷頓海灘 Huntington Beach
新港海灘 Newport Beach
Beach Blvd.
Harbor Blvd.
Pacific Coast Hwy. 太平洋海岸公路
往棕櫚泉
Orange Fwy.
Costa Mesa Fwy.
Pomona Fwy.
San Diego Fwy.
San Gabriel Riv. Fwy.

# 推薦行程

洛杉磯

羅迪歐道是喜愛購物的遊客不可錯過的地方，繁華的道路上到處可見名牌精品店。

洛杉磯的觀光景點包羅萬象，遊客要在有限的時間之內走完全程幾乎是不可能的事情。租車旅遊的情況會比搭乘大眾運輸工具好些，因為範圍太大，光是坐車的時間就很可觀。對遊客而言，應該先決定好要大範圍地走馬看花，還是要鎖定目的，做定點式的旅遊。

## 大範圍走馬看花型的旅遊

首先選定幾個大景點，然後再確認目的地的地理位置。在此將洛杉磯的重要景點分成一日遊與二日遊兩種行程，提供遊客作為參考。

### 洛杉磯基本行程一日遊

**好萊塢/P84**
從Hollywood Blvd.搭南向的MTA217號巴士，約10分鐘之後在Santa Monica下車，轉搭西向的MTA4號巴士，約10分鐘之後在Beverly Dr.下車。

↓

**比佛利山莊/P107**
從Beverly Dr.搭MTA4號巴士，約30分鐘車程之後在Ocean Av.下車。

↓

**聖塔莫尼卡/P120**

洛杉磯一日遊的行程只能走馬看花，雖然時間有限，也不要太貪心，鎖定目標才是聰明的選擇。首先從**好萊塢**的新景點好萊塢高地娛樂廣場出發，參觀柯達劇院與格勞門中國劇院，沿著星光大道往前走，逛街購物之後在巴比倫廣場享用午餐。接著搭車前往高級住宅區林立的**比佛利山莊**，在羅迪歐道的高級精品店血拼，此外，以電影取景聞名的麗晶比佛利威爾榭飯店等建築物也是觀光的重點。在下午四點左右，接著前往下一個目的地─**聖塔莫尼卡**，這裡是西海岸著名的海灘度假村之一，遊客可以選擇觀賞碧藍的海岸景致，也可以在第三街步道盡情地逛街採購。一日遊的最後一個節目，不妨在太平洋的浪漫夕陽下，享受當地著名的海鮮饗宴。

在格勞門中國劇院尋找仰慕的明星手印，是遊覽洛杉磯的基本行程。

### 洛杉磯輕鬆二日遊

以一日遊的行程為主軸，再加上一些不同區域的景點，兩天的時間可以到更多的地方旅遊。

**第一天** 上午的行程同一日遊，先到好萊塢參觀，下午移師到年輕人聚集的繁華購物街─梅爾羅斯、農民市場與地球商城。之後到以美食著名的拉西安哥享受午餐，如果還想購物的旅客可以到比佛利中心。沿著**拉西安哥大道**北上，就可以到達夜生

比佛利中心的巨大購物商城，一樓的飲食街有著名的硬石餐廳等。

**好萊塢/P97**
從La Brea Av.搭南向的 MTA212號巴士，約10分鐘之後在Melrose Av.下車。

↓

**梅爾羅斯/P100**
從Melrose Ave.搭 西向的 MTA10號巴士，約5分鐘之後在La Cienega Blvd.下車。

↓

**拉西安哥/P100**
從La Cienega Blvd搭計程車，約5分鐘車程。

↓

**西好萊塢/P104**

活的人氣景點—**西好萊塢**，夜歸的旅客建議搭計程車回飯店。

**第二天** 從**比佛利山莊**出發，在羅迪歐大道輕鬆購物，接著前往學生的街道—**西塢**。在綠意盎然的UCLA校園內接受學術氣息的洗禮之後，接著到蓋提中心鑑賞世界一流名畫。二日遊的最後一天，同樣地到**聖塔莫尼卡**觀看夕陽之美，如果還有時間，可以考慮沿著海邊散步到**主街**。

洛杉磯的最後一晚，在聖塔莫尼卡海灘欣賞浪漫的夕陽。

| 西塢/P116　UCLA/P119 |
| :-- |
| ↓ 從Sunset Blvd.搭MTA561號巴士，約20分鐘之後在Getty Center下車。 |
| 蓋提中心/P88 |
| ↓ 搭BBB 14號巴士在Santamonica Blvd.下車，改乘BBB1號巴士。 |
| 聖塔莫尼卡 (卡市中心)/P120 |
| ↓ 從第3街9街搭接駁巴士，約10分鐘之後在Ocean Park Blvd.下車。 |
| 聖塔莫尼卡(主街)/P124 |

- ●好萊塢
- ★比佛利山莊
- 西塢 ■■ 市中心
- ★聖塔莫尼卡(市中心)
- ★聖塔莫尼卡(主街)

蓋提中心位在距離聖塔莫尼卡30分鐘車程，布萊登木地區的山丘上。

## 鎖定目的型的旅遊

旅遊的目的人人不同。有人喜歡在購物中心觀察最新流行，然後在郊外的暢貨中心大舉採購；有人偏愛收集NBA籃球或美國大聯盟明星球員的周邊產品，並實際到球場觀看精采的球賽。如果有特殊目的，最好依照自己的喜好安排優先順序，讓有主題的旅遊格外有意義。

### 探究電影的過去、現在與未來

首先來到觀光新景點的好萊塢高地娛樂廣場，參觀奧斯卡金像獎頒獎典禮現場與影星的手印等，親身體會電影娛樂王國的精髓。中午可以考慮在餐廳聚集的高地廣場用餐，下午則參加當地旅遊團，參觀大明星們的豪宅(→P109)，之後前往位於好萊塢與比佛利山莊之間的**西好萊塢**。在日落大道可以買到影星的周邊產品與格調高雅的禮品，晚餐之後，到駐唱餐廳欣賞新人的演唱也是一大享受。

主要道路的巷道內，可以發現影星的豪宅。

- 西好萊塢★　★好萊塢
- 比佛利山莊★　　市中心●
- ●聖塔莫尼卡(市中心)

| 好萊塢/P97 |
| :-- |
| ↓ 從Santa Monica Blvd.搭西向的MTA4號巴士，約20分之後在La Cienega Blvd.下車。 |
| 西好萊塢/P104 |

### 海岸線朝氣蓬勃之旅

在聖塔莫尼卡碼頭(→P123)租一天自行車，以**馬利納德爾瑞**為目的地往南出發。如果是夏天可以到附近的海邊戲水，在**威尼斯海灘**也可租衝浪板，充分享受水上運動的樂趣。持續往南，即可到達**馬利納德爾瑞**。記得在天黑之前往回走，退還自行車之後，還可以到海洋公園挑戰驚險刺激的雲霄飛車，為充實的一天畫上句點。

熱情的威尼斯海灘到處可見溜直排輪的年輕人

| 聖塔莫尼卡(市中心)/P120 |
| :-- |
| ↓ ↑ 租機車約10分鐘車程 |
| 聖塔莫尼卡(主街)/P124 |
| ↓ ↑ 租機車約20分鐘車程 |
| 威尼斯海灘/P127 |
| ↓ ↑ 租機車約30分鐘車程 |
| 馬利納德爾瑞/P127 |

- ●好萊塢
- ●比佛利山莊
- 市中心●
- 聖塔莫尼卡(市中心)
- ★聖塔莫尼卡(主街)
- ★威尼斯海灘
- ★馬利納德爾瑞

好萊塢高地娛樂廣場
6834 Hollywood Blvd.
🚃 搭乘巴士或地鐵，在好萊塢高地娛樂廣場站下車，徒步1分鐘。
☎ 323-993-7700
🕐 未統一
HP www.hollywoodandhighland.com

# 好萊塢高地娛樂廣場 MAP···P84-B1

　　好萊塢高地娛樂廣場的開幕，不但成為焦點話題，更讓好萊塢的風華再現，佔地約6萬m²的娛樂新殿堂，擁有豪華的購物區、飲食區、飯店及劇院。其中象徵地標的柯達劇院─Kodak Theatre，更是奧斯卡金像獎頒獎典禮的永久會場，每年3月，盛裝打扮的巨星們齊聚一堂，從好萊塢的正門踏上紅色地毯，走向可容納3500個座位的會場內。除此之外，每年約有100場以上的戲劇、演唱會、喜劇、各項頒獎典禮等活動在此舉行。高地廣場內還有6個大螢幕，共可容納1600人的大電影院；擁有637間客房的4星級飯店─文藝復興大酒店；結合世界一流商店與餐廳的巴比倫廣場及免稅商店等。

🔍 從時尚電視片廠前，可以遠眺對面山上的「好萊塢」字樣。

馬路上的明星表演深受遊客喜愛

新人輩出、充滿戲劇性的柯達劇院

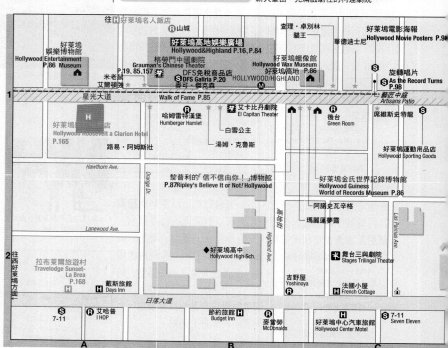

往 H 好萊塢名人飯店

山城

好萊塢娛樂博物館
Hollywood Entertainment P.86 Museum

好萊塢高地娛樂廣場
Hollywood&Highland P.16、P.84

格勞門中國劇院
Grauman's Chinese Theater
P.19、85、157

DFS免稅商品店
S DFS Galleria P.20
麥可·傑克森

查理·卓別林
貓王

好萊塢蠟像館
Hollywood Wax Museum
P.86

好萊塢高地
HOLLYWOOD/HIGHLAND
M

好萊塢電影海報
Hollywood Movie Posters P.9

華德迪士尼

S 旋轉唱片
As the Record Turns
P.98

米老鼠
艾爾頓強

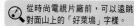
星光大道

Walk of Fame P.85

藝匠中庭
Artisans Patio

1

好萊塢r店
H t飯店
Hollywood Roosevelt a Clarion Hotel
P.165

路易·阿姆斯壯

哈姆雷特漢堡
Humberger Hamlet

白雪公主

湯姆·克魯斯

艾卡比丹劇院
El Capitan Theater

後台
Green Room

席維斯史特龍 S

好萊塢運動用品店
Hollywood Sporting Goods

Hawthorn Ave.

Orange Dr.

黎普利的「信不信由你！」博物館
P.87Ripley's Believe It or Not! Hollywood

好萊塢金氏世界記錄博物館
Hollywood Guiness
World of Records Museum P.86

阿諾史瓦辛格

瑪麗蓮夢露

Lanewood Ave.

Highland Ave.

威恩街

Las Palmas Ave.

往西好萊塢方面

2

拉布萊爾旅遊村
Travelodge Sunset-
La Brea
P.168

戴斯旅館
Days Inn

◆好萊塢高中
Hollywood High Sch.

舞台三與劇院
Stages Trilingal Theater

吉野屋
Yoshinoya

法國小屋
French Cottage

日落大道

S 7-11
7-11

R 艾哈普
I HOP

節約旅館 H
Budget Inn

麥當勞
McDonalds

好萊塢中心汽車旅館
Hollywood Center Motel

S 7-11
Seven Eleven

A 　　　　　　　B 　　　　　　　C

*Grauman's Chinese Theater* ···················· 💬 120

# 格勞門中國劇院 MAP⋯P84-B1

　電影之都——好萊塢崛起於1920年代，當時颳起蓋電影院的熱潮。有別於一般商人只注重劇院容納人數多寡與設備的考究，西德格勞門以中國明朝的寺院作為模型，於1927年建造了這座與眾不同的劇院。經過73個年頭，早已成為洛杉磯代表性觀光景點的格勞門中國劇院，隨著好萊塢高地娛樂廣場的興建，於2001年秋天重新翻修，至今仍是上映首輪電影的熱門劇院。好萊塢著名的地標之一，首推劇院前的石階上，超過170位電影明星及導演的手印與足印，每天都吸引來自世界各國的遊客參觀。

🔍 哈若德，洛伊德的圓形眼鏡與琥碧戈珀的特殊髮型都充分表現出個人特色，生動有趣。

*Walk of Fame* ······················ 💬 30

# 星光大道 MAP⋯P84~85

　好萊塢大道與瓦恩街路口的四邊人行道上，可以看到2500個以上，以青銅滾邊的星形大理石。所有刻在上面的人名，都是對美國電影、音樂、戲劇、電視、電台等娛樂界有貢獻的著名藝人。從1950年代後期開始至今，每年都會增加15個星星，遊客不妨數數看自己認識的明星有多少。

🔍 在星光大道上，不要忘了順便看看好萊塢全盛期所搭建的潘特吉斯劇場與船長劇場。

---

格勞門中國劇院
6925 Hollywood Blvd.
🚃 搭乘巴士或地鐵，在
Hollywood & Highland站
下車，徒步1分鐘。
☎ 323-464-8111(語音)

在售票口還可以看到地圖的手印

星光大道
🚃 搭乘巴士或地鐵，在
Hollywood & Highland站
下車，徒步1分鐘。

琥碧戈珀的足印與特殊髮型

無數的星星長達2km

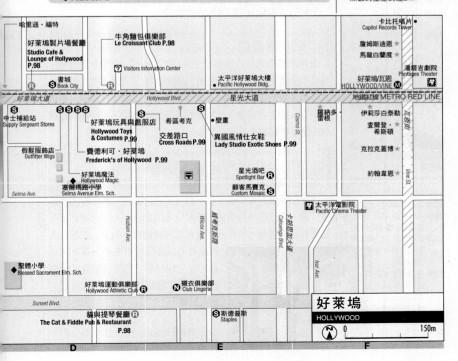

哈里遜・福特

牛角麵包俱樂部
Le Croissant Club P.98

卡比托唱片
Capitol Records Tower

好萊塢製片場餐廳
Studio Cafe &
Lounge of Hollywood
P.98

❓ Visitors Information Center

詹姆斯迪恩 ★

馬龍白蘭度 ★

潘塔吉斯劇院
Pantages Theater

🚇 書城
Book City

太平洋好萊塢大樓
• Pacific Hollywood Bldg.

好萊塢/瓦恩
HOLLYWOOD/VINE Ⓜ

好萊塢大道 　ⓈⓈⓈⓈ　Hollywood Blvd.　Ⓢ　　星光大道　　　　地鐵紅線 METRO RED LINE

中士補給站
Supply Sergeant Stores

好萊塢玩具與戲服店
Hollywood Toys
& Costumes P.99

蘇區考克
Cross Roads P.99

• 壁畫

羅納多
雷根

Cosmo St.

伊莉莎白泰勒 ★
查爾登・★
希斯頓

假髮服飾店
Outfitter Wigs

費德利可・好萊塢
Frederick's of Hollywood P.99

交差路口
Cross Roads

異國風情仕女鞋
Lady Studio Exotic Shoes P.99

克拉克蓋博 ★

Vine St.

好萊塢魔法
Hollywood Magic

星光酒吧
Spotlight Bar Ⓡ

約翰韋恩 ★

塞爾瑪路小學
Selma Avenue Elm. Sch.

Selma Ave.

顧客馬賽克
Custom Mosaic Ⓢ

Hudson Ave.

Wilcox Ave.

蘇考克新路

Cahuenga Blvd.

卡拉愚加大道

太平洋電影院
Pacific Cinema Theater

◆ 聖體小學
Blessed Sacrament Elm. Sch.

Ivar Ave.

好萊塢運動俱樂部
Hollywood Athletic Club Ⓡ

襯衣俱樂部
Club Lingerie Ⓝ

Sunset Blvd.

貓與提琴餐廳 Ⓡ
The Cat & Fiddle Pub & Restaurant
P.98

Ⓢ 斯德普斯
Staples

好萊塢
HOLLYWOOD
🧭 0 　　　　　150m

D　　　　　　　　　　E　　　　　　　　　　F

## 好萊塢娛樂博物館

7021 Hollywood Blvd.
☎ 323-465-7900
時間 10～18點 休週三
費用 US$8.75
交通 搭乘巴士或地鐵，在 Hollywood & Highland站下車，徒步2分鐘。

電影中所使用的道具都收藏在櫃子裡

在美國相當轟動的電視節目「乾杯」的攝影場景

## 好萊塢蠟像館

6767 Hollywood Blvd.
☎ 323-462-8860
時間 10～24點 (週五・六～凌晨1點) 休全年無休
費用 US$8.95 (加上金氏世界紀錄博物館的門票優待價US$14.90)
交通 搭乘巴士或地鐵，在 Hollywood & Highland站下車，徒步3分鐘。

電影《西藏七年》中的布萊德彼特

## 好萊塢金氏世界紀錄博物館

6764 Hollywood Blvd.
☎ 323-463-6433
時間 10～24點 (週五・六～凌晨1點) 休全年無休
費用 US$10.95 (加上蠟像館的門票優待價 US$15.95)
交通 搭乘巴士或地鐵，在Hollywood &Highland站下車，徒步3分鐘。
電影「鐵達尼號」創下了製作費與票房收入的驚人紀錄

---

*Hollywood Entertainment Museum* ················································ 120

# 好萊塢娛樂博物館 MAP…P84-A1

從無聲電影到電腦製圖的最新技術，詳細介紹電影的歷史與背景。館內分中央、東、西館三個區域。中央部份重現1940年代的好萊塢，精心設計的舞台；製造出從高處往下

館內有6間電影院

俯瞰的視覺效果，此外，有一種設備，可以聽到華德迪斯奈與巴斯特基頓的原音，還有以問答方式學習特殊攝影方法的觸碰式螢幕等。在東館可以參觀影片的編輯及動畫的製作，西館則有舞台道具與服飾的展示。東西館都有約1小時的英文導覽，說明時會以實際的電影或電視節目為例，如果遊客正好看過這些作品，一定會感到格外有趣，即使是不懂電影的人，也可以依照錄影帶的指示，體驗一下特殊音樂的製作流程。

在導遊帶領下可參觀編輯室。內有1920年代的珍貴器材。

🔍 中央部份的螢幕會放映6分鐘短片，內容包括歌舞劇或電影的精采片段、金像獎公佈得獎名單時的瞬間鏡頭等。

*Hollywood Wax Museum* ···················································· 30

# 好萊塢蠟像館 MAP…P84-C1

重現電影的經典片段與歷史性的關鍵鏡頭，200多個蠟像中有從前的著名影星、當今最紅的運動選手、卡通人物、政治家等各個領域的知名人物。在歌手區裏，可以聽到披頭四、蒂納透納等人的背景音樂；漆黑的恐怖區如同鬼屋，小心被躲在暗處的蠟像給嚇到了。

*Hollywood Guiness World of Records Museum* ··························· 30

# 好萊塢金氏世界紀錄博物館 MAP…P84-C1

頭快頂到天花板的巨人、體重比5個成人還重的大胖子等金氏世界紀錄裏的人、事、物，都可以透過蠟像、圖示板或錄影帶了解。或許是因為美國人愛開玩笑的個性，大部份的紀錄都是屬於趣味性的，例如，有人可以同時抽很多的菸，或是有人的身體可以極度地扭曲變形等。另外還有人在1910年，將塞有紙條的酒瓶扔到海裏，直到1973年才被人撿到的感人紀錄。

🔍 脖子最長的部落、在火上行走的人等，也有介紹民族色彩濃厚的世界紀錄。

*Ripley's Believe It or Not! Hollywood* ⋯⋯⋯⋯⋯⋯⋯⋯⋯ ㉚
# 黎普利的「信不信由你！」博物館 MAP…P84-B1

根據現代的馬可波羅——羅伯·黎普利，從1893到1949年遊遍198國的見聞錄，透過真實物品、複製品、圖示板等的介紹，可以看到世界上的各種奇觀，例如突變的雙頭羊、成為木乃伊的人頭、柏林圍牆的殘骸等，都令人嘖嘖稱奇。如果仔細閱讀館內的解說，還可以學習到一些背景知識。

鐵棒貫穿頭部，卻還能活命的奇蹟。

**黎普利的「信不信由你！」博物館**
6780 Hollywood Blvd.
☎ 323-466-6335
時間 10～22點（週五·六～23點）⑭全年無休
費用 US$9.95 兒童US$6.95
交通 搭乘巴士或地鐵，在Hollywood & Highland站下車，徒步2分鐘。

*Little Tokyo* ⋯⋯⋯⋯⋯⋯⋯⋯⋯⋯⋯⋯⋯⋯⋯⋯⋯⋯⋯ ㉚
# 小東京 MAP…P61-D2

第一次世界大戰後成立的日本人社區。1970年代，隨著洛杉磯市中心的開發，日系公司、銀行、醫院紛紛進駐小東京的大樓內，商店、餐廳聚集的購物中心及劇場的興建等，漸漸成為一個現代化的社區。這裏有販賣日本食材的市場、禮品店、書店等，除了吸引觀光客之外，更是當地日裔美國人的最愛。到處可看到日文的標示，還以為自己身處在日本呢！其中一個值得參觀的地點，是位於日本村廣場另一端的日裔美國人博物館(→P93)，這裏珍藏許多日裔美國人的照片、影片、資料等歷史實實。在廣場南邊的日美劇場內可以欣賞日本的歌舞伎，可說是日裔藝術家的文化發祥地。至於第一街的北邊，由於治安並不好，特別提醒女性不要單獨行動，一般人也要盡量避免夜行。

**小東京**
交通 搭巴士，在1 st.&Los Angeles站下車，徒步4分鐘。

日本村廣場附近有不少卡拉OK店

## 格里菲斯天文台與《養子不教誰之過》 Griffith Observatory

位在好萊塢東北部的格里菲斯公園Griffith Park (MAP/P47-C1)，是利用山丘的地形所建築的巨大休閒中心。腹地內有動物園、戶外的希臘劇場Greek Theatre(→P158)、運動設施、博物館，以及經常在電影或電視裡看到的場景——格里菲斯天文台。

只留下三部電影作品的詹姆士狄恩，繼第一部《天倫夢覺》之後，第二部《養子不教誰之過》的拍攝現場就在格里菲斯天文台。他精湛的演技，將高中生吉姆與父母親之間的糾葛以及多愁善感的個性表現得淋漓盡致。陳列在天文台入口處的傅科擺，跟電影的情節一樣，到現在還在擺動。吉姆戶外教學的天文課也是在此拍

JAMES DEAN
《養子不教誰之過》紀念碑設在天文台右側

攝。此外，如果使用高性能的望遠鏡遠望四周圍的豪宅，不禁會令人想起吉姆躲在空屋裏的一幕。這部1950年代的偶像電影，其中有一段接受不良少年的挑戰而大打出手的場景就在天文台的後面，背景的設定為洛杉磯街頭。詹姆士狄恩在電影《養子不教誰之過》中的魅力四射，就連現在的年輕人也將他視為偶像。格里菲斯天文台前的綠

完全不怕生的格里菲斯公園松鼠

色草皮上，經常可以看到享受日光浴的加州人以及到處玩耍的松鼠。

從高地俯望全洛杉磯市中心的格里菲斯天文台，於2002年7月開始整修，預定2003年秋天全面完工。

# 洛杉磯的美術館巡禮

## 在充滿朝氣的洛杉磯，享受輕鬆藝術之旅

西部大城洛杉磯，除了娛樂產業之外，其實美術館也到處可見，其種類與規模並不亞於東部的紐約。有收藏無數畢卡索、梵谷等著名畫家作品的蓋提中心；賈門美術館；洛杉磯美術館；哈默美術館；以電影《侏儸紀公園》一炮而紅的洛杉磯自然歷史博物館；可了解日裔美國人奮鬥歷程的日裔美國人博物館；專門收藏安迪華荷等現代藝術的現代美術館(MOCA)，共超過300多家，多元化的選擇包君滿意。幾乎所有的美術館內都設有咖啡廳，在欣賞藝術饗宴之後可稍做休息，繼續回味精采的作品。

蓋提中心的白色建築與碧藍的天空相輝映

西海岸最大規模的洛杉磯美術館

### 蓋提氏免費公開珍貴的收藏品

## 蓋提中心
### The Getty Center

map⋯P46-A2

蓋提中心於1997年12月，從過去的馬里布遷移至目前的所在地，也就是距離聖塔莫尼卡約30分鐘車程的布萊登木地區山丘上。佔地超過40萬m²的腹地內，依收藏的美術作品共分為五個展覽館，此外，還有可以鳥瞰洛杉磯街頭的露天咖啡座、人工庭園、各種研究中心、餐廳、咖啡廳、商店等設施。週末假期的人潮不斷，不但在開館前就看得到大排長龍，常設的美術館還必須限制入場人數，令人嘆為觀止。以石油致富的館主蓋提，畢生收藏無數的裝飾品、家具、美術作品，是位名副其實的大收藏家。

### 館內構造

蓋提中心共有五棟建築，依照作品的年代及種類，分成1600年前的**北展覽館**；1600～1800年的**東、南展覽館**；1800年之後的西展覽館。設有服務台與商店的**入口展覽館**內，可以租到介紹250件美術作品的語音導覽耳機(英文與西班牙文，費用一天US$3)，此外，每一棟展覽館內都設有藝術簡介室，可以免費利用電腦或圖示板深入了解館內的作品。

### 推薦重點

古代羅馬、希臘的大理石雕刻古董；9～16世紀的手抄本；13～20世紀的歐、美繪畫作品；1981年～蓋提氏去世前五年之間所收購的素描作品；17世紀中葉到18世紀末期，以法國製品為主的裝潢家具；文藝復興時期～19世紀末期的歐洲雕刻、納達、寶加等的藝術作品都是屬於常設的展示。

服務看板上，會介紹當天的特別展示內容。

1200 Getty Center Dr. ☎310-440-7300 ⏰10～19點(週四・五～21點、週六・日～18點) ⏰例假日免費入場 🚍搭乘MTA561號巴士或BBB14號巴士在蓋提中心下車。停車場(一輛US$5)的使用須以電話預約，只有平日16點過後不用預約。

## ●蓋提中心的館內介紹

| 主要設施 | 展示內容 |
|---|---|
| 北展覽館 | 17世紀之前的美術 上層：美術作品<br>中層：雕刻/裝飾藝術/裝飾手抄本/學習教室/特別展示會場 |
| 東展覽館 | 17～19世紀的美術 上層：美術作品<br>中層：雕刻/素描/親子教室 |
| 南展覽館 | 17～19世紀的美術 上層：美術作品<br>中層：裝飾藝術/學習教室 |
| 西展覽館 | 19世紀之後的美術 上層：美術/特別展示會場<br>中層：雕刻/裝飾藝術/照片/學習教室/特別展示會場<br>下層：古代藝術 |
| 蓋提人類・美術史研究中心 | 中層：閱讀室/特別展示會場 |
| 花園露天咖啡座 (The Museum Cafe) | 提供三明治、沙拉、濃湯、點心等的簡餐。看得到海景的露天座位人氣最旺，每天11點30分開始營業直到休館。 |
| 咖啡廳 (The Cafe) | 採自助式經營，營業時間11～15點。共265個座位，露天座位較受歡迎，平均每人消費US$4～8。 |
| 蓋提中心餐廳<br>(The Restaurant at the Getty Center) | 在洛杉磯以景觀最美的餐廳聞名，道地的加州餐廳共有室內、露天各150及75個座位。平均一道菜的價格，午餐US$8～14，晚餐US$18～24。<br>預約專線 ☎ 310-440-7300 |

# 蓋提中心 The Getty Center

南展覽館205室，展示1740～1800年間的法國美術作品。

總是人潮絡繹不絕的西展覽館204室，在自然柔和的燈光下鑑賞名畫。

綠意盎然的中央花園

從南展覽館可遠望洛杉磯全市，偌大的街景盡收眼底。

南展覽館

西展覽館

東展覽館

北展覽館

中央花園

花園露天咖啡座

入口展覽館

蓋提人類・美術史研究中心

電車廣場

電車　餐廳・咖啡館

會堂

東展覽館前的廣場上，有一座由玉石雕砌而成的噴水池。

燦爛的陽光直射入口展覽館的屋頂

欣賞藝術饗宴之後，可以一邊喝下午茶，一邊眺望洛杉磯的優美景致。

建築物的設計出自美國大師理查・麥爾之作品。

從蓋提中心的公車總站可搭免費的接駁電車到美術館

結合全球一流的美術作品

# 洛杉磯郡立美術館
Los Angeles County Museum of Art

map…P57-E1

　　位於漢考克公園內的洛杉磯郡立美術館，是由6棟建築物所構成的大型美術館。館內收藏品眾多，約有數十萬件的展示品，可能要花整整一天的時間才能看完，如果時間不夠多，要有技巧地瀏覽重點作品。

1994年興建完成的西館外觀

5905 Wilshire Blvd.
☎ 323-857-6000
時間 12～20點 (週五～21點、週六・日11點～)
休 週三
票價 US$7
交通 搭MTA20、21、720、217號巴士，在威爾榭大道Wilshire Blvd.與費法斯街Fairfax Ave.的路口下車，徒步約5分鐘。

### 洛杉磯郡立美術館半日行程

●安德遜館的2樓為歐洲繪畫與美術作品，尤其不能錯過畢卡索藍色時代的代表作品《塞巴斯汀的肖像》及馬諦斯的《茶》。
　　↓
●阿曼森館的1樓，展示19～20世紀的美國繪畫作品。
　　↓
●哈默館內的主要企劃展示為1900～2000年之間的現代藝術。
　　↓
●西館展示的是拉丁美洲的美術作品。
　　↓
●日本館內有著名畫家的屏風畫及土器、佛像等。

洛杉磯的美術館巡禮

售票口在上樓梯後右側

左：阿曼森館1樓的美國雕刻與家具
上：20世紀的美國繪畫作品

## 洛杉磯郡立美術館 Los Angeles County Museum of Art

安曼森館2樓，展示羅馬的美術品。

安曼森館2樓，展示18世紀法國、德國的繪畫與雕刻

## 館內構造與推薦重點

### ●安曼森館 Armanson Building

地下1樓展示的是遠東地區的美術品；1樓有20世紀之前的美國繪畫、美術品、家具、陶瓷器、現代藝術、古代墨西哥、16～17世紀的英國藝術作品及館內商店；2樓有世界的古代藝術、歐洲繪畫、中東的美術遺產及希臘雕刻；3樓有中東、喜馬拉雅、東南亞等地的繪畫及美術品。

### ●安德遜館 Anderson Building

地下1樓的繪畫與美術品可出租或販賣；一樓有現代藝術與企劃展示的作品；2樓有1960年之後的現代藝術作品；3樓則以近期作品為主的現代藝術。

### ●日本館 Pavilion for Japanese Art

安曼森館3樓，展示中東與南亞的珍貴作品。

安曼森館2樓，欣賞文藝復興時期（15～16世紀的作品才能了解繪畫的變遷。

以螺旋方式展示安藤廣重與圓山應拳等藝術家的屏風繪畫。上層最裡面的展示區有平安時代的地藏菩薩、鎌倉時期的阿彌陀像、繩文．彌生時期的土器與銅器、古墳時代的人偶、能劇的服飾、1879年所製造的第凡內茶具等。

### ●哈默館 Hammer Building

以照片為主的特別展示。常設展中除了風景與肖像的照片之外，還有19世紀的歐洲繪畫。

### ●賓中心 Bing Center

有視聽室與劇場等設備，一樓的自助式餐廳是提供休息的好去處，週末時有電影上映。

專線 ☎323-857-6010

全館的美術品都是美國之經典，非常值得遊客抽空參觀。

左：蝸牛形狀的日本館，建築物前有一大片日本庭園。
上：鑲有金箔的屏風，令人嘆為觀止。

網羅文藝復興時期到20世紀的傑出作品

# 諾頓・賽門美術館
Norton Simon Museum

map…P136-A1

猶太裔的諾頓・賽門，畢業於美國加州大學柏克萊分校，是一位橫跨食品、出版等領域的大企業家，生平致力於美術品的收藏。在無數的珍藏品當中，賽門美術館的常設展示作品都保持在一千件以上。賽門於1993年，以86歲的高齡過世為止，共收集到文藝復興時期的波堤切利、拉斐爾；16世紀後期到18世紀前期，巴洛克時期的魯斯本、林布蘭、18世紀的福拉哥納德、哥雅、19世紀後期，印象派代表馬奈、雷諾瓦、莫內、竇加、梵谷、高更、塞尚；20世紀的畢卡索、馬諦斯等著名藝術家的作品。

上：從帕薩迪納舊街徒步約10分鐘，位於科羅拉多大道與橘樹林大道的交叉口。

左：1樓有畢卡索等藝術家的作品

## 美術館的構造

中庭的入口處，可以看到羅丹的雕刻作品《加萊市民》。展示會場有1樓與地下兩個樓層，一樓共有7間藝廊，分別收藏14～17世紀文藝復興時期、17世紀、17～18世紀、19～20世紀的繪畫與雕刻、印度、東南亞等地的美術品等。

## 推薦重點

**1樓** 文藝復興時期的代表作品有拉斐爾的《看書的聖母子》、波堤切利的《聖母子與天使》；17～18世紀有林布蘭的《自畫像》、《少年》，其他還有魯斯本、哥雅等藝術家的作品。

其中最值得花時間鑑賞的是19～20世紀的藝廊，展示作品中較著名的有竇加的《芭蕾舞姿》、《梳髮的女人》、《舞者》；高更的《大溪地的女人與少年》；畢莎羅的《彭退斯的家禽市場》；梵谷的《農夫的肖像》、《桑樹》；塞尚的《花瓶內的鬱金香》，此外，還有畢卡索、馬諦斯、莫迪里尼等著名畫家的作品。

印度、東南亞的藝廊內，展示有14世紀的尼泊爾青銅像、印度、泰國的雕刻等。

**地下1樓** 展示亞洲的雕刻、竇加的作品、荷蘭、法國的繪畫等。

9世紀的泰國佛像，亞洲的美術收藏品也相當豐富。

19～20世紀藝廊是鑑賞的重點，到處可見竇加的雕刻作品。

代表洛可可時期的畫家提也波洛的作品等，展示18世紀歐洲繪畫的藝廊。

17～18世紀，巴洛克時期的歐洲繪畫作品。

411 West Colorado Blvd., Pasadena
☎ 626-449-6840 時間 12～18點 (週五～21點) 休 週一、二、三 票價 US$6英文導覽須事先預約，專線 ☎ 818-449-6840 交通 搭乘MTA80、181號巴士、在科羅拉多大道 Colorado Blvd.與橘樹林大道 Orange Grove Blvd.路口下車，徒步約5分鐘。

# 日裔美國人博物館
## Japanese American National Museum

map…P135-C2

為了讓更多的人了解1880年代遠赴夏威夷追求新生活的日本移民，以及日本人如何取得美國公民的辛酸歷史等美國文化遺產，於1992年成立了日裔美國人博物館。尤其是日本移民的第一代與第二代，他們曾經受到嚴重的種族歧視，在第二次世界大戰當中，更被強制拘留而失去自由。

現代化建築的新館

### 美術館的構造

既有的本館與1999年1月才剛開幕的新館，展示當年日裔美國人的紀錄影片、照片、美術工藝品、繪畫等共6萬多件蒐藏品。

上：全美十處集中營的模型

左：本館入口附近販賣相關書籍的商店

### 推薦重點

本館內有日本人被拘留的集中營模型、可查詢拘留者姓名與身份等資料的電腦系統，都非常值得參觀。面積達1700m²的新館內，展示有1885～1924年的日本移民資料、第二次世界大戰期間集中營的生活、並介紹戰後的日裔美國人的社會，以及在美國政界嶄露頭角的日裔等，其中有關集中營的收藏品，內容令人震驚不已。除了展示會場之外，還有商店、庭園、咖啡廳等設施。

369 East 1st St. ☎ 213-625-0414 時間 10～17點(週四～20點) 休 週一 要看 US$6 (第三星期四免費) 交通 搭DASH 巴士A路線，在日裔美國人博物館 Japanese American National Museum下車，或搭地鐵紅線在市民中心Civic Center下車，徒步約10分鐘。

## 日裔移民的歷史

日本在江戶幕府時代末期，約1866年廢除出國的禁令之後，日本人才開始到美國移民。1880年代，日本人以簽約的方式到夏威夷移民，初期的工作是以栽種甘蔗等的農業及畜牧業為主，經過一段時間奠定了基礎之後，逐漸轉型到自營農業或商業界，爾後為了謀求更大的成就，有的人開始轉向美西發展。

當時的美國西岸正值淘金熱的時期，東西橫貫鐵路的建設也剛開始起步，其中表現最出色的勞工就屬中國人了。他們刻苦耐勞的工作態度與廉價的工資，深受美國人雇主的喜愛，但是另一方面，中國人為了保存固有文化，而不願融入美國的社會，逐漸受到美國人的排擠，此時取代中國人地位的日本勢力開始抬頭。日裔美國人無論在木材業、鐵路建設、罐頭工廠、農業等各領域都有不錯的表現，他們無怨無悔地工作，積極地融入美國人的生活當中，奠定了日後事業的基礎。之後不但形成了「日本城」，日本學校與報社等機構也陸續地成立。

但是好景不常，隨著日裔美國人的增加與事業的成功，排日的聲浪不斷高漲，終於在1924年成立了排日條款，之後在第二次世界大戰當中，更有超過12萬人以上的日裔美國人被送往集中營，度過一段相當悲慘的歲月。當時的美國政府，招募日裔美國人的志願兵，主要是以移民第二代為主的成員，正式編制為442戰鬥部隊，他們前往歐洲戰場，並替美國立下了汗馬功勞。他們認為在當時的局勢之下，唯有志願上戰場衝鋒陷陣，才能表現出對美國政府的忠誠，也因此戰後的排日情緒漸趨緩和，到了1980年代，日裔美國人在戰爭期間所受到的不平等待遇等問題才正式獲得解決。

現在的日裔美國人已經從第四代漸漸轉到第六代，活動範圍也不再只限於夏威夷及美西，無論在美國的任何一個角落都可以看到他們在政治、商業、文化、運動各個領域中的卓越表現。

## 加大洛杉磯分校哈默美術館及文化中心
### UCLA Hammer Museum

map⋯P116-B3

哈默美術館位於加州大學洛杉磯分校南部，西塢大道與威爾樹大道的交叉口。館內分成常設展示室與企劃展示室兩部份，其中常設展示室的收藏品約有一萬多件，包括17～19世紀具代表性的畫家魯斯本、林布蘭、竇加、莫內、塞尚、梵谷、高更等人的作品，非常值得鑑賞。在館內的商店內，可以買到明信片、美術書籍、繪畫相關的商品等。

10899 Wilshire Blvd. ☎ 310-443-7000
[時間] 11～19點 (週四～21點、週日～17點) [休] 週一 [票價] US$4.50 (週四免費) [交通] MTA20、21號巴士

## 現代美術館
### The Museum of Contemporary Art(MOCA)

map⋯P61-C2

針對1940年代之後的大眾藝術、照片、錄影帶等作品，一年舉辦數次的展覽會。除了展示李奇登斯坦、大衛赫克尼、賈斯培瓊斯等現代藝術大師的作品之外，對於新進藝術家的提拔也不遺餘力。仔細欣賞繪畫、雕刻等多變化的藝術作品，可以感受到藝術家們勇於挑戰的精神。此外，由日本建築大師磯崎新所設計，結合現代與古代氣息的前衛建築物也頗受曯目。別館的葛芬現代藝術博物館 The Geffen Contemporary at MOCA(152 North Central Ave.)位於小東京附近。

250 South Grand Ave. ☎ 213-621-2766
[時間] 11～17點 (週四～20點) [休] 週一 [票價] US$8 (週四17點～免費) [交通] 地鐵紅線市民中心Civic Center 車站下車

## 洛杉磯郡立自然歷史博物館
### Los Angeles County Museum of Natural History

map⋯P47-C3

介紹史前生物的化石與骨頭約16000種，進入正門大廳，首先會看到令人震撼的霸王龍與肉食性恐龍的巨大化石。館內依樓層共分為三區，展示長毛象與乳齒象化石的恐龍區；棲息在熱帶雨林內超過10萬隻以上的鳥類區；綠寶石等的珍貴原石區，此外，還有學習美國歷史的展示教室。

900 Exposition Blvd. ☎ 213-744-3466
[時間] 9點30分～17點 (週六・日10點～) [票價] US$8 [交通] MTA81號巴士

## 航空博物館
### Museum of Flying

map⋯P63-E1

位於聖塔莫尼卡機場內，外形類似倉庫的建築物共分為三層樓，一樓有1924年首次環繞世界一周的小型飛機一紐奧良號，以及第二次世界大戰中所使用的戰鬥機等共約20架，分別停放在屋頂及戶外空曠的地方。此外，遊客也可以模擬飛行，親身體驗駕駛的樂趣 (一次US$2，約4分鐘)。二樓展示的是道格拉斯公司的得意產品DC-3，以模型與畫板介紹不同時代的展示。附近的DC-3餐廳，時有好萊塢明星進出，當然也包括電影中的男主角湯姆克魯斯。

聖塔莫尼卡機場Santa Monica Airport 2772 Donald Douglas Loop North, Santa Monica ☎ 310-392-8822 [時間] 10～17點 [休] 週一・二 [票價] US$7 [交通] BBB8、14號巴士

# 購物的天堂！
# 暢貨中心

洛杉磯旅遊不能錯過的行程之一就是到暢貨中心血拼。看到夢寐以求的名牌商品大減價，不禁令人心動。但千萬不要忘了暢貨中心的商品通常是生產過剩或過季的存貨，當然也有可能是生產過程中的瑕疵品，因此，在購買時不要一味地貪小便宜，也要確認好商品的品質。大部份的暢貨中心都在郊外，搭乘大眾運輸工具並不方便，遊客只能租車或參加遊行團了。

## 沙漠山暢貨中心 　　　　　Desert Hills Premium Outlets

　　矗立在沙漠中的大型暢貨中心，目前是洛杉磯近郊最受歡迎的購物天堂，移民風十足的建築物中約有140家以上的店面。隨著Gucci、Wedge wood等高級商店的開幕，更是吸引了無數的人潮。中心共分為**東西兩翼**，佔地非常寬廣，想要全部逛玩，可能要花上整整一天的時間，因此到了暢貨中心之後，最好先到服務台索取地圖，做好確認。如果是參加旅行團，逛街就得更有效率，並記得留意出發的時間。餐廳集中在東翼的飲食廣場內，用餐方便。

沙漠山暢貨中心的名牌商品眾多

沙漠山暢貨中心MAP/P47-E2 48400 Seminole Dr. Cabazon
☎ 909-849-6641 時間：10～20點（週五～21點、週六9～21點）休 全年無休 交通 ⑩ 號公路往東，經過 ㉕ 號公路分歧點，在Cabazon的Fields Rd.交流道下車後左轉。從洛杉磯市中心開車約1小時30分鐘，從棕櫚泉出發約15分鐘。

**Gucci**
深受一般人喜愛的Gucci商品終於出現在暢貨中心，無論是皮包、錢包、服飾、皮鞋，一律打4～7折，超低的價格吸引不少Gucci迷。男、女裝都非常齊全，以上一季的商品為主。
☎ 909-849-7430

**Polo/Ralph Lauren**
除了最常見的襯衫、T恤之外，還有長褲、套裝、內衣、鞋子、家居服等，款式似乎比一般的Polo商店還多。全店商品打7折。
☎ 909-849-8446

**Coach**
以皮革製品著名的美國品牌。材質堅固耐用，樣式簡單，頗受好評。無論是男用或女用，適合任何年齡層的人使用。以生產過剩、瑕疵品、停產的商品為主，最新產品必須等到出廠6個月之後才會進貨。
☎ 909-849-0277

**Nike Store**
店家佔地非常大，運動服、小飾品、鞋子款式眾多。最受歡迎的球鞋當中，男用鞋約佔一半，其他也是女用與兒童鞋。球鞋的擺設依用途分類，例如網球鞋、慢跑鞋等。產品的數量甚至多到連店員也無法計算。
☎ 909-849-0466

**Donna Karan**
以黑色系為主的禮服之外，還有一般的休閒服、牛仔褲、鞋子、皮包等。雖然只打5～7折，但幾乎都是新商品。
☎ 909-922-9862

**A/X Armani Exchange**
散發都市氣息的休閒服飾一律打5～7折。雖然所有的商品都是真貨，但要注意看清楚，有的衣服上畫有記號，有的牛仔褲有褪色的情形等。
☎ 909-922-2333

其他商店：GAP、Guess、Anne Klein、Tommy-Hilfiger、Burberry、Levis、Barneys New York、BCBG、John Versace、Sakes Fifth Avenue、Brooks Brothers。
※以上6家商店都集中在東翼

## 安大略磨坊 Ontario Mills

西海岸最大規模的暢貨中心，1996年開幕以來，每年從世界各國到此購物的人潮超過200萬人次。除了高級品牌的折扣商店之外，還有在當地頗受好評、熱帶雨林的**佛爾夫岡餐廳**、史蒂芬史匹柏所製作的**電玩中心**等，感覺像是一家大型的遊樂場所。

安大略磨坊佔地廣大，在第一區的馬紹爾與第五區的D&B前各有遊客服務中心，可以索取館內地圖。

室內的一條購物街貫穿全館，周圍共有200多家商店，沿著購物街前進是最好的方法。

安大略磨坊 MAP/P47-E3
One Mills Circle, Suite One Ontario
☎ 909-484-8300
時間 10點～21點30分 (週日～20點) 休 全年無休
交通 ⑩ 號公路往東，在Haven Ave. North交流道下車後，沿著指標前進就可以看取目的地。⑮ 號公路則在4th St. West交流道下車。從洛杉磯市中心出發，兩條路線都約1小時車程。

**Ann Taylor Loft**
只賣自家廠牌的商品，而且都是本店獨一無二的新品。較受歡迎的商品有棉質的針織品、洋裝、鞋子等。
☎ 909-484-0755

**Nine West**
質地好，堅固耐穿的香港皮鞋。在一般的商店內售價就很合理，在此，只要有一點小瑕疵，更可以享受7折優惠，可以考慮一次買個過癮。店內主要是以新款的鞋子為主。
☎ 909-987-1011

左上：購物之餘，可以到佛爾夫岡餐廳輕鬆用餐。
右上：電玩中心也提供簡餐的服務

其他商店：Off Rodeo Drive、Saks Fifth Avenue、JC Penney、Guess、Gap、Levis、FILA、Benetton、Skechers、Converse、BeBe、Windsor。

## 城堡暢貨中心 Citadel Factory Stores

醒目的神殿式建築，經常是拍攝電影的場景。從市中心開車只要30分鐘，是此地最受歡迎的原因。除了名牌商品之外，還有雜貨、書店等共約100多家，須花上4～5小時的時間才能逛玩。可以利用觀光的空暇時間，考慮短暫的購物行程。

距離洛杉磯市中心最近的城堡暢貨中心

城堡暢貨中心 MAP/P47-E4 5675 East Telegraph Rd., City of Commerce ☎ 323-888-1220 時間 10～20點 (週日～18點) 休 全年無休 交通 ⑤ 號公路往南，在Atantic Blvd.交流道下車後左轉，到了Telegraph Rd.再左轉。從洛杉磯市中心開車約30分鐘。

**BCBG**
主要針對上班族的套裝與洋裝作設計，剪裁適合都市的成熟女性，顏色的搭配以黑、白、茶等色系為主，平均打7折。☎ 323-727-7284

**Max Studio**
可做休閒服或正式禮服裝扮的美國品牌，除了可以享受75折的優惠之外，還可以一次買齊全年的衣服。
☎ 323-721-2200

**United Colors of Benetton**
與一般的Benetton商店同步進貨，還可以打3～75折，如果是瑕疵品就更便宜了。
☎ 323-721-3676

其他商店：Ann Taylor Loft、Bestey Johnson、Eddiebauer、Vans Shoes、Leather Loft、Vitamin World、London Fog、Bunnister Shoe Studio、Geoffrey Beene。

eat & buy

# 餐廳 & 購物

洛杉磯最誘人的地方，除了好萊塢與主題樂園之外，就屬美食與購物了，每個地區的餐廳與商店都展現出當地的特色與氣氛。與電影相關的商店在好萊塢；風格獨創的商店集中在梅爾羅斯；美食街的拉西安哥；咖啡廳、酒吧等藝人的社交場所一西好萊塢；網羅高級名牌的比佛利山莊；若想要放鬆心情，不妨到西塢及聖塔莫尼卡的海岸線；高格調的商店可以到帕薩迪納。

考慮到每一個地區的觀光內容與移動腳程，一天的時間要逛完是不可能的，當然也不能像在散步一般，隨心所欲地逛街，建議最好還是事先鎖定屬意的商店與餐廳。如果想要有效率地購物，不妨考慮到樹林購物中心(→P114)，或是到西部的大型購物中心(→P112)。此外，對於熱中購物的人而言，郊外的大型暢貨中心(→P95)也是一項不錯的選擇。

## 洛杉磯最著名的餐廳

符號解讀 　🛍需穿著正式服裝

## *Hollywood*
## 好萊塢

好萊塢是造訪洛杉磯的遊客必參觀的著名景點，2001年秋天才剛開幕的娛樂殿堂一好萊塢高地娛樂廣場(→P16,84)，讓好萊塢的人氣指數不斷攀升。奧斯卡金像獎頒獎典禮會場一柯達劇院、巴比倫廣場四週的商店與餐廳、西海岸最大的免稅商店。此外，具代表性的「Hollywood」標誌，可以沿著高地街Highland Ave.，從電視製片廠的位置遠眺高山。在享受購物與美食之後，可以到好萊塢大道Hollywood Blvd.的格勞門中國劇院(→P85)，或是到星光大道(→P85)，找一找影星的手印與星印。如果還有時間，不妨由好萊塢大道往南兩個路口，走到平行的日落大道Sunset Blvd.，這裏有許多價廉物美的餐廳、酒吧，有的地方還有現場演唱，是當地居民的最愛。

著名的觀光勝地難免會有一些不肖的歹徒，遊客要隨時警惕，大部份的商店與餐廳都在大馬路上，因此盡量不要獨自走到人煙稀少的地方。

格勞門中國劇院

餐廳&購物

---

**餐廳** 日本料理

*Yamashiro*

## 山城

| | |
|---|---|
| 住址 | 1999 North Sycamore Ave. |
| ☎ | 323-466-5125 |
| 交通 | 由格勞門中國劇院徒步約15分鐘 |
| 時間 | 17點30~22點(週五‧六~23點) 休無 |
| 費用 | 晚US$25~ |

MAP…P50-B1

**享受東西洋合併的精緻菜餚**

由身穿和服的女服務生帶路。除了正式的日本料理之外，還有獨創加州口味的亞洲料理。在日本庭園的另一頭，可以眺望市區與好萊塢的景致。餐廳位於山丘上，沿路沒有路燈，晚上最好搭車前往。

1911年的日式建築，經常在此拍攝電影。

---

**餐廳** 美國料理

*Studio Cafe & Lounge of Hollywood*

## 好萊塢製片場餐廳

| | |
|---|---|
| 住址 | 6633 Hollywood Blvd. |
| ☎ | 323-469-2138 |
| 交通 | 由格勞門中國劇院徒步約7分鐘 |
| 時間 | 6點~凌晨2點 休無 |
| 費用 | 午$5~ 晚$8~ |

MAP…P85-D1

**全年無休 輕鬆用食**

先在櫃檯點餐，再將餐點拿回座位的方式。價錢公道，又不用給小費，最適合吃午餐，菜色以三明治、漢堡等簡餐為主。店內還有卡拉OK的設備，每星期五可免費唱歌。

位於好萊塢大道上，牆上的場記板是最明顯的目標。

---

**餐廳** 三明治

*Le Croissant Club*

## 牛角麵包俱樂部

| | |
|---|---|
| 住址 | 6541 Hollywood Blvd. Suite 104 (Jane's House Square內) |
| ☎ | 323-463-5156 |
| 交通 | 由格勞門中國劇院徒步約7分鐘 |
| 時間 | 7點30分~18點30分 休週日 |
| 費用 | 午$6.5~ 晚$8~ |

MAP…P85-D1

**種類眾多任君挑選**

除了36種牛角麵包之外，其他還有5、6種不同口味的麵包。午餐時間的特別餐包只要US$6.75：可自選一種牛角麵包，加上義大利麵沙拉、自家烘焙的大餅乾及一杯飲料。

當地的居民優閒地坐在露天咖啡座。

---

**酒吧** 美國料理

*The Cat & Fiddle Pub & Restaurant*

## 貓與提琴餐廳

| | |
|---|---|
| 住址 | 6530 Sunset Blvd. |
| ☎ | 323-468-3800 |
| 交通 | 由格勞門中國劇院徒步約15分鐘 |
| 時間 | 11點30分~凌晨2點(週二8點30分~) 休無 |
| 費用 | 午 晚$8~ |

MAP…P85-D2

**音樂繚繞的成人PUB**

穿過鐵拱門，走進噴水池的中庭，就可聽到手風琴的歡迎樂聲。很多人一邊喝著啤酒，一邊享受螃蟹炒大蒜、魚料理、洋芋片等小吃，店內的氣氛熱鬧，星期日晚上有爵士樂的現場演奏。

位於好萊塢往南的兩個路口處，鐵拱門是明顯的目標。

---

**商店** 禮品、雜貨

*Hollywood Movie Posters*

## 好萊塢電影海報

| | |
|---|---|
| 住址 | 6727 1/2 Hollywood Blvd. |
| ☎ | 323-463-1792 |
| 交通 | 由格勞門中國劇院徒步約3分鐘 |
| 時間 | 12~17點 休週日 |

MAP…P84-C1

**電影海報應有盡有**

以電影的海報為主，其他還有影星的照片、宣傳用的傳單等。對熱愛電影的人而言，叫座電視節目的對外宣傳資料以及特殊攝影的操作手冊等都非常地有價值，店內的陳列有些凌亂，但商品的數量相當驚人。

位於亞森中庭的最裏面，在此也可得知電影相關資訊。

---

**商店** 唱片

*As the Record Turns*

## 旋轉唱片

| | |
|---|---|
| 住址 | 6727 3/8 Hollywood Blvd. |
| ☎ | 323-466-8742 |
| 交通 | 由格勞門中國劇院徒步約3分鐘 |
| 時間 | 12~18點(週六13~17點) 休週日 |

MAP…P84-C1

**驚喜發現珍貴唱片**

爵士、藍調、搖滾，各種風格的大小唱片齊全。唱片的封套反映出不同的時代背景。店面不大擺設有限，如果找不到屬意的唱片，可以請店員幫忙確認庫存。只要事先打電話，非營業時間也可進去購買。

牆壁上陳列著無數的唱片，令收藏家們大為心動。

| 商店 | 服飾 |
|---|---|

*Frederick's of Hollywood*

## 費德利可·好萊塢

| 住址 | 6608 Hollywood Blvd. |
|---|---|
| ☎ | 323-466-8506 |
| 交通 | 由格勞門中國劇院徒步約10分鐘 |
| 時間 | 10～21點(週六～19點、週日11～18點) 休無 |

MAP…P85-D1

### 不可錯過瑪丹娜的性感內衣

這裏是性感內衣的專賣店。店內還設有內衣博物館，內容包括伊麗莎白泰勒的細腰襯裙、瑪麗蓮夢露的豐腴性感內衣、湯姆漢克的短褲等。由於店內裝有保全系統，不可用手觸摸展示櫥窗。

男、女裝都有販賣，男性朋友也不妨進去瞧瞧。

| 商店 | 服飾 |
|---|---|

*Lady Studio Exotic shoes*

## 異國風情仕女鞋

| 住址 | 6500 Hollywood Blvd. |
|---|---|
| ☎ | 323-461-1765 |
| 交通 | 由格勞門中國劇院徒步約10分鐘 |
| 時間 | 10～20點 休無 |

MAP…P85-E1

### 性感馬靴物美價廉

鞋底厚重、材質有光澤的馬靴，是舞台表演者的最佳搭配。平常穿的短靴或工作鞋，顏色沉穩，標準樣式齊全，價格也相當合理，被當地的時尚雜誌評價為「全洛杉磯最性感的鞋店」。

穿著這些馬靴走路，魅力可媲美瑪麗蓮夢露及瑪丹娜。

| 商店 | 玩具 |
|---|---|

*Hollywood Toys & Costumes*

## 好萊塢玩具與戲服店

| 住址 | 6600 Hollywood Blvd. |
|---|---|
| ☎ | 323-464-4444 |
| 交通 | 由格勞門中國劇院徒步約10分鐘 |
| 時間 | 9點30分～19點 (週六·日10點30～) 休無 |

MAP…P85-D1

### 面具等化裝道具，趣味十足

店內有許多表演用的戲服、搞笑用的假髮等有趣的商品，時常可以聽到試穿衣服的人開懷大笑的聲音。電影「星際大戰」、電視節目「星際迷航」等的周邊產品與模型，深受影迷們的喜愛，每一個角色的造型都非常有個性。

吊在店門口的大蜘蛛與大蝙蝠就像是恐怖電影的情節。

| 商店 | 服飾 |
|---|---|

*Cross Roads*

## 交差路口

| 住址 | 6540 Hollywood Blvd. |
|---|---|
| ☎ | 323-467-2796 |
| 交通 | 由格勞門中國劇院徒步約10分鐘 |
| 時間 | 11～20點 休無 |

MAP…P85-D1

### 琳瑯滿目的高級休閒服

適合成年人的休閒品味，由於店面在好萊塢，服裝的設計走高級路線，樣式豐富多變。有Guess、Ralph Lauren等的品牌設計師所設計的牛仔褲、短外套之外，還有手錶、太陽眼鏡、鞋子、皮包等小飾品，可做全身整體的搭配。

店面寬廣又位在路口，目標非常醒目。

| 商店 | 禮品、雜貨 |
|---|---|

*Arc Light*

## 弧光

| 住址 | 6360 Sunset Blvd. |
|---|---|
| ☎ | 323-464-4226 |
| 交通 | 由格勞門中國劇院搭車約3分鐘 |
| 時間 | 11點30分～凌晨1點 休無 |

MAP…P50-C2

### 電影院內的精緻禮品店

日落大道上的影城巨蛋，已經改裝成一個嶄新的遊樂場所一弧光好萊塢，現代化的電影院內有咖啡廳與禮品店。店內的商品包括與電影相關的書籍、寫真集、海報、卡片、室內擺飾，還有以好萊塢為主題的可愛小飾品等，宛如博物館內的商店，種類豐富，可以挑選到品質好又獨具風格的好禮物。為了配合晚場電影，營業時間到隔天的凌晨1點，店面就在售票口的旁邊。

在電影之都好萊塢，挑選與眾不同的禮物。

巨蛋底下的回音繚繞，彷彿身在電影的拍攝現場。

## Melrose Avenue & La Cienega Boulevard

# 梅爾羅斯&拉西安哥

位於好萊塢西南部的**梅爾羅斯街**,是深受年輕人喜愛的流行時尚中心。從東部的拉布萊爾街Ra Brea Ave.到西部的費法斯街Fairfax Ave.,長達1.5km的街道上,有前衛的服飾店、二手衣店、古董店、咖啡廳等。標新立異的店面與創新的擺設令人大開眼界。當地的年輕人用最省錢的方法做最新潮的裝扮,在洛杉磯算是非常異類的景點。

梅爾羅斯街繼續往西走,就會看到以美食著名的**拉西安哥大道**。在當地的地標——大型購物中心的**比佛利中心**(→P112)南北向道路上,有許多當地居民讚不絕口的餐廳,無論是法國料理、日本料理、韓國料理的口味都非常道地可口,氣氛極佳。這裏的餐廳大部份都集中在比佛利中心附近,千萬不可錯過。

創意十足的古董店Off the Wall(MAP/P100-C1),梅爾羅斯街有許多別出心裁的商店。

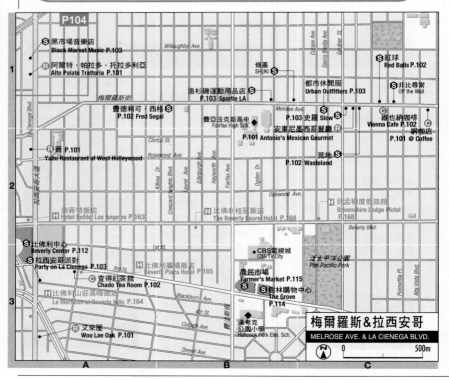

P104

Ⓢ 黑市場音樂店
Black Market Music P.103

Ⓡ 阿爾特‧帕拉多‧托拉多利亞
Alto Palate Trattoria P.101

修基
SHUKI Ⓢ

Ⓢ 紅球
Red Balls P.102

梅爾羅斯街

洛杉磯運動用品店Ⓢ
P.103 Sportie LA

都市休閒服
Urban Outfitters P.103

Ⓢ 非比尋常
Off the Wall

費德利可‧西格Ⓢ
P.102 Fred Segal

費亞法克斯高中
Fairfax High Sch.

P.103 史蘿 Slow Ⓢ

維也納咖啡
Vienna Cafe P.102

Ⓡ 藪 P.101
Yabu Restaurant of West Hollywood

安東尼墨西哥餐廳Ⓡ
P.101 Antonio's Mexican Gourmet

網咖店
P.101 @ Coffee

荒地Ⓢ
P.102 Wasteland

Ⓗ 貝孟瓊度假旅館
Bevonshire Lodge Motel
P.168

Ⓗ 索菲特飯店
Hotel Sofitel Los Angeles P.163

Ⓗ 比佛利桂冠飯店
The Beverly Laurel Hotel P.168

Ⓢ 比佛利中心
Beverly Center P.112

Ⓢ 拉西安哥派對
Party on La Cienega P.103

Ⓒ 查得紅茶館
Chado Tea Room P.102

Ⓗ 比佛利廣場飯店
Beverly Plaza Hotel P.165

CBS電視城
CBS TV City

泛太平洋公園
Pan Pacific Park

Ⓗ 比佛利山莊高樂飯店
Le Meridien at Beverly Hills P.164

農民市場
Farmer's Market P.115

Ⓢ 樹林購物中心
The Grove
P.114

Ⓡ 文來屋
Woo Lae Oak P.101

漢考克公園小學
Hancock Park Elm. Sch.

# 梅爾羅斯&拉西安哥
## MELROSE AVE. & LA CIENEGA BLVD.
Ⓝ  0 ─────── 500m

A          B          C

## 餐廳 日本料理
*Yabu Restaurant of West Hollywood*

### 藪

| | |
|---|---|
| 住址 | 521 North La Cienega Blvd. |
| ☎ | 310-854-0400 |
| 交通<br>時間 | 由比佛利中心徒步約10分鐘<br>12點～14點30分、18點～22<br>點30分（週五・六～23點、<br>週日18～22點）<br>休無 |
| 費用 | 午$8～・晚$20～ |

MAP…P100-A2

**關東口味的日本蕎麥麵**
所有的員工都是日本人，手工
蕎麥麵是本店的招牌。其他菜
色還有天婦羅、山藥的蕎麥
麵、蓋飯、手捲、生魚片、毛
豆，都是好吃的下酒菜，不妨
點些啤酒或日本酒小酌一番。

離西好萊塢很近，夜生活才正要開始
呢。

## 餐廳 韓國料理
*Woo Lae Oak*

### 又來屋

| | |
|---|---|
| 住址 | 170 North La Cienega Blvd. |
| ☎ | 310-652-4187 |
| 交通<br>時間 | 由比佛利中心徒步約10分鐘<br>11點30分～22點30分（週<br>五・六～23點）<br>休無 |
| 費用 | 午$10～・晚$25～ |

MAP…P100-A3

**商業午餐物美價廉**
總店在韓國的漢城，美國的
分店除了洛杉磯之外，還有
紐約及華盛頓，晚餐時間的
客人以日本人居多。以甜辣
醬醃漬處理過的牛小排味道
鮮美，放在爐上邊吃邊烤，
可享受道地的韓國美食。

水泥材質的外觀與單色的裝潢，非常
具有特色。

## 餐廳 墨西哥料理
*Antonio's Mexican Gourmet*

### 安東尼墨西哥餐廳

| | |
|---|---|
| 住址 | 7470 Melrose Ave. |
| ☎ | 323-655-0480 |
| 交通<br>時間 | 由比佛利中心搭車約8分鐘<br>11～23點（週六・日12～22<br>點）休週一 |
| 費用 | 午$15～・晚$15～ |

MAP…P100-C1

**全球最好喝的瑪格麗特**
為了讓洛杉磯的居民能夠品嘗
道地的墨西哥料理，本店的老
闆安東尼先生選擇在此開店，
現在已經成為洛杉磯首屈一指
的名店了。佛朗西斯、洛史都
華等知名藝人都曾聞香而來。

上：安東尼先生的料理吸
引每一位前來用餐的美女
右：口碑極佳的墨西哥餐廳

## 餐廳 義大利料理
*Alto Palato Trattoria*

### 阿爾特·帕拉多·托拉多利亞

| | |
|---|---|
| 住址 | 755 North La Cienega Blvd. |
| ☎ | 310-657-9271 |
| 交通<br>時間 | 由比佛利中心搭車約5分鐘<br>18～23點（週日17～）<br>休無 |
| 費用 | 午$15～・晚$25～ |

MAP…P100-A1　♨

**高級義大利餐廳**
與店外的景觀完全不同，店
內的的氣氛典雅高貴，面對
入口的樓層都有燭光點綴，
是約會的最佳場所。在這裏
可以嚐到義大利主廚的拿手
料理，如果遇到辦活動，各
國的廚師會齊聚一堂，愛吃
的老饕們可千萬不能錯過。

被綠樹圍繞的入口處有一間小客廳，
可以在此喝一杯雞尾酒。

店內的菜色並不花俏，但口味
極佳，「簡單最好」即是本店
成功的秘訣。老闆向大家推薦
的是每天不同的墨西哥鄉土料
理，他主張並不是只有塔可與
雞捲才是所謂的墨西哥料理，
其實食材與烹飪方法是變化萬
千的。牆上除了典型的墨西哥
壁畫之外，還裝飾著披風及墨
西哥草帽等的傳統服飾。店內
的包廂內，懸吊著豪華的美術
燈，充滿浪漫氣息。

## 咖啡館
*@ Cafe*

### 網咖店

| | |
|---|---|
| 住址 | 7200 Melrose Ave. |
| ☎ | 323-938-9985 |
| 交通<br>時間 | 由比佛利中心徒步約8分鐘<br>（週六～21點、週日<br>9～19點）<br>休無 |
| 費用 | 午$5～・晚$10～ |

MAP…P100-C1

**利用網際網路報平安**
網咖店內共有六台電腦，店
內的佈告欄上，貼有業餘樂
團的演出節目表及商品折扣
等資訊。本店自製的餅乾配
上熱騰騰的紅茶，遊客可以
一邊喝咖啡，一邊查詢洛杉
磯的熱門景點。

每天早上11前的折扣時段可享有一小時
US$5的優惠，比平常時段便宜US$2。

## 咖啡館 美式餐廳

### Vienna Cafe
### 維也納咖啡

| | |
|---|---|
| 住址 | 7356 Melrose Ave. |
| ☎ | 323-651-3822 |
| 交通 | 由比佛利中心搭車約8分鐘 |
| 時間 | 7點30分～19點 休無 |
| 費用 | 午$7 |

MAP…P100-C1

提供當地居民聊天的好去處
價格公道觀光客可以安心地使
用。每天菜單不同，精選素材
以蛋為主題的料理更是遠近馳
名。以梅爾羅斯麵包店為名的
店面起家，位於拉布萊爾與好
萊塢路口的著名餐廳就是固定
向本店進貨，民眾如果要買麵
包，必須前一天就預定。

在露天的咖啡座喝咖啡，可以觀察梅
爾羅斯來往的人群。

## 咖啡館 紅茶專賣店

### Chado Tea Room
### 查得紅茶館

| | |
|---|---|
| 住址 | 8422 1/2 W. Third St. |
| ☎ | 323-655-2056 |
| 交通 | 由比佛利中心徒步約8分鐘 |
| 時間 | 11點30分～18點 休無 |
| 費用 | 午晚$15～ |

MAP…P100-A3

品嚐清香可口的紅茶
店內的紅茶可稱重購買，也可
吃到簡單的餐點，沙拉與三明
治的味道也不錯，不過本店最
有名的招牌是US$15的下午茶
套餐，很多人還因此慕名而
來，頗受好評。本店的紅茶來
自全世界的國家，約有250種
以上，可以依個人喜好調配屬
於自己的口味。

一打開店門，就可以聞到陣陣的紅茶
香味。

## 商店 服飾店

### Red Balls
### 紅球

| | |
|---|---|
| 住址 | 7365 Melrose Ave. |
| ☎ | 323-655-3409 |
| 交通 | 由比佛利中心搭車約8分鐘 |
| 時間 | 11～20點 休無 |

MAP…P100-C1

新潮的龐克服飾
與店面的裝潢一樣，店內採用
紅黃相間的顏色搭配，加上牆
上金屬材質的擺飾，令人眼花
撩亂。穿著奇裝異服的店員，
在大分貝的龐克重搖滾音樂中
為客人服務。店內的商品五花
八門，有貼滿亮片的太陽眼
鏡、20cm高的鞋子、假髮、各
類流行服飾等。

店面上鑲滿銀色的圓球，非常引人注
目。

## 商店 服飾店

### Fred Segal
### 費瑞德‧西格

| | |
|---|---|
| 住址 | 8118 Melrose Ave. |
| ☎ | 323-651-4129 |
| 交通 | 由比佛利中心搭車約6分鐘 |
| 時間 | 10～19點 休週日12～18點 |

MAP…P100-B1

名人最愛的購物中心
住在比佛利山莊的好萊塢明
星們習慣在此購物，無論是
童裝、正式的禮服、精品、
咖啡館等應有盡有，是洛杉
磯購物的最佳選擇。地點位
於梅爾羅斯的住宅區內，外
觀雖然並不醒目，光從停放
在停車場的高級轎車就可看
出客人的層級。

經常可以看到美國本地的遊客手裡拿
著地圖，坐著巴士前來購物。

## 商店 服飾店

### Wasteland
### 荒地

| | |
|---|---|
| 住址 | 7428 Melrose Ave. |
| ☎ | 323-653-3028 |
| 交通 | 由比佛利中心搭車約8分鐘 |
| 時間 | 11～20點 |
| | 休無 |

MAP…P100-C1

樣式齊全的二手衣店
不成比例的店內擺設，加大
了空間的視覺效果，店內有
專賣Levis收藏家的珍貴牛仔
褲、樣式獨特的限量衣物、
便宜的T恤與中式旗袍等的二
手衣。店內的衣服都非常實
用，以一般的品牌為主，有
的衣服品質不錯，幾乎看不
出是二手衣。每一件衣服的
標籤上都貼有年代、尺寸、
金額等詳細說明，方便客人
挑選。本店的店員與客人的
穿衣品味都很高，是洛杉磯
值得信賴的二手衣店之一。

幾何圖形的襯衫不容易搭配，可以找
店員商量。

喜歡二手衣的年輕人，可以到此精挑
細選。

| 商店 | 服飾店・雜貨 |
|---|---|
*Urban Outfitters*

## 都市休閒服

| 住址 | 7650 Melrose Ave. |
|---|---|
| ☎ | 323-653-3231 |
| 交通 | 由比佛利中心搭車約8分鐘 |
| 時間 | 10〜21點（週五・六〜22 點、週日11〜20點） 休無 |

MAP…P100-C1

**從服飾到生活用品樣式齊全**
本店品牌所標榜的是，追求屬於自己的生活樣式，目前在美國已經有數家連鎖店。一樓以仕女服飾為主，中庭二樓是男士的休閒服，二樓有生活小飾品、家具、沐浴用品等種類眾多。

店內面積寬廣，以不同主題所劃分的擺設區域，造型新穎。

| 商店 | 服飾店 |
|---|---|
*Slow*

## 史羅

| 住址 | 7474 Melrose Ave. |
|---|---|
| ☎ | 323-655-3725 |
| 交通 | 由比佛利中心搭車約8分鐘 |
| 時間 | 11點30分〜20點（週六〜20 點30分、週日〜19點） 休無 |

MAP…P100-C1

深受日本人喜愛的二手衣店店內綠色盆栽的擺設令人心曠神怡。陳列商品的馬車棚及透明屋頂的設計都是本店的特色。從全美各地所蒐集的二手商品，無論是樣式與尺寸都非常齊全。經營者為日本人，較能掌握東方人的品味。店內設有US$5商品特賣區。

商店外的大車輪與鐵皮看板目標明顯，創意十足的透明櫥窗也值得欣賞。

| 商店 | 綜合手工藝品專賣店 |
|---|---|
*Party on La Cienega*

## 拉西安哥派對

| 住址 | 350 South La Cienega Blvd. |
|---|---|
| ☎ | 310-659-8717 |
| 交通 | 由比佛利中心搭車約8分鐘 |
| 時間 | 10〜21點（週五9〜19點、週 日11〜17點） 休無 |

MAP…P100-A3

派對用品與手工藝品專賣店店面如同包裝的大禮盒，顏色鮮豔醒目。店內分為三大區，第一區商品有派對用品、餅乾糖果、精緻小飾品；第二區有各種包裝紙，提供禮品的包裝服務；第三區為結婚卡等的卡片製作區。店內商品美國味十足，是購買禮物的最佳選擇。

活潑鮮豔的店面設計，在拉西安哥一帶非常引人注目。

| 商店 | 服飾店 |
|---|---|
*Sportie LA*

## 洛杉磯運動用品店

| 住址 | 7753 Melrose Ave. |
|---|---|
| ☎ | 323-651-1553 |
| 交通 | 由比佛利中心搭車約8分鐘 |
| 時間 | 11〜20點 休無 |

MAP…P100-B1

**尋找限量發行的夢幻球鞋**
本店位於梅爾羅斯街的費法斯高中前，放學時間可以看到很多學生在店內購物。由於主要的客源是學生，售價相當合理，據說最近Adidas與Puma的人氣指數還高過Nike。店面雖小，種類與尺寸齊全，店員的態度也很親切。如果有足夠的時間，在一般的球鞋當中還可以發現一些限量發行的珍藏品，無論是顏色或種類，都是在國內不曾見過的。本店有不少球鞋的收藏家前來購買，有任何的問題，都可以請教球鞋專家的店長。隔著一家披薩店，還有本店的服飾部門，這裏的款式也相當齊全。

上：從店內的球鞋種類可以看出店長的專業
右：牆上的特殊彩繪，吸引不少人的目光。

| 商店 | 吉他專賣店 |
|---|---|
*Black Market Music*

## 黑市場音樂店

| 住址 | 841 North La Cienega Blvd. |
|---|---|
| ☎ | 310-659-6795 |
| 交通 | 由比佛利中心搭車約5分鐘 |
| 時間 | 11〜20點 休無 |

MAP…P100-A1

**搖滾迷的最愛**
店內吊滿40〜70台的復古吉他，種類眾多，非常壯觀。走進店內，可以看到很多著名搖滾音樂家的照片，有些人還是本店的常客呢！擴大器的種類齊全，可以滿足客人的各種需求。本店的看板很小，最好先確認好店面的位置。

本店的評價高，客人絡繹不絕，要注意營業時間並不長。

## eat & buy

### West Hollywood
# 西好萊塢

　　洛杉磯最大的娛樂街，是連接好萊塢與比佛利山莊的**日落大道**Sunset Blvd.，以服飾店、餐廳聚集的**日落購物商城**Sunset Plaza（MAP/P104-B1）為中心，往東西向延伸2km的道路上，有許多的咖啡館、酒吧與俱樂部。無論是流行感十足的年輕人、喜好美食的上班族、穿著時髦的同志們，都不約而同地聚集在一起，享受都市夜生活的樂趣。在**維京唱片城**（→P106）等的大型商店內，經常有藝人舉辦簽唱會，在一些著名的餐廳，碰到電影明星的機率也很高。此外，也可以在小劇院或駐唱餐廳內欣賞藝人的精采表演，他們很有可能就是明日之星呢！當然這附近的藝人密集，販賣週邊商品的商店自然也不少。鄰近的**聖塔莫尼卡大道**Santa Monica Blvd.也有很多咖啡館與商店。

以流行音樂發祥地聞名的淘兒唱片城（MAP/P104-A2），營業時間到半夜。

## 西好萊塢
### WEST HOLLYWOOD

0　　　　　300m

**S** 強調 Emphasis P.106
**S** 勇將 Oliver Peoples P.106
**R** 熱情 Cravings Restaurant P.105

史特林日落廣場 Sterling Sunset Plaza

P.105 清清 Chin Chin **R**

**R** 克奇納‧義大利亞納 Cucina Italiana

日落購物商城 Sunset Plaza

威士忌阿哥哥 Whisky A Go Go P.159 **N**

淘兒唱片城 Tower Records

**S** 酒吧迷 Barfly P.105
**S** 流行文化公路 Popular Culture Highway P.106

日落大道

**S** 聚會所 Powwow P.106
**S** 影帶城 Tower Video

毒蛇空間 The Viper Room P.159

蒙德斯蒙套飯店 Le Montrose Suite Hotel de Gran Luxe P.164 **H**

◆ 西好萊塢小學 West Hollywood Elm. Sch.

Nellas St.
Harratt St.
West Knoll Dr.
Betty Way
Cynthia St.

瓦拉登飯店 **H** Valaden Hotel P.166

往比佛利山莊

喜劇之家 Comedy Store **H** **R** 往**S**維京唱片城

蒙德里安飯店 P.162 Mondrian **H**
日落公園飯店 Park Sunset **H**

西方落日廣場飯店 Best Western Sunset P.108 Plaza Hotel

馬魯斯日落飯店 Sunset Marquis

藍調之家 House of Blues P.105 P.109

嘉年華車廟餐廳 Carney's Express Limited P.105

Holloway Dr.

艾哈普 I HOP **R**

**S** 請勿上癮 Save on Drugs

P100

Romaine St.

華美達飯店西好萊塢比佛利山 Ramada Inn West Hollywood Beverly Hills **H**

星巴克咖啡 Starbucks Coffee **C**

黑市音樂店 **S** P.103 Black Market Music

阿爾特‧帕拉多‧托拉多利亞 **R** P.101 Alto Palato Trattoria

Willoughby Ave.
Waring Ave.
Sherwood Dr.
Romaine St.

Horn Ave.
Shoreham Dr.
Sunset Plaza Dr.
Sunset Blvd.
Pencroft Plaza Dr.
Alta Loma Rd.
拉西安蒙大道
Hacienda Pl.
Olive Pl.

Hillside Ave.
San Vicente Blvd.
Larrabee St.
Palm Ave.
Hancock Ave.
聖塔莫尼卡大道
Santa Monica Blvd.
Huntley Dr.
Westbourne Dr.
La Cienega Blvd.
West Knoll Dr.
Alfred St.
Croft Ave.
Orlando Ave.

West Knoll Dr.
Westmount Dr.

A　　　　　B　　　　　C

**餐廳** 美式餐廳

*Carney's Express Limited*

## 嘉年華車廂餐廳

| 住址 | 8351 Sunset Blvd. |
|---|---|
| ☎ | 323-654-8300 |
| 交通 | 由淘兒唱片城徒步約18分鐘 |
| 時間 | 11～24點（週五‧六～凌晨3點） |
| | 休 無 |
| 費用 | 午$5～晚$8～ |

MAP…P104-C1

### 自製的美味墨西哥辣醬

最著名的菜色是漢堡與熱狗，淋上自製的墨西哥辣醬，令人食慾大增。其中又以味道鮮美、嚼味十足的美式香腸做成的熱狗最受歡迎。無論是當地居民或是觀光客，店內經常座無虛席，熱鬧非凡。

店面是用1926年太平洋聯合鐵路的火車車廂所改造而成

---

**餐廳** 克立奧爾料理

*House of Blues*

## 藍調之家

| 住址 | 8430 Sunset Blvd. |
|---|---|
| ☎ | 323-848-5100 |
| 交通 | 由淘兒唱片城徒步約15分鐘 |
| 時間 | 17～23點（週五‧六17點30分～23點） |
| | 休 無 |
| 費用 | 午晚$13～ |

MAP…P104-C1

### 引人矚目的鐵皮外觀

可以聽到藍調、爵士等各種音樂的現場演奏，在洛杉磯一帶頗負盛名。一邊欣賞牆上鮮豔的彩繪圖樣，一邊享用美國南部紐奧爾良的克立奧爾料理，週日的早午餐時間，還可聽得到悅耳的教堂音樂。

正面是售票處與商店，餐廳在地下室。

---

**餐廳** 中國料理

*Chin Chin*

## 清清

| 住址 | 8618 Sunset Blvd. |
|---|---|
| ☎ | 310-652-1818 |
| 交通 | 由淘兒唱片城徒步約10分鐘 |
| 時間 | 11～23點（週五‧六～24點） |
| | 休 無 |
| 費用 | 午$10～晚$15～ |

MAP…P104-B2

吃出健康是洛杉磯的潮流店名的「清清」有清淡、健康的意思。完全不使用化學調味品，充分發揮食材的天然口味。店內採用透明廚房，可以清楚地看到中國廚師的精湛手藝，最受歡迎的菜色是中國式的雞絲沙拉。夏天可選擇坐在戶外的露天座位。

無論是美味的蝦餃或是清爽的餛飩湯份量都不多

---

**餐廳** 義大利料理

*Cravings Restaurant*

## 熱情

| 住址 | 8653 Sunset Blvd. |
|---|---|
| ☎ | 310-652-6103 |
| 交通 | 由淘兒唱片城徒步約3分鐘 |
| 時間 | 11～24點（週‧五‧六‧日9點～） |
| | 休 無 |
| 費用 | 午$8～晚$12～ |

MAP…P104-B1

### 享受露天雅座的閒情逸致

位於餐廳與商店集中的日落購物商城內，是一家頗具盛名的義大利餐廳。以蔬菜為主的菜色種類很多，低卡路里的雞肉料理是本店的招牌菜。以檸檬奶油醬調味的雞肉搭配白飯食用，味道清爽可口。

店外充滿綠意的露天雅座，是觀察過路行人的最佳地點。

---

**酒吧** 加州料理

*Barfly*

## 酒吧迷

| 住址 | 8730 Sunset Blvd. |
|---|---|
| ☎ | 310-360-9490 |
| 交通 | 由淘兒唱片城徒步約3分鐘 |
| 時間 | 20點～凌晨2點（週一21點～）休 隔週週日 |
| 費用 | 午晚$25～ |

MAP…P104-B2

### 浪漫的雞尾酒

店名取自一本著名小說的書名。在紐約、巴黎都有分店，氣氛高尚典雅。窗邊一座尼凱女神像的大型複製品，與店內紫色系的裝潢相輝映。本店是著名的社交場所，來店時應穿著正式服裝。店內燈光柔和，沙發包廂內還經常可以看到藝人情侶的蹤影，中央則是一個經過精心設計的閃亮吧台。走到最前面，有日本廚師當場做壽司，新鮮的食材種類眾多，例如酪梨的加州手捲等新口味，邊喝雞尾酒邊吃壽司，是一種嶄新的嘗試，據說還頗受歡迎。

上：雞尾酒吧台
右：店面由一位好萊塢著名的鑲嵌壁畫家所設計

## 商店類別 服飾店

*Emphasis*

### 強調

| | |
|---|---|
| 住址 | 8659 Sunset Blvd. |
| ☎ | 310-657-5804 |
| 交通時間 | 由淘兒唱片城徒步約8分鐘 11～18點（週日12～18點） |

MAP…P104-B1

#### 在當地購買休閒服

從正式的晚禮服到休閒的T恤種類齊全，是一家道地的仕女服飾店。性感的調整形內衣與透明薄紗晚禮服的裝扮，最適合西好萊塢的酒吧場景。此外，參加派對時所使用的華麗飾品也可考慮一次買齊。

可以配合服裝，選擇店內的耳環與項鍊等飾品。

## 商店類別 太陽眼鏡店

*Oliver People*

### 勇將

| | |
|---|---|
| 住址 | 8642 Sunset Blvd. |
| ☎ | 310-657-2553 |
| 交通時間 | 由淘兒唱片城徒步約5分鐘 10～19點（週六～18點、週日12～18點）休 無 |

MAP…P104-B1

#### 太陽眼鏡在洛杉磯是必備品

店內所有的眼鏡都是自家品牌的產品，除了鏡框的精心設計之外，鏡片的顏色也相當齊全，本店尤其注重減少陽光反射的設計與防紫外線的效果。客人可以依個人需求選擇最適合自己的眼鏡，不少著名藝人也是本店的常客。

店內有提供諮詢與修理眼鏡的專業人才

## 商店類別 唱片&CD店

*Virgin Megastore*

### 維京唱片城

| | |
|---|---|
| 住址 | 8000 Sunset Blvd. |
| ☎ | 323-650-8666 |
| 交通時間 | 由淘兒唱片城徒步約20分鐘 9～24點（週一～凌晨12點30分、週二9點～。週五・六9點～凌晨1點）休 無 |

MAP…P49-E2

#### 經常舉辦各種簽唱會

一樓的CD賣場以扇形陳列的方式，數量之多令人不知從何下手，所幸店內分類的標示非常清楚。螢幕上放映的是促銷錄影帶，最新的音樂可提供試聽。對於古典愛樂者，更精心設計安靜的隔間設施。店內設有休息區，提供飲料等服務。

2樓有錄影帶、LD、遊戲軟體等產品。

## 商店類別 禮品

*Popular Culture Highway*

### 流行文化公路

| | |
|---|---|
| 住址 | 8776 Sunset Blvd. |
| ☎ | 310-360-1663 |
| 交通時間 | 由淘兒唱片城徒步約3分鐘 10～18點（週六・日11點～）休 無 |

MAP…P104-B2

#### 影迷一生的寶藏

本店販賣的商品有影星的演唱會服裝、拍照用的衣物、運動選手的球衣與球具等。例如瑪丹娜與麥克傑克遜的簽名CD與照片就非常暢銷，除了目前第一線的藝人之外，也有過去像貓王、瑪麗蓮夢露等人的服裝。此外，還有卡通動畫的原始圖與安迪華荷等藝術家的作品。店員對於商品的種類非常有自信，宣稱可以提供任何藝人的周邊商品。

彷彿是藝人週邊商品的展示中心，非常值得參觀。

店內的地板模仿公路的設計，可以看到不同的路線。

## 商店類別 禮品、雜貨

*Powwow*

### 聚會所

| | |
|---|---|
| 住址 | 8868 Sunset Blvd. |
| ☎ | 310-854-0668 |
| 交通時間 | 由淘兒唱片城徒步約3分鐘 8點30分～20點30分（週六12點～、週日11點～）休 無 |

MAP…P104-A2

#### 店員的魅力吸引不少常客

店內陳列來自各國具有特色的商品。以棉質蕾絲、椰子果實做成的人偶、散發各種香味的蠟燭、現代畫風的卡片等種類眾多。在店內的咖啡館可享用自家烘焙的甜點與咖啡、紅茶等。

時尚流行的發祥地，令人備感溫馨

## Beverly Hills
# 比佛利山莊

歐洲一流名牌精品店集中在**羅迪歐道**Rodeo Dr.（MAP/P107-A1）上。這條高級商店街的客源，原本是鎖定比佛利山莊附近的居民，現在卻成為世界各國觀光客的人氣景點。與威爾榭大道Wilshire Blvd.相交的**2號羅迪歐道**2 Rodeo Dr.（MAP/P107-B3）是一條紅花綠葉相襯的小石階，已經成為比佛利山莊的著名地標。以羅迪歐道為中心，威爾榭大道、聖塔莫尼卡大道Santa Monica Blvd.、新月市道Crescent Dr.所圍繞的區域內，有許多獨特的服飾店與小巧的餐廳。雖然比佛利山莊的高級商店令人印象深刻，其中也有一些休閒服飾店與簡樸的咖啡館，其實可以輕鬆地逛街、沒有壓力。其中較著名的餐廳與咖啡館集中在肯頓道Camden Dr.與佳能道Canon Dr.一帶。威爾榭大道是高級百貨公司的大本營，但要注意很多商店在週末會提前打烊。

2號羅迪歐道的石階附近，可以看到很多獨特的建築物，是Tiffany等歐洲著名品牌集中的區域。

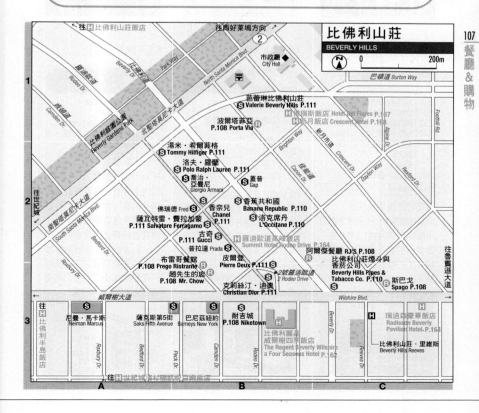

### 比佛利山莊
BEVERLY HILLS

0    200m

往 H 比佛利山莊飯店

往西好萊塢方向 ②

往 H 比佛利半島飯店

往 H 比佛利半島飯店

Park Way

North Santa Monica Blvd

市政廳 ◆ City Hall

巴頓道 Burton Way

羅迪歐道 Rodeo Dr.

Beverly Dr.

比佛利道

肯頓道 Camden Dr.

比佛利庭園公園 Beverly Gardens Park

北聖塔莫尼卡大道

芭蕾琳比佛利山莊 Ⓢ Valerie Beverly Hills P.111

波爾塔菲亞 Ⓡ P.108 Porta Via

湯米・希爾菲格 Ⓢ Tommy Hilfiger P.111

洛夫・羅蘭 Ⓢ Polo Ralph Lauren P.111

喬治・亞曼尼 Ⓢ Giorgio Armani

蓋普 Ⓢ Gap

Brighton Way

佳能道 Canon Dr.

新月市道 Crescent Dr.

佛瑞德 Fred Ⓢ

香奈兒 Chanel P.111

香蕉共和國 Ⓢ Banana Republic P.110

薩瓦特雷・費拉加蒙 P.111 Salvatore Ferragamo

洛克席丹 Ⓢ L'Occitane P.110

古奇 P.111 Gucci Ⓢ

普拉達 Prada Ⓢ

皮爾登 Ⓢ Pierre Deux P.111

阿爾傑餐廳 RJ'S P.108

布雷哥餐館 Ⓡ P.108 Prego Ristrante

2號羅迪歐道 2 Rodeo Drive

比佛利山莊煙斗與香菸公司 Beverly Hills Pipes & Tabacco Co. P.110

趙先生的店 Ⓡ P.108 Mr. Chow

克莉絲汀・迪奧 Ⓢ Christian Dior P.111

羅迪歐道高峰飯店 Summit Hotel Rodeo Dr.

斯巴戈 Spago P.108

花瑞斯飯店 Hotel Del Flores P.167

新月飯店 Crescent Hotel P.168

Alpine Dr.

Foothill Rd.

Dayton Way

Rexford Dr.

往急速賓遜大道

威爾榭大道

Wilshire Blvd.

尼曼・馬卡斯 Ⓢ Neiman Marcus

薩克斯第5街 Ⓢ Saks Fifth Avenue

巴尼茲紐約 Ⓢ Barneys New York

耐吉城 Ⓢ P.108 Niketown

比佛利圖書威爾榭四季飯店 The Regent Beverly Wilshire a Four Seasons Hotel P.162

Ⓗ

瑞迪森豪華飯店 Ⓗ Radisson Beverly Pavilion Hotel. P.164

比佛利山莊・里維斯 Beverly Hills Reeves

Roxbury Dr.

Bedford Dr.

Peck Dr.

Camden Dr.

Rodeo Dr.

Beverly Dr.

Reeves Dr.

南聖塔莫尼卡大道 South Santa Monica Blvd.

往世紀城

往世紀城洛杉磯凱悅月樂飯店

A    B    C

1    2    3

## 餐廳 義大利料理
### Prego Ristorante
## 布雷哥餐館

| | |
|---|---|
| 住址 | 362 North Camden. Dr. |
| ☎ | 310-277-7346 |
| 交通 | 由市政廳徒步約10分鐘 |
| 時間 | 11～23點 |
| 費用 | 午$23～ 晚$27～ |

MAP…P107-B3

**香醇美味的義大利酒**
手工的義大利麵是本店的招牌，細麵的嚼勁加上鮮美的醬汁，令人欲罷不能，特製的烤箱所烤出的披薩更是人間美味。義大利威尼托州最著名的蘇瓦韋白酒與范波里切拉紅酒都是最佳的選擇。

餐廳氣氛佳，許多外國遊客也會慕名而來。

## 餐廳 加州料理
### Spago
## 斯巴戈

| | |
|---|---|
| 住址 | 176 North Canon. Dr. |
| ☎ | 310-385-0880 |
| 交通 | 由市政廳徒步約12分鐘 |
| 時間 | 11點30分～14點15分、17點30分～23點（週五・六10點30分～23點）休無 |
| 費用 | 午$15～ 晚$20～ |

MAP…P107-C3

**盛裝出席的高級餐廳**
經營者是大名鼎鼎的廚師佛爾夫岡。自1997年開幕以來，就是藝人們經常聚集的場所。餐桌整齊地排列在綠意盎然的中庭四周。本店使用美國東西部最頂級的食材，調理出最道地的加州料理。

站在店門口，就有機會碰到著名的藝人。

## 餐廳 肉類料理
### RJ's
## 阿爾傑餐廳

| | |
|---|---|
| 住址 | 252 North Beverly Dr. |
| ☎ | 310-274-7427 |
| 交通 | 由市政廳徒步約10分鐘 |
| 時間 | 11點30分～22點（週五・六～2230分、週日16點～）休無 |
| 費用 | 午$10～ 晚$20～ |

MAP…P107-B2

**沙拉吧的人氣旺**
重現1960～1970年代的加州情懷，店內復古的設計令人印象深刻。招牌菜的燒烤肋骨必須花上3小時的慢火煙燻，味道鮮美香嫩。此外，西部景致的包廂座位氣氛極佳，值得一試。

吧台的座位可以品嚐世界各國的啤酒

## 餐廳 中國料理
### Mr. Chow
## 趙先生的店

| | |
|---|---|
| 住址 | 344 North Camden. Dr. |
| ☎ | 310-278-9911 |
| 交通 | 由市政廳徒步約10分鐘 |
| 時間 | 12點～14點30分、18點～23點30分（週六・日18點～23點30分）休無 |
| 費用 | 午$35～ 晚$70～ |

MAP…P107-B3

**優閒地品嚐中國料理**
好萊塢演藝界人士經常光顧的中國餐廳，在紐約也有分店。最受歡迎的一道菜是北平烤鴨，表皮烤得入味，吃起來清脆可口。此外，肉汁鮮美甘甜的小籠包也不可錯過。

黑格子的店面裝潢令人印象深刻，來店前最好先預約。

## 咖啡館 義大利料理
### Porta Via
## 波爾塔菲亞

| | |
|---|---|
| 住址 | 424 N. Canon Dr. |
| ☎ | 310-274-6534 |
| 交通 | 由市政廳徒步約3分鐘 |
| 時間 | 7～24點（週日・一～15點）休無 |
| 費用 | 午晚$35～ |

MAP…P107-B1

**熱情大方的店員**
位於精巧商店集中的道路上，是一間規模不大的義大利咖啡館。「洛杉磯時代」雜誌也曾報導過本店，口碑極佳。剛出爐的義式香餅、肉包、番茄與起司的三明治都是本店的招牌菜。味道香醇的咖啡與香草拉提都值得一試。

店外的露天座位上，可以看到溜狗休息的當地居民。

## 商店 運動用品店
### Niketown
## 耐吉城

| | |
|---|---|
| 住址 | 9560 Wilshire Blvd. |
| ☎ | 310-275-9998 |
| 交通 | 由市政廳徒步約10分鐘 |
| 時間 | 10～19點（週四～20點、週日12～18點）休無 |

MAP…P107-B3

**Nike商品大本營**
店內上方有一條裝有軌道的繩子，客人需要的尺寸可以利用繩子傳給收銀員。偶像球員曾經穿過的款式相當齊全。巨大的螢幕上放映各種不同的運動節目。店內隨時可看到與Nike簽約選手們的簽名商品，非常值得一看。

球鞋種類眾多，不妨多留一些時間慢慢選逛。

# 參觀夢寐以求的影星豪宅

比佛利山莊市政廳。1920年的人口為674人，到了1940～50年急劇增加，目前已經有33000人左右。首屆市長為威爾羅傑斯。

瑪麗畢克馥與道格拉斯費爾班克斯夫妻於1919年創辦聯美電影公司之後，開始在比佛利山莊投資不動產事業。之後，卓別林、威爾羅傑斯等影星相繼搬到比佛利山莊，現在則有傑克尼可遜、湯姆克魯斯等無數的當紅藝人也住在這附近。整齊美觀的道路兩旁種有椰子樹，環境清幽寧靜。四周隨時都可看到巡邏的警察，是非常安全的住宅區。許多美國當地的民眾，甚至來自國外的觀光客，都希望能從影星的豪宅外面，一窺偶像們的日常生活。

旅遊團的巴士大小與設計各家不同

有各式各樣的資訊雜誌

## 尋找方法

參觀藝人的豪宅，首先要準備一本好地圖，可以在飯店的商店或好萊塢的禮品店等地方，買到豪宅所在地的詳細地址與地圖。此外，比佛利山莊的日落大道沿路上，也有人掛起招牌賣地圖，這些人對當地的環境非常熟悉，順便請問他們可以節省時間。要注意不要在住戶的門口徘徊，以免遭人誤會。

著名男演員達斯汀霍夫曼也是比佛利山莊的住戶

## 參加旅遊團

在好萊塢大道附近，可以參加藝人豪宅導覽的當地旅遊團。雖然有些地方規定不能下車，或不能停車，但這對於行程緊湊的旅客而言，還是一個非常方便的選擇。從家喻戶曉的大明星到剛出道的新人住居，車上的導遊會做最詳盡的解說。

〈主要的旅行社〉
● Starline Tours of Hollywood
　☎ 323-463-3333
● Hollywood Fantasy Tours
　☎ 323-469-8184
● Hacre Mai System
　☎ 310-320-4329

從好萊塢高地廣場出發的旅遊團巴士

## 藝人經營的餐廳

當紅的好萊塢藝人從事餐廳或俱樂部的經營，已經成為一種時代的潮流。有的人直接參與經營，但大部份還是委託專業的人才管理。在許多的藝人餐廳當中，較受歡迎的有阿諾史瓦辛格經營的加州料理店「夏茲餐廳Shatzi on Main」；男星艾克洛、吉姆布魯西與音樂創作家喬沃什所共同經營的音樂餐廳「藍調之家House of Blues」（→105）。

藍調之家8430 Sunset Blvd.
☎ 323-848-5100
MAP/P104-C1

夏茲餐廳3110 Main St.,
Santa Monica
☎ 310-399-4800
MAP/124-B4

## 商店類別 服飾店
### Banana Republic
### 香蕉共和國

| | |
|---|---|
| 住址 | 357 North Beverly Dr. |
| ☎ | 310-858-7900 |
| 交通 | 由市政廳徒步約7分鐘 |
| 時間 | 10～20點（週日11～19點） |
| | 休 無 |

MAP…P107-B2

#### 休閒服飾的知名品牌
在國內的知名度也很高，樣式簡單，休閒服飾種類眾多。折扣期間也可找到優質的T恤與長褲，如果有合適的尺寸，千萬不要錯過。除此之外，首飾與香水類也不少，名為「摩登」的古龍水，散發出淡淡的花香，最受年輕女士的喜愛。

二樓的針織品與餐具的精心設計也值得細心品味

## 商店類別 香菸&菸斗
### Beverly Hills Pipes & Tobacco Co.
### 比佛利山莊菸斗與香菸公司

| | |
|---|---|
| 住址 | 245 North Beverly Dr. |
| ☎ | 310-276-7358 |
| 交通 | 由市政廳徒步約10分鐘 |
| 時間 | 9點30分～18點 休 週日 |

MAP…P107-C3

#### 量身訂做的香菸
本店於1930年創業至今，是一家香菸與菸斗的專賣店。店內有數十種的菸草，分別放在不同的罐子內，客人可依照喜好自行選擇，屬於個人品牌的香菸。顧客名單中還包括席維斯史特龍、琥碧戈柏等藝人，從牆上貼滿知名人士的照片即可感受到門庭若市的情景。

復古的菸斗與打火機也不可錯過

## 商店類別 化妝品、香水、沐浴用品
### L'Occitane
### 洛克席丹

| | |
|---|---|
| 住址 | 367 North Beverly Dr. |
| ☎ | 310-205-9107 |
| 交通 | 由市政廳徒步約7分鐘 |
| 時間 | 10～19點（週日11～18點） |
| | 休 無 |

MAP…P107-B2

#### 天然的法國化妝品
店內的氣氛祥和，無論是化妝品、香水、沐浴用品都是高品質的法國產品。講求健康、自然的女士一定會喜歡全身清潔用品的專櫃。總公司在紐約，世界上其他國家的主要城市也設有分店。

店內充滿花朵與綠葉的清香，身在其中就能感受到芳香療法的效果。

---

## Robertson Blvd.
## 與眾不同的魯賓遜大道之旅

站在比佛利的山丘上可以看到魯賓遜大道 Robertson Blvd.（MAP/P49-D4）。從比佛利大道到巴頓道之間的三條馬路上，到處可見高級服飾店、畫廊與居家用品店。時髦的女性品牌、風格獨特的法國品牌Agnes b.等都深受年輕人的喜愛。愛美的男士則鍾愛Scott Hill，從簡單的休閒服到高級的義大利西裝，都能滿足大家的需求，開業10年來已經建立了品牌信譽，客源也相當穩定。逛累了，可以到資訊密集的網咖店Newsroom稍做休息。此外，也不能遺漏本區最著名的高級餐廳The Ivy，如果大家還有印象，電影「終極保鑣」當中，惠妮休斯頓與凱文科斯納的吵架鏡頭就是在這裡拍攝的。田野氣息的內部裝潢非常可愛，在百花盛開的小花園，有時還會看到藝人的蹤影呢！

蘇格山丘Scott Hill
100 South Robertson Blvd.
☎310-777-1190 時 11～18點
休 週日 MAP/P49-D4

阿妮葉斯畢Agnes b.
100 North Robertson Blvd. ☎310-271-9643 時 11～19點（週日～17點）休 無 MAP/P49-D4

從比佛利山莊的聖塔莫尼卡大道搭MTA27號巴士，約5分鐘之後，即可到達魯賓遜大道。

艾皮The Ivy
113 North Robertson Blvd. ☎310-274-8303 時 11點30分～23點、週六、日10點30分～23點15分 休 無 MAP/P49-D4

新聞室Newsroom
120 North Robertson Blvd.
☎310-652-4444 時 8～22點（週四、五～23點、週六9～23點、週日9點～）休 無 MAP/P49-D4

*Valerie Beverly Hills*

## 芭蕾琳比佛利山莊

| 住址 | 460 North Canon Dr. |
|------|---------------------|
| ☎ | 310-274-7348 |
| 交通 | 由市政廳徒步約3分鐘 |
| 時間 | 10～18點 ㊡週日 |

MAP…P107-B1

### 親身體驗專人化妝的感覺

本店為芭蕾琳的總店，在世界其他國家也設有分店。品牌化妝品的亮彩透明，顏色種類齊全，深受奧斯卡女星們的好評。化妝品禮盒設計精美，最適合贈送親友。此外，本店有六位專屬化妝師幫客人化妝，並授課指導化妝技巧。

杉木材質的地板將店面襯托得更明亮，豪華的大鏡子營造出輕鬆的氣氛。

*Pierre Deux*

## 皮爾登

| 住址 | 222 North Rodeo Dr. |
|------|---------------------|
| ☎ | 310-274-4115 |
| 交通 | 由市政廳徒步約10分鐘 |
| 時間 | 10～17點 |
| | ㊡週日 |

MAP…P107-B3

### 居家飾品的顏色沉穩舒適

店內到處可見法國風的居家飾品，從家具等的高級品到小飾品，式樣種類齊全。兩層樓的建築，一樓專為女士設計，有小化妝包、拼布所做成的大小提包、坐墊套、箱子等，主要是以針織的小飾品為主，顏色的設計多變化，蒐集各種不同的顏色也是一項樂趣。二樓主要的商品是家具與基本材質，經常來此逛街會得到意想不到的靈感。不妨與住在附近的好萊塢住戶，一同享受逛街購物的樂趣。

高雅樸實的大門充分發揮室內設計的特色

用布料做成的娃娃與相框

## ■比佛利著名的名牌精品店

| 品牌名稱 | 地址／電話 | 營業時間／地圖位置 | 備註 |
|---------|-----------|------------------|------|
| 湯米・希爾菲格<br>Tommy Hilfiger | 468 North Rodeo Dr.<br><br>☎310-888-0132 | 10～18點（週日12～17點）<br>㊡無<br>P107-A2 | 除了衣物之外，清潔用品、香水、傳統仕女服飾的種類也不少。 |
| 洛夫・羅蘭<br>Polo Ralph Lauren | 444 North Rodeo Dr.<br><br>☎310-281-1500 | 10～18點（週日12～17點）<br>㊡無<br>P107-B2 | 店內的設計如同豪宅一般，依照不同的商品主題分類，陳列在不同的房間內。 |
| 古奇<br>Gucci | 347 North Rodeo Dr.<br><br>☎310-278-3451 | 10～18點（週日12～17點<br>30分）<br>㊡無<br>P107-B2 | 重點商品是皮包與皮鞋，其他也有一些珠寶類。要特別留意限量販賣品。 |
| 香奈兒<br>Chanel | 400 North Rodeo Dr.<br><br>☎310-278-5500 | 10～18點（週日12～17點）<br>㊡無<br>P107-B2 | 1樓的商品內容有皮包、皮鞋與化妝品；2樓有套裝、洋裝等服飾。 |
| 薩瓦特雷・費拉加蒙<br>Salvatore Ferragamo | 357 North Rodeo Dr.<br><br>☎310-273-9990 | 10～18點（週日12～17點）<br>㊡無<br>P107-B2 | 寬廣的店內，除了最具代表性的皮鞋之外，也有不少男裝與女裝。 |
| 克莉絲汀・迪奧<br>Christian Dior | 309 North Rodeo Dr.<br><br>☎310-859-4700 | 10～18點（週日12～17點）<br>㊡無<br>P107-B3 | 值得注意的是國內未上市的仕女服飾與兒童服飾。 |

# 熱門的購物中心

以比佛利山莊為中心，洛杉磯西部有許多大型購物中心，一些新型的購物中心也相繼開幕，這一帶可謂名副其實的購物天堂。此外，異國風十足的帕薩迪納附近也趕上了購物中心的熱潮，大型購物中心內，有百貨公司、餐廳、電影院、停車場等多樣化設施，可以盡情地逛一天街也不會感到厭煩。

## 購物中心的特色

購物中心能夠吸引當地居民，甚至外地遊客的因素有①美國人氣品牌的休閒服飾店數量眾多②營業時間很長③店家集中、方便挑選④交通便捷等。每一家購物中心都有不同的特色，即使是同一家品牌，店內的陳列方式與販賣的重點服飾都不盡相同，可以看出每一家商店所

迴廊式的設計方便遊客尋找商店

花的心血與努力，遊客不妨到處逛逛比較其中的不同。如果有時間花一點心思仔細觀察，在一些冷門的品牌商店內也會有意想不到的收穫。當然，最聰明的購物方法，就是依照購物中心所提供的地圖尋找屬意的商店。

世紀城購物中心內販賣小飾品的推車

## 比佛利中心 　　　　　　　Beverly Center

8500 Beverly Blvd. ☎310-854-0070
⏰10～21點（週六～20點、週日11～18點）休無交
搭MTA14,105,316號巴士在比佛利大道與拉西安哥大道路口下車 MAP/P100-A2

比佛利中心可說是購物中心的老字號，位於世界流行中心－西好萊塢附近，經常可以看到電影或電視的造型師前來購物。八層樓的大型建築，一到五樓是停車場、六、七樓是購物中心、8樓是餐廳與電影院。除了傳統的休閒服飾之外，還有COACH、LV等流行名牌、高級金飾珠寶店，令人目不暇給。由於亞洲的遊客不少，很多服飾店都準備有適合東方人體型的小尺寸。此外，購物中心內的梅西百貨公司還有專賣男士用品的樓層，購物非常方便。與其他的購物中心相比較，這裡的商品走的是高級路線。

比佛利中心的入口較少，最好從拉西安哥大道正面進入。

除了流行服飾店之外，也有芳香療法與沐浴用品的專賣店。

電影院同時放映不同的影片，新片推出時間比國內快，可以先睹為快。

主要商店：Aveda,Max Studio, Esprit,Sanrio,Timberland, Victoria's Secret,Foot Locker,M.A.C.

## 世紀城購物中心＆市場

世紀城購物中心＆市場的出現緩和了商業區緊張的氣氛

Century City Shopping Center & Marketplace
10250 Santa Monica Blvd. ☎310-277-3898 時10～21點
（週六～18點、週日11～18點）休無 交搭
MTA27,28,316,328號巴士在聖塔莫尼卡大道與明星街
路口下車 MAP/P56-A1

因為位在商業街，可以看到很多類似Brooks Brothers的男性傳統服飾店。

世紀城購物中心位於商業區，四周都是高聳的辦公大樓，是電影「銀翼殺手」的拍攝現場，由於佔地非常廣闊，聽說不小心還會迷路呢！購物中心是附近上班族的最愛，尤其是飲食區更是應有盡有，到了午餐時間，經常可以看到大排長龍的人群。在男女服飾方面，大部份的商店都將重點放在上班族的穿著上。此外，專門製作名片的商店、電腦軟體商店等都充分表現商業區的特色。到了週末，可以看到全家出動一起逛街，無論是兒童服裝店、玩具店、寵物店等會湧進不少人潮。

購物中心內有布魯明黛爾與梅西等著名的百貨公司，購物相當方便。

主要商店：Ann Taylor,Laura Ashley,J CRES, Disney Store,Century Nail Design,Banana Republic,MaxMara,Express.

## 聖塔莫尼卡廣場

Santa Monica Place 住10250 Santa Monica Blvd. ☎310-394-1049 時10～21點（週日11～18點）休無 交搭
MTA4,304號巴士在聖塔莫尼卡大道與第三街路口下車
MAP/P120-C2

當地居民將購物商城視為假日的休閒場所

聖塔莫尼卡廣場附近是商店與咖啡館集中的區域

上：購物商城到處可見installed導覽板，非常方便。
左：逛累了，可以到商城的咖啡館內稍做休息。

聖塔莫尼卡廣場位於聖塔莫尼卡第三街步道的東部，飲食街商店眾多。賣場共分為三個樓層，店面超過130家。服飾主要以休閒及運動為主，整個商城散發出海洋都市的熱情與活力。小飾品的商店則有太陽眼鏡、運動帽、鞋子等專賣店，整體而言，本購物商城的商品較接近一般民眾的日常生活，可以很輕鬆地逛街購物。

主要商店：BCBG,Frederick's of Hollywood,Ralph Lauren,Eddie Bauer,Timberland, Bath&Body Works,Nine West,Kenneth Cole.

# 樹林購物中心

The Grove ⓘ 189 The Grove Dr.
☎323-900-8000
🕐10～21點（週五・六～22點、週日11～19點）休
無 🚇搭MTA16、316號巴士在費法斯街與第三街路口
下車MAP/P100-B3

與農民市場之間的免費接駁巴士，雖然車程只有短短的幾分鐘，也可以看到各種不同的景致。

靜靜地凝望噴水池、在毛茸茸的草地上休息、或摸摸一旁的銅像等，在廣場上享受一段優閒的時光。

樹林購物中心於2002年3月開幕，緊鄰隔壁的農民市場（→P115）。充滿濃濃的歐洲風格與陽光熱情的氣息，藍天白雲的優美景致，彷彿是拉斯維加斯凱撒宮廣場商店街的加州版本。與農民市場之間的接駁車為兩層樓的巴士、中央廣場的噴水池配合音樂的旋律，每隔30分鐘表演一次，熱鬧的氣氛可媲美主題樂園。

商店街內除了人氣百貨公司諾茲特諾姆之外，還有GAP、Quick Silver等名牌服飾店、老少咸宜的FAO Schwarz玩具店等約40多家店面。在購物之餘，可以到咖啡館或速食店稍做休息，在飲食街內也可品嚐到世界各國的美味料理。除了逛街與美食之外，到電影院看電影也是一個不錯的選擇。每一棟建築物都有不同的特色，在洛杉磯是屬於新型的購物中心，也為當地居民與遊客提供一個嶄新的觀光景點。

獨創性高的各種包包與小飾品，連壽司的圖樣都有。

在FAO Schwarz玩具店門口迎接遊客的是玩具軍隊與繪本中的主角—瑪琳。挑高的店內有大型的玩具布偶、娃娃屋、魔術道具等，適合各種年層的人購買。

主要商店：Banana Republic,J CREW,Tommy Bahama,Victoria's Secret,Pacif Sunwear,Amadeus Spa.

## 農民市場 Farmers Market

Farmers Market 🏠633 West 3rd St. ☎323-933-9211
🕐9～21點（週六～20點、週日10～19點）🚫無
🚍搭MTA16,316號巴士在費法斯街與第三街路口下車
MAP/P100-B3

新鮮、色香的蔬果是市場的賣點

時鐘是農民市場的明顯地標，也是搭接駁巴士前往樹林購物中心的出發站。

紙草卡片是一家卡片專賣店，在這裡可以買到以好萊塢明星做為模型的紙娃娃。

農民市場早在1934年就以賣蔬菜、水果、海鮮起家，是一個歷史悠久的傳統市場。現在除了生鮮食品之外，還有販賣一些裝飾品、文具類等的洛杉磯精美禮品。這裡的蔬果不但新鮮，價錢更是比一般的超商便宜。例如當地的名產加州柑橘，10顆只要US$9，香瓜一顆US$3，品嚐現榨的新鮮果汁也是一大享受。在市場中央的飲食區可以吃到三明治、中國料理等各國口味的小吃，價錢公道。

## 帕索科羅拉多購物中心 Paseo Colorado

Paseo Colorado 🏠280 E Colorado Blvd. ☎626-795-8891
🕐10～21點（週日11～19點）🚫無🚍搭MTA401號巴士在Colorado Blvd.與Los Robles Ave.的交叉口下車
MAP/P136-C2

中央廣場上的現場表演，帶動熱鬧的氣氛。

高級住宅區附近的商店品味都很高

在露天雅座上享受美味的墨西哥料理，香脆可口的薯片越吃越順口。

主要商店：Macy's,Ann Taylor,Loft,Gossip,Max Studio,Japanese Weekend,Maternity, Coach.

附近的高級住宅市價都在千萬台幣以上

帕索科羅拉多位在高級住宅區林立的帕薩迪納地區，開放式空間的購物中心與現代化的街道相輝映。中央廣場的另一端是高級大樓，購物中心與住宅的結合也是一種新的嘗試。本購物中心的位置在科羅拉多大道上，是帕薩迪納的精華地段，離美術館也很近。高品味的商店有梅西、湯姆巴哈馬等約80家左右。餐廳的數量很多，可以品嚐到世界各國的美食。

## Westwood
# 西塢

加州大學洛杉磯分校南部的魯肯特街Le Conte Ave.與從市中心延伸過來的威爾樹大道Wilshire Blvd.之間的500m區域就是所謂的學生街道－西塢。學生在下課後享受休閒，或是午餐時間，都可以到西塢一帶的酒吧、咖啡館，除此之外，配合年輕人的需求，運動用品店與休閒服飾店不少，價錢也很合理。西塢最熱鬧的是貫穿校區內的**西塢大道**Westwood Blvd.，道路兩邊有大型超商與唱片城。從西塢大道往西北方向岔開的布洛克斯特街Broxton Ave.車流量少，非常安靜，有好幾家餐廳的份量夠多，絕對可以飽餐一頓。這條路一直往北會碰到韋邦街Weyburn Ave.，

擁有廣大校區的名校-UCLA。大學南邊的西塢大道附近，是商店與餐廳集中的的區域。

這附近的電影院通常都會放映首輪電影，四周圍有不少小咖啡館，據說這裏還是看藝人的好景點。校園內有學生專用的咖啡館與賣學校相關用品的商店。西塢大道東側也有一些商店與餐廳，但是到了晚上就很少人走動了。

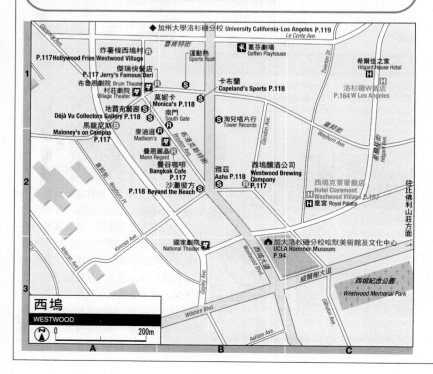

◆加州大學洛杉磯分校 University California-Los Angeles P.119
Le Conte Ave.
魯肯特街

萬芬劇場
Geffen Playhouse

Thurston Dr.

希爾佳之家
Hilgard House Hotel

炸薯條西塢村
P.117 Hollywood Fries Westwood Village
運動熱
Sports Rush

傑瑞快餐店
P.117 Jerry's Famous Deli
布魯恩劇院
Bruin Theater
村莊劇院
Village Theater

卡布蘭
Copeland's Sports P.118

洛杉磯W商店
P.164 W Los Angeles

莫妮卡 Monica's P.118
南門 South Gate

Glendon Ave.

愛邦街
Weyburn Ave.

地賈布藝廊
Déjà Vu Collectors Gallery P.118
馬龍尼斯
Maloney's on Campus
P.117
麥迪遜
Madison's

淘兒唱片行
Tower Records

希爾佳街
Hilgard Ave.

Broxton Ave.

曼尼麗晶
Mann Regent
曼谷咖啡
Bangkok Cafe
P.117
沙灘彼方
P.118 Beyond the Beach

雅茲
Aahs P.118

西塢釀酒公司
Westwood Brewing
Company
P.117

西塢克萊蒙飯店
Hotel Claremont
Westwood Village P.167
皇宮 Royal Palace

往比佛利山莊方面

Kinross Ave.

Veteran Ave.

Weyburn Pl.

Gayley Ave.

國家劇院
National Theater

Westwood Blvd.

加大洛杉磯分校哈默美術館及文化中心
UCLA Hammer Museum
P.94

西塢紀念公園
Westwood Memorial Park

Glendon Ave.

威爾樹大道

# 西塢
WESTWOOD

0                    200m

Wilshire Blvd.

Ashton Ave.

A          B          C

Glenrock Ave.

## 餐廳 炸薯條
### Hollywood Fries Westwood Village

### 炸薯條西塢村

| | |
|---|---|
| 住址 | 920 Broxton Ave. |
| ☎ | 310-443-7776 |
| 交通 | 由哈默美術館徒步約5分鐘 |
| 時間 | 11～21點 休 無 |
| 費用 | 午晚 $5～ |

MAP…P116-A1

**最好吃的炸薯條店**

影星丹尼葛洛佛與梅爾吉布遜也是本店的常客。共有38種不同口味的醬汁，選擇方式很特別，例如買小包薯條可以選1種醬；中包可選2種；大包可選3種。此外，墨西哥辣醬口味與炸起士棒也很受歡迎。

本店只有一家，絕無分店，要吃薯條就來這裡。

## 餐廳 亞洲料理
### Bangkok Cafe

### 曼谷咖啡

| | |
|---|---|
| 住址 | 1051 Broxton Ave. |
| ☎ | 310-208-1730 |
| 交通 | 由哈默美術館徒步約3分鐘 |
| 時間 | 11～23點 休 無 |
| 費用 | 午 $6～ 晚 $8～ |

MAP…P116-B2

**便宜又大碗是最大的吸引力**

無論是午餐或晚餐，保證便宜量多。除了泰國菜之外，中國料理與日式手捲、味噌湯等應有盡有。在本店經常可以看到各國留學生在此喝著泰國、青島、麒麟等不同品牌的啤酒。泰國廚師親手烹調的椰汁口味雞湯、酸辣湯等都令人垂涎。

天氣晴朗時建議坐露天的座位

## 餐廳 美式料理
### Jerry's Famous Deli

### 傑瑞快餐店

| | |
|---|---|
| 住址 | 10925 Weyburn Ave. |
| ☎ | 310-208-3354 |
| 交通 | 由哈默美術館徒步約5分鐘 |
| 時間 | 7點～凌晨2點（週五・六24小時） 休 無 |
| 費用 | 午 $6～ 晚 $15～ |

MAP…P116-A1

**週末終日不打烊**

本店是許多學生聚集的場所，充滿熱情與活力，除了提供漢堡與香蕉船等簡餐、甜點類之外，也有以白飯為主的套餐，份量很多，甚至可以考慮兩個人吃一份。年輕人在附近看完電影之後，也會進來喝杯茶。

以彩色的燈泡裝飾挑高的店內，氣氛優閒輕鬆。

## 酒吧 美式料理
### Westwood Brewing Company

### 西塢釀酒公司

| | |
|---|---|
| 住址 | 1097 Glendon Ave. |
| ☎ | 310-209-2739 |
| 交通 | 由哈默美術館徒步約3分鐘 |
| 時間 | 11點30分～凌晨2點 休 無 |
| 費用 | 午 晚 $7～ |

MAP…P116-B2

**在酒廠品嚐最道地的啤酒**

店內金色的啤酒桶內，隨時都保持8種以上的自製啤酒，如果是啤酒迷，可以試喝各種啤酒，比較其中的不同。自家烘焙的披薩與辣味雞塊都是下酒的好菜。主菜的種類也很齊全，絕對可以吃到飽。雖然本店位在學生聚集的地區，中高年層的客人也時有可見。到了晚上，客人們開始帶些醉意高聲談笑，當地居民對於外來的遊客都非常地友善與熱情。入口處的商店內，有販賣本店店員所穿的T恤，可以考慮買回去做紀念。本店的啤酒曾在1997年榮獲美國啤酒的金牌獎章，製造啤酒的工廠就在隔壁。

上：釀造啤酒的工廠
右：寬闊的店內令人感到舒適、沒有壓力。

## 餐廳 美式料理
### Maloney's on Campus

### 馬龍尼斯

| | |
|---|---|
| 住址 | 1000 Gayley Ave. |
| ☎ | 310-208-1942 |
| 交通 | 由哈默美術館徒步約5分鐘 |
| 時間 | 11點30分～凌晨2點（週一～週三16點～） 休 無 |
| 費用 | 午 晚 $8～ |

MAP…P116-A1

**熱情洋溢的運動酒吧**

店內的牆上貼有許多運動選手的照片，還可以透過大螢幕觀賞精采的球賽。如果遇到UCLA參加美式足球比賽，熱情的學生都會聚集在此一起加油，有時候也會播放足球比賽。遊客可以到此邊吃披薩與三明治，邊體驗洛杉磯人的生活。

商店的外牆上貼有本日的菜單

## 商店類別 服飾店
*Beyond the Beach*

### 沙灘彼方

| | |
|---|---|
| 住址 | 1095 Broxton Ave. |
| ☎ | 310-209-0956 |
| 交通時間 | 由哈默美術館徒步約3分鐘 |
| | 10～21點（週六～20點、週日11～19點）**休** 無 |

MAP…P116-B2

#### 沙灘服裝秀

以Quick Silver、Billabong等著名衝浪品牌為主的運動休閒服飾。無論是背心或短褲，尺寸、樣式齊全，到了夏天，也有各式各樣的泳裝上市。除了衣服之外，還有隨身包、帽子、雷朋太陽眼鏡等小飾品，都深受男士們的喜愛。

店面在建築物的1樓，瓷磚的外觀引人注目。

## 商店類別 運動用品店
*Copeland's Sports*

### 卡布蘭

| | |
|---|---|
| 住址 | 1001 Westwood Blvd. |
| ☎ | 310-208-6444 |
| 交通時間 | 由哈默美術館徒步約3分鐘 |
| | 10～20點（週日11～18點）**休** 無 |

MAP…P116-B1

#### 琳瑯滿目的運動用品

寬廣的店內分為兩層樓，有網球拍、棒球手套、各種運動用品、Adidas、Nike等知名品牌的運動服與球鞋，數量相當驚人。此外，還有各種直排輪，初學者可以購買單價較便宜的輪子做練習。

是UCLA附近歷史悠久的運動用品店

## 商店類別 仕女服飾店
*Monica's*

### 莫妮卡

| | |
|---|---|
| 住址 | 1009 Broxton Ave. |
| ☎ | 310-443-7676 |
| 交通時間 | 由哈默美術館徒步約3分鐘 |
| | 11～19點（週日12～17點）**休** 無 |

MAP…P116-A1

#### 高級休閒服

高級仕女休閒服飾店。窗明几淨的店內，有毛衣、襯衫、裙子、長褲等種類眾多，樣式不會太休閒，也不會過於正式，流行端莊的品味深受好評。除了服裝之外，也可選擇喜歡的鞋子、帽子、首飾等飾品，做全身整體的搭配。

顏色柔和的休閒服飾，將店內點綴得五彩繽紛。

---

## 商店類別 海報
*Déjà vu Collectors Gallery*

### 地賈布藝廊

| | |
|---|---|
| 住址 | 10956 Weyburn Ave. |
| ☎ | 310-443-5280 |
| 交通時間 | 由哈默美術館徒步約3分鐘 |
| | 11～19點 **休** 週六・日 |

MAP…P116-A1

#### 電影之都—洛杉磯的專賣店

電影海報、影星親筆簽名的照片與傳單等，店內的商品共超過10萬件，是影迷絕對不可錯過的商店。由於商品數量眾多，應該可以滿足所有客人的要求，光是欣賞牆上所張貼的海報就很精采了。店內販賣的海報依照科幻、動畫、恐怖、古典等不同領域分類，便於挑選。除了影星之外，也有歌手與運動選手的海報，店員會親切地將海報裝入圓筒型的盒子內，不用擔心折損。

牆上的海報都是大家所熟悉的，數數看有幾部是自己曾經看過的電影。

不只是電影迷常來，洛杉磯市民也喜歡光顧。

## 商店類別 禮品、雜貨
*Aahs*

### 雅茲

| | |
|---|---|
| 住址 | 1090 Westwood Blvd. |
| ☎ | 310-824-1688 |
| 交通時間 | 由哈默美術館徒步約3分鐘 |
| | 9點30分～22點（週五・六～23點、週日11～21點）**休** 無 |

MAP…P116-B2

#### 禮品專賣店

當地居民大力推薦的禮品店。配合美國的節慶，每一個月的店內擺設都會做變化，呈現出不同的氣氛。由於美國的卡片文化盛行，一般人經常使用問候卡、感謝卡等卡片，因此本店的卡片與包裝紙種類眾多，美不勝收。

店內空間雖小，商品數量眾多，必須花時間精挑細選。

UCLA在加州大學洛杉磯分校感受濃郁的學術氣息

## 簡介

　　加州大學洛杉磯分校University of California-Los Angeles通稱UCLA（MAP/P116-A1）於1919年建校，1929年才遷移到現在的校舍。校園佔地170萬m²，綠意盎然，由紅磚所砌成的校舍與圖書館、運動場、專用警察與急診中心等設施完備，猶如一個小規模的城鎮。學生總數超過35000人，包括醫學院、法學院、商學院等約有100個學系，一年所開設的課程超過4500個以上。由於地緣上靠近好萊塢，因此也設有戲劇的課程，對外開放的講座尤其受到歡迎，一年約有50萬人報名上課。體育方面的知名度也很高，以美式足球的成績最為優秀。

## 校園的設施

　　首先到詹姆士服務中心James West Alumni Center（☎310-825-2586、8點30～17點30分、週六‧日休息）索取地圖與相關活動資訊。在「UCLA self-guided walking Tour」的簡介當中，可以清楚地看到參觀導覽與各景點的詳細解說，一本在手，非常方便。此外，學校還有免費提供的導覽團（☎310-825-8764），一天共分10點15分、12點15分、14點15分3次，

學生代表會的所在地—卡可夫大廳Kerckhoff Hall，校內報紙「The Daily Bruin」也在此做編輯。

停車時必須先在服務中心買一張US$6的停車券，可以免費索取校園地圖。

UCLA 商店 ☎310-825-7711 時8～19點、週五～18點、週六10～17點、週日12～17點、休無（MAP/P119-A2）。店內賣的商品有「UCLA」標誌的T恤、運動衫，文具類、電腦等。

週六只有10點15分一個時段，週日休息），專門針對想要報考學校的學生及家長、遊客等，必須是10名左右的團體才能報名，負責導覽的義工由學校的學生擔任。校園內值得觀賞的是19～20世紀米羅與馬迪斯的雕刻，共有70多件作品；默菲雕塑花園Murphy Sculpture Garden；遷移前建築物集中的狄克森城Dickson Plaza等。面向狄克森城，象徵UCLA的洛斯廣場，以及仿汝隆那的聖波爾克羅教堂所蓋的鮑爾圖書館Powell Library等，都是義大利羅馬式的優美建築。導覽校園一周須2個小時的時間，但是可以隨時脫隊，感覺很輕鬆。

■交通　由好萊塢、市中心方向搭MTA2、302號巴士；由聖塔莫尼卡則搭BBB1,2,3號巴士，兩種方法都在拉肯特街下車。

UCLA

UCLA

0　　　300m

Sunset Blvd.

默菲雕塑花園
Murphy Sculpture Garden

State Manor Dr. E

羅伊斯大樓
Royce Hall

Circle Dr. N.

狄克森城
Dickson Plaza

德雷克體育場
Drake Stadium

Circle Dr. W.

卡可夫大廳
Kerckhoff Hall

鮑爾圖書館
Powell Library

棕熊雕像
Bruin Bear Statue

柏利體育館
Pauley Pavilion

阿克曼活動中心
Ackerman Union

Strathmore Pl.

UCLA商店
UCLA Store

西校友中心
West Alumni Center

Circle Dr. S.

Gayley Ave.

Hilgard Ave.

醫療中心
Medical Center

WestWood Plaza

Malcolm Ave.

停車場服務處
Parking Information

P116

Le Conte Ave.

A

每一個畢業生都會選擇在UCLA的象徵—棕熊雕像前拍照留念

## Santa Monica (Downtown)
# 聖塔莫尼卡（市中心）

聖塔莫尼卡廣場（→P113）的飲食區完備，是非常受歡迎的購物中心。從正面出口往西到第三個路口威爾榭大道Wilshire Blvd.，與往西北延伸的第三街的交叉口即是著名的**第三街步道**。這裡禁止車輛進入，路面寬廣，所有的服飾店與餐廳都鎖定年輕族群，當地居民也可以穿著輕便的服裝隨意逛街或享受一頓優閒的早午餐。除此之外，還有賣小飾品與皮包的露天商店、街頭藝人的表演等，令人流連忘返。到了傍晚，街上燈火通明，熱鬧的氣氛會一直持續到深夜。沿著科羅拉多街Colorado Ave.走到底就會看到**聖塔莫尼卡碼頭**（→P123），這裡的商店與餐廳也很多，有時間不妨去逛逛。

在聖塔莫尼卡的中心—聖塔莫尼卡廣場內，無論大人或小孩都可以盡情地玩玩一天。

**往西塢↑　往比佛利山莊↑　　往市中心方面↑**

白蘭黛安迪骨董店
Brenda Antin P.121

巴巴嚕餐廳
Babalu Restaurant P.121

林肯公園
Lincoln Park

聖塔莫尼卡高中
Santa Monica High Sch.

年代動畫 Ⓢ
Vintage Animation P.122

Ⓢ 拼圖動物園
Puzzle Zoo P.122

聖塔莫尼卡廣場
Ⓢ Santa Monica Place P.113

雨季咖啡館
P.122 Monsoon Cafe

幸運品牌
Ⓡ Lucky Brand Dungarees P.122

百老匯餐廳
Broadway G Deli P.121

美式作風
Ⓡ Yankee Doodles P.122

加州飯店
The Hotel California

Public & Police Information

美儷華飯店 Ⓗ
Ocean Ave. The Fairmont Miramar P.164

Convention & Ⓘ
Visitors Bureau

第三街步道
3rd St. Promenade

← 往馬里布
Palisades Beach Rd.

香格里拉飯店
Shangri-La Hotel P.164

喬治亞飯店
The Georgian Hotel P.165

海霧租車與滑輪的店
Sea Mist Bike & Skate Rentals. P.125

聖塔莫尼卡羅茲海邊飯店
Lowes Santa Monica Beach Hotel. P.164

聖塔莫尼卡加海灘
Santa Monica Beach

（貝斯威斯登）海景飯店
聖塔莫尼卡
Best Western Ocean View Hotel Santa Monica

聖塔莫尼卡旅遊村
Travelodge Santa Monica P.166

聖塔莫尼卡碼頭
Santa Monica Pier P.123

瑪麗亞索路 P.121
Ⓡ Mariasol Cocina Mexican

# 聖塔莫尼卡（市中心）
**SANTA MONICA/DOWNTOWN**
🌐 0 ———————— 500m

Washington Ave.
威爾榭大道
Wilshire Blvd.
Arizona Ave.
聖塔莫尼卡大道
Santa Monica Blvd.
科羅拉多街
Colorado Blvd.
Olympic Blvd.
10th St.
9th St.
Lincoln Blvd.
7th St.
蒙大拿街
Montana Ave.
Idaho Ave.
6th St.
5th St.
4th St.
3rd St.
2nd St.
(10)

A　　　　B　　　　C

餐廳 墨西哥料理

*Mariasol Cocina Mexican*

## 瑪麗亞索路

| | |
|---|---|
| 住址 | 401 Santa Monica Pier |
| ☎ | 310-917-5050 |
| 交通 | 由聖塔莫尼卡廣場徒步約10分鐘 |
| 時間 | 10～21點（週五～22點、週六9～22點、週日9點～）休無 |
| 費用 | 午$15～晚$25～ |

MAP…P120-C3

### 離海最近的餐廳

位於聖塔莫尼卡碼頭的先端，坐在露天的座位上欣賞迷人的夕陽，情侶們共進晚餐的地點。墨西哥脆餅、明蝦與章魚等海鮮都深受好評。享受美食的同時，試試以萊姆酒調配的雞尾酒與本店特製的雞尾酒。

店內彩色鸚鵡的活動雕塑呈現出熱情洋溢的氣氛

餐廳 美式料理

*Broadway O Deli*

## 百老匯餐廳

| | |
|---|---|
| 住址 | 1457 3rd St. Promenade |
| ☎ | 310-451-0616 |
| 交通 | 由聖塔莫尼卡廣場徒步約1分鐘 |
| 時間 | 7～22點（週五～23點、週六7點30分～23點、週日7點30～）休無 |
| 費用 | 午晚$7～ |

MAP…P120-C2

### 第三街步道的玄關

從聖塔莫尼卡廣場往第三街的方向，首先看到的建築物就是一家正統加州料理的餐廳。店內採自助式，進入店內的左側，就可以看到一整排豐盛的料理，挑選自己喜歡的菜色之後找座位。走到最面還有大型桌椅，適合全家人一起用餐，如果是單獨一個人，可以選擇坐吧台。透明的廚房設計，客人可以一邊吃飯，一邊欣賞廚師的手藝。到了晚上會開放右側的吧台，不少上班族在下班後會先進來喝一杯再回家。

上：自助式的餐廳輕鬆自在

右：餐廳位在明顯的街角

## 在 蒙大拿街享受洛杉磯的假日

Montana Ave.

適應洛杉磯的觀光之後，可以選擇到樸實的蒙大拿街Montana Ave（MAP/P120-A2），觀察當地居民的實際生活。跟其他的熱鬧街道一樣，服飾店與餐廳林立，只是這裏賣的不是高級品牌，而是一些與日常生活息息相關的商店，例如紅茶、紅酒專賣店、孕婦裝店、童裝店、瓷磚店、餐具店等。

經常去歐洲搜購骨董的安迪先生，在此開了第三家白蘭黛安迪古董店。店內的居家飾品高尚典雅，令人看了愛不釋手。除此之外，超市、藥局、出租錄影帶店等，都是當地居民經常使用的商店。

當地居民對於餐廳與咖啡館也都有自己的喜好，通常會到固定的咖啡館，甚至坐在老位子上，邊看報紙，邊品嚐新鮮果汁與牛角麵包，享受屬於自己的空間。如果是全家人出遊，可以選擇到當地著名的加勒比海餐廳—巴巴魯，這裏的辣味菜色美味可口，甜點種類也很多。

假日晚起的日子，與家人或三五好友一起逛街，再到常去的咖啡館優閒地享受早午餐，這就是典型洛杉磯人的生活。

在聖塔莫尼卡的第四街，搭BBB3號巴士約5分鐘後在第七街下車，即可到達蒙大拿街。

白蘭黛安迪古董店Brenda Antin，以品味高雅的商品聞名。1021 Montana Ave.☎310-393-0149時11～17點休週日・一。MAP/P120-A1

巴巴魯餐廳

Babalu Restaurant

穿著花襯衫的店員熱情接待，精緻的蛋糕的口碑佳。1002 Montana Ave.☎310-395-2500時11～21點30分（週五～22點30分、週六8點～22點30分、週日8點～），休無。MAP/P120-A1

## 美式料理 餐廳
### Yankee Doodles

## 美式作風

| 住址 | 1410 3rd St. Promenade |
|---|---|
| ☎ | 310-394-4632 |
| 交通 | 由聖塔莫尼卡廣場徒步約1分鐘 |
| 時間 | 11點～凌晨2點（週六・日10點～）休無 |
| 費用 | 午晚 $8～ |

MAP…P120-B2

**熱鬧的休閒去處**

店內擺有好幾張撞球台，每週二晚上舉辦的撞球比賽，帶動整場熱鬧的氣氛。超大型螢幕通常播放的是棒球等運動節目，地下室也有各種遊戲設施。玩累了不妨休息一下，吃一些熱狗與洋芋片。

沙拉都有附麵包，光是濃湯的份量就很多。

## 亞洲料理 餐廳
### Monsoon Cafe

## 雨季咖啡館

| 住址 | 1212 3rd St. Promenade |
|---|---|
| ☎ | 310-576-9996 |
| 交通 | 由聖塔莫尼卡廣場徒步約8分鐘 |
| 時間 | 11點30分～24點（週五・六～凌晨1點）休無 |
| 費用 | 午晚 $6～ |

MAP…P120-B2

**東方神秘空間**

店外畫有一隻大眼睛，非常引人注目。一走進店內即可看到一座千手觀音像，沿路踏著碎石往前走，就會看到一個挑高的巨大餐廳，裡面的裝飾都來

↑嫩煎雞肉
→竹、藤、池子營造涼意

自亞洲各國，充滿東方神秘的色彩。日本廚師所烹調的跨國料理，充分呈現出泰國、柬埔寨等亞洲料理的特色。使用各種蔬菜所精心製作的健康食譜，例如用紫蘇、酪梨、薄荷與炸蝦所捲成的越南生春捲，就是一道令人回味無窮的料理。每一盤的份量都不多，可以嚐試各種不同的料理。坐在吧台喝點小酒意境也不錯，每週三到週日晚上，現場都有爵士與藍調音樂的演奏。

---

## 服飾店 商店類別
### Lucky Brand Dungarees

## 幸運品牌

| 住址 | 1213 3rd St. Promenade |
|---|---|
| ☎ | 310-395-5895 |
| 交通 | 由聖塔莫尼卡廣場徒步約8分鐘 |
| 時間 | 10～21點（週五・六9～22點、週日9～20點）休無 |

MAP…P120-B2

**牛仔褲專賣店**

想穿質料好點的休閒服，可以選擇四片苜蓿葉標誌的幸運品牌。明顯的黃色外觀，不禁令人停下腳步，一探究竟。根據店名，可想見所有的牛仔褲都是粗布的材質，除此之外，店內還有一些花襯衫與棒球帽。

鮮豔的外觀會被誤認為是衝浪器材店

## 玩具店 商店類別
### Puzzle Zoo

## 拼圖動物園

| 住址 | 1413 3rd St. Promenade |
|---|---|
| ☎ | 310-393-9201 |
| 交通 | 由聖塔莫尼卡廣場徒步約3分鐘 |
| 時間 | 10～22點（週五・六～24點）休無 |

MAP…P120-B2

**屬於每一個人的玩具王國**

店內有許多動畫與繪本中的人物造形與布偶。臉部表情豐富、各種不同種族的娃娃都有，西方色彩濃厚的歐洲娃娃也很多。此外，還有拼圖、益智遊戲、模型、美國味十足的迷你小汽車等。

可以看到電影「E.T.」、「星際大戰」中的人物造形

## 動畫原圖店 商店類別
### Vintage Animation

## 年代動畫

| 住址 | 1404 3rd St. Promenade |
|---|---|
| ☎ | 310-393-8666 |
| 交通 | 由聖塔莫尼卡廣場徒步約3分鐘 |
| 時間 | 11點30分～18點（週四～週日12～19點、週五・六12～21點）休無 |

MAP…P120-B2

**動畫迷絕不可錯過的店**

本店蒐集了許多1940～60年代的動畫原圖，無論是迪士尼、華納兄弟、米高梅的作品，應有盡有。其中還有作者親自簽名的手稿，價值不菲。店內的員工對於動畫的製作流程都非常清楚。

走進店內，就可以看到著名動畫家的手印。

熱鬧的氣氛之中也能感受到一些鄉愁的聖塔莫尼卡碼頭

**聖**
20世紀懷古錄
塔莫尼卡

## 「66號公路」的終點站—聖塔莫尼卡

美國最早在1926年建設高速公路，從冰天雪地的芝加哥一直到陽光燦爛的洛杉磯，這條全長3000km，稱為「66號公路」的終點站就是聖塔莫尼卡。隨著1986年，美國國內州際公路的相繼完工，這條公路實質上已經失去功用，而聖塔莫尼卡大道就是其中的一小段。約翰史坦貝克的小說《憤怒的葡萄》中的情節也曾經提及聖塔莫尼卡，此外，大家比較熟悉的是，湯姆漢克所主演的電影《阿甘正傳》當中，阿甘跑步的場景也在此拍攝。著名的景點還有夕陽西下的海景、小而精緻的購物中心、以及聖塔莫尼卡的地標—聖塔莫尼卡碼頭Santa Monica Pier（MAP/P120-C3）等地。

由有志維護碼頭者於1940年打造的標誌

### 市民的驕傲 聖塔莫尼卡碼頭

相較於美東的科尼島，聖塔莫尼卡碼頭是一座歷史悠久的木製碼頭，也是西海岸最古老的遊樂設施。原本是為了配合下水道的工程，於1908年建設完成，沒想到過了10年，居然改建為遊樂園。以海作為背景的雲霄飛車，驚險刺激，當時有許多人從市中心搭單軌電車慕名而來，造成了很大的轟動。之後社交舞的舞池、保齡球館等設施不斷地擴充，到了1930～40年代可以說達到了人氣的巔峰。可惜在1983年冬天，一場暴風雨吹毀了碼頭，經由市民發起重建運動之後，共籌措了一千萬美元的資金，直到1990年才大功告成。

1997年改建的海洋公園Pacific Park（11～21點，週五、六～24點，週日～22點，全年無休，免門票）。遊樂設施費用（US$1～4），另有其他玩具設施與飲食區等。

上：有不少的露天商店。其中刺青的店家，保證文字與圖畫可以維持1到2個星期才會消失。
右：也有默劇與樂團現場演奏

在碼頭的前端開放垂釣，不用申請執照。

### 電影《刺激》的舞台—旋轉木馬

全美有170座木製旋轉木馬，聖塔莫尼卡碼頭就是其中之一。原本是那希維爾樂園內的旋轉木馬，由費城一家公司於1922年製作，後來於1947年向那希維爾樂園購買，才運往聖塔莫尼卡。全手工製作的44頭木馬與2輛馬車，樣式完全不同，已經成為美國重要的資產。在電影「刺激」一片當中，旋轉木馬就發揮了莫大的劇情效果，在歡樂的氣氛當中也依稀感受到一些感傷，令人印象深刻。

旋轉木馬也可出租用在派對等的活動。（夏季10～21點，週一休息；冬季11～17點，週六、日10點～，週一休息，US$50￠）。

旋轉木馬最重要的就是自動演奏的風琴部分，這是在1920年，由紐約的一家公司所製作，共使用了鼓、銅鈸與164根風管。

## Santa Monica (Main Street)
# 聖塔莫尼卡（主街）

在咖啡館享受悠閒的時光

聖塔莫尼卡主街指的是市中心與**威尼斯海灘**（→P127）之間的區域。海洋公園大道Ocean Park Blvd.與海洋街Marine St.之間有開放式的露天咖啡館、餐廳、風格獨特的禮品店、骨董店、現代藝術的藝廊、衝浪運動商店、運動休閒服飾店等約180家商店。最近在威尼斯海灘附近也陸續看到一些新開的休閒服飾店，值得注意。商店與餐廳大多集中在主要道路及附近的街道上，與第三街步道之間可乘坐接駁巴士，每15分鐘一班，費用US$25¢。

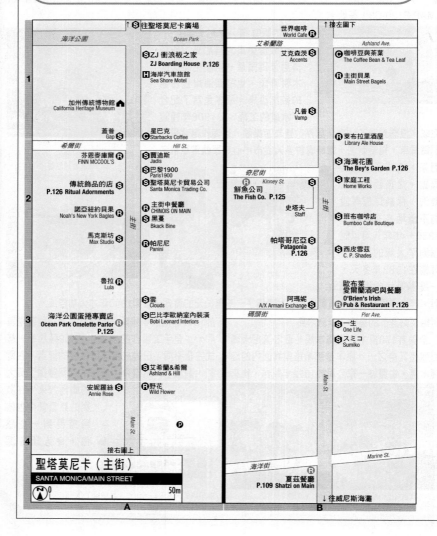

↑ Ⓢ 往聖塔莫尼卡廣場

世界咖啡 World Cafe Ⓡ

↑接左圖下

**海洋公園** Ocean Park

艾希蘭路

Ashland Ave.

艾克森茨 Ⓢ Accents

Ⓒ 咖啡豆與茶葉 The Coffee Bean & Tea Leaf

**1**

Ⓢ ZJ 衝浪板之家 ZJ Boarding House P.126

Ⓗ 海岸汽車旅館 Sea Shore Motel

Ⓡ 主街貝果 Main Street Bagels

加州傳統博物館 🏠 California Heritage Museum

凡普 Ⓢ Vamp

蓋普 Ⓢ Gap

星巴克 Ⓢ Starbacks Coffee

Ⓡ 萊布拉里酒屋 Library Ale House

**希爾街** Hill St.

奇尼街 Kinney St.

Ⓢ 海灣花園 The Bey's Garden P.126

芬恩麥庫爾 Ⓡ FINN MCCOOL'S

Ⓢ 賈迪斯 Jadis

Ⓢ 巴黎1900 Paris1900

Ⓢ 聖塔莫尼卡貿易公司 Santa Monica Trading Co.

Ⓢ 家庭工程 Home Works

傳統飾品的店 Ⓢ P.126 Ritual Adornments

Ⓡ 鮮魚公司 The Fish Co. P.125

史塔夫 Ⓢ Staff

諾亞紐約貝果 Ⓡ Noah's New York Bagles

Ⓢ 主街中餐廳 CHINOIS ON MAIN

Ⓢ 班布咖啡店 Bumboo Cafe Boutique

**2**

Ⓢ 黑蔓 Bkack Bine

馬克斯坊 Ⓢ Max Studio

Ⓡ 帕尼尼 Panini

帕塔哥尼亞 Ⓢ Patagonia P.126

Ⓢ 西皮雪茲 C. P. Shades

魯拉 Ⓡ Lula

Ⓢ 雲 Clouds

阿瑪妮 Ⓢ A/X Armani Exchange

歐布萊 愛爾蘭酒吧與餐廳 Ⓡ O'Brien's Irish Pub & Restaurant P.126

海洋公園蛋捲專賣店 Ⓡ Ocean Park Omelette Parlor P.125

Ⓢ 巴比李歐納室內裝潢 Bobi Leonard Interiors

碼頭街

Pier Ave.

**3**

Ⓢ 一生 One Life

Ⓢ スミコ Sumiko

Ⓢ 艾希蘭&希爾 Ashland & Hill

安妮羅絲 Annie Rose

Ⓡ 野花 Wild Flower

Ⓟ

Main St.

**4**

接右圖上

# 聖塔莫尼卡（主街）
SANTA MONICA/MAIN STREET

Ⓝ 0 ——————— 50m

海洋街 Marine St.

**海洋街**

Ⓡ 夏茲餐廳 P.109 Shatzi on Main

↓往威尼斯海灘

**A**

**B**

**餐廳** 蛋捲料理
*Ocean Part Omelete Parlor*

## 海洋公園蛋捲專賣店

| | |
|---|---|
| 住址 | 2732 Main St. |
| ☎ | 310-399-7892 |
| 交通 | 由傳統博物館徒步約3分鐘 |
| 時間 | 6點～14點30分（週六・日～16點）休無 |
| 費用 | $8～ |

MAP…P124-A3

### 份量百分百的早餐

用蛋與數種材料的內餡所製作的蛋捲，吃起來鬆軟美味。開店一小時內的蛋捲只要半價，因此一早就有不少當地居民光顧。菜單上的命名有的是以附近的商店名稱或阿諾史瓦辛格等藝人的姓名等，別出心裁，但要看清楚內容。

紅磚建築的店面非常精緻，一早就生意興隆。

**餐廳** 海鮮料理
*The Fish Co.*

## 鮮魚公司

| | |
|---|---|
| 住址 | 174 Kinney St. |
| ☎ | 310-392-8366 |
| 交通 | 由傳統博物館徒步約5分鐘 |
| 時間 | 11點30分～22點休無 |
| 費用 | 午$8～晚$20～ |

MAP…P124-B2

### 注重鮮度的海鮮店

店內浮標、漁網等魚具及鮪魚模型的裝飾，都讓人感受到濃厚的漁村氣息。除了菜單上的料理之外，不妨試試黑板上寫的當日菜單，不少當地居民也經常前來品嚐當季的料理。由於店內的食材都是當天進貨，是最新鮮的魚類，因此店內大多使用炭烤或清蒸的方式，希望讓客人能盡量品嚐原味。幾乎所有的料理都附有沙拉，蔬菜的攝取量也非常充足。壽司與生蠔尤其受到東方人的喜愛。店內也有販賣各種魚的圖樣與本店標誌的T恤。

餐廳的建築物由倉庫改建，在當地頗受歡迎。

將蟹肉磨碎後炸出的蟹餅，是小朋友們的最愛。

125

## 租 自行車暢遊海邊

在海風徐徐吹來的海邊，享受騎自行車的樂趣。海天一色的景致加上青春洋溢的年輕人，編織成一幅加州的自然美景。在海邊可以看到不少租自行車的商店。

陽光炙熱，不要忘記戴帽子。

自行車的走道分為小徑、道路、車道三種。如果只是試乘，可以選擇沙灘上的小徑，這裡是自行車和滑輪的專用道路，從馬里布海灘，經聖塔莫尼卡海灘，一直到威尼斯海灘。沿路兩側都是棕櫚樹林立，景色宜人，如果有屬意的海灘，可以中途停車，跳進海裡游泳。

當地的自行車騎士，會選擇道路或車道行程，將目的地設在馬里布海灘以南25km的瑞當多海灘（MAP/P47-D4）。途中會經過聖塔莫尼卡海灘、威尼斯海灘、馬利納德爾瑞等地，可以依照個人體力，選擇起跑地點。雖然這條路線很熱門，但因為與一般汽車並行，要特別注意安全。此外，加州的陽光非常強，不要忘了戴帽子並隨時補充水分。根據加州法律規定，18歲以下騎自行車者必須戴安全帽。

走一般車道時要特別注意安全

海霧租車與滑輪的店
Sea Mist Bike & Skate Rentals
租車時必須提示護照或信用卡。自行車1小時US$5～、越野車1小時US$6～、直排滑輪1小時US$5～。1619 Ocean Front Walk，☎310-395-7076 時10～17點（週六・日9～18點），全年無休，MAP/P120-C3。

也可以租到重要交通工具

人的重要交通工具 一直排滑輪 洛杉磯

上：自行車車道的地面上有畫線，路上也有標示，在出發前最好先確認清楚。為了交通安全，記得靠右邊行駛。

## 餐廳 愛爾蘭料理

*O'Brien's Irish Pub & Restaurant*

### 歐布萊愛爾蘭酒吧與餐廳

| | |
|---|---|
| 住址 | 2941 Main St. |
| ☎ | 310-396-4725 |
| 交通<br>時間 | 由傳統博物館徒步約8分鐘<br>17點～凌晨2點（週六11點30<br>分～、週日6點～）<br>休無 |
| 費用 | 晚$15～ |

MAP…P124-B3

#### 用黑啤酒乾杯

牆上貼著愛爾蘭黑啤酒的老舊海報，彷彿置身在傳統愛爾蘭的酒吧裏。每天都有不同的樂團演奏，還包括電影《鐵達尼號》中的傳統愛爾蘭音樂，重現電影情節中三等船艙內的熱鬧情景。

木製的吧台表現出愛爾蘭的原始風格

## 商店類別 衝浪板

*ZJ Boarding House*

### ZJ 衝浪板之家

| | |
|---|---|
| 住址 | 2619 Main St. |
| ☎ | 310-392-5646 |
| 交通<br>時間 | 由傳統博物館徒步約1分鐘<br>10～20點 |

MAP…P124-A1

#### 衝浪板專家

由於水上運動的盛行，附近的運動器材店特別多，如果要選擇好的衝浪板，就不能錯過本店，其中聖塔芭芭拉當地的衝浪板品牌種類非常豐富。幾乎所有的店員都是衝浪專家，可以提供客人各種意見。此外，在店內也可以買到量身訂做的衝浪用緊身衣與滑雪板、各式各樣的滑板等。店內分為兩部份，左側有各式衝浪板與男士服飾；右側為仕女與兒童服飾。衣服的種類眾多，有現代插畫的運動T恤及印有南國熱帶景色的仕女襯衫等，令人目不暇給。

上：將興趣與工作結合的店員們
右：海灘用品應有盡有

## 商店類別 飾品店

*Ritual Adornments*

### 傳統飾品的店

| | |
|---|---|
| 住址 | 2708A Main St. |
| ☎ | 310-452-4044 |
| 交通<br>時間 | 由傳統博物館徒步約3分鐘<br>11～18點 休無 |

MAP…P124-A2

#### 獨一無二的裝飾品

將墨西哥及印尼等世界50多個國家所蒐集的原石加工成玻璃珠，再依照不同的顏色及種類分別陳列在店內。雖然可以訂做，但因為材料齊全，建議最好參考樣本自己動手DIY。隔壁的古董店內，有來自中國的鳥籠以及水晶玻璃的項鍊等，都蒐集自世界各國。

可以看到客人正在仔細挑選小小的玻璃珠

## 商店類別 運動服飾店

*Patagonia*

### 帕塔哥尼亞

| | |
|---|---|
| 住址 | 2936 Main St. |
| ☎ | 310-314-1776 |
| 交通<br>時間 | 由傳統博物館徒步約7分鐘<br>11～19點（週日12～18點）<br>休無 |

MAP…P124-B2

#### 戶外運動型的設計

質料耐用輕柔，摺疊方便等都是本店歷久不衰的秘訣。獨創的剪裁法，穿起來會特別苗條，加上鮮豔的顏色搭配，連一些不運動的人也習慣穿本店的衣服。店內放有一些環保相關的傳單與資料，看得出店長的用心。

位在主要道路上，是一家平易近人的商店。

## 商店類別 芳香療法

*The Bay's Garden*

### 海灣花園

| | |
|---|---|
| 住址 | 2919 Main St. |
| ☎ | 310-399-5420 |
| 交通<br>時間 | 由傳統博物館徒步約5分鐘<br>11～18點 休無 |

MAP…P124-B2

#### 消除身心疲勞

原木所打造的室內裝潢，加上陣陣撲鼻的花香，令人心曠神怡。無論是精油、洗髮精、乳液等種類種多，還有手工特製用來裝精油的各種小玻璃瓶，每一個瓶子的形狀都各有特色，可以掛在身上攜帶方便。在店內也可利用芳香療法，享受敷臉與全身按摩的服務。

水土不服或受不了日曬的女士們，不妨進去保養一番。

遠

威尼斯海灘與馬利納德爾瑞

離聖塔莫尼卡到陽光燦爛的海灘區

### 行動派的威尼斯海灘

威尼斯海灘（MAP/P62-C4）又稱為「自助旅行者的天堂」，名副其實可以看到來自世界各國的遊客與當地的年輕人打成一片，是整條海岸線最熱鬧的地區。與海灘平行的海岸道路上有許多商店與速食店，可以穿著泳衣輕鬆地進出。路上有許多露天商店與街頭藝人的表演，到了週末經常會擠得水洩不通。海灘的南邊有一些運動設施，包括籃球、迷你網球、沙灘排球等，不用付場地費，任何人都可以輕鬆地加入遊戲，至於器材的出租可以找附近的店家。再往南走，可以在所謂的「肌肉海灘」上看到許多健美先生，這附近有許多著名的健身房，遊客甚至可以從外面看到猛男們伸展肌肉、練習健身的情景，據說這一帶即是健身房的發祥地，還經常可以看到電影的替身們由此健身呢！

稍微遠離海灘，來到威尼斯大道與華盛頓大道之

威尼斯海灘的海岸市場，營業時間從每天早上9點到天黑才打烊。MAP/P63-C4

格特店 Gotta Have It。專賣1920～1970年代的二手衣店，在威尼斯海灘頗負盛名。1516 Pacific Ave. ☎310-392-5949 營11～19點，全年無休，MAP/P63-C4。

在威尼斯海灘可以租到自行車、直排滑輪及衝浪板。

上：威尼斯海灘的海浪較大，隨時都有救生員保護。警察也會定時巡邏，但為了自身的安全，晚上最好不要進入。
右：要遵守海灘的各項規定，例如禁止喝酒等。

海岸咖啡館與酒吧 Sidewalk Cafe & Bar 絡繹不絕的人潮湧進威尼斯海灘的海邊咖啡館，漢堡是最熱門的食物。1401 Ocean Front Walk ☎310-399-5547 營9～21點（週六・日8～24點），全年無休，MAP/P63-C4。

間，可以看到一條運河，這就是威尼斯海灘命名的由來。1905年，在洛杉磯事業有成的奇尼，為了在美國重現威尼斯的街景，於是選擇在海岸的溼地上開始建設。至今還可以看得到當時所留下來的拱橋及歐式建築。

■交通　由聖塔莫尼卡1街搭BBB2號巴士約20分鐘，在Wind Ward Ave.下車。

### 成年人的度假勝地—馬利納德爾瑞

馬利納德爾瑞（MAP/P63-E4）是全世界最大規模的人工碼頭，有超過一萬多艘的帆船與遊艇停泊，到了假日，可以看到有錢的船主們紛紛前來駕駛自己的遊艇，在碧藍的海上盡情暢遊。相較於威尼斯海灘的青春氣息，這裡的遊客年齡層都較高，整體的氣氛成熟穩重。觀光客最愛的地點就是漁人村了，這裡有10間左右的海鮮餐廳與手工藝品店，中央的廣場有時會舉辦小型演唱會。到了夕陽西下的黃昏，對岸的燈光打入水中，羅曼蒂克的氣氛令人心動。

■交通　由聖塔莫尼卡4街搭BBB3號巴士約20分鐘，在斐濟街換MTA220號巴士，最後在漁人村下車。從斐濟街徒步約15分鐘，也可以從威尼斯海灘坐計程車。

127

威尼斯海灘與馬利納德爾瑞

吹號角遊艇 Horn blower Dining Yachts 從馬利納德爾瑞漁人村出發的遊艇。每週五・六17點～，所需時間為2個半小時，週五US$59.95、週六US$69.95、週日US$41.95，☎310-301-6000，MAP/P63-E4。

上海館 Shanghai Red's。位在馬利納德爾瑞，除了海鮮料理之外，還可吃到牛排、義大利麵等各種美味的菜餚。13813 Fiji Way. ☎310-823-4522 營11～22點（週日9點～），全年無休，MAP/P63-E4。

圍繞在馬利納德爾瑞碼頭四週的高級飯店

白色燈塔是漁人村的象徵

# 暢遊洛杉磯附近的海灘

洛杉磯的海岸線延續100多km，每一個海灘都有不同的特色。無論是沙灘排球、衝浪等海上運動，或是適合全家人、年輕人遊玩的沙灘，都呈現出不同的面貌，可以依照自己的需求挑選最適合自己的海灘。只是這一帶的海水溫度較低，除了6～9月之外，幾乎沒有人游泳，到了淡季，整個海灘又會回到一片寧靜。

洛杉磯附近的海灘當中，屬蘇馬海灘的海水透明度最高，海岸線風景最旖旎。

### 洛杉磯最著名的海灘

- ●挑戰沙灘排球.................................曼哈頓海灘
- ●衝浪玩家.........................................杭廷頓海灘
- ●享受優閒時光.................................新港海灘
- ●風帆.................................................蘇馬海灘
- ●適合全家人出遊.............................聖塔莫尼卡海灘（→P123）
- ●直排滑輪.........................................威尼斯海灘（→P127）

沙灘排球是最受歡迎的運動

## 曼哈頓海灘　　Manhattan Beach

目前已經正式列入奧運運動項目中的沙灘排球，最早就是始於1970年代末期的曼哈頓海灘。每年到了7月下旬，在這裏舉辦的世界大賽，將整個沙灘的氣氛炒得熱鬧非凡。與南邊第一個路口平行的曼哈頓街，有許多高品味的商店與咖啡館，在年輕人當中，算是人氣指數很高的海灘。

直排滑輪的專用道路

曼哈頓海灘位在洛杉磯國際機場以南約4km處

**曼哈頓海灘 MAP/P128-中央**
**交通**　由市中心搭藍色地鐵到Imperial/Wilmington車站，換綠色地鐵到終站Marine/Redondo後，再轉乘MTA126號巴士，所需時間1小時30分鐘。US$7.60。

## 杭廷頓海灘　　Huntington Beach

自從電影《熱浪星期三》上映之後，拍攝現場的杭廷頓海灘頓時一炮而紅，成為世界衝浪好手的最愛。每年到了7、8月旺季，衝浪選手都會為了參加

要注意比賽期間的車位難求

### 洛杉磯海灘
**LOS ANGELES BEACH**

- 蘇馬海灘 Zuma Beach P129
- 馬里布 Malibu Beach
- 帕薩迪納 PASADENA
- 馬里布 MALIBU
- 聖塔莫尼卡 SANTA MONICA
- 聖塔莫尼卡海灘 Santa Monica Beach
- 威尼斯海灘 Venice Beach
- 雷當杜海灘 Redondo Beach
- 曼哈頓海灘 Manhattan Beach P128
- 安納罕姆 ANAHEIM
- 南岸城城 South coast Plaza P132
- 長堤 LONG BEACH
- 太平洋 Pacific Ocean
- 杭廷頓海灘 Huntington Beach P128 P129 Newport Beach 新港海灘
- 波波亞 BALLBOA
- 潟湖海灘 Laguna Beach

128
暢遊洛杉磯附近的海灘

比賽而集聚一堂。在海灘附近的商店街內，有一家國際衝浪博物館International Surfing Museum，展示的內容是從20世紀初期到現在為止的衝浪板與服飾，有興趣的人不妨進去參觀。（411 Olive Ave.☎714-960-3483，12～17點，冬季週一・二休息，US$2）

**杭廷頓海灘** MAP/P128-下
交通 🚗由市中心走Santa Ana Fwy.⑤公路往南，再接Beach Blvd.㊴公路南下，碰到Pacific Coast Hwy.①公路往北走約1km。所需時間約50分鐘。

要注意比賽期間的車位難求

## 新港海灘　　　　　　　　Newport Beach

新港海灘位在杭廷頓海灘東南約7㎞處，細長型半島的頂端。北邊是遊艇停泊的碼頭，四周都是一些高級住宅區。以新港碼頭為中心，往南一直延伸到太平洋，海岸線上有一些不錯的餐廳與咖啡館。到了週末，到海灘的遊客特別多，因為距離大型購物中心─南岸商城很近，很多遊客會順便去逛街。

很多人在新港海灘上享受日光浴，是一個非常適合休息與打發時間的地方。

**新港海灘** MAP/P128-下
交通 🚗由市中心走Santa Ana Fwy.⑤公路往南，再接Newport Blvd.�555公路南下，碰到Pacific Coast Hwy.①公路往南約1km，所需時間約50分鐘。

## 蘇馬海灘　　　　　　　　Zuma Beach

帆船的用具必須自備，無法租用。

蘇馬海灘的海風強勁，並不是一個能安靜休息的地點，而是一個適合玩帆船等海上運動的熱門景點。海灘附近沒有餐廳或咖啡館，必須要往南5㎞，到馬里布海灘Malibu Beach（MAP/P128-左上）的海岸線上才有一些餐廳，可以一邊看夕陽，一邊享用晚餐。

**蘇馬海灘** MAP/P128-左上
交通 由聖塔莫尼卡走Pacific Coast Hwy.①公路往北25km，所需時間約30分鐘。週末容易塞車，最好提早出門。

衝浪好手也會到蘇馬海灘

### 海邊停車的注意事項

租車前往海邊是最方便的方法，但是7、8月的旺季往往找不到停車位，最好早點出發。有些停車場是用機器繳費的方式，如右圖先買票，再將票放在自己的車窗前。

靠近海灘的客停車場很快就滿了

可使用銅板及US$1、US$5紙鈔。也可使用信用卡繳費，不必擔心沒有零錢。

長堤與卡特琳納島Long Beach & Catalina Island

# 海邊度假村的
# 熱門景點

位於洛杉磯南部約32km處的長堤區，是一個充滿陽光與潮汐的度假村。從碼頭搭船約1小時就可以遠離都市的塵囂，來到美麗的島嶼—卡特琳納島。從洛杉磯可以當天來回。

海岸村 Shoreline Village
舉辦各項帆船比賽，也有遊艇的出租。
MAP/P130-B2

太平洋水族館 Aquarium of the Pacific
分區展示加州沿海、北極海沿海、密克羅尼西亞沿海的珊瑚礁等，可以漫遊全世界的海洋。☎562-590-3100，9～18點，全年無休，US$18.75，MAP/P130-A2

瑪麗皇后號 Queen Mary船內規劃成博物館，並對外經營飯店與餐廳。☎562-435-3511，10～18點，全年無休，US$24.95，MAP/P130-B2

## 長堤　　　　　　　　　　　　　　　Long Beach

　　到長堤觀光，可以從市中心乘坐免費接駁車或周遊巴士。如果有閒情逸致，不妨選擇步行，吹著海風優閒地散步也別有一番情趣。搭乘藍線地鐵下車之後，首先會看到熱鬧的松林大道Pine Ave.，道路兩旁的商店、露天咖啡館及餐廳林立，一直到深夜還是燈火通明。接著往南邊的海岸線走約15分鐘，就可以到達建

？長堤旅客服務中心
Long Beach Area Convention & Visitors Bureau One World Trade Center, Suite 300, Long Beach ☎562-436-3645，8點30分～17點，週六・日休息，MAP/P130-A1
前往長堤的交通　由洛杉磯市中心搭藍線地鐵，可以在Pacific、Transit Mall、1st St.、5th St.的任何一站下車，乘車時間約45分鐘，US$1.35。離周遊巴士站最近的是Transit Mall車站。
長堤內的交通　周遊巴士The Passport：共分A,B,C,D四條路線，涵蓋主要的觀光景點。如果選擇A,D路線前往貝爾摩海岸，必須追加US$0.90，從清早到深夜每隔15分鐘發車。
水上巴士Aqua Bus：可以連結水族館、海岸村、瑪麗皇后號、卡特琳納島等地。8～20點，US$2。

築物集中的海岸村，在這裡可以欣賞船隻，也可以去購買一些當地的名產。其中海岸水族公園Shoreline Aquatic Park內的水族館，蒐集了全世界超過1萬多種的海洋生物。此外，可以使用周遊券或搭水

長堤
LONG BEACH
0　　　400m

上巴士到停泊在對岸的**瑪麗皇后號**，從甲板上遠望長堤全景，是觀景的最佳地點。

# 卡特琳納島　　　　Catalina Island

　　美國原住民所居住的卡特琳納島，最早是歐洲的探險家在1542年所發現，現在已經成為海上運動與欣賞大自然的度假村了。本島中心**艾維隆**Avalon的背後山坡上，蓋有一些現代化的飯店與別墅。新月街Crescent Ave.附近為飯店、商店與餐廳聚集的地方。有些地方的椅子及牆壁，還是卡特琳納島的傳統瓷磚所作成的。如果有時間可以到附近的海灘游泳享受度假的優閒時光。島內的主要交通工具為電動車，為了保護大自然，島上規定不能開車，遊客可以租用高爾夫球車。

在艾維隆海灘享受度假的休閒時光

在島上到處可見彩色花紋的瓷磚

停泊在艾維隆碼頭的帆船不計其數

卡特琳納島（艾維隆）
CATALINA ISLAND/AVALON
0　　300m

艾維隆灣
Avalon Bay

賭場 Casino

卡布里歐碼頭
Cabrillo Melo Pier
（渡輪搭乘處）

Catalina Island
Visitors Bureau P.131

波特斐諾度假村
Hotel Villa Portofino
P.131

亭閣旅館
Pavilion Lodge

島塔廣場
Island Tour Plaza

卡特琳納
Catherine Hotel

往長堤

A

**ⓘ 卡特琳納島旅客服務中心** Catalina Island Visitors Bureau 1 Green Pier ☎310-510-1520，8～17點，全年無休，MAP/P131-A2

**前往卡特琳納島的交通**　從長堤搭卡特琳納快艇到艾維隆約1小時，1天4～8班，來回US$43。另外還可搭卡特琳納遊艇從長堤到艾維隆約2小時，1天2班，來回US$38。以上兩種行程會隨季節而變動，最好事先打聽清楚。

**參加當地旅遊團**　有參觀野牛及海獅的行程、乘坐透明玻璃船觀賞海底生物的行程等，可以在乘坐度輪的地方，或旺季時在船內的臨時櫃檯報名參加。

## 🛏 長堤與卡特琳納島的住宿

| 飯店名稱 | 地址／電話／傳真 | 費用／地圖 | 地區／備註 |
|---|---|---|---|
| **瑪麗皇后**<br>*Hotel Queen Mary* | 1126 Queens Hwy.,<br>Long Beach<br>☎562-435-3511<br>🆁562-437-4531 | Ⓢ$75<br>Ⓣ$75<br><br>P130-B2 | **長堤**<br>位在瑪麗皇后號船上的飯店。客房的種類與窗外的風景都不盡相同，可在訂房時先指定。 |
| **文藝復興長堤飯店**<br>*Renaissance Long Beach Hotel* | 111 East Ocean Blvd.,<br>Long Beach<br>☎562-437-5900<br>🆁562-499-2509 | Ⓢ$120<br>Ⓣ$120<br><br>P130-B1 | **長堤**<br>位在松林大道附近，無論購物或吃飯都很方便。飯店內有溫水泳池與水療設施，以服務親切聞名。 |
| **凱悅麗晶長堤飯店**<br>*Hyatt Regency Long Beach* | 200 South Pine Ave.,<br>Long Beach<br>☎562-491-1234<br>🆁562-432-1972 | Ⓢ$119<br>Ⓣ$119<br><br>P130-B1 | **長堤**<br>緊鄰海邊，是度假休閒的好地點。離海岸村很近，非常方便。飯店內有游泳池與水療設施。 |
| **波特斐諾度假村**<br>*Hotel Villa Portofino* | 111 Crescent Ave.,<br>Avalon<br>☎310-510-0555<br>🆁310-510-0839 | Ⓢ$75<br>Ⓣ$75<br><br>P131-A2 | **卡特琳納島**<br>位在海岸邊，風景優美。擁有卡特琳納島最多的餐廳露天座位。※不接受傳真訂房。 |

# 洛杉磯郊外的
# 大型複合式購物中心

南岸商城是南加州最大型的購物設施，中央的購物中心有許多高級精品店。南岸商城是由購物中心、南岸商城村、南岸商城水晶廣場等三個部份所構成。其中的購物中心也叫南岸商城，在名稱上容易混淆。可向館內的客服中心索取商店地圖與簡介。

從迪士尼附近的飯店搭接駁巴士到南岸商城的上、下車地點。

## 南岸商城　　　　　　　South Coast Plaza

首先介紹商城內寬廣的兩層樓建築，200多家的商店排開成H字型，再加四周圍的紐約高級百貨公司薩克斯第五大道、梅西、西雅圖的諾茲特諾姆、平價的魯賓遜、梅西爾斯等五家百貨公司。主要的購物商店都集中在大廳，此外，諾茲特諾姆百貨1樓有M.A.C.及Bobby Brown等人氣化妝品專櫃，其他的百貨公司內也有一些價廉物美的商品。大廳上有紐約著名的

FAO Schwarz玩具店與Rizzori書店、藝廊等，商店的種類與內容多采多姿，花

商場內的面積很大，要有計畫性地購物。

一整天的時間也逛不完。逛街之餘，可以找一家舒服的咖啡館好好休息。

**Tiffany**
三個店面大的賣場聲勢驚人，有白金首飾、絲巾、香水專櫃、黃金珠寶專櫃、餐具與水晶製品專櫃等。☎714-540-5330

**南岸商城 MAP/P47-E4**
3333 Bristol St.,Coast Mesa ☎1-800-782-8888，10～21點（周六～19點、周日11～18點30分），全年無休
交通：從安納罕姆坐車約25分鐘，從市中心約1小時。從市中心幾乎沒有任何大眾運輸工具可使用。從迪士尼所在地安納罕姆附近的12家飯店到商城之間有接駁巴士OCC橘線連結，平均2小時才有一班，最好先向飯店確認。發車時間隨飯店而有所不同，時間在10～21點之間，大人來回票US$12，12歲以下兒童票US$8。也可在商城的服務中心確認巴士的時間。安納罕姆到商城之間的單程計程車費用約US$25。

**古奇Gucci**
走近店內首先會看到皮包與手錶，中央部份有鞋子、皮帶，最裏面有套裝等較正式的服飾。店內右邊為男裝部門，左邊為女裝部門。☎ 714-557-9600

**強尼・凡賽斯Gianni Versace**
深藍色的牆壁搭配金色的裝飾，完全符合本店衣服的特色。無論是男女休閒服、正式場合的服裝、鞋子、化妝品樣式齊全。☎ 714-751-7473

**塞歐拉Sephora**
世界聞名的化妝品專賣店，除了種類眾多的自家品牌之外，也可買得到其他著名品牌的香水。☎714-429-9130

## 南岸商城村／南岸商城西館　　　South Coast Plaza Village & West

在結束南岸商城的購物之後，也不要忘了到隔一條馬路的南岸商城村及最近才整修完成的南岸商城西館逛逛。南岸商城村有商店與電影院，南岸商城西館則有一些餐廳與專賣店。

整修後的南岸商城西館有大型書店—Boarders進駐，可以找一家咖啡館安靜地看書。

## Downtown
# 市中心

　　洛杉磯的市中心融合了許多不同習慣、語言的民族，因此，這個地區的餐廳與商店的風格都獨樹一幟。**洛杉磯梅西廣場凱悅飯店**（MAP／P135-A4）附近的**第七街**7th St.與費格洛亞街Figueroa St.有許多美式、義大利與法式餐廳，也有美國知名品牌與法國休閒服飾店。飯店內的餐廳如「方格子」（如下）也是不錯的選擇。洛杉磯的**發祥地奧維拉街**（MAP／P135-C1）上有許多露天的墨西哥餐廳、皮革店與手工藝品店。此外，小東京內有一些日本料理店與販賣日本商品的日系超商，中國城內也有不少中國餐館。可以同時品嚐到各種不同口味的佳餚並享受購物的樂趣，是市中心最大的魅力所在。

市中心內政界、商界的高層建築物林立

---

**餐廳** 美式料理
*Water Grill*

## 海鮮炭烤店

| | |
|---|---|
| 住址 | 544 South Grand Ave. |
| ☎ | 213-891-0900 |
| 交通 | 由葡星廣場車站徒步約3分鐘 |
| 時間 | 11點30分～21點（週六・日17點～）休無 |
| 費用 | 午$20～晚$35～ |

MAP…P135-B3

### 新鮮的魚蝦令人垂涎

店內所使用的海鮮來自緬因州、愛德華王子島等北美沿岸，以及夏威夷、墨西哥等地。不僅在當地的評價很高，更從1993年起年年被日本的著名美食雜誌「ZAGAT」票選為洛杉磯最受歡迎的海鮮餐廳。緬因州產的龍蝦最適合清蒸、與奧勒岡州及紐西蘭產的牡蠣鮮魚濃湯都深受老饕們的喜愛。每天都會推出不同的今日午餐與晚餐。

店外的水箱可以看到各式的魚，店內採新潮的法式裝潢。

今日晚餐的菜單之一：龍蝦義大利麵

---

**餐廳** 美式料理
*Checkers Restaurant*

## 方格子餐廳

| | |
|---|---|
| 住址 | Hilton Suite Los Angeles, 535 South Grand Ave. |
| ☎ | 213-624-0000 |
| 交通 | 由葡星廣場車站徒步約3分鐘 |
| 時間 | 11點30分～14點、17點30分～20點30分（週六・日10點30分～）休無 |
| 費用 | 午$7～晚$35～ |

MAP…P135-B4

### 貴婦的晚宴

寧靜安詳的氣氛，讓人忘卻都市的繁忙與壓力。精緻菜餚上的醬汁、柳橙與番紅花，不但色香味俱全也吃出健康。

雖然高雅的氣氛令人緊張，還是值得品嚐。

## 餐廳 加州料理
*Bernard's*

### 伯納茲

| | |
|---|---|
| 住址 | The Biltmore Hotel Los Angeles, 506 South Grand Ave. |
| ☎ | 213-612-1580 |
| 交通 | 由葡星廣場車站徒步約3分鐘 |
| 時間 | 17～22點 休無 |
| 費用 | 晚$50～ |

MAP…P135-B3

#### 創意新點子

在豪華的餐廳氣氛之下優雅地享受美食。以傳統的日式料理為主，融合道地加州口味成為令人耳目一新的菜色，頗受當地人士的好評。例如加州懷石料理當中，沾醬油與芥末的燒烤鮪魚、墨西哥辣味明蝦等3～8道菜，都是本店最受歡迎的招牌料理。

進餐廳時最好打扮正式。也可品嚐到美味的歐洲料理。

## 餐廳 日本料理
*R23*

### R23

| | |
|---|---|
| 住址 | 923 East 2nd St. |
| ☎ | 213-687-7178 |
| 交通 | 由小東京徒步約10分鐘 |
| 時間 | 12～14點、18～22點 |
| | 休週日、節日 |
| 費用 | 午$12～ |
| | 晚$15～ |

MAP…P61-D3

#### 深受在地日本人的好評

本店於1975年即開始營業，這裏過去還曾經是火車月台的地點。老闆為了將本店塑造成「紐約閣樓」的形象，特別邀請日裔藝術家以繪畫及陶藝作

上：從米克市場徒步約10分鐘
右：道地的日式料理

品裝飾店內，讓客人有身在時尚服飾店內的感覺，以紙箱材質所做成的椅子也別有創意。相較於時髦的氣氛，苦修多年的日本廚師卻依舊保持日式的傳統作風。為了配合當地人的口味，雖然會增加壽司的米飯或在醬油裡加些檸檬等，主要還是以保持食材的原味為原則。中午以日式定食（如右圖照片所示）或壽司蓋飯居多，晚上則是以下酒菜為主。

## 商店類別 購物中心
*Seventh Market Place*

### 第七市場

| | |
|---|---|
| 住址 | 735 South Figueroa St. |
| ☎ | 213-955-7150 |
| 交通 | 由第七街車站徒步約1分鐘 |
| 時間 | 10～19點（週六～18點、週日12～17點） |
| | 休由店家自行決定 |

MAP…P135-A4

#### 挑選美國味十足的禮物

為一棟挑高的購物中心，一早就有許多上班族前來購物。建築物共有3層樓，3樓為書報攤、2樓有日常用品及維他命、1樓有甜甜圈與咖啡等速食店，此外，還有魯賓遜梅百貨公司。

方便的購物中心，其中又以飲食區最為充實。

## 商店類別 服飾店
*Ann Taylor*

### 安妮泰勒

| | |
|---|---|
| 住址 | 735 South Figueroa St. |
| ☎ | 213-629-2818 |
| 交通 | 由第七街車站徒步約1分鐘 |
| 時間 | 10～19點（週六～18點、週日12～17點）休無 |

MAP…P135-A4

#### 品味與材質的口碑佳

主要是針對20歲前半到40歲左右的女性上班族。無論是外套或長褲，樣式簡單樸實，適合現代女性的穿著。如果有機會去洛杉磯，不妨進去參觀。店內還有洋裝、禮服、鞋子、首飾等種類眾多。

位於第七街市場內，店員的服裝搭配可作為參考。

## 商店類別 服飾店
*Brooks Brothers*

### 布魯克斯兄弟

| | |
|---|---|
| 住址 | 604 South Figueroa St. |
| ☎ | 213-629-4200 |
| 交通 | 由第七街車站徒步約1分鐘 |
| 時間 | 9點30分～18點30分（週六～18點）休週日 |

MAP…P135-A4

#### 線條襯衫的名店

自創業以來，本店一向標榜傳統的套裝與襯衫，是一家歷史悠久的名店。剪裁的功力讓穿過的人都讚不絕口，固定的客源以上班族為主。有三分之二的商品是男裝，其他才是女裝。仕女的套裝與洋裝主要偏重茶色系。

位在商業區，因此中午經常可以看到上班族前來購物。

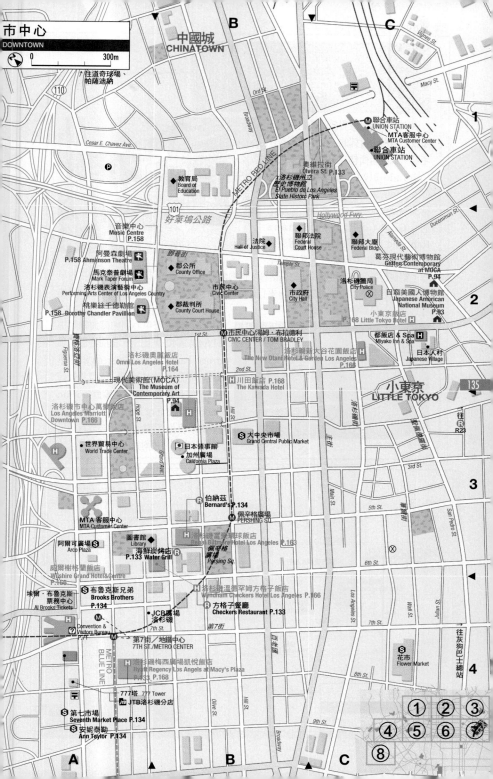

市中心
DOWNTOWN

0     300m

中國城
CHINATOWN

往道奇球場、
帕薩迪納

聯合車站
UNION STATION
MTA客服中心
MTA Customer Center
聯合車站
UNION STATION

教育局
Board of Education

奧維拉街 P.133
Olvera St.
洛杉磯州立
歷史博物館
El Pueblo de Los Angeles
State Historic Park

音樂中心
Music Centre
P.158

阿曼森劇場
P.158 Ahmanson Theatre
馬克泰普劇場
Mark Taper Forum
洛杉磯表演藝術中心
Performing Arts Center of Los Angeles Country
桃樂絲千德勒廳館
P.158 Dorothy Chandler Pavillion

法院
Hall of Justice

郡廳街
郡公所
County Office

郡裁判所
County Court House

市民中心
Civic Center

聯邦法院
Federal
Court House

聯邦大廈
Federal Bldg.

市政府
City Hall

洛杉磯警局
City Police

葛芬現代藝術博物館
Geffen Contemporary
at MOCA
P.94

日裔美國人博物館
Japanese American
National Museum
P.93

小東京飯店
P.168 Little Tokyo Hotel

都飯店 & Spa
Miyako Inn & Spa

日本人村
Japanese Village

洛杉磯奧麗飯店
Omni Los Angeles Hotel
P.164

市民中心湯姆‧布拉德利
CIVIC CENTER / TOM BRADLEY

洛杉磯新大谷花園飯店
The New Otani Hotel & Garden Los Angeles
P.166

小東京
LITTLE TOKYO

現代美術館 (MOCA)
The Museum of
Contemporary Art
P.94

川田飯店 P.168
The Kawada Hotel

洛杉磯市中心萬豪飯店
Los Angeles Marriott
Downtown P.166

世界貿易中心
World Trade Center

日本領事館
加州廣場
California Plaza

大中央市場
Grand Central Public Market

MTA 客服中心
MTA Customer Center

圖書館
Library

阿爾可廣場
Arco Plaza

海鮮炭烤店
P.133 Water Grill

伯納茲
Bernard's P.134

佩辛格廣場
PERSHING SQ.

洛杉磯富麗磐球飯店
Regal Biltmore Hotel Los Angeles P.163

佩辛格
廣場
Pershing Sq.

威爾榭格蘭飯店
Wilshire Grand Hotel&Centre
P.166

埃爾‧布魯克斯
票務中心
Al Brooks Tickets

布魯克斯兄弟
Brooks Brothers
P.134

JCB廣場
洛杉磯

洛杉磯溫德罕罕姆方格子飯店
Wyndham Checkers Hotel Los Angeles P.166

方格子餐廳
Checkers Restaurant P.133

Convention &
Visitors Bureau

第7街/地鐵中心
7TH ST./METRO CENTER

洛杉磯梅西廣場凱悅飯店
Hyatt Regency Los Angels at Macy's Plaza
P.133, P.168

777塔 777 Tower

JTB洛杉磯分店

第七市場
Seventh Market Place P.134

安妮泰勒
Ann Taylor P.134

花市
Flower Market

往灰狗巴士總站

① ② ③
④ ⑤ ⑥
⑧

## Pasadena
# 帕薩迪納

　　長久以來，大家對於帕薩迪納的印象就是洛杉磯近郊的一個寧靜高級住宅區。以商店街林立的**科羅拉多大道**Colorado Blvd.、餐廳聞名的舊城Old Town為中心正在改變風貌。包括將古老的建築物改建為高級精品店、**GAP**（→P138）、**Banana Republic**（MAP/P136-A2）等美國知名品牌進駐、骨董店、露天酒吧

科羅拉多大道上的優雅咖啡館

等。整個街道的氣氛可媲美紐約蘇活區，但物價卻便宜許多。以蔬菜、水果為主的早餐，有些地方不到US$5就吃得到，平日比假日的生意還要好，這就可以了解為什麼住在近郊的上班族會經常光顧了。

諾頓賽門美術館

　　從洛杉磯的市中心到帕薩迪納可搭MTA401或402號巴士，在亞洛優廣場Arroyo Parkway 或綠街Green St.下車即可，所需時間約45分鐘。可以步行前往的景點有**諾頓・賽門美術館**Norton Simon Museum of Art（→P92）。過年時候的玫瑰花車遊行以及舉辦玫瑰盃足球賽的球場都在這附近。

# 帕薩迪納
### PASADENA
0　　　　100m

**餐廳** 美式料理
*The Cheesecake Factory*

## 起士工房

| 住址 | 2 West Colorado Blvd. |
|---|---|
| ☎ | 626-584-6000 |
| 交通 | 由賽門美術館徒步約4分鐘 |
| 時間 | 11～23點（週六～24點30分、週日10點～）**休**無 |
| 費用 | **午**$8～ |
| | **晚**$10～ |

MAP…P136-B2

### 巧克力餅口味起士蛋糕登場

洛杉磯最著名的咖啡館之一，隨時都可以看到大排長龍的人群。週末的中午時間等30分鐘、晚餐時間等1小時是稀鬆平常的事情。在等待的時候看著玻璃櫥窗內的各種起士蛋糕，會發現時間其實過得很快。店內隨時都有35種以上的起士蛋糕，包括巧克力奶油、新鮮香蕉、卡布奇諾、檸檬、胡蘿蔔等與眾不同的口味。起士的份量多吃起來卻不油膩，也可以外帶。

帶點酸味的萊姆起士蛋糕搭配一杯冰摩卡

**餐廳** 義大利料理
*Mi Piace*

## 密皮亞契

| 住址 | 25 East Colorado Blvd. |
|---|---|
| ☎ | 626-795-3131 |
| 交通 | 由賽門美術館徒步約5分鐘 |
| 時間 | 7點30分～23點30分（週五・六～～凌晨1點）**休**無 |
| 費用 | **午晚**$11～ |

MAP…P136-B1

### 鮮肉口味的披薩

氣氛活潑的義大利餐廳。最受歡迎的是四人份的披薩，US$10～。可以從20多種的食材當中，選擇自己喜歡的口味。義大利口味的蛋糕是女士們的最愛，有空不妨來本店嘗試各種料理，絕對包君滿意。

蛋糕都是純手工製作，色香味俱全。

**酒吧** 中國料理
*Yujean Kang's*

## 康氏餐館

| 住址 | 67 North Raymond Ave. |
|---|---|
| ☎ | 626-585-0855 |
| 交通 | 由賽門美術館徒步約5分鐘 |
| 時間 | 11點30分～14點30分、17點～21點30分（週五・六～22點）**休**無 |
| 費用 | **午**$7～**晚**$10～ |

MAP…P136-C1

### 知名藝人也愛吃的美食

1986年在舊金山開業奠定基礎之後，於1991年才搬到洛杉磯，目前在好萊塢也設有分店。老闆康先生從小跟隨父母移民美國，之後就在舊金山努力學習做菜的功夫。店內的老顧客年齡層偏高，勞勃狄尼洛等知名藝人也是常客，大家對於吃過的中國料理讚不絕口，預約不斷。本店的料理成功的秘訣在於注重健康，絕不使用化學調味料，清淡的口味獲得客人的青睞。本店不斷地推出新菜色，油炸阿拉斯加產的鱈魚、明蝦粥等都令人食指大動。

上：餐廳的所在位置並不熱鬧，晚上最好搭計程車。
右：無論是中餐或晚餐都必須先預約

**餐廳** 美式料理
*Barney's Restaurant & Pub*

## 邦妮餐廳&酒吧

| 住址 | 93 West Colorado Blvd. |
|---|---|
| ☎ | 626-577-2739 |
| 交通 | 由賽門美術館徒步約2分鐘 |
| 時間 | 11～22點（週五～凌晨1點、週六9～凌晨1點、週日9點～）**休**無 |
| 費用 | **午**$8～**晚**$18～ |

MAP…P136-B1

### 超大型漢堡

自家口味的漢堡、熱狗與牛排等美式料理，從1979年開店以來即深受好評，價格公道，到了週末經常座無虛席。不妨來此欣賞牆上有趣的壁畫，放鬆心情。

天氣晴朗時，建議在露天雅座上優閒地吃頓飯。

---

**商店類別** 服飾店

*Gap*

## 蓋普

| | |
|---|---|
| 住址 | 61 West Colorado Blvd. |
| ☎ | 626-683-9356 |
| 交通 | 由賽門美術館徒步約3分鐘 |
| 時間 | 10～21點、週五・六～23<br>點、週日11～20點）<br>**休** 無 |

MAP…P136-B1

### 美國本土的服飾

在國內上市以來廣受歡迎，是價錢公道的美國品牌。兩個樓層的店面在附近的商店當中規模最大，1樓是男女裝、化妝品、帽子等小飾品，地下1樓的童裝部尺寸齊全。店內賣得最好的商品是彩色T恤。

美國各地都有Gap門市

---

**商店類別** 服飾店

*A/X Armani Exchange*

## 阿瑪妮

| | |
|---|---|
| 住址 | 29 West Colorado Blvd. |
| ☎ | 626-795-7527 |
| 交通 | 由賽門美術館徒步約3分鐘 |
| 時間 | 10～21點（週五・六～22<br>點、週日11～19點）**休** 無 |

MAP…P136-B1

### 打扮新潮迎接週末

充分展現出美國品味的阿瑪妮休閒服飾店。除了店內的時尚服裝之外，現代感十足的室內裝潢也值得一探究竟。店內左邊為女裝、右邊為男裝，其他像牛仔褲、T恤、棉質衫、帽子等優質的休閒服飾種類也很多。

皮帶、皮鞋等的小飾品也不可錯過

---

**商店類別** 服飾店

*Urban Outfitters*

## 都市休閒服

| | |
|---|---|
| 住址 | 139 West Colorado Blvd. |
| ☎ | 626-449-1818 |
| 交通 | 由賽門美術館徒步約2分鐘 |
| 時間 | 11～22點（週五・六10～23<br>點、週日12～20點）**休** 無 |

MAP…P136-A1

### 街頭流行服飾的代表

想要挑選最本土的服飾就到本店。美國裝扮所不可或缺的T恤、棉質衫、長褲等樣式齊全、價格公道。1樓是女裝與相框等雜貨，中庭2樓是男用長褲，2樓除了男裝之外，還有坐墊、椅子等室內家具。

對於名品愛不釋手的洛杉磯人也不會錯過的一家店

---

**商店類別** 紅茶專賣店

*Rose Tree Cottage*

## 玫瑰樹園

| | |
|---|---|
| 住址 | 828 E. California Blvd. |
| ☎ | 626-793-3337 |
| 交通 | 由賽門美術館徒步約10分鐘 |
| 時間 | 12～18點<br>**休** 週一 |

MAP…P136-C2

### 享受優閒的時光

這家紅茶用品專賣店在帕薩迪納已經有20多年的歷史。外觀是優雅的英式花園，店內圍裙等的商品也都是從英國直接進口。除了商品之外，也可在店內品嚐道地的英國紅茶，一天三次的下午茶時間頗受好評。

店外的英式鄉村花園令人備感溫馨

---

**商店類別** 化妝品

*Origins*

## 品木宣言

| | |
|---|---|
| 住址 | 15 Douglas Alley |
| ☎ | 626-564-1790 |
| 交通 | 由賽門美術館徒步約4分鐘 |
| 時間 | 10～21點（週五～22點30<br>分、週六～23點、週日11～<br>19點）<br>**休** 無 |

MAP…P136-B1

### 大包裝的化妝品

標榜以純天然植物所調配而成的化妝品品牌。除了美顏產品之外，還有許多沐浴用品與心靈療法的用品，數量多到必須陳列在地板上。最令人驚訝的是符合美國人生活習慣的大包裝化妝品，例如一公斤裝的沐浴鹽、洗髮精、潤絲精、沐浴乳等的消耗品幾乎都有。雖然會增加行李的重量，但絕對值得購買。

天然的化妝品受到美國女性的大力支持

店員的態度親切，顧客也應微笑回應。

# 迪 安納罕

## 士尼樂園的誕生地—

隨著1955年迪士尼樂園（→P141）的開幕，原本是一大片柑橘園的安納罕姆一夕成名，目前已經是橘郡最大的城市了，到洛杉磯市中心約40分鐘的車程。最近安納罕姆又成為鎂光燈的焦點，因為緊鄰迪士尼樂園的一個新設施—體驗加州魅力的迪士尼加州探險樂園（→P144）於2001年2月正式登場。除此外，連接這兩個主題樂園與飯店之間的迪士尼市區也加入陣容，包括商店、餐廳、娛樂等各項設施，形成一個複合式的加州迪士尼樂園休閒區。鄰近的諾氏樂園（→P154）為美國最古老的主題樂園，光是這兩座大型遊樂設施就能吸引大批的觀光客。

迪士尼樂園的橫向道路—卡鐵拉街Katella Ave. 與正面的碼頭大道Harbor Blvd.上有不少飯店與餐廳林立。

橘郡的由來，顧名思義就是因為有許多的柑橘樹與檸檬樹。

路邊販賣草莓的地方，類似的田園景色還時有可見。

來到安納罕姆除的目的除了迪士尼樂園與諾氏樂園之外，也不妨到1998年才剛開幕的積木購物中心逛逛。這裏離迪士尼樂園不到10分鐘的車程，包括滑板練習場、電玩中心、電影院、書店、衝浪用品店等商店，絕對讓遊客耳目一新，滿載而歸。如果不喜歡購物，也有超過30家的餐廳、咖啡館、速食店任君挑選。其中紅色屋簷的漢撒之家是一家自助餐廳，適合全家人同行，本店的招牌菜是北歐的醃醋鯡魚，吃過的人都讚不絕口。此外，還有以義大利麵為主的義大利麵之家，店內的裝潢是模仿100年前的美國西部景致，生動有趣。

**積木 The Block at Orange**
20 City Blvd. ☎714-796-4000
10～21點30分（週五・六～23點）全年無休
MAP/P139-B2■交通 由迪士尼樂園飯店門口有接駁巴士，來回US$5

**明園 Ming Delight Restaurant**
409 W. Katella Ave. ☎714-758-0978，11～14點30分、17～22點，全年無休，MAP/P139-B2

**漢撒之家 Hansa House**
1840 S. Harbor Blvd. ☎714-750-2411
7～11點、12～15點、16點30分～21點，全年無休，MAP/P139-B2

**義大利麵之家 Spaghetti Station**
999 W. Ball Rd. ☎714-956-3250
16～22點（週五・六・日～23點），全年無休，MAP/P139-B1
■交通 由市中心Figueroa St.搭MTA460號巴士約120分鐘車程，終站下車。

積木 The Block at Orange P.139
義大利麵之家 Spaghetti Station P.139
明園 Ming Delight Restaurant P.139
漢撒之家 Hansa House P.139

諾氏樂園 Knott's Berry Farm P.154
布維納公園 BUENA PARK
迪士尼樂園休閒區 Disneyland Resort P.141
迪士尼樂園飯店 Disneyland Hotel
迪士尼天堂碼頭 Disney Paradise Pier
安納罕姆希爾頓飯店 Anaheim Hilton&Towers
安納罕姆萬豪飯店 Anaheim Marriot Hotel
安納罕姆天使隊球場 Edison International Field of Anaheim P.161
安納罕姆巨鴨隊球場 Arrowhead Pond of Anaheim P.161
園林 GARDEN GROVE
聖塔安納河 Santa Ana Riv.
安納罕姆 ANAHEIM

Orangethorpe Ave.
La Palma Ave.
Crescent Ave.
Ball Rd.
Cerritos Ave.
Katella Ave.
Orangewood Ave.
Chapman Ave.
Lampson Ave.
Artesia Fwy.
Garden Grove Blvd.
Garden Grove Fwy.
Trask Ave.
Metropolitan Dr.

Valley View Av.
Knott Ave.
Beach Blvd.
Dale St.
Magnolia Ave.
Brookhurst St.
Euclid St.
Harbor Blvd.
Walnut St.
9th St.
Lewis St.
Douglass Rd.
State College Blvd.

0 2km

# 充分利用時間
# 暢遊主題樂園

洛杉磯最著名的四大主題樂園：
「迪士尼樂園休閒區」、
「環球影城-好萊塢」、
「諾氏樂園」、「六旗魔術山」。

　　洛杉磯有四個不同類型的主題樂園。不但規模大遊
樂景點也很多，因此不會浪費太多的時間在排隊上。
在萬里晴空的加州暢遊四座主題樂園是一大享樂，但
千萬不要樂極生悲，在遊玩之餘也要注意安全、看好
隨身的物品。

● 六旗魔術山
帕莎遊納
● 好萊塢環球影城
聖塔蒙尼卡海　　迪士尼樂園休閒區 ●　諾氏樂園
　　　　　　　　　　　　　　安納罕姆

## Disneyland Resort
### 迪士尼樂園休閒區 　　→P141

暢遊迪士尼樂園休閒區是每一個人的夢想，最近剛開
幕的迪士尼加州探險樂園也加入陣容，遊樂設施種類
眾多。

## Universal Studios Hollywood
### 好萊塢環球影城 　　→P148

完全融入電影情節中的主題樂園，神鬼傳奇等新的遊
樂設施的加入，更增加了樂園的娛樂性。

## Six Flags Magic Mountain
### 六旗魔術山 　　→P152

驚聲尖叫聲不斷的主題樂園，膽大的人不妨到此挑
戰驚險刺激的電動遊樂設施，當然也有適合小孩子
的遊戲。

## Knott's Berry Farm
### 諾氏樂園 　　→P154

園內除了史奴比的可愛造型人物之外，也有令人驚叫
連連的恐怖遊樂設施。美食餐廳的料理知名度高。

# Disneyland Resort
## 迪士尼樂園休閒區

自1955年開幕以來，就成為代表美國的主題樂園，吸引了全球無數的人潮。創辦人華德迪士尼為了打造一個大人、小孩都能同樂的娛樂王國，最初從18個遊樂設施開始著手。2001年更興建了「迪士尼加州探險樂園」，偌大的園內共分為三個主題區，嶄新的遊樂景點令人流連忘返，展現出主題樂園的新型態。此外，包括商店、餐廳、大型電影院、現場演唱等複合式娛樂空間的「迪士尼市區」也隆重開幕，形成一個令人矚目的大型休閒區。

與迪士尼的造型人物合影，將成為一生美好的回憶。

眾多迪士尼造型人物一同出現在遊行隊伍裡

### 迪士尼市區
**Downtown Disney**
→P146

佔地2萬8000m²，位在迪士尼樂園休閒區的中心，主要是連結迪士尼樂園、迪士尼加州探險樂園與休閒區內的飯店之間，市區內有商店、餐廳與各種娛樂設施。

### 迪士尼樂園
**Disneyland Park**
→P142

共分為明日世界、美國大街、冒險世界、紐奧良廣場、邊疆世界、動物天地、奇幻世界、米老鼠卡通城等8個主題區與60多個令人興奮的遊樂設施。

141
暢遊主題樂園

**DATA**

☎714-781-4565 9～18點（夏季8～24點，開門時間隨季節、星期而有所調整，主題區的時間也不盡相同，最好先打電話確認 ☎714-781-4290團7～19點、URL：www.disney.co.jp/usparks/dl/1日遊券：大人US$47、3～9歲兒童US$37,2歲以下免門票。
交通：🚌由市中心Figueroa St.搭MTA460號公車約120分鐘。🚗開車則從市中心往5號公路Santa Ana Fwy.南下在Harbor Blvd.下交流道即可，所需時間為50分鐘。

### 迪士尼加州探險樂園
**Disney's California Adventure**
→P144

於2001年2月正式開幕。共分為三個主題區·從海、路、空各種不同的角度欣賞大自然的「黃金之州」、將華麗的螢幕推向全球的「好萊塢外景片場」、充滿懷舊氣息的「天堂碼頭」，透過迪士尼獨特的表現方式，傳達加州的自然與文化。

Disneyland Park

Downtown Disney

Disney Grand California Hotel

Disney's California Adventure

Disney Paradise Pier Hotel

# 迪士尼樂園
## Disneyland Park

迪士尼樂園是創辦人華德迪士尼所打造的第一個主題樂園。60多種遊樂設施與可愛的迪士尼造型人物，讓每一位遊客都能體會到緊張刺激又溫馨感人的心情，每一次都會發現迪士尼的新魅力，令人流連忘返、欲罷不能。

●邊疆世界●

以西部拓荒時代的背景為主要訴求，是一個充滿活力的地區。大家耳熟能詳的驚險遊樂設施-大霹靂火車與晚上的煙火表演都深受遊客的喜愛。

●奇幻世界●

著名的睡美人城堡是最具代表性的建築，這裡的遊樂設施會帶領大家進入一個充滿奇幻與夢想的神秘殿堂。

●明日世界●

以宇宙與未來城市作為主題的地區。空中穿梭的火箭、金屬材質的建築物等的遊樂設施都可以讓我們親身走一趟未來時空之旅。

米老鼠卡通城

動物天地

●紐奧良廣場●

重現19世紀歐洲紐奧良的街頭景致，走在路上，彷彿穿越時空隧道，覺得自己置身於過去的美國南部。

●冒險世界●

一年四季都是溫和的夏天，可以看到世界各國的熱帶植物。最受歡迎的「印地安瓊斯冒險」等遊樂設施最適合有冒險精神的遊客。

●美國大街●

時間永遠停留在1900年代初期的美國，這條街上的商店林立，也是遊行必經的主要道路，熱鬧非凡。

## 主要的遊樂設施！

| 美國大街 | 米老鼠卡通城 | 明日世界 |
|---|---|---|
| ●迪士尼鐵路（美國大街站）<br>等 | ●迪士尼鐵路（米老鼠卡通城站）<br>●唐老鴨之船<br>●葛傑克特雲霄飛車<br>等 | ●太空軌道車<br>●發明館<br>●太空山<br>等 |

| 冒險世界 | 紐奧良廣場 | 奇幻世界 |
|---|---|---|
| ●泰山樹屋<br>●印地安瓊斯冒險<br>●叢林探險<br>等 | ●加勒比海海盜<br>●鬼屋<br>等 | ●愛麗絲夢遊奇境<br>●飛翔小象<br>●馬特洪滑橇<br>等 |

| 動物天地 | 邊疆世界 | 其他 |
|---|---|---|
| ●鄉村大熊劇場<br>●飛濺山<br>等 | ●大霹靂火車<br>●煙火幻象秀<br>●金馬劇場<br>等 | ●眾星遊行 |

### ★Point NEWS★

每一位遊客都有機會跟迪士尼的人氣造型人物一同參加「眾星遊行」。遊行前1小時，甄選參加者的巴士會出現在美國大街上，雖然競爭非常激烈，有興趣者不妨鼓起勇氣試試看。

# 遊樂設施

編輯推薦的

園內的規模很大，最好利用地圖先好好地研究一番，確定遊樂設施的位置，才不會浪費時間。

## 明日世界

### 太空軌道車
#### Astro Orbitor

遊客坐在火箭上，在宇宙太陽系裏驚悚冒險的遊樂設施，可以自己控制上下位置，感受火箭飛翔的速度，彷彿隨時都會撞到其他星球，震撼力十足，享受在空中飄飄然的感覺。

## 動物天地

### 飛濺山
#### Splash Mountain

坐在大型的船內，暢遊1946年迪士尼電影「南方之歌」中動物們所棲息的地方，欣賞四周圍的美麗風光。漸漸地隨著水流的加速，突然之間，船由五層樓高的位置急速往下衝。全身會被水花打溼，不過在加州的太陽照射之下一會兒就乾了。

## 奇幻世界

### 馬特洪滑橇
#### Matterhorn Bobsleds

坐在雙人滑橇內，滑行在瑞士馬特洪雪山的場景。在尖銳的冰柱與嚴風刺骨的寒風吹襲之下，還不時會看到雪人的出現，為了躲過雪人的攻擊，必須急速地滑行。這是一個非常熱門的遊樂設施，經常會看到排隊的人潮。

## 紐奧良廣場

### 加勒比海盜
#### Pirates of the Caribbean

中世紀航行在加勒比海的海盜正虎視眈眈地想要襲擊坐在船上的遊客。在航行當中，時常會看到金銀財寶上的骷髏頭或是喝醉酒的海盜等，令人毛骨悚然。大型場景的設計生動逼真。

## 冒險世界

### 印地安瓊斯冒險
#### Indiana Jones Adventure

親身體驗哈里遜福特主演的電影《法櫃奇兵》中的冒險世界，深受大人喜愛的超人氣遊樂設施。遊客搭乘12人座的軍用車，深入印地安博士與弟子們於1935年發現的神廟內拯救失蹤的博士，在探險的過程中可以聽到驚叫聲不斷。

© Disney / Lucasfilm, Ltd.

### Shop
## 印地安瓊斯冒險的前哨站
#### Indiana Jones Adventure Outpost

整個商店猶如印地安博士的實驗室，包括博士戴的西部牛仔帽、橡膠製的骷髏頭、蜘蛛形狀的糖果等，充滿了黑色幽默，提供遊客一個挑選禮物的好地點。

遊樂設施前販賣的白金首飾也是一個不錯的選擇。

### Restaurant
在戶外的空間，一邊欣賞蒸氣船一邊享用午餐

## 河畔雅座
#### River Belle Terrace

位在邊疆世界密西西比河邊的餐廳，是創辦人華德迪士尼享用早餐的地方。店內的設計模仿美國南部大豪宅的景致，分為室內與戶外兩個空間。鳳梨嘴、櫻桃鼻、草莓眼所做成的米老鼠薄餅、麵包蔬菜濃湯等都是本店的招牌菜。

自助餐形式的餐廳

### Shop
網羅所有的迪士尼商品

## 百貨店
#### Emporium

是美國大街內最大的商店，由「百貨店」的店名即可看出店內的商品應有盡有，包括各種迪士尼造型人物的周邊商品、陶器玩偶、服飾、皮包、帽子、首飾、廚房用品等。

迪士尼迷絕不可錯過的商店。有米老鼠的塑膠杯等商品。

© Disney

# 迪士尼加州探險樂園
## Disney's California Adventure

可以從各個不同角度去體驗陽光燦爛的加州大自然與風土文化的創新型主題樂園。透過溯溪或雲霄飛車感受驚悚刺激的心情，坐在高聳的觀景摩天輪俯瞰整個迪士尼休閒樂園等都是探索迪士尼新世界的好方法。

### ●天堂碼頭●

建築在海邊的巨大娛樂區。傳統式的旋轉木馬與雲霄飛車令人回想起過去的遊樂園。在精心設計的燈光效果與高品味的園內造型之下，雖然有懷舊的部份，同時也引進了迪士尼的最新科技，製造出許多與眾不同的遊樂設施。

### ●黃金之州●

以大自然與拓荒者精神為主題，分成自然、航空產業與飛機、酒鄉、農業等6個主題區。以另類的表達方式介紹加州的商業、農業等的發展情形。

### ●好萊塢外景片場●

以著名影星、藝人的角色，以及他們多采多姿的生活作為主題，介紹加州遠近馳名的電影產業。只要走進片場的大門，就可以進入光鮮亮麗的好萊塢世界。

## 主要的遊樂設施！

**天堂碼頭**
- ●加州尖叫
- ●橘子之刺
- ●太陽輪

等

**黃金之州**
- ●灰熊河
- ●飛躍加州
- ●紅木流域挑戰之旅

等

**好萊塢外景片場**
- ●迪士尼動畫
- ●哈佩利恩劇場
- ●巨星轎車

等

## ★Point NEWS★

「艾維隆海灣」是迪士尼加州探險樂園中最著名的海邊餐廳，可愛的迪士尼造型人物會陪伴遊客一起享用美食。童話式的建築設計加上米老鼠、美人魚、高飛等的人氣偶像，不但食慾大增，也炒熱了整個餐廳的氣氛。

餐廳的牆壁上都是海底生物的圖樣，彷彿置身於水中的奇異空間。

## 遊樂設施

使用迪士尼周遊券，可以指定遊樂設施的使用時間，不僅大幅減少排隊的時間，也能暢玩更多的設施。

### 天堂碼頭
#### 加州尖叫

California Screamin'

為天堂碼頭的主角之一。乍看之下，會誤以為是純白色的木製雲霄飛車，其實是不折不扣的鋼筋建築。全長1.6km，最高時速90km，最高點離地面距離為37m。沿著米老鼠的頭形做360度的轉彎可以說是迪士尼的專利，光站在外面看也覺得趣味十足。夜幕低垂後的雲霄飛車夜景最美，是拍照留念的好景點。

### 天堂碼頭
#### 天堂碼頭

Maliboomer

在升到50m的高空之後，再加速地往下掉落，最後再緩慢地上下移動，如此就可以同時兼顧到驚險刺激的效果與觀景的樂趣。整個遊樂設施共有12個座位，如果有餘力欣賞風景，建議坐在靠近公園的位子。心臟不好的人最好不要輕易嘗試。

### 好萊塢外景片場
#### 昆蟲難為

It's Tough to be a Bug!

在地底的昆蟲立體劇院上映的是以電影《蟲蟲危機》為主的情節。無論是狂風或是臭味的效果都有3D，甚至4D的視覺效果，不但小朋友看得高興，大人們也樂此不疲。

©Disney/Pixar

### 黃金之州
#### 灰熊河

Grizzly River Run

位在灰熊山峰休閒區的遊樂設施，坐在汽筏內順著河流往下泛舟，360度旋轉到瀑布底下，共有兩次的急速下降，驚險萬分。通常會玩到全身溼透，建議多帶一件乾淨的衣服替換。

### 好萊塢外景片場
#### 巨星轎車

Superstar Limo

想像自己是好萊塢巨星，乘著轎車盡情兜風的遊樂設施。途中會看到電影的模仿作品及一些著名影星的身影，最後會有意想不到的結果等著遊客去一探究竟。

## Restaurant

享受新鮮的料理與幸福的滋味

### 太平洋碼頭

Pacific Wharf

模仿舊金山南部蒙特利的觀光景點－蒙特利罐頭街所建築的區域。在碼頭附近有以製造酸麵包聞名的波丁酸麵包工廠Boudin Bakery及傳道薄餅工廠Mission Tortilla Factory，可以進去參觀製造過程。

靠近水邊心情會特別開朗

## Shop

細心挑選屬意的禮物，記取美好回憶

### 加州禮讚

Greetings from California

迪士尼加州探險樂園內最大的禮品店，除了迪士尼造型人物的周邊商品之外，園內所有遊樂設施的相關商品都買得到。

園內商品數量最多的商店。造型人物每個US$5。

©Disney

# 迪士尼市區
## Downtown Disney

著名的商店與餐廳林立，是一個熱鬧的娛樂區。進駐的商店其實與洛杉磯市內的購物中心大同小異，但是卻有一番獨特的魅力。大部份店家的營業時間都是到晚上10點（週五・六～晚上11點），因此在主題樂園結束之後，應該還有時間到此購物或享用美食。

晚上的迪士尼市區五
光十色，夜景迷人。

### 主要的商店！

| 商店 | 其他 |
|---|---|
| ●迪士尼世界 | ●伊阿里巴 伊阿里巴 |
| | ●AMC劇場（電影院） |
| **餐廳** | ●藍調之家 |
| ●拿坡里披薩 | 　（現場演唱） |
| ●卡達餐廳&酒吧 | ●ESPN地區 |
| ●熱帶雨林餐廳 | 　（運動餐廳&酒吧） |

「伊阿里巴 伊阿里巴」
餐廳內的拉丁音樂與舞
蹈一直持續到深夜

暢遊主題樂園

## Shop

細心挑選屬意的禮物，
記取美好回憶

# 迪士尼世界
### World of Disney

加州最大的迪士尼直營店。除了布偶之外，連衣服、生活雜貨等都是迪士尼人物造形的周邊商品。商品五花八門，可要當心荷包縮水。如果有時間耐心挑選，應該可以找到當地特有的商品或限量發行品。

順便觀賞可愛的店面

## Restaurant

享受在叢林裡
吃飯的樂趣

# 熱帶雨林餐廳
### Rainforest Cafe

走進餐廳，看到的是一個熱帶雨林的世界。除了茂盛的植物、野生動物的出現之外，音效等的特殊效果也令人驚奇，是一個老少咸宜的娛樂性餐廳。在傳統的菜色當中融入墨西哥、加勒比海、亞洲等各國的料理，創意十足。店內的自家商品也頗受好評。

建築物本身的
風格獨特

## Theatres

以最新的設備觀賞
當紅的電影

# AMC劇院
### AMC Theatres

全美盛行的複合式影城。這裏的設備新穎令影迷讚不絕口，12家電影院共可容納3000人。電影上映的時間都不盡相同，大概從12點～23點之間，在暢玩主題樂園之餘，不妨去看看哪些新片在國內還沒上演，可以先睹為快。

電影的音響震撼力十足

## Experience

無論你是否喜歡運動
都能融入店內的氣氛

# ESPN地區
### ESPN Zone

以「運動」為主題的娛樂性餐廳&酒吧。店內彷彿就像一座小型體育館，共有175台電視，可以觀賞所有的體育競賽節目，這裡還可以吃到當地人最愛的烤肉，飯前或飯後可以到店內的運動空間挑戰各項運動遊戲。

以各種不同的方式享受運
動的樂趣

←迪士尼造型人物的錢幣巧克力，一包有10枚，US$2.5。

↑種類眾多的帽子，US$19

←也可搭配印有造型人物名字的棒球T恤，US$34。

→米妮圖樣的腰包。皮帶的長短可以調整，腰包的容量也很大，大人小孩都適宜。其他還有米老鼠、小熊維尼等圖樣，US$13。

千萬不可錯過

# Disney 造型人物
# 的周邊商品

造型可愛的米老鼠、米妮，以及其他迪士尼造型人物的周邊商品，任何人看了都會愛不釋手，是贈送親朋好友的最佳禮物。迪士尼樂園、迪士尼加州探險樂園、迪士尼市區都有製作自己的商品，其中種類最多、最齊全的商店是「迪士尼世界」。

←遊樂設施「灰熊河」中的灰熊書籤。夾在書裡雖然會覺得笨重，但是從書裡探出頭來的模樣會令人忍不住會心一笑。

→計算機、原子筆、尺合為一體，攜帶方便，印有迪士尼字樣的禮物一定會受到大家的喜愛。

↑迪士尼加州探險樂園的人氣遊樂設施「灰熊河」當中的造型人物。在急流泛舟的小熊還穿著救生背心，非常討人喜歡。

←紀錄遊玩迪士尼樂園休閒區的年份，將相片放進值得紀念的相框裡格外有意義。

←透明的顏色加上圓形斑點的的米老鼠髮夾，非常可愛，在頭上多夾幾個不同顏色的髮夾，一定會受到大家的矚目。

→公主系列的銀粉指甲油及乳液。原本是針對小朋友所做的設計，但是顏色亮麗柔和，也適合大人在夏天使用，是一個物美價廉的禮物。

↑女孩子們心中的偶像—白雪公主與灰姑娘等的迪士尼洋娃娃，1個也有與王子配套的。

# Universal Studios Hollywood
## 好萊塢環球影城

好萊塢環球影城與迪士尼樂園並列洛杉磯最受歡迎的兩大主題樂園。原本就是電影公司的環球影城，開放片場的一部份供遊客參觀，因此園內的遊樂設施與秀場表演都是以熱門電影做為主題。有的內容非常驚險刺激，有的則是可愛動物的表演秀，適合任何年齡層的遊客。

燈火通明的影城真不愧
為電影之都

- Backdraft
- Lower Lot
- E.T. Adventure
- Stairway escalator
- Back to the future the ride
- Doc Brown's Fancy Fried Chicken
- Studio Tour
- Music Park the Ride
- STUDIO TOUR
- Animal Planet Live
- Cape Cod
- Nickelodeon Blast zone
- Upper Lot
- Moulin Rouge
- The wild wild west stand show
- Western St
- Silver screen collectibles
- Baker St
- Terminator 2:3D
- Mummy returns
- New York St
- Water World
- Universal studio cinema
- Universal studio store
- 環球影城散步區 →P150
- All star collectibles
- Wolf Gang Pack Café
- 入口

暢遊主題樂園

## DATA

100 Universal City Plaza, Universal City☎1-800-864-8377（免付費），10～18點（按日期而異），聖誕節與感恩節休息，身高122cm以上$47、以下$37、2歲以下免費、老年人（60歲以上）。資料來源／好萊塢環球影城。🚗由市中心開車走101號好萊塢公路Hollywood Fwy.北上，在環球中心Universal Center Dr.下交流道，所需時間20分鐘，若搭地鐵紅線，在環球城站Universal City下車。

## *ADVISE!*

闊別20年的E.T.又回來了，今年重新搬上螢光幕，並造成了很大的迴響。要在環球影城的遊樂設施內，騎腳踏車探究E.T.之前，建議最好再看一次電影。當然不只是E.T.，在暢遊一些以電影作為主題的遊樂設施之前，如果對電影先有概念，相信娛樂效果一定會倍增。

到E.T.所居住的星球來一趟冒險之旅

## E.T.冒險之旅
E.T.Adventure

電影E.T.已經20歲了，遊客可以乘坐腳踏車前往E.T.所在的星球。為了跟可愛的E.T.見一面，就不會害怕潛伏在森林或黑暗裏的外星人了。在旅行接近尾聲時，E.T.還會叫出每一位遊客的名字，令人感動不已。在浩瀚的太空旅途當中所看到的夢幻世界令人心情愉悅。

## 魔鬼終結者 2 3-D
Terminator2 3-D

魔鬼終結者為了保衛人類和平又回來大展身手了。來自四面八方的機器人士兵會從23×50m的巨大螢幕中跑出來，臨場感十足，連觀眾都似乎要被捲入戰場。劇場共可容納700人，放映時間為12分鐘。

## 神鬼傳奇
Mummy Returns

根據電影《神鬼傳奇》中所出現的古埃及城市遺跡所設計的迷宮。利用影片裏出現的武器與交通工具等，共製造出40多種的特殊效果，親身體驗影片中恐怖與刺激的冒險情節，保證從頭到尾絕無冷場。

## 環球之旅
Studio Tour

遊客可以乘坐電車，沿路參觀《E.T.》、《阿波羅13號》、《驚魂記》、《侏儸紀公園》等著名電影及人氣電視劇的拍攝現場，偷窺神秘的影片製作過程。在參觀的途中，小心不要被大金剛或大白鯊偷襲。

## 回到未來
Back To The Future The Ride

史蒂芬史匹柏所製作的著名遊樂設施。伯朗博士為了阻止馬帝終結宇宙，於是發明了史上最強的時光隧道，盡全力追趕馬帝的故事。追趕的過程驚險萬分，途中會經過冰河時代的冰原峽谷等各種場景。

## 浴火赤子情
Backdraft

電影《浴火赤子情》中消防隊員的兄弟奮勇救火的故事，相信大家一定還記憶猶新。遊客可以當場體驗如地獄般的火災現場。鋼筋建築的倉庫在一瞬之間成為火海，火苗焰都會瀉到遊客的身上，建築物也會在眼前倒塌，震撼力十足，聽得到遊客此起彼落的尖叫聲。現場安全措施非常完善，遊客絕對安全。

149
暢遊主題樂園

Shop

好萊塢影迷必到的地方，商品種類琳瑯滿目

## 螢光幕蒐集品
Silver Screen Collectibles

想要蒐集過去好萊塢巨星的周邊商品就來本店。已故藝人詹姆士狄恩、瑪麗蓮夢露、貓王、里華費尼斯等人的照片、明信片，或是其他令人懷念的電影海報及錄影帶，一定能夠滿足影迷的需求，最適合買回去贈送親友。

代表好萊塢的紀念品

Shop

要先填飽肚子，才有力氣繼續玩

## 伯朗博士炸雞店
Doc Brown's Fancy Fried Chiken

店名取自電影《回到未來》當中的科學家—伯朗博士的名字，是一家充滿美國鄉村氣息的速食店。最受歡迎的菜色就是炸雞，外皮香脆，雞肉鮮嫩多汁，適合搭配小麵包一起食用。

博士炸雞晚餐US$8.99

# 環球影城散步區
## Universal CityWalk

緊鄰環球影城的兩個廣場，共有65家商店、餐廳與酒吧。環球影城的遊客
只要在入口處蓋過章就可以自由進出，因此在等待秀場開始的時間或是用
餐時間都可以過來休息。大部份的店家都很晚才關門，在影城結束之後還
可以好好利用。

Universal Studio Cinema

Ⓢ Universal Studio Store

Ⓢ All Star Collectible

Ⓡ Wolf Gang Pack Café

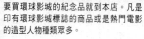

### 主要的商店！

| 商店 | 其他 |
|---|---|
| ●紅球 | ●IMAX劇院 |
| ●馬里布午餐　　　　等 | ●月光酒吧 |
| | 　（鋼琴酒吧） |
| **餐廳** | ●溫莎魔術劇場 |
| ●硬石餐廳 | 　（魔術秀） |
| ●芥末壽司 | |

環球影城散步區的氣氛
令人感到輕鬆

## Shop

人氣電影的造型人物齊聚一堂

### 環球影城商店
#### Universal Studio Store

要買環球影城的紀念品就到本店。凡是
印有環球影城標誌的商品或是熱門電影
的造型人物種類眾多。

戴紅帽的可愛E.T.娃娃、老少
咸宜的蜘蛛人棒球T恤

## Shop

蒐集運動明星的照片
也是一大樂趣

### 運動明星商品店
#### All Star Collectibles

美國棒球、足球、籃球、冰上曲棍球隊的周邊商品，
包括一些明星球員的照片、貼紙、球帽等樣式齊全。
著名選手的簽名球、實際穿過的運動衣等珍貴的紀念
品都展示在櫥
窗內。

有各式運動商品
可選取

## Restaurant

老闆是加州料理
的先驅者

### 佛爾夫岡咖啡館
#### Wolf Gang Pack Cafe

加州料理的先驅者所經營的熱門餐廳。保留食材的原
味，清淡的烹調方法頗受好評。不放起士的蔬菜披
薩、不油膩的烤鮭魚等的料理都很健康，適合正在節
食中的客人。

有人為了美食慕
名而來

洛杉磯擁有電影之都的好萊塢，因此並不只有環球影城才能參觀電影及電視節目的攝影棚，如果有興趣，也可以到其他的攝影棚學習好萊塢的精髓。

在西部牛仔電影中常見的酒吧門口照相留念，順便也進去參觀。

### Warner Brothers Studio VIP Tour
## 華納兄弟影城貴賓之旅

首先在迷你劇場觀賞一些華納電影的劇情，之後到展示電影服飾與腳本的博物館參觀。例如詹姆士狄恩在電影《養子不教誰之過》中所穿的Levis牛仔褲等的收藏品都非常有價值。接著就乘坐場內的車子參觀過去西部牛仔時代，以及美國現代建築的戶外攝影棚。參觀的行程每日不同，如果運氣好，還可以遇到真正的拍攝現場呢！所需時間共2小時15分鐘。

上：在歷史上留名的決鬥鏡頭也在此拍攝
左：正在搭建即將開拍的電影佈景

4000 Warner Blvd. Burbank. ☎818-954-3000，9點～16點30分（10～4月9～15點）每小時一梯次，需預約，週六·日休息，US$32（7歲以下不能參加）交通：🚗由好萊塢約15分鐘。MAP/P46-1

### NBC Television Studio Tour
## NBC電視台參觀行程

參觀全美轉播的NBC電視台，可以了解電視台的內部製作情形。尤其是在有特殊攝影效果的攝影棚內，可以看到畫面與人物的合成效果，就如同超人在空中飛翔一般。此外，也可以參觀收藏戲服的服裝室、電視台與攝影棚。參觀時禁止攝影，所需時間為70分鐘。

151

暢遊主題樂園

3000 West Alameda Ave., Burbank. ☎818-840-4444，9～15點，每小時1梯次，週日、節日休息，大人US$7.50，60歲以上US$6，5～12歲US$4.25，4歲以下免門票，交通：🚗由好萊塢約20分鐘。MAP/P46-C1

上：參觀行程的報名處須經過NBC停車場
左：著名的深夜談話性節目「今夜」的攝影棚，也可以報名參加。

### Sony Pictures Studios Studio Tour
## Sony製片廠參觀行程

從哥倫比亞公司所製片的傳統電影《阿拉伯的勞倫斯》到使用高科技的《蜘蛛人》，各種類別的電影都在位於斑鳩市的Sony製片廠內拍攝，步行參觀時間共需2小時。製片廠內的電影博物館有展示電影中的服飾與照片。此外，也可一併參觀電視節目的攝影棚，也需要2小時的時間。

10202 W. Washington Blvd. Culver City. ☎323-520-8687，9～15點，週六·日休息，US$20（11歲以下不能參觀），交通：🚗由好萊塢約30分鐘，MAP/P46-B3

上：運氣好還會碰到知名藝人呢
左：人氣節目「益智大挑戰」的攝影棚

# Six Flags Magic Mountain
## 六旗魔術山

MAP/P47-D3

面積約為東京巨蛋的10倍,擁有15個,也是全世界最多最驚險刺激的摩天雲霄飛車,是最受年輕人歡迎的主題樂園。360度旋轉在這裏是習以為常,雙腳懸空的吊椅式或站立式的雲霄飛車,在經過天旋地轉之後急速往下衝,光站在旁邊看也會緊張地心跳加速。

乘坐「雷霆飛艇」享受全身溼透的感覺也不錯

Gotham City Backlot

Cyclone Bay

Movie District

Samurai Summit

Rapids Camp Crossing

High Sierra Territory

Colossuc County Fair

Pirate's Cove

Six Flags Plaza

Baja Ridge

暢遊主題樂園

全場最巨大的葛萊亞雲霄飛車的迷你版,讓小朋友先熱身,長大後再正式嘗試。

©SIX FLAGS MAGIC MOUNTAIN

## DATA

26101 Magic Mountain Pkwy.Valencia. ☎ 661-255-4111,10〜18點(週五・六〜24點,隨季節調整休息日),11月上旬〜3月下旬的周一〜五休息,大人US$44.99,兒童(身高122cm以下)US$29.99,2歲以下免門票,55歲以上US$20.50。交通:由市中心走⑤公路Golden State Fwy.北上,在Magic Mountain Pkwy.交流道下車後左轉,所需時間約1小時。大眾運輸工具無法到達,最好租車或參加當地旅遊團。

## 主要的 遊樂設施!

### 六旗廣場
●華納兒童俱樂部
●旋轉木馬廣場

### 高山區
●超人大逃亡
●忍者
●空中鐵塔

### 其他
●動物秀
●華納卡通明星之夜(遊行,只限夏季)

## ADVISE!

除了暑假與週末假期,「謎樣的復仇」與「超人」等的遊樂設施人較多之外,其他的排隊時間只要15〜20分鐘,如果有一天的時間應該就可以逛完。建議先挑戰新的雲霄飛車-X,其他再慢慢地玩。園內的地圖與表演的時間表可以向六旗廣場Six Flag Plaza內的遊客服務中心Guest Relations索取。

有不少遊樂設施有身高的限制,規定137cm以上的有「惡魔高空彈跳」、「毒蛇雲霄飛車」等,122cm以上的有X、「葛萊亞雲霄飛車」等。

蝙蝠俠雲霄飛車的身高限制是137cm以上

到處都是驚險刺激的遊樂設施，在乘坐之前最好考慮自己的身體狀況，千萬不要逞強。

## 海盜灣

### 葛萊亞雲霄飛車

Goliath

朝著天空緩慢上升76.5m之後，突然以61度急速往下俯衝，隨即進入一個漆黑的隧道。在白色的煙霧內前進的最高時速為136km，一路上不是上下起伏就是螺旋式的旋轉，短短的3分鐘令人心驚膽跳。

## 旋風灣

### 惡魔高空彈跳

Deja Vu

2001年夏天正式啟用。如滑雪場的纜車一般，雙腳離地慢慢地朝正面往上升，到達59m的高空之後換一個方向急速下降。再以104km的最高時速，360度旋轉往下衝33m，驚險萬分。

## 哥譚鎮後場

### 蝙蝠俠快車

Batman The Ride

吊椅式的雲霄飛車。85km的時速並不算快，但是雙腳懸空旋轉360度，似乎隨時都會被甩出去的感覺，此外，在著地前還會突然來個大扭轉或旋轉，令人害怕得臉色發青。

## 電影區

### 謎樣的復仇

The Riddler's Revenge

全球最快、最高的站立式雲霄飛車，喜歡雲霄飛車的人絕不可錯過。全長1.6km的軌道站著衝完全程，以時速105km的穩定速度連續轉6圈。剛開始啟用時，曾經要排隊2小時才能坐到，其人氣之旺可見一斑。

## 巨物城鎮

### 巨物

Colossus

全長2.6km，在世界上是屬於大規模的木造雲霄飛車。最高時速為100km，在短短的2分30秒當中，上上下下共旋轉14次，看起來似乎很過癮，其實結束之後很可能會倒胃，建議用過午餐之後不要馬上坐。

## 高山區

### 超人大逃亡

Superman The Escape

被敵人追擊的超人急速逃亡的場景。以160km的快速度攀升到270m，相當於41層樓高的定點之後，只花6.5秒的時間往下降，是全世界最長的自由落體。不妨鼓起勇氣體驗無重力的恐怖滋味。

### XXX

x

2002年初才剛啟用的最新遊樂設施。以中心部份作為主軸，座位向四方延伸，雙腳懸空隨著雲霄飛車的旋轉在空中起舞，是一種創新設計的驚險設施，小心不要因為尖叫而傷了喉嚨。

©SIX FLAGS MAGIC MOUNTAIN

## Restaurant

辛辣的料理、吃出健康

### 愛德華燒烤

Eduardo's Grill

園內以簡餐居多。但位於哥譚鎮後場內的愛德華燒烤則是以墨西哥袋餅、捲餅、酸乳玉米脆片等為主的墨西哥餐廳，店內氣氛輕鬆，評價不錯。此外，旋風灣地區的飲食區內有賣披薩、漢堡、冰優酪乳等商店。

店內的飲食採自助式，輕鬆沒有壓力。

# Knott's Berry Farm
## 諾氏樂園

MAP/P47-E4

1920年，諾氏夫妻帶著三個小孩移居加州，在8萬m²的土地上開始經營草莓農場。諾氏將自己所栽種的草莓做成草莓醬販賣之後，居然一炮而紅。1932年開餐廳也是高朋滿座，看著每天大排長龍的景象，諾氏夫妻於是有了遊樂園的構想，希望顧客們能利用排隊的時間遊玩。樂園以加州及西部開墾時代作為主題，共分為6個地區。園內除了保留美國過去的純樸氣息之外，最近也陸續增加了一些刺激的雲霄飛車，1998年11月，美西最大、最快速的木造雲霄飛車也正式啟用了。

在史奴比劇場內可以看到史奴比的舞蹈表演

如果想跟卡通造型人物照相，最好到露營區附近

暢遊主題樂園

Boardwalk
Wild Water Wilderness
Ghost Town
Indian Trails
Fiesta Village
Camp Snoopy
California Market Place

## DATA

### ADVISE!

夏天可以順便到緊鄰的梭克城水上樂園一遊。5月下旬～9月上旬也有營業，但是會不定期休息，最好先打電話確認。☎ 714-220-5200

8039 Beach Blvd., Buena Park ☎714-220-5220，10～18點（週六～22點、週日～19點、夏季10～22點），聖誕節休息，大人US$42，11歲以下、60歲以上US$32，16點以後一律半價。交通：由市中心搭MTA460號巴士，所需時間120分鐘。開車則走⑤公路Santa Ana Fwy.南下，在Buena Park下交流道，所需時間 30分鐘。

### Shop & Restaurant
## 熱門的商店街與美食街
## 加州市場
California Market Place

商店街與美食街位於停車場與入口處之間，其中著名的餐廳「諾氏夫人炸雞店」更是第一代老闆所開的店，生意特別興隆，有人甚至是為了吃炸雞慕名而來。如果店內客滿需要排隊，可以考慮到隔壁的外帶區購買。

在諾氏夫人炸雞店門口負責迎接客人的是一隻可愛的公雞

史奴比商店

## 遊樂設施

(值得推薦的)

美國色彩濃厚的主題樂園，從傳統的遊樂設施到新型的驚悚雲霄飛車，內容五花八門。

---

### 海灘散步

#### 聲聲尖叫
Supreme Scream

1998年夏天完成的衝天型雲霄飛車，在衝上30層樓的高空之後，隨即以時速80km的速度連續往下俯衝3次，雙腳懸空的狀態往地面急落的驚險畫面，相信沒有人逃過聲聲尖叫。

---

### 海灘散步

#### 回力棒
Boomerang

不同於園內其他的新型遊樂設施，「回力棒」是一座歷史悠久、一直深受遊客喜愛的雲霄飛車。1分鐘內旋轉6次，再加上不斷地轉彎、扭轉之後，相信每一個人都會臉色發青，甚至還會感到不舒服。

---

### 節慶村

#### 孟地族馬的復仇
Montezooma's Revenge

在所有的雲霄飛車當中時間最短，雖然只有35秒的時間，但是來頭可不小。邊轉邊上升到7層樓的高度之後，再以反方向急速下降，連續不斷的上下旋轉，保證驚險刺激。

---

### 海灘散步

#### 驚險的水上冒險
Perilous Plunge

以1920年代的加州作為主題的水上雲霄飛車。坐在24人座的小船內，慢慢地爬坡之後往左邊轉半圈，接著就會碰到瀑布的急流，以75度的角度，從36m高的地方往下衝，不但令人膽戰心驚，全身也會淋濕，不要忘了多帶一件衣服。

---

### Theatres

史奴比的精采冰上表演

#### 史奴比的精采冰上表演
Charles M. Shulz Theatre

可容納2100人次的大型歌舞劇院，每一季的表演內容都不同，但主角都是大家的偶像—史奴比。配合搖滾或爵士的音樂，可以看到史奴比精湛的華麗舞姿。

---

### 荒山野水

#### 急流泛舟
Big foot Rapids

坐在大型的橡皮輪胎內順著河流泛舟，輪胎不停的旋轉似乎隨時都會撞到河邊，途中會經過一個瀑布，不知道誰會是成為落湯雞的幸運兒，臨場感十足，是緊張又有趣的遊樂設施。

---

### Shop

琳瑯滿目的商品是史奴比迷的最愛

#### 史奴比露營商店
Snoopy's Camp Store

園內最大的商店，史奴比及夥伴們的各種週邊商品應有盡有。除了史奴比與糊塗球場的娃娃之外，T恤、帽子、背包等的戶外用品種類也不少。

店內到處都是史奴比。眼鏡套US$4.95，鑰匙鏈US$3.95。

---

### Restaurant

令人懷念的古早炸雞味

#### 諾氏夫人炸雞店
Mrs.Knott's Famous Fried Chicken

諾氏夫人所傳下來的炸雞秘方，充滿濃濃的古早味。兩塊炸雞的快餐US$5.25最受歡迎，可以搭配本店的招牌·草莓果汁。皮脆肉香的炸雞在加州市場內的炸雞店—Chicken Dinner Restaurant也可以吃得到。

本店最著名的炸雞，絕對值得一試。

# 娛 樂

洛杉磯的魅力不只是購物與主題樂園，另外還有滿街都是攝影棚的好萊塢、日本選手相當活躍的道奇球場、明星經常出沒的西塢的俱樂部等，可以說是一個小型的娛樂王國。既然專程來到洛杉磯，就應該玩個盡興，只可惜很多人會因為購票的方法與行程考量而錯失了一些機會。在此就簡單地介紹洛杉磯一票難求的球賽及表演等的娛樂訊息。

## 首先要蒐集訊息

蒐集訊息的方法，可以透過餐廳及飯店大廳內的免費小型畫報—「**洛杉磯週報LA Weekly**」（每週一發行）或「**洛杉磯時代報紙Los Angeles Times**」每週日的節目表。只要是洛杉磯附近的活動，如電影、劇場、音樂會、現場演唱會、球賽等都有詳細的記載，即使是不擅長英文的人，也可以用地區或表演活動的名稱尋找，非常快速方便。

左：訊息量豐富的洛杉磯週報
右：每日快報Daily Breez週五版的節目表，詳細記載電影與演唱會的時間。幾乎所有的報紙都會附贈節目表，提供每週的娛樂訊息。

除了節目表的介紹之外，訪談內容或是影評人的意見也很有趣。如果只需要週末的資訊，則建議參考洛杉磯時代報紙的週四版—「**每週節目表Weekly Calendar**」。

## 購票方式

如果透過「全美售票」購票，基本上在出發前就會拿到門票。

預售票通常在各設施的售票口直接購買，但必須事先以電話或網路預約，告知姓名、日期、信用卡號碼等資料，當天可在現場領票。有些地方除了要求提供信用卡卡號之外，還必須提示護照做為身份證明。如果在售票口買不到票，就必須透過代理店購買。以下就介紹幾家洛杉磯著名的代理店。

### ●售票專家Ticket Master

領有正式執照的代理店。在出發之前可上網購買，但通常只能買到預售票，無法買到當日或特別公演的票。除了票價之外，還必須繳一些手續費（每一項表演活動的收費標準都不同）。

### ●全美售票All American Tickets

除了MLB、NBA、NFL、NHL4大球賽之外，演唱會、歌劇等任何性質的門票都有受理。由於這家代理店事先都已經買好年票，因此對於一些不好預約的門票反而最拿手。

●售票專家 Ticket Master
☎ 213-480-3232、714-740-2000 HP www.ticketmaster.com
●全美售票 All American Tickets
免費專線 ☎ 888-507-3287 FAX 213-251-8024
時間 10～18點、週六·日休息 HP www.allamerican-tkt.com

在出發前，可以先在國內打電話或上網查詢。

## Movies
## 電影

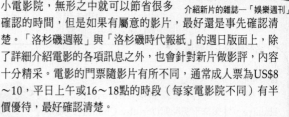

介紹新片的雜誌—「娛樂週刊」

洛杉磯有許多複合式的影城，近年來這種型態的經營方式在國內也頗為盛行，也就是在一家影城內有許多小型電影院同時放映不同的影片。其中環球影城散步區內的影城還擁有18個小電影院，無形之中就可以節省很多確認的時間，但是如果有屬意的影片，最好還是事先確認清楚。「洛杉磯週報」與「洛杉磯時代報紙」的週日版面上，除了詳細介紹電影的各項訊息之外，也會針對新片做影評，內容十分精采。電影的門票隨影片有所不同，通常成人票為US$8～10，平日上午或16～18點的時段（每家電影院不同）有半價優待，最好確認清楚。

娛樂週刊的特別報導，由7位影評人針對影片打分數，可以做為選片時的參考。

### 購票方式

直接到電影院購買是最快的方法，也可以利用電話預約。

---
## 洛杉磯的主要影城
---

*Grauman's Chinese Theater*
### 格勞門中國劇院

看完電影之後，可以順便在好萊塢高地娛樂廣場內逛街購物或用餐。

位在好萊塢高地娛樂廣場內，是洛杉磯最著名的影城（→P11、85）。這裡經常舉辦新片發表會，如果運氣好還可以看到好萊塢明星。6925 Hollywood Blvd. ☎323-464-8111，MAP/P84-B1

*Universal Studios Cineplex Odeon*
### 環球影城複合式劇院

在影城內同時上映不同的熱門影片。

位在環球影城散步區內（→P150），在暢遊環球影城之後，可以順便看一部好萊塢的新片。平日晚場的時間為21點，週末為24點。Universal City Walk ☎818-508-0588，MAP/P47-D3

*AMC Century 14*
### AMC世紀14影城

受到年輕人喜愛的影城，只要在售票口說出影片名稱即可。

位在人氣鼎沸的世紀城購物中心內（→P115），擁有14個小電影院，可以在一天之內，享受購物與電影的雙重樂趣。10250 Santa Monica Blvd.☎310-553-8900，MAP/P56-A1

*Beverly Center Cineplex*
### 比佛利中心影城

許多平日的票價比國內便宜

位在比佛利中心的購物中心內（→P114），共有13個小電影院，門票為US$9。週一～五的晚上6點前一律US$6。Beverly & La Cienega Blvd. ☎310-777-3456，MAP/P49-D4

**Musical & Concert**
# 歌舞劇&音樂會

在洛杉磯的一些流行刊物上，經常可以看到百老匯、喜劇表演等的相關訊息。其他像是好萊塢露天音樂台所舉辦的熱鬧搖滾秀、交響樂團的古典音樂饗宴等，幾乎每一天都有各種不同性質的表演。

## 購票方式

大部份的表演都集中在週四～日，知名音樂家或是歌舞劇的演出一定要事先預約。可直接到劇場的售票口、電話預約或是透過代理店購買。

## 洛杉磯的主要劇場

### Music Centre
### 音樂中心

音樂中心包括阿曼森劇場Ahmanson Theatre、桃樂絲千德勒館Dorothy Chandler Pavilion、馬克泰柏劇場Mark Taper Forum等。這裡的劇場每年都會舉辦演唱會、歌劇等的精采表演。135 North Grand Ave. MAP／P135-A2

緊鄰音樂中心的迪士尼劇場於2003年正式開幕

### Dorothy Chandler Pavilion
### 桃樂絲千德勒館

洛杉磯交響樂團的冬季公演從秋季持續到

位在音樂中心內，主要是戲劇、交響樂、芭蕾舞團的表演會場，也是2001年以前的金像獎頒獎典禮會場，頗受各地矚目。當天的門票可在開場90分鐘前購買。135 North Grand Ave. ☎213-972-7211 MAP／P135-A2

### Ahmanson Theatre
### 阿曼森劇場

位在桃樂絲千德勒館隔壁，趕場也來得及。

也是位在音樂中心內的劇場。演出的內容從古典到最新的百老匯歌劇，節目豐富。Music Center of Los Angeles County,135 North Grand Ave.☎213-628-2772 MAP／P135-A2

### Greek Theatre
### 希臘劇場

在每年的四月中旬公佈節目表

位在市內最大規模的格里菲斯公園內（→P87）的露天音樂會場。每年夏天都會邀請一流的爵士音樂家們齊聚一堂，場內氣氛熱鬧。2700 N. Vermont Ave. ☎323-665-1927 MAP／P47-C1

### Hollywood Bowl
### 好萊塢露天音樂台

從好萊塢步行15分鐘的距離，晚上最好坐計程車。

除了著名音樂家的演唱之外，還可以聽到古典、爵士等各種領域的現場精采表演。2301 North Highland Ave.,Hollywood. 售票預約專線213-480-3232，洽詢電話☎323-850-2000 MAP／P50-B1

## Live House
## 現場演唱

餐廳內的駐唱歌手有可能就是未來閃爍的大明星,大部份都集中在西好萊塢。除了以下介紹的三家之外,還有影星吉姆布魯西與艾克洛合資的藍調之家(→P105)、喜劇表演的殿堂喜劇之家Comedy Store(MAP/P104-C1)等都是大家所熟悉的。入場須滿21歲,最好隨身帶著護照。

**購票方式**

直接到餐廳的售票口購買或電話預約,人氣指數高的餐廳不容易買到票。

### 洛杉磯主要的現場演唱餐廳

*Whisky A Go-Go*
**威士忌阿哥哥**

人氣歌手的演唱日,一早就會出現排隊的人潮。

自1964年開業以來,已經陸續造就出了滾石、門戶等超人氣樂團,同時也因為是阿哥哥舞步的發祥地而聲名大噪。8901 W. Sunset Blvd. ☎310-652-4202,20點~凌晨2點(週一~五22點~),不定期休息 MAP/P49-C3

*Roxy*
**樂仕西**

餐廳四周深夜並不寧靜,回程最好搭計程車。

美國西海岸最具代表性的搖滾餐廳,著名歌手傑克森布朗也是誕生於這家餐廳。最近以搖滾與重金屬音樂為主,水準很高,在店內經常可以看到唱片公司的人來此挖掘新人。9009 Sunset Blvd. ☎310-276-2222,20~24點,不定期休息 MAP/P49-C3

## Night Club
## 俱樂部

好萊塢附近有不少高級俱樂部,可惜都是地方紳士的專利,一般的客人如果名字不在顧客名單上恐怕很難進去,必須經過顧客名單上的人士介紹才行。並不是所有的俱樂部都很嚴格,最好先打電話確認。一般而言,客人都非常注重服裝儀容,避免穿牛仔褲、襯衫等過於休閒的服飾。21歲以下不得進入。

### 洛杉磯主要的俱樂部

*The Viper Room*
**毒蛇空間**

每晚都有熱鬧繁華的舞台表演

由強尼戴普所經營的俱樂部,因當紅影星瑞凡費尼克斯在店門口猝死而造成轟動。8852 Sunset Blvd. ☎310-358-1880,21點~凌晨2點,不定期休息,MAP/P104-A2

*Miyagi's*
**宮城**

外觀也是純日本風

有壽司吧的日本料理店,2樓是俱樂部,每週三有喜劇現場表演。8225 Sunset Blvd. ☎323-650-3524,17點30分~凌晨2點,不定期休息,MAP/P49-E2

**Sports**
運動

　　無論是聽音樂或看歌劇表演，現場的效果都遠比CD及錄影帶好，同樣的，觀賞運動節目也是如此。美國的運動選手的速度與爆發力都遠超過我國，在現場可以深刻地感受得到球賽的震撼力，即使不是球迷，也會興奮得跟著一起加油。棒球與籃球可以說是象徵美國的運動項目，有不少球隊的本場就在洛杉磯，可以看到當地居民聲援本場球隊的熱情，大家不妨暫且忘記自己是遊客的身份，與居民一起大聲喊加油。

*Major League Baseball(MLB)*
**棒球**

　　4～9月是美國職棒的球季，來自全國30個球隊分成國家聯盟與美國聯盟互相抗衡。以洛杉磯為主場的球隊是目前日本投手野茂英雄與石井一久所屬的洛杉磯道奇隊Los Angeles Dodgers，以及西雅圖水手隊的長谷川投手過去所屬的在安納罕姆天使隊。

購票方式

　　當日可以到球場的售票口購買，但並沒有保障，如果要坐好位子，最好還是事先預約。球賽的日程與座位等級是預約的關鍵所在，建議先上網做好確認，尤其是決勝關鍵的幾場球賽，熱門球隊的座位經常一票難求，最好委託代理店（→P156）幫忙訂票。

*Dodger Stadium*
**道奇球場**

　　洛杉磯道奇隊的主球場，於1962年完成，共可容納56000人。球場的座位分為1樓內野區、2樓包廂區、4樓預約區以及外野區。此外，在球場的商店內可以買到著名的道奇隊熱狗、特大爆玉米花、T恤、外套等的商品。1000 Elysian Park Ave. 洽詢☎323-224-1448，禮品店： Top of the Park Gift Shop ☎323-225-1869，交通：🚗由市中心走110號公路Pasadina Fwy.北上，在Stadium下交流道，所需時間15分鐘。MAP／P47-D2

©Kiyoshi Mio

明星球員一上場就會受到全場
歡迎

## 道奇球場
## Dodger Stadium

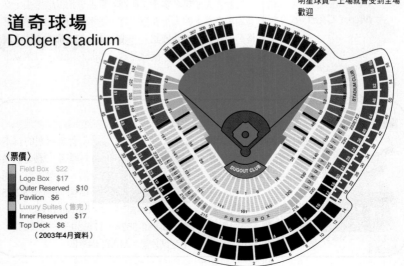

〈票價〉

| | |
|---|---|
| Field Box | $22 |
| Loge Box | $17 |
| Outer Reserved | $10 |
| Pavilion | $6 |
| Luxury Suites（售完） | |
| Inner Reserved | $17 |
| Top Deck | $6 |

（2003年4月資料）

©Kiyoshi Mio

*Edison International Field of Anaheim*
### 安納罕姆天使隊球場

位在迪士尼樂園附近的安納罕姆天使隊Anaheim Angeles主球場。在球場入口處可以看到一些大型的球棒、球、球帽等模型，彷彿是歡迎到場的球迷。2000 Gene Autry Way Anaheim ☎714-634-2000 交通：🚌由市中心走◎公路Santa Ana Fwy.南下，在State College Blvd.下交流道後往北約4km，所需時間75分鐘。MAP／P139-B2

在暢遊迪士尼樂園之後，再到附近看場球賽。

*National Basketball Association(NBA)*
### 籃球

利用11～4月職棒休戰的時間觀賞精采的美國職籃NBA。以洛杉磯做為主球場的有目前三連霸中的洛杉磯湖人隊Los Angeles Lakers，以及洛杉磯快艇隊Los Angeles Clippers。

**購票方式** 湖人隊球賽的門票幾乎都是以年票的方式出售，因此通常只能透過代理店（→P156）購買，建議出發前就做好預約。

*Staples Center*
### 斯德普斯中心

©Kiyoshi Mio

1999年剛完成的運動&娛樂設施。場內除了引進最新設備，在27萬m²的場內建造了一個籃球、冰上曲棍球兩用的球場之外，還有一間高科技運動會館，館內有酒吧、餐廳等各項設施。目前共有五支球隊使用這裡的場地，分別是NBA的洛杉磯湖人隊、洛杉磯快艇隊；NFL的洛杉磯國王隊；AFL的洛杉磯復仇隊；WNBA的洛杉磯火花隊。1111 S.Figueroa St. ☎213-742-7100，售票中心☎213-742-7340，交通：搭地鐵藍線在Pico站下車。MAP／P60-B3

身高超過200cm的巨大體型，卻能以敏捷的動作閃過對方，這就是NBA超級明星球員的魅力所在。

*National Hockey League(NHL)*
### 冰上曲棍球

冬天的運動首推冰上曲棍球。每年10～4月的球季，是球員們在冰上大展身手的時期。在洛杉磯可以觀賞到洛杉磯國王隊Los Angeles Kings與安納罕姆巨鴨隊 Nighty Ducks of Anaheim的精采賽事。

**購票方式**

可直接到球場售票口、電話預約或透過代理店（→P156）購買。

*Arrowhead Pond of Anaheim*
### 安納罕姆巨鴨隊球場

除了是巨鴨隊的本場之外，也提供做為演唱會及摔角的會場。這幾年球隊的成績不佳，但是其中經常被選為明星球員的日系選手—保羅柯瑞亞的精采演出，絕對可以值回票價。2695 East Katella Ave. ☎714-704-2400，交通：從市中心走◎公路Santa Ana Fwy.南下，在Katella Ave.下交流道後往東約5km。所需時間75分鐘。MAP／P139-B2

# 住宿

洛杉磯有許多不同等級的飯店，從高級度假村到便宜的汽車旅館應有盡有。只可惜這些飯店分散各地，且距離都相當遙遠，因此，遊客在選擇飯店之前，必須配合自己的旅遊型態，先決定好旅遊的地區，千萬不要浪費太多的時間在交通上。以購物為主要目的的人，可以選擇比佛利山莊附近；喜歡在海邊曬太陽的人，可以選擇聖塔莫尼卡附近；喜歡過夜生活的人，可以選擇西好萊塢附近；傾向主題樂園或暢貨中心的人，可以選擇交通方便的市中心。此外，機場附近的飯店接駁服務不錯，如果抵達洛杉磯的時間太晚，可以考慮先住一晚。當然也有不少人以房價作為選擇飯店的標準。高級飯店多集中在比佛利山莊、聖塔莫尼卡、市中心，而經濟型飯店則集中在好萊塢與威尼斯海灘。

## 洛杉磯超人氣飯店

符號解讀　🍴附設餐廳

## 高級 $180〜

### 區域 西好萊塢

*Mondrian*

## 蒙德里安飯店

| | |
|---|---|
| 住址 | 8440 Sunset Blvd. |
| ☎ | 323-650-8999 |
| FAX | 323-650-8241 |
| 交通 | 由高地車站徒步約30分鐘 |
| 費用 | ⑤①$335〜 |
| 客房 | 245室 |

MAP…P104-C1　🍴

好萊塢影星的最愛
沒有掛招牌的飯店，因此從外觀上也看不出，可以記住偌大的正門及戴白帽的門房。景色迷人的天空酒吧與典雅的義大利餐廳—中庭花園都必須事先預約。簡樸的室內裝潢與品質細膩的照明設備，絕對有欣賞的價值。

### 區域 比佛利山莊

*The Regent Beverly Wilshire a Four Seasons Hotel*

## 比佛利麗晶威爾榭四季飯店

| | |
|---|---|
| 住址 | 9500 Wilshire Blvd. |
| ☎ | 310-275-5200 |
| FAX | 310-275-5986 |
| 交通 | 由羅迪歐徒道步約1分鐘 |
| 費用 | ⑤$365〜 |
| | ①$405〜 |
| | 275室 |

MAP…P107-B3　🍴

體驗紳士與淑女的生活
位在羅迪歐道的高級地段，是一家古典氣息濃厚的豪華飯店，也是電影《麻雀變鳳凰》與《比佛利警探》的拍攝現場。飯店正門口可以看到一個大型盆栽，也可以在隔壁的大廳裡輕鬆地享用英式下午茶。客房內的空間很大，設備完善，大理石的浴缸令人心動。使用純絲綢、羊毛材質的沙發與被單，更是人生一大享受。看到飯店招待的草莓不禁令人想起電影中的女星茉莉亞羅勃茲。在飯店內找人按摩也是一項不錯的選擇。一般而言，本館的格調比新館高。

上:在柔軟的被窩裡休息可以減輕旅行的疲勞
右:氣勢不凡的飯店建築

### 區域 比佛利山莊
*The Beverly Hills Hotel*

## 比佛利山莊飯店

| | |
|---|---|
| 住址 | 9641 Sunset Blvd. |
| ☎ | 310-276-2251 |
| FAX | 310-887-2887 |
| 交通 | 由羅迪歐街道徒步約20分鐘 |
| 費用 | Ⓢ$380～Ⓣ$450～ |
| 客房 | 203室 |

MAP…P48-A3

### 醒目的粉紅色建築
位於高級住宅區，以老鷹合唱團所灌製的《加州飯店》唱片封套以及瑪麗蓮夢露與甘迺迪總統的約會場所聞名。在椰子樹環繞的泳池邊，可以看到一些零星的豪華度假小木屋。面向中庭的「保羅廳」是喝雞尾酒最有理想的地方。

有時候可以體驗一下市民的感受，在比佛利山莊附近悠閒地散步。

### 區域 比佛利山莊
*The Peninsula Beverly Hills*

## 比佛利半島飯店

| | |
|---|---|
| 住址 | 9882 South Santa Monica Blvd. |
| ☎ | 310-551-2888 |
| FAX | 310-785-0426 |
| 交通 | 由羅迪歐街道徒步約12分鐘 |
| 費用 | ⓈⓉ$425～ |
| 客房 | 196室 |

MAP…P56-B1

### 媒體評價很高的飯店
館內花團錦簇，光線柔和。為了尊重房客的隱私，特地將度假小木屋的位置安排在充滿綠意的中庭裡面，令人感到貼心。以象牙色系為主的房內裝潢，格調高雅。半

上：客房寬廣，服務周到。
右：飯店大門彷彿是一座花園

島飯店於1991年開始營業，雖然歷史不長，卻廣受各方矚目，在美國國內被評比為AAA5星級飯店。飯店內的「麗城」加州餐廳更是遠近馳名，主廚布拉肯利用各國的食材，發揮最大的想像空間，發明一道道精緻可口的佳餚，博得各方賞識，烤鮭魚、北平烤鴨、胡桃派等都是本店的招牌菜。此外，可以帶進機內的餐包也是一項主力商品。

### 區域 梅爾羅斯＆拉西安哥
*Hotel Sofitel Los Angeles*

## 索菲特飯店

| | |
|---|---|
| 住址 | 8555 Beverly Blvd. |
| ☎ | 310-278-5444 |
| FAX | 310-657-0389 |
| 交通 | 由比佛利中心徒步約1分鐘 |
| 費用 | Ⓢ$239～Ⓣ$349～ |
| 客房 | 311室 |

MAP…P100-A2

### 位在購物中心附近
充滿法國南部度假村的味道，是一間小而美的飯店。法國製的家飾擺設，淳樸的田園風格頗受女性遊客的喜愛。在「奇奇」餐廳內可以吃到法國師傅親手烘焙的麵包。飯店南邊的比佛利中心（→P112）營業時間很長，購物方便。

交通方便，離西好萊塢與梅爾羅斯都很近。

### 區域 聖塔莫尼卡
*Shutters on the Beach*

## 百葉濱海飯店

| | |
|---|---|
| 住址 | 1 Pico Blvd. |
| ☎ | 310-458-0030 |
| FAX | 310-533-6533 |
| 交通 | 由聖塔莫尼卡廣場徒步約10分鐘 |
| 費用 | ⓈⓉ$395～ |
| | 198室 |

MAP…P62-B2

### 最經典的度假村
一年四季都可以看到燃燒的暖爐，凝造幽靜典雅的氣氛。在飯店私人海灘上散步，聆聽海浪聲音，是人生一大享受。客房裝潢以白色為主，令人心曠神宜。黃昏可以在酒吧內欣賞美麗的夕陽，享受浪漫氣氛。

飯店大廳位在山坡下的沙灘邊，可以看到不少高級車。

### 區域 市中心
*Regal Biltmore Hotel Los Angeles*

## 洛杉磯富豪環球飯店

| | |
|---|---|
| 住址 | 506 South Grand Ave. |
| ☎ | 213-624-1011 |
| FAX | 213-612-1545 |
| 交通 | 由太平洋廣場徒步約1分鐘 |
| 費用 | ⓈⓉ$174～ |
| | 683室 |

MAP…P135-B3

### 豪華設施完備的飯店
飯店內的天花板上畫的是14世紀的義大利作品，手工的雕塑作品也到處可見，將飯店裝飾得絢爛豪華。每個月的第二個星期六，還會招待住宿的房客參觀飯店內的各項設施。日本料理店「彩菜」的壽司吧台是招待客人的好地點。

如果在偌大的飯店內迷路，親切的飯店員工會幫忙帶路。

## 洛杉磯的高級飯店

| 飯店名 | 地址／電話號碼／FAX | 費用／MAP | 區域／備註 | |
|---|---|---|---|---|
| 巴黎豪華飯店<br>Le Parc Suite Hotel de Luxe | 733 North West Knoll Dr.<br>☎310-855-8888<br>FAX310-659-7812 | ⑤$330～<br>❶$330～<br>P49-D3 | 梅爾羅斯＆拉西安哥<br>與梅爾羅斯、拉西安哥都只隔著一條街。田園風格的客房設計，格調高雅。 | |
| 比佛利山莊高峰飯店<br>Le Meridian at Beverly Hills | 465 South La Cienega Blvd.<br>☎310-247-0400<br>FAX310-246-2166 | ⑤$335～<br>❶$335～<br>P100-A3 | 梅爾羅斯＆拉西安哥<br>2001年共花費數十萬美金重新大翻修，新潮華麗的外觀，存在感十足。 | |
| 馬蒙宮飯店<br>Chateau Marmont Hotel | 8211 Sunset Blvd.<br>☎323-656-1010<br>FAX323-655-5311 | ⑤$295～<br>❶$295～<br>P49-E2 | 西好萊塢<br>是許多影星愛用的飯店，無論是外觀或內部裝潢，宛如置身在歐洲城堡內。 | |
| 洛杉磯亞皆飯店<br>The Argyle Los Angeles | 358 Sunset Blvd.<br>☎323-654-7100<br>FAX323-654-9287 | ⑤$275～<br>❶$330～<br>P49-E2 | 西好萊塢<br>客房內的裝潢摩登又有創意，瀰漫著濃濃的都會氣息，整潔度第一。 | |
| 蒙侯斯豪華飯店<br>Le Montrose Suite Hotel de Gran Luxe | 900 Hammond St.<br>☎310-855-1115<br>FAX310-657-9192 | ⑤$295～<br>❶$295～<br>P104-A2 | 西好萊塢<br>暖爐設備的客房深受女性遊客喜愛。飯店是為了尊重個人隱私，還特地設有房客專用餐廳。 | |
| 瑞迪森豪華飯店<br>Radisson Beverly Pavilion Hotel | 9360 Wilshire Blvd.<br>☎310-273-1400<br>FAX310-859-8551 | ⑤$250～<br>❶$319～<br>P107-C3 | 比佛利山莊<br>從最頂樓的泳池居高臨下，視野最佳。飯店內的觀光行程非常完善。 | |
| 羅迪歐道高峰飯店<br>Summit Hotel Rodeo Drive | 360 North Rodeo Dr.<br>☎310-273-0300<br>FAX310-859-8730 | ⑤$345～<br>❶$345～<br>P107-B2 | 比佛利山莊<br>位在羅迪歐道的中心。飯店咖啡館內的羅迪歐午餐風評佳。 | |
| 比佛利希爾頓飯店<br>The Beverly Hilton | 9876 Wilshire Blvd.<br>☎310-274-7777<br>FAX310-285-1308 | ⑤$189～<br>❶$189～<br>P56-A1 | 比佛利山莊<br>飯店內的波里尼西亞餐廳氣氛好，口味佳。 | |
| 世紀城洛杉磯柏悅飯店<br>Park Hyatt Los Angeles at Century City | 2151 Avenue of the Stars<br>☎310-277-2777<br>FAX310-785-9240 | ⑤$295～<br>❶$295～<br>P56-A2 | 世紀城<br>客房內都備有日文簡介與菜單，服務一流。 | |
| 洛杉磯W飯店<br>W Los Angeles | 930 Hilgard Ave.<br>☎310-208-8765<br>FAX310-824-0355 | ⑤$519～<br>❶$519～<br>P116-C1 | 西塢<br>飯店四週的環境寧靜，員工的服務態度親切友善，所有的客房都是雙人房。 | |
| 喬治亞飯店<br>The Georgian Hotel | 1415 Ocean Ave.<br>☎310-395-9945<br>FAX310-451-3374 | ⑤$235～<br>❶$265～<br>P120-B2 | 聖塔莫尼卡<br>位於聖塔莫尼卡中心，飯店內的懷舊裝潢令人印象深刻。 | |
| 聖塔莫尼卡羅葳海灘飯店<br>Loews Santa Monica Beach Hotel | 1700 Ocean Ave.<br>☎310-458-6700<br>FAX310-576-3143 | ⑤$261～<br>❶$399～<br>P120-C3 | 聖塔莫尼卡<br>通過挑高的飯店大廳，就會看到一個大泳池的中庭。飯店內的設備完善。 | |
| 美麗華飯店<br>The Fairmont Miramar | 101 Wilshire Blvd.<br>☎310-576-7777<br>FAX310-458-7912 | ⑤$249～<br>❶$249～<br>P120-B2 | 聖塔莫尼卡<br>遠離繁華的購物街，環境幽雅寧靜。從高樓層的客房內可以遠眺海洋的景緻。 | |
| 洛杉磯奧麗飯店<br>Omni Los Angeles Hotel | 251 South Olive St.<br>☎213-617-3300<br>FAX213-617-3399 | ⑤$260～<br>❶$260～<br>P135-B3 | 市中心<br>日籍員工的態度親切。飯店內還有日式早餐、綠茶、浴衣、日文報紙等服務。 | |
| 洛杉磯溫德罕姆機場飯店<br>Wyndham Hotel at Los Angeles Airport | 6225 West Century Blvd.<br>☎310-670-9000<br>FAX310-337-6555 | ⑤$189～<br>❶$189～<br>P46-B4 | 機場附近<br>客房內備有兩支電話線，可以滿足商業旅客的需求。 | |

# 中級
# $120～179

---

**區域** 聖塔莫尼卡

*Shangri-La Hotel*

## 香格里拉飯店

| 住址 | 1301 Ocean Ave. |
|---|---|
| ☎ | 310-394-2791 |
| FAX | 310-451-3351 |
| 交通 | 由第三街步道徒步約5分鐘 |
| 費用 | ⑤①$170～ |
| 客房 | 55室 |

MAP…P120-B2

### 藝人經常住宿閣樓

客房的擺設樸素典雅，空間很大，以藍色為主要色系搭配貝殼形狀的電燈，彷彿置身在海洋世界當中。雖然是一間臨海的飯店，價錢卻非常公道。員工的態度親切有禮，不會令人感到壓力。飯店內有早餐與下午茶的服務。

---

**區域** 好萊塢

*Holiday Inn Hollywood*

## 好萊塢假日飯店

| 住址 | 2005 North Highland Ave. |
|---|---|
| ☎ | 323-850-5811 |
| FAX | 310-876-3272 |
| 交通 | 由好萊塢/高地車站徒步約8分鐘 |
| 費用 | ⑤①$139～ |
| 客房 | 160室 |

MAP…P50-B1

### 頗受商業旅客的愛顧

鄰近中國劇院，與歷史悠久，但目前已歇業的假日飯店同名。本飯店的前身是位在徒步5分鐘距離的棕櫚樹飯店。設備齊全的中規模飯店，適合全家人住宿。

距離環球影城不到10分鐘的車程

---

**區域** 好萊塢

*Hollywood Roosevelt a Clarion Hotel*

## 好萊塢羅斯福飯店

| 住址 | 7000 Hollywood Blvd. |
|---|---|
| ☎ | 323-466-7000 |
| FAX | 310-462-8056 |
| 交通 | 由好萊塢/高地車站徒步約3分鐘 |
| 費用 | ⑤①$199～ |
| 客房 | 335室 |

MAP…P84-A1

### 見證好萊塢的歷史

可以在挑高大廳的沙發上休息。面對泳池的客房環境清幽，度假的氣息濃厚。有些豪華雙人房有不同的名稱，例如克拉克蓋博、卡蘿隆芭德等令人懷念的電影明星，住起來特別感性。此外，本飯店也是奧斯卡金像獎第一屆頒獎典禮的現場，在迴廊上可以看到好萊塢電影演進史的資料展示。飯店內的歐陸餐廳生意興隆，爵士現場表演節目在2002年秋天重新登場。

克拉克蓋博與卡蘿隆芭德的客房不禁令人回想起電影情節

飯店大門面對中國戲院

---

**區域** 西好萊塢

*Hyatt West Hollywood on Sunset Boulevard*

## 落日大道西好萊塢凱悅飯店

| 住址 | 8401 Sunset Blvd. |
|---|---|
| ☎ | 323-656-1234 |
| FAX | 323-650-7024 |
| 交通 | 由好萊塢/高地車站徒步約45分鐘 |
| 費用 | ⑤$259～①$284～ |
| 客房 | 262室 |

MAP…P49-D2

### 最適合喜愛夜生活的遊客

位在西好萊塢的高台上，從屋頂的泳池可以遠望山上的豪宅。客房的裝潢色調統一，令人感到舒適。飯店內除了餐廳還有酒吧等設施，經常可以看到商業旅客在此小酌。

飯店的東西兩側牆壁為商業看板

---

**區域** 梅爾羅斯＆拉西安哥

*Beverly Plaza Hotel*

## 比佛利廣場飯店

| 住址 | 8384 West Third St. |
|---|---|
| ☎ | 323-658-6600 |
| FAX | 323-653-3464 |
| 交通 | 由比佛利山莊徒步約3分鐘 |
| 費用 | ⑤①$169～ |
| | 98室 |

MAP…P100-A3

當地年輕人經常使用的飯店規模雖然不大，但飯店內的設施相當完善，尤其是以美容養顏及芳香療法等綜合性保養最為著名。年輕人經常會到飯店內的美式小酒吧，邊喝啤酒、雞尾酒，再配些小吃與零食。客房的裝潢以田園風格為主。

飯店的附近非常熱鬧，無論是購物或美食都很方便。

區域 **市中心**
*Wyndham Checkers Hotel Los Angeles*

### 洛杉磯溫德罕姆方格子飯店

| | |
|---|---|
| 住址 | 535 South Grand Ave. |
| ☎ | 213-624-0000 |
| FAX | 213-626-9906 |
| 交通 | 由太平洋廣場徒步約3分鐘 |
| 費用 | ⑤①$189～ |
| 客房 | 188室 |

MAP…P135-B3

**都市中的綠洲**
小而精緻的歐式飯店。在屋頂的泳池內享受日光浴，還可以順便欣賞四周圍的高樓景色。乳白色系的客房光線亮麗，大理石的浴缸更是令人心動。員工的態度親切有禮。現代化的市立圖書館就在飯店附近。

歐式建築上的雕刻，令人忘記自己在美國。

區域 **市中心**
*The New Otani Hotel & Garden Los Angeles*

### 洛杉磯新大谷花園飯店

| | |
|---|---|
| 住址 | 120 South Los Angeles St. |
| ☎ | 213-629-1200 |
| FAX | 213-473-1416 |
| 交通 | 由日本村徒步約3分鐘 |
| 費用 | ⑤$155～①$175～ |
| 客房 | 434室 |

MAP…P135-C2

**有身在日本的錯覺**
日式的細膩服務，頗受各方好評，住宿的客人也以日本人居多。飯店內的日本料理店-「千羽鶴」內有榻榻米的和式房間，可以享用美味的懷石料理。夏季的日本庭園，搖身一變成為暢飲啤酒的空間。

新大谷花園飯店可以說是小東京的看板

區域 **機場附近**
*Renaissance Los Angeles*

### 洛杉磯文藝復興飯店

| | |
|---|---|
| 住址 | 9620 Airport Blvd. |
| ☎ | 310-337-2800 |
| FAX | 310-216-6681 |
| 交通 | 由洛杉磯國際機場徒步約15分鐘 |
| 費用 | ⑤①$139～ |
| 客房 | 502室 |

MAP…P46-B4

**氣氛高優的飯店**
在機場附近可以說是最新最有特色的一家飯店。在東方色彩濃厚的大廳內可以聽到鋼琴演奏，感受成熟穩重的氣氛。間接照明的客房是休息的好地方。飯店內美式餐廳的牛排頗受歡迎。

飯店距離「預算」租車公司不遠，可以考慮就近租車。

## 洛杉磯的中級飯店

| 旅館名 | 住址／電話號碼／FAX | 費用／MAP | 區域／備註 | |
|---|---|---|---|---|
| 瓦拉登<br>Valaden | 8822 Cynthia St.<br>☎310-854-1114<br>📠310-967-2308 | ⑤$170～<br>①$170～<br>P104-A3 | **西好萊塢**<br>位於幽靜的住宅區內。飯店適合全家人使用，全面禁菸。 | |
| 海邊飯店<br>Bayside Hotel | 2001 Ocean Ave.<br>☎310-396-6000<br>📠310-396-1000 | ⑤$109～<br>①$119～<br>P62-B2 | **聖塔莫尼卡**<br>靠近海邊，剛好位在聖塔莫尼卡與主要道路的中間位置，非常方便。 | |
| 聖塔莫尼卡旅遊村<br>Travelodge Santa Monica | 1525 Ocean Ave.<br>☎310-451-0761<br>📠310-393-5311 | ⑤$125～<br>①$125～<br>P120-C2 | **聖塔莫尼卡**<br>前有聖塔莫尼卡碼頭，後有聖塔莫尼卡廣場，地理位置很方便。 | |
| 威尼斯海灘太平洋飯店<br>Marina Pacific Hotel &<br>Suites at Venice Beach | 1697 Pacific Ave.<br>☎310-452-1111<br>📠310-452-5479 | ⑤$149～<br>①$149～<br>P63-C4 | **威尼斯海灘**<br>深受年輕人喜愛的地段。豪華客房內備有廚具，適合長期住宿的旅客。 | |
| 洛杉磯市中心萬豪飯店<br>Los Angeles Marriott<br>Downtown | 333 South Figueroa St.<br>☎213-617-1133<br>📠213-621-1510 | ⑤$249～<br>①$249～<br>P135-A3 | **市中心**<br>大廳的照明柔和，氣氛典雅。過去曾經是喜來登飯店。 | |
| 威爾榭格蘭飯店<br>Wilshire Grand Hotel | 930 Wilshire Blvd.<br>☎213-688-7777<br>📠213-612-3987 | ⑤$209～<br>①$209～<br>P135-A4 | **市中心**<br>可在飯店門口乘坐機場接駁巴士，也設有洛杉磯的觀光服務處。過去是奧麗飯店。 | |
| 洛杉磯喜來登機場飯店<br>Sheraton Gateway Hotel | 6101 West Century Blvd.<br>☎310-642-1111<br>📠310-641-4600 | ⑤$219～<br>①$219～<br>P46-B4 | **機場附近**<br>可以招待客戶到飯店內的日本料理店吃壽司，廚師是道地的日本人。 | |

# 經濟型 ～$119

區域 比佛利山莊
*Hotel Del Flores*

## 佛瑞斯飯店

| | |
|---|---|
| 住址 | 409 North Crescent Dr. |
| ☎ | 310-274-5115 |
| FAX | 310-550-0374 |
| 交通 | 由羅迪歐道徒步約8分鐘 |
| 費用 | Ⓢ$85～ Ⓣ$95～ |
| 客房 | 37室 |

MAP…P107-B1

### 走到羅迪歐道只要8分鐘
在大廳可以看到如女星琥碧戈柏般的古典美人,是一家歷史悠久的飯店,創立於1926年,感覺上像是中產階級的住家。小規模的客房看得出歷史的痕跡,有的床還會發出唧唧的聲音。看到飯店的室內裝潢,不禁令人勾起過去的回憶。

區域 比佛利山莊
*Maison 140*

## 140 飯店

| | |
|---|---|
| 住址 | 140 South Lasky Dr. |
| ☎ | 310-281-4000 |
| FAX | 310-281-4001 |
| 交通 | 由羅迪歐道徒步約10分鐘 |
| 費用 | Ⓢ$169～ |
| | Ⓣ$169～ |
| 客房 | 50室 |

MAP…P56-B1

### 恬靜可愛的飯店
綠藤環繞、紅磚建築的小型飯店,創立於1937年。走近大廳,可以看到古色古香的室內裝潢,是早餐吃牛角麵包的最佳地點。每一間客房內都有針織與拼布的設計,牆上的手繪圖樣也是配合房內的色調,充滿田園的氣息,令人感到非常溫馨。雖然飯店內沒有餐廳,但是距離世紀城很近飲食沒有問題。此外,聖塔莫尼卡大道與威爾榭大道的路口上有不少公車站牌,交通相當方便。飯店四周圍的治安不錯,適合女孩子住宿。

上:位在幽靜的住宅區內
右:牆上的手繪完全配合房內的織布圖樣。

區域 好萊塢
*Hollywood Hills' Magic Hotel*

## 好萊塢山莊美奇飯店

| | |
|---|---|
| 住址 | 7025 Franklin Ave. |
| ☎ | 323-851-0800 |
| FAX | 323-851-4926 |
| 交通 | 由高地廣場徒步約15分鐘 |
| 費用 | Ⓢ$59～ Ⓣ$79～ |
| | 43室 |

MAP…P50-B1

### 令人流連忘返的環境
與好萊塢大道之間有一段距離,飯店門口掛著萬國旗是最明顯的目標,在飯店內可以感受到濃農的鄉村氣息。圍繞在泳池四周圍的客房光線充足,環境非常清幽。房間內都備有廚具。與飯店同系列的日本料理店─「山城→P98」就在附近,爬坡約5分鐘的地方。

優閒地躺在泳池邊曬曬太陽,可以減輕旅行的疲勞。

區域 西塢
*Hotel Claremont Westwood Village*

## 西塢克萊蒙飯店

| | |
|---|---|
| 住址 | 1044 Tiverton Ave. |
| ☎ | 310-208-5957 |
| FAX | 310-208-2386 |
| 交通 | 由UCLA徒步約5分鐘 |
| 費用 | Ⓢ$55～ |
| | Ⓣ$65～ |
| | 54室 |

MAP…P116-C2

### 家族經營的優質飯店
客房寬敞清潔。大廳的沙發旁有一台電視,一些遊客喜歡在此邊喝咖非邊聊天,彼此交換意見。房價在這附近算是非常地公道,如果打算住兩個星期以上,可以享更多的折扣。到機場可以搭當地的市區巴士,相當便捷。

如果剛好碰到UCLA辦活動的時期,有可能會訂不到房間,最好先做確認。

區域 帕薩迪納
*Pasadena Green Plaza*

## 帕薩迪納綠色廣場

| | |
|---|---|
| 住址 | 1030 E. Green St. |
| ☎ | 626-796-0240 |
| FAX | 626-796-9810 |
| 交通 | 由加州理工學院徒步約5分鐘 |
| 費用 | Ⓢ$45～ |
| | Ⓣ$55～ |
| 客房 | 12室 |

MAP…P136-C2

### 設想周延的飯店
1994年以前是美國海軍研究所的地點,也是金凱瑞主演的《王牌特派員》等電影的拍攝現場。日本人的老闆態度親切有禮,每一間房間都備有廚具,可以說是一家美式的民宿,風評不錯。

建築物內有飯店與服飾店,讓人有家居的感覺。

# 洛杉磯的經濟型飯店

| 旅館名 | 住址／電話號碼／FAX | 費用／MAP | 區域／備註 | |
|---|---|---|---|---|
| 自由飯店<br>Liberty Hotel | 1770 Orchid Ave.<br>☎323-962-1788<br>FAX323-463-1705 | ⓈＳ$45~<br>ⓉＴ$50~<br>P84-B1 | 好萊塢<br>飯店有接駁巴士往返灰狗巴士站牌及聯合車站之間，便捷的交通服務頗受好評。 | |
| 拉布萊爾旅遊村<br>Travelodge Sunset-La Brea | 7051 Sunset Blvd.<br>☎323-462-0905<br>FAX323-465-6088 | ⓈＳ$79~<br>ⓉＴ$89~<br>P84-A2 | 好萊塢<br>可以協助遊客安排觀光行程。飯店對面就有一家便利商店，購物方便。 | |
| 好萊塢名人飯店<br>Hollywood Celebrity Hotel | 1775 Orchid Ave.<br>☎323-850-6464<br>FAX323-850-7667 | ⓈＳ$65~<br>ⓉＴ$79~<br>P50-B1 | 好萊塢<br>法式建築的外觀引人矚目，飯店內掛滿電影明星的照片，感覺很熱鬧。 | |
| 假日飯店<br>Holiday Inn Express | 1520 North Brea Ave.<br>☎323-464-3243<br>FAX323-463-8115 | ⓈＳ$99~<br>ⓉＴ$99~<br>P50-B2 | 好萊塢<br>只有52間客房的小型飯店。針對輪椅的升降有做專門的設計，服務貼心。 | |
| 貝孟樹度假旅館<br>Bevonshire Lodge Motel | 7575 Beverly Blvd.<br>☎323-936-6154<br>FAX323-934-6640 | ⓈＳ$50~<br>ⓉＴ$84~<br>P100-C2 | 梅爾羅斯＆拉西安哥<br>為數不多的客房圍繞在小游泳池四周，讓人有在家裡的感覺。 | |
| 比佛利桂冠飯店<br>The Beverly Laurel Hotel | 8018 Beverly Blvd.<br>☎323-651-2441<br>FAX323-651-5225 | ⓈＳ$50~<br>ⓉＴ$84~<br>P100-B2 | 梅爾羅斯＆拉西安哥<br>客房內的設計新穎，藍色的牆壁加上現代化的照明，吸引不少歐洲年輕人。 | |
| 西方落日廣場飯店<br>Best Western Sunset Plaza Hotel | 8400 Sunset Blvd.<br>☎323-654-0750<br>FAX323-650-6146 | ⓈＳ$149~<br>ⓉＴ$169~<br>P104-C1 | 西好萊塢<br>是灰狗巴士觀光行程接駁的定點之一，飯店的員工態度親切。 | |
| 新月飯店<br>Crescent Hotel | 403 North Crescent Dr.<br>☎310-247-0505<br>FAX310-247-9053 | ⓈＳ$90~<br>ⓉＴ$90~<br>P107-B1 | 比佛利山莊<br>附贈自助式早餐，飯店大廳隨時都有準備餅乾與咖啡。 | |
| 世紀威爾榭飯店<br>Century Wilshire Hotel | 10776 Wilshire Blvd.<br>☎310-474-4506<br>FAX310-474-2535 | ⓈＳ$115~<br>ⓉＴ$125~<br>P55-E1 | 西塢<br>1940年所建造的西式飯店。針對長期住宿的客人，有推出一週或一個月的優待價。 | |
| 小東京飯店<br>Little Tokyo Hotel | 327 1/2 East First St.<br>☎213-613-9352<br>FAX213-617-0128 | ⓈＳ$40~<br>ⓉＴ$62~<br>P135-C2 | 市中心<br>日籍員工的態度親切，飯店自行製作日文版的觀光景點與交通導覽。 | |
| 川田飯店<br>The Kawada Hotel | 200 South Hill St.<br>☎213-621-4455<br>FAX213-687-4455 | ⓈＳ$109~<br>ⓉＴ$109~<br>P135-B2 | 市中心<br>樸實精簡的設計，幾乎所有的客房都備有廚具。 | |
| 洛杉磯梅西廣場凱悅飯店<br>Hyatt Regency Los Angeles at Macy's Plaza | 711 South Hope St.<br>☎213-683-1234<br>FAX213-629-3230 | ⓈＳ$109~<br>ⓉＴ$109~<br>P135-A4 | 市中心<br>從房間內可以看到周圍高聳的大樓，與梅西百貨在同一棟建築物內，購物方便。 | |
| 諾曼地飯店<br>Hotel Normandie | 605 South Normandie Ave.<br>☎213-383-1351<br>FAX213-736-5481 | ⓈＳ$50~<br>ⓉＴ$60~<br>P59-E1 | 韓國城<br>飯店大廳綜合了歐洲與韓國的室內設計，東方的色彩濃厚。 | |
| 洛杉磯名門機場飯店<br>Quality Hotel Los Angeles International Airport | 5249 West Century Blvd.<br>☎310-645-2200<br>FAX310-338-4196 | ⓈＳ$90~<br>ⓉＴ$90~<br>P46-B4 | 機場附近<br>飯店內有完善的飲食區與電玩區，以團體客人與年輕人居多。 | |
| 富豪庭園飯店<br>Court Yard Marriott Hotel | 6161 West Century Blvd.<br>☎310-649-1400<br>FAX310-649-0964 | ⓈＳ$89~<br>ⓉＴ$89~<br>P46-B4 | 機場附近<br>客房內的裝潢相當摩登新潮，距離MTA巴士總站徒步約4分鐘。 | |

海洋世界的海豚表演

# 聖地牙哥

位於加州南端的聖地牙哥晴空萬里、綠水縈繞，是個氣候溫和，恬靜的都市，列屬美國第六大城。聖地牙哥相較於其他都市，治安良好、風景優美而顯得別具美式氣息，歷史軌跡源於1542年葡萄牙探險家發現羅瑪角，今有不少遊客到此一探墨西哥風情。

# 前往聖地牙哥的交通

美國境內各城市皆有前往聖地牙哥的班機，鐵路與巴士多以洛杉磯為起點。鐵路與巴士可抵達市中心非常方便，又能品味窗外美景，最適合有閒情雅致的旅客。

## 聖地牙哥國際機場San Diego International Airport

■聖地牙哥國際機場
☎ 619-231-2100
MAP P171-B2
■前往聖地牙哥的班機
洛杉磯每日約44班次，需50分鐘。舊金山每日約10班，需2小時20分鐘。與國內其他城市之間也有航線。
■機場往市區的計程車
至市區約10分鐘，$10~20。
■機場往市區的市區巴士(MTS992號巴士)5點~凌晨1點，每隔10~20分1班，需15~30分鐘，US$2.25。

聖地牙哥機場位於市區西北方約3km處，美國各都市皆有飛抵本地的班機，其中又以洛杉磯為最多。機場內共有三個航空站，各站之間並有免費接駁巴士。航空站內均設有旅客服務中心，提供前往市區的交通、飯店等諮詢服務，另有飯店預約專線、租車服務櫃檯。

### 機場前往市區的交通

各航空站出口設有計程車乘車處。MTS992號巴士往返機場與市區，票價低廉又迅速頗具魅力，公車站位在各航空站外，可抵市中心（美鐵聖塔菲站附近）。

## 灰狗巴士Greyhound Bus

■灰狗巴士車站
120 West Broadway
☎ 619-515-1100、1-800-231-2222(免費電話)
時間 24小時
MAP P172-B1
■前往聖地牙哥的灰狗巴士
從洛杉磯發車每天約14班，需2小時30分鐘，來回票US$23。

最省錢的交通工具灰狗巴士，直接駛向市中心。

巴士總站位於市中心百老匯上。站內商店、置物櫃、飯店預約專線一應俱全，一旁巡邏的警衛會保障旅客的安全。往返洛杉磯的車次頻繁，其中也有經過長堤等地的班次，另有通往西海岸各城市的路線。

## 美國國鐵Amtrak

■美國國鐵（聖塔菲站）
1050 Kettner Blvd.
☎ 1-800-872-7245（免付費電話）
MAP P172-A1
■前往聖地牙哥的美國國鐵
每天約有7~12班聖地牙哥號自洛杉磯發車，需3小時，$27。聖塔芭芭拉出發的直達車每天約8班，約6小時，US$31。

西班牙殖民地式建築聖塔菲車站SANTA FE DEPOT位於市中心主要道路百老匯Broadway西方，鄰近觀光電車月台，轉乘也十分方便。站內設有飯店預約專線，及提供觀光、飯店導覽等的旅客服務中心。行駛於海岸線

莊嚴聳立的聖塔菲車站

上，窗外景致優美而備受好評的太平洋蘇佛尼號列車Pacific Surfliner，頻繁馳騁於本地與洛杉磯之間。

# 聖地牙哥一點靈

聖地牙哥的景點分為市區與郊區。郊區的觀光景點較不集中，不過搭乘大眾運輸工具大多能夠抵達。相較之下聖地牙哥治安良好，適合悠遊漫步，但還是儘量避免前往杳無人煙之處或黃昏後單獨外出。

聖地牙哥中心區以東西向的**百老匯**為首屈一指，聖塔菲車站、客運站、觀光電車的轉乘點**美國廣場站**American Plaza也位於此。大街南側的**瓦斯燈區**Gaslamp Quarter一帶商店、餐廳林立，遊客可在此度過歡樂的一刻，惟獨第七街7th Ave.以東治安不太好。

市中心以外的區域則要搭大眾運輸工具或計程車前往。巴伯亞公園、舊城歷史公園可搭巴士或觀光巴士一下子就到了，海洋公園所在地的教堂灣、拉荷亞、科羅拉多擁有美麗海灘，除觀光巴士、公車之外，也有渡船前進科羅拉多，不妨多花點時間遊覽一番。

■ 區域代碼
619,858,935
❓ 旅遊服務中心
San Diego International
Visitor Information Center
11 Horton Plaza, 1st Ave.& F St.
☎ 619-236-1212
⏰ 8點30分～17點（週日11
點～），隨季節不同
🚫 無
🚇 觀光巴士CMC CENTER
站，🚌 1, 3, 4, 5, 11,
16, 25號巴士
🗺 P172-B2

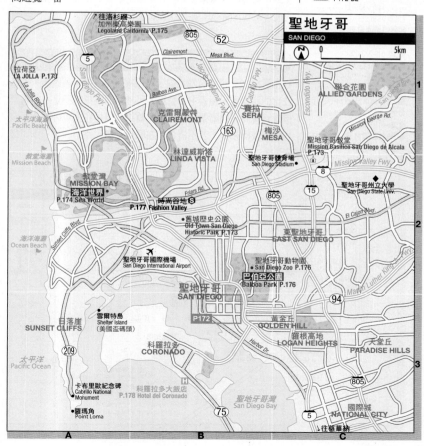

# 市區的交通

觀光最有力的夥伴—路面電車和公車。尤其是路面電車路線清楚明瞭、乘坐方便，不妨走一趟交通諮詢處洽詢票價與路線。同時還可購買路面電車與公車併用的周遊券Day Tripper Pass（單日票\$5、2日\$8、3日\$10、4日\$12，☎619-234-5005）。想要四處遊覽的遊客較為划算。

■交通諮詢處
The Transit Store
1st Ave. at Broadway
　619-234-1060
時間 8點30分～17點30分（週六・日10～16點）休無
MAP P172-B1
■路面電車Trolley
☎ 619-233-3004
時間 5點～凌晨2點，依時間有所不同，平均每隔8～30分鐘1班。
費用 US\$1.25～2.50
■舊城路面電車
Old Town Trolley
☎ 619-233-3004
時間 9～18點，約每隔30分鐘1班
費用 1日周遊券US\$24
■MTS公車Metropolitan Transit System Buses
☎ 619-233-3004
時間 依路線有別，5點30分～22點，每隔10～30分1班。費用 US\$1.50～3.50

## 路面電車Trolley

分藍線Blue Line與橘線Orange Line兩條路線。由於車身色系相同，遊客可由車頭與側面的標示板確認目的地。南起與墨西哥交界處的聖伊西德羅San Isidro，北至聖地牙哥教堂，涵蓋範圍廣大。乘車處設有售票機，搭乘時別忘了確認票價購票上車，上車時並不會剪票，但乘車中車掌有時會趨前驗票。車門不會自動打開，上下車時記得按一下寫著「OPEN」的按鈕。另外，舊城路面電車（無軌式路面電車）重點式的繞境也頗為方便，遊客可隨心所欲上下車漫遊。

## MTS公車MTS BUS

市營MTS公車約有73條線，路線複雜令人摸不著頭緒，不過公車的路線幾乎涵蓋主要景點，可補路面電車的不足。由售票機或直接向司機購票。可享免費轉乘，但是在上車時別忘了向司機索取轉乘券。若不清楚該在哪裡下車，不妨請教一下司機先生。

聖地牙哥市中心
DOWNTOWN
0　500m

往聖地牙哥國際機場、舊城歷史公園、海洋世界、拉荷亞
西濱旅館 Best Western Bayside Inn P.178
港灣假日飯店 Holiday Inn on the Bay
美國廣場 AMERICAN PLAZA
聖塔菲車站 SANTA FE DEPOT P.170
溫德翠環翡翠廣場 Wyndham Emerald Plaza P.178
灰狗巴士總站 Greyhound Bus Depot P.170
布里斯托大飯店 The Bristol Hotel P.178
往巴伯亞公園
聖地牙哥市立大學 San Diego City College
百老匯 Broadway
威斯汀赫頓廣場大飯店 P.178 The Westin Horton Plaza Hotel
San Diego International Visitor Information Center
塞維爾 Sevilla P.177
交通諮詢處 The Transit Store P.172
羅曼達旅館 Ramada Inn & Suites P.178
堪薩斯州BBQ P.177 Kansas City BBQ
赫頓廣場 P.177 Horton Plaza
骨董城 Antiques P.177
瓦ην煙區 GASLAMP QUARTER
曼徹斯特凱悅大飯店 Manchester Grand Hyatt Regency P.178
海港村 Seaport Village P.173
藍角海岸廚房 Blue Point Costal Cuisine P.177
皇泰泰國廚房 Royal Thai Cuisine P.177
萬豪大飯店&船塢 Marriott Hotel & Marina P.178 往科羅拉多
赫頓大飯店 The Horton Grand Hotel P.178

## Old Town San Diego State Historic Park ················ ⑫⓪
# 舊城歷史公園 MAP···P171-B2

1769年西班牙人到此殖民，是為聖地牙哥之濫觴。為紀念該段歷史，建造了這座公園以重現殖民當時的街道，園內栽滿仙人掌樹，步行於西部風情盡現的建築物之間，平添幾許思古幽情。園內的**巴札爾戴爾蒙德**Bazar del Mundo中異國情趣滿溢的商店櫛比鱗次，販售多彩的民族服飾和民俗藝品，遊客可在陽光灑落的餐廳中庭啜飲一杯特調瑪格麗特，或品嚐道地的墨西哥料理。

重現殖民時期的建築物，內部也開放參觀。

## Mission Basilica San Diego de Alcala ················ ⑫⓪
# 聖地牙哥教堂 MAP···P171-C2

1769年列入殖民地時所建造，為加州最古老的傳道院。經過植民者與原住民的抗爭、墨西哥統治、美騎兵隊的佔領等歷史。爬上短短的斜坡，來到地勢略高的教堂，碧海青天和純白的建物交相對比，教堂內裝飾著基督雕像，透露出一股莊嚴神聖的氣息。紀念品店售有教會自行製作的T恤和明信片等。

美輪美奐的中庭最適合遊客休憩

## Seaport Village ················ ⑫⓪
# 海港村 MAP···P172-A2

集合65家商店和13家咖啡館與餐廳，儼然已成聖地牙哥的時尚觀光重鎮。首飾店或紀念品店林立，其中更不乏多家創意店，如醬料或風箏專門店。出入商家的人，觀海飲茶的人，散步在海濱步道的人，慢跑的人，當地人與遊客絡繹不絕。逛到肚子餓了，可以到附近的披薩屋、義大利麵店、墨西哥料理、漢堡店大快朵頤。迎臨聖地牙哥灣的咖啡館是享受早餐的貴賓席。

## La Jolla ················ ⑫⓪
# 拉荷亞 MAP···P171-A1

位於市區北方約20km，緊鄰太平洋的度假區。其海岸線之美被譽為有如寶石一般（jolla為西班牙文寶石之意）。能在此擁有一幢別墅就是身份地位的象徵，豪華別墅、飯店林列，因水上活動而擁進不少人潮。近來時尚精品店和頂級餐廳陸續進駐，已成為人氣沸騰的觀光景點。

---

**舊城歷史公園**
☎ 619-220-5422、619-296-3161（巴札爾戴爾蒙德）
交通 觀光巴士藍線OLD TOWN TRANSIT CENTER站、巴士 5、6、8、9、26、28、34、35、44、81號

巴札爾戴爾蒙德入口

**聖地牙哥教堂**
☎ 619-281-8449
時間 9～17點 休無
費用 US$3
交通 觀光巴士藍線OLD MISSION站、巴士 13號

綠蔭環繞的噴水池，殖民時期水源彌足珍貴。

**海港村**
☎ 619-235-4014
時間 10～21點，6～8月～22點（依店家有別）
休無
交通 觀光巴士橘線SEAPORT VILLAGE站、巴士 7號

市民的休憩場所—海港村

**拉荷亞**
交通 巴士 30,34號

或許是因為明星多居於此，才會聚集不少具有特色的商店

# Sea World
## 海洋世界

MAP/P171-A2

聖地牙哥的海洋世界，每年的進場人數都非常地多。人氣居高不下的秘訣在於殺人鯨與海豚等海洋動物震撼力超強的表演，還有許多海洋世界才有的遊樂設施，冒險刺激的程度與遊樂園並駕齊驅，和一般的水族館大異其趣喔！向觀眾潑水已成了固定戲碼，真不愧是大剌剌的美國。濕得徹底！

可與海豚近距離接觸是賣點之一。觸摸、餵食必須遵守工作人員的指示。

豪邁的跳躍吸引眾人目光

### DATA

500 SeaWorld Dr. San Diego
☎ 619-226-3901
10～18點（夏季:9～23點其餘時段因季節與星期有別），無休，US$42.95，搭觀光巴士藍線至OLD TOWN TRANSIT CENTER後轉MTS9號巴士

## 海洋世界 3大人氣SHOW

### 殺人鯨秀
#### Shamu Show

體型龐大的殺人鯨的表演震撼力十足，它也是海洋世界的活招牌。又名海底殺手，性情兇猛的殺人鯨其實相當友善，與工作人員合作無間的演出著實令人動容。牠們豪邁的打招呼方式，前排觀眾無一不是溼透透的。殺人鯨秀的人氣指數超高，如果想選個好位置記得提前30分鐘入場，開場前另有一段鯨魚生態Q&A，早點入場也不會無聊。

左：頂著工作人員自水中一躍而出

上：如果坐在最前排的中央，殺人鯨會跟您打招呼。

### 海獅&水獺秀
#### Sea Lion and Otter Show

逗趣可愛的海獅、水獺，與工作人員一搭一唱的笑點十足。後續令人嘖嘖稱奇的演出保證能吸引遊客的目光，欲知後事如何，且待各位親臨造訪，絕對是老少咸宜。

福福態態、動作逗趣的水獺是聰明勇敢的動物

### 海豚秀
#### Dolphin Show

絕對不能錯過水族館的固定節目—海豚與鯨魚秀。由大家最熟悉的人氣王，最聰明伶俐的瓶鼻海豚和小虎鯨擔綱演出，觀眾應邀上台同樂，會場氣氛熱烈無比。前面幾排要有淋成落湯雞的心理準備喔！

海豚集體跳躍精采萬分

## 遊樂設施充實，超人氣景點

推薦您前進野外探險Wild Active，搭乘直升機欣賞虛擬極北世界的風光，觀察白熊、白鯨、海豹生態。在冰鑿的隧道裡宛如置身冒險基地，體驗極北地區的低溫。在禁忌沙洲Forbidden Reef中，可以與悠游中的虹魚進行第一類接觸。

野外探險可就近觀看白熊

# Legoland California
## 加州樂高樂園

MAP/P171-A1

樂高主題樂園登陸聖地牙哥北部的卡爾斯貝。園區內除了遊樂設施和表演外，隨處可見由樂高玩具堆棧而成的巨型標地，俯拾皆是樂高，令人歡喜到合不攏嘴。世上除丹麥和英國之外，也只有聖地牙哥有樂高樂園了，是個適合2～12歲孩童與家人玩樂嬉笑的好所在。

### DATA
1 LEGOLAND Dr. Carlsbad
☎760-918-5346
　10～17點（夏季:10～20點，其餘時段因季節與星期有別），週二・三公休（夏季正常營業），US$39.95，交通：利用 ⑤ 公路往卡爾斯貝。在 Cannon Rd.下交流道，往東行不遠。

上：建築物本身即呈現樂高色彩

左：令人驚奇的事物俯拾皆是

---

### 遊樂設施

50項專為小朋友設計的遊樂設施，冒險刺激、令人心神亢奮。樂高樂園為小朋友帶來最大的學習空間。

### 小小駕訓班
Driving school

在這裡，未滿16歲也能取得駕照喔！這裡是適合6～13歲兒童的小小駕訓班。邊遊戲一方面學習交通規則，號誌、左右轉、煞車、發動，認真學習的小朋友還有機會獲頒樂高專屬的駕照。

### 水上競賽
Aquazone® Wave Racers

如同旋轉木馬一般在水上轉呀轉得不停，坐在黃顏色的滑水車上，激起水花急起直衝就能躲過水中爆破的偷襲。是一項大人與小孩合作，達到趣味共享的遊樂設施。

### 飛龍
The Dragon

坐在龍形雲霄飛車上體驗一飛衝天的快感。在堡丘附近，這項彷彿要飛出樂園、震懾眾人的設施可是超高人氣，有膽請張開雙手驚聲尖叫。有緣的話可在樂高城內遇見魔法師。

### 破咒者
Spellbreaker

樂園中的三座雲霄飛車之一。坐在箱型的座位裡遠眺，心情也跟著起飛。頭頂上那隻小怪物顯得嬌巧可愛，適合爸爸媽媽帶小孩同坐。

### 水舞
Water Works

小朋友的最愛，結合水舞及音樂的公園。水花四濺，孩子們也附和著手足舞蹈。晴天更成為小朋友最佳的遊戲區，別忘了準備乾淨的衣物或泳衣。

聖地牙哥市民的休憩場所─巴伯亞公園

　　1868年的聖地牙哥地圖上，標示著一座位在現今市中心東北部的市民公園，是為巴伯亞公園（MAP/P171-B2）的起源。當時宛如廢墟的公園，到了1900年左右已改頭換面，深受市民的喜愛。當初公開徵求公園名稱，最後由首先發現太平洋的西班牙人之名─巴伯亞雀屏中選，於是有了巴伯亞公園之稱。隨著世界博覽會的展開，園內陸續興建了殖民式與巴洛克式等反映文化色彩的建築物及廣場。這些具歷史意義的建物目前利用做博物館、藝廊、劇場，形成景點眾多且文化氣息濃厚的公園。園內綠意盎然、

San Diego Zoo聖地牙哥動物園
上：與動物近距離接觸。左：登上巴士上層，視野更遼闊。☎619-234-3153 ⚿9～21點（冬天～16點），無休，US$19.50（袋鼠巴士之旅US$27，巴士導覽US$15，另有優惠套票）。

處處百花爭鳴，光散步也心曠神怡。

聖地牙哥動物園內親近小動物

　　聖地牙哥動物園肇始於1915年所舉辦的加州暨巴拿馬博覽會，博覽會上，當地一位博士哈利威迪福斯為興建動物園之事登高一呼，於是隔年便盛大舉辦活動為建設動物園暖身，發起了聖地牙哥動物學會。目前園內飼養了超過4200種瀕臨絕種的動物，已躋身為全球屈指可數的動物園之一。園內計有六大區域，幅員雖闊，若想步行卻也不成問題，較為陡峭之地設有手扶梯，貼心之處可見一斑。時間不夠充裕的遊客不妨利用袋鼠巴士之旅Kangaroo Bus Tours周遊園內定點，或花35分鐘搭乘導覽巴士Guided Bus Tours，或乘空中纜車（單程US$1），園內綠野盡收眼底。

聖地牙哥自然史博物館San Diego Natural History Museum
助您了解加州自然奇景，並經常舉辦各式主題展。☎619-232-3821 ⚿9點30分～16點30分（夏天～17點30分），無休，US$7，每月第一個週二免費。

聖地牙哥人類學博物館San Diego Museum of Man
高聳壯麗的地標，內設文化人類學展與民俗學展。☎619-239-2001 ⚿10點～16點30分，無休，US$6（每月第三個週二免費）。

免費遊園專車Free Park Tram，繞行巴伯亞公園園內主要景點，可以幫助遊客輕鬆玩。

🛈旅遊服務中心Balboa Park Visitors Center　巴伯亞公園遊客中心☎619-239-0512，9～16點（依季節有別），無休，交通：MTS7號巴士。

■其他博物館San Diego Aerospace Museum
聖地牙哥航空博物館 從萊特兄弟到太空船，讓您對太空世界一目了然。展示有65架飛機。☎619-234-8291，10點～16點30分（夏天～17點30分），無休，US$8（每月第四個週二免費）。

宇宙艦隊劇場&科學中心Reuben H. Fleet Space Theater and Science Center
體驗式博物館，在加州唯一的IMAX劇場可親身體驗阿拉斯加和聖母峰的大自然。☎619-238-1233，9點30分～18點（週五、六～21點），無休，US$8.50（每月第一個週二免費），IMAX劇場加展覽套票US$11.50。

地圖標示：
聖地牙哥動物園
El Prado
聖地牙哥人類學博物館
聖地牙哥
巴拿馬廣場
巴拿馬廣場
聖地牙哥美術館
Old Globe Way
聖地牙哥自然史博物館
宇宙艦隊劇場&科學中心
聖地牙哥汽車博物館
日本庭園
聖地牙哥‧航空博物館
Park Blvd.

餐廳

聖地牙哥堪稱美食天堂，這裡網羅了歐亞各國的正統料理。各式各樣具有特性的餐廳，全都齊聚在舊城歷史公園和海港村裡。

### 堪薩斯州BBQKansas City BBQ

聖地牙哥名產餐廳的代表，也是電影捍衛戰士的外景地。在西部色彩濃厚的店內飽食美國佳餚。

### 皇家泰國廚房Royal Thai Cuisine

在宮廷式建築內品嘗泰國料理的賣點使餐廳聲名大噪。菜單上清楚標示著HOT&SPICY的圖示，不吃辣的老饕也能放心大快朵頤，另備有素食。

### 藍角海岸廚房Blue Point Coastal Cuisine

自1997年創店以來，連年榮獲聖地牙哥餐廳協會票選海鮮類和歐式料理類中的金牌獎，在這裡您可以盡情享用海鮮料理，另有柔嫩多汁的牛、豬、羊排。

### 塞維爾Sevilla

品嘗西班牙美食之餘，一方面又能欣賞熱情的佛朗明哥秀、佛朗明哥舞蹈與探戈表演。行前請先確認當天演有無。小吃風味酒吧（Tapas Bar）內，美食美酒當前，佐以佛朗明哥舞蹈及吉他手醉人的倫巴演奏。

熱情奔放的現場表演

購物

數也數不清商店，在在滿足您的購物慾。市區裡您可以走馬看花，若要走高格調路線，可以走訪舊城歷史公園和海港村。

### 赫頓廣場Horton Plaza

由三大百貨公司及140家專門店所組成的巨型購物中心，物品應有盡有，是市中心當中最方便的地方，聖地牙哥觀光局也位居於此。獨特的建築物，目前已成為年輕人約會的最佳景點。頂樓的國際美食中庭視野遼闊，是品味各國佳餚的好去處。

彷若迷宮的赫頓廣場

### 時尚谷地Fashion Valley

深受當地居民喜愛的大型購物中心。六大百貨公司外加超過200間的商店進駐，網羅了高級名牌商店及各式專門店。從市區搭觀光巴士即可抵達，非常方便。

### 骨董城Antiques

位於市區的骨董商場。收藏珍稀骨董的骨董店櫛比鱗次，值得瞧瞧。

骨董城目前有11家店鋪

---

**堪薩斯州 BBQ**
610 West Market St.
☎ 619-231-9680
時間 11點～凌晨1點 休 無
交通 觀光巴士橘線SEAPORT VILLAGE站下車，徒步1分鐘
MAP P172-A2

**皇家泰國廚房**
467 5th Ave.
☎ 619-230-8424
時間 11～15點、17～22點（週五～24點）休 無
交通 觀光巴士橘線CONVENTION CENTER站下車，徒步7分鐘
MAP P172-B2

**藍角海岸廚房**
565 5th Ave.
☎ 619-233-6623
時間 17～22點（需預約）休 無
交通 觀光巴士橘線5TH Ave.站下車，瓦斯燈區內徒步1分鐘
MAP P172-B2

**塞維爾Sevilla**
555 4th Ave.
☎ 619-233-5979
時間 17～23點（週五・六～凌晨1:00）休 無
交通 觀光巴士橘線CONVENTION CENTER站下車，徒步5分鐘
MAP P172-B2

**赫頓廣場**
324 Horton Plaza
☎ 619-238-1596
時間 10～21點（週六11～19點，週日11～20點）休 無
交通 觀光巴士橘線CIVIC CENTER站下車不遠
MAP P172-B2

**時尚谷地**
7007 Friars Rd. Suite 392
☎ 619-297-3381
時間 10～21點（週日11～19點）休 無
交通 觀光巴士橘線時FASHION VALLEY站下車不遠
MAP P171-B2

**骨董城**
448 West Market St.
☎ 619-233-1669
時間 11～17點 休 無
交通 觀光巴士橘線SEAPORT VILLAGE站下車，徒步5分鐘
MAP P172-B2

### 維斯汀赫頓廣場大飯店
910 Broadway Circle
☎ 619-239-2200
FAX 619-239-1730
費用 ⑤US$199～①US$209～
交通 觀光巴士橘線CIVIC CENTER站
MAP P172-B2

### 溫德罕姆翡翠廣場
400 West Broadway
☎ 619-239-4500
FAX 619-239-3274
費用 ⑤①US$309～
交通 觀光巴士AMERICA PLAZA TRANSFER STA-TION站
MAP P172-B1

### 萬豪大飯店&船塢
333 West Harbor Dr.
☎ 619-234-1500
FAX 619-230-8978
費用 ⑤US$170～①US$199～（週末時有優惠）
交通 觀光巴士橘線 CONVENTION CENTER站
MAP P172-B2

### 科羅拉多大飯店
1500 Orange Ave.
☎ 619-435-6611
FAX 619-522-8262
費用 ⑤①US$270
交通 901號巴士
MAP P171-B3

## 住宿

聖地牙哥網羅了一流飯店乃至平價汽車旅館，遊客可依預算和喜好加以選擇。市區內交通方便的百老匯沿路、休閒氛圍濃厚的海岸區高級飯店林立，而瓦斯燈區一帶也有不少歷史悠久的飯店，麻雀雖小五臟俱全，是夜貓族絕佳的去處。夜宿於此，悠遊於科羅拉多或教堂灣一帶，來一趟郊外的海灘度假之旅。

### 維斯汀赫頓廣場大飯店The Westin Horton Plaza Hotel
與赫頓廣場位於同一地區，有溫水泳池與水療等舒壓設施。

### 溫德罕姆翡翠廣場Wyndham Emerald Plaza
位於市中心十分便利。外型奇特的柱型建體，即使在遠方也能一眼就認得出來。室內挑空高級感十足。

### 萬豪大飯店&船塢Marriott Hotel & Marina
鶴立雞群於濱海邊的雙子星塔顯得耀眼非凡。附設泳池及船塢。海港村就在飯店外步行不遠處。鄰近觀光巴士站便於四處遊歷。

溫德罕姆翡翠廣場的夜景璀璨奪目

### 科羅拉多大飯店Hotel del Coronado

紅色屋頂、白色外牆的科羅拉多大飯店，令人印象深刻。

自1888年以來各國皇族與總統等為數眾多的VIP曾投宿的度假飯店。位於科羅拉多島沿海一帶，飯店前的沙灘遼闊令人心神嚮往。另有展示飯店歷史的專區，即使不住宿也想進來瞧瞧。

## 聖地牙哥的住宿

| 旅館名 | 住址／電話號碼／FAX | 費用／MAP | 備註 |
|---|---|---|---|
| **布里斯托大飯店**<br>The Bristol Hotel | 1055 1st Ave.<br>☎619-232-6141<br>FAX619-232-0118 | ⑤US$149～<br>①US$149～<br><br>P172-B1 | 中等級。飯店內氣氛優雅，健身器材完備，飯店人員的服務讓您有賓至如歸的感覺。 |
| **西濱旅館**<br>Best Western Bayside Inn | 555 West Ash St.<br>☎619-233-7500<br>FAX619-239-8060 | ⑤US$129～<br>①US$159～<br><br>P172-B1 | 安全無虞的連鎖汽車旅館。設備、服務優良，客房美觀、景致優美，頗受年輕人與老顧客的喜愛。 |
| **羅曼達旅館**<br>Ramada Inn & Suites | 830 6th Ave.<br>☎619-531-8877<br>FAX619-231-8307 | ⑤US$109～<br>①US$109～<br><br>P172-B2 | 位於瓦斯燈區，精雕細琢的室內設計，多間視野良好的客房，從設備和服務來看房價相當合理 |
| **赫頓大飯店**<br>The Horton Grand Hotel | 311 Island Ave.<br>☎619-544-1886<br>FAX619-239-3823 | ⑤US$159～<br>①US$179～<br><br>P172-B2 | 白堊建築，有典故的飯店。建築體雖留有歲月的痕跡，但客房潔淨依然。近瓦斯燈區相當便利。 |
| **曼徹斯特凱悅大飯店**<br>Manchester Grand Hyatt | One Market Place<br>☎619-232-1234<br>FAX619-645-6237 | ⑤US$215～<br>①US$215～<br><br>P172-B2 | 近海港村，觀光便利的高級飯店。設備與服務無話可說，附設面海又舒適的室外泳池。 |

市區的地標—西湖中心

# 西雅圖

S E A T T L E

# 前往西雅圖的交通

西雅圖與舊金山、洛杉磯並列為美西的重要門戶。西雅圖往阿拉斯加、加拿大、芝加哥、紐約的班機眾多，若從加州出發往西雅圖則可搭乘灰狗巴士或美國國鐵，由加拿大則可搭船或開車前往。

## 西雅圖國際機場Seattle Tacoma International Airport (SEA)

免付費飯店直撥專線

西雅圖國際機場位於西雅圖南方約25km處，由南北衛星航空站及主要航空站所構成，機場內的標示清楚，旅客在裡面暢行無阻。航空網絡遍及美國各大都市，包括聯合航空、阿拉斯加航空、西南航空，每小時有多次航班飛往洛杉磯和舊金山。

西雅圖國際機場
☎ 206-431-4444
MAP P180-B2

匯兌須知
常有人說機場內匯兌處的匯率較低，實則不然。市內並沒有匯兌處，遊客僅能在部份銀行或飯店櫃檯兌換，但是這些地方的匯率偏低，建議遊客在機場內先行兌換。

## 機場內的主要設施

國際線抵達南衛星航空站。旅客通過入境審查及海關後，搭乘機場專用地下鐵前往主要航空站1樓領取行李。匯兌處位在2樓。

租車服務靠近行李領取處

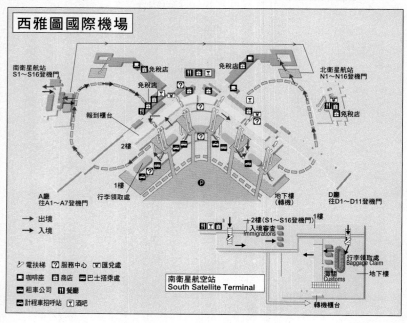

西雅圖國際機場

南衛星航空站
S1~S16登機門

北衛星航空站
N1~N16登機門

免稅店
免稅店
免稅店

報到櫃台

2樓

1樓
行李領取處

A廳
往A1~A7登機門

D廳
往D1~D11登機門

地下樓
（轉機）

→ 出境
→ 入境

2樓(S1~S16登機門)
入境審查
Immigrations

1樓

行李領取處
Baggage Claim

海關
Customs

地下樓

南衛星航空站
South Satellite Terminal

轉機櫃台

⚡ 電扶梯  ❓ 服務中心  ￥ 匯兌處
☕ 咖啡座  🛍 商店  🚌 巴士搭乘處
🚗 租車公司  🍴 餐廳
🚕 計程車招呼站  ⑂ 酒吧

## 機場～市區的交通

機場到市區的交通工具有不少選擇，遊客可以配合自己的旅遊型式加以選擇。

### 機場前往市區的交通

機場巴士

| 工具 | 建議／搭乘方法 | 聯絡方法／費用 |
|---|---|---|
| 機場巴士 | **Gray Line客運的大型巴士**<br>離機場主要航空站南北兩側行李領取處的出口不遠，每隔30分鐘一班。走阿拉斯加高速公路往市區行駛，依序停靠麥迪遜、皇冠、四季、希爾頓、喜來登、威斯汀、沃維克等各大飯店，至首站飯店約30分鐘，至終站約55分鐘，便民的一般交通工具。 | Airport Express<br>☎ 206-626-6088<br>費用 US$8.50（來回票US$14）<br>時間 5點20分～23點25分 |
| 接駁巴士 | **定點服務**<br>從機場直抵投宿飯店，需共乘。有機場接駁巴士等多家客運公司營運。載滿10人隨時可以出發，至市區約30分鐘，方便住在機場巴士不停靠之處的旅客。從機場出發無須預約，但從各飯店到機場則要事先預約。 | Airporter Shuttle<br>☎ 360-380-8800<br>Shuttle Express<br>☎ 425-981-7000<br>費用 US$27 |
| 市區公車 | **經濟實惠的公車**<br>到市區最便宜的交通工具。略微費時，174、194號線往返機場及市區。公車站位在入境大廳6號口附近，174號線行駛市區的第四街，約45分鐘；194號線走第三街的地下隧道，約35分鐘。 | 地鐵、巴士<br>☎ 206-553-3000<br>費用 US$1.25、US$2（隨時間帶而不同）<br>時間 5點～凌晨2點30分<br>詳情請參閱P184 |
| 計程車 | **若想直達目的地**<br>乘車處在航站大樓對面的停車場四樓。費用須照表加算US$1機場費用。到市區約30分鐘，人多時搭計程車會比接駁巴士划算。切記不要坐到不合規定的計程車。 | STITA Taxi<br>☎ 206-246-9999<br>Yellow Cab<br>☎ 206-622-7395<br>費用 US$30～35 |

## 灰狗巴士Greyhound Bus

長途客運灰狗巴士的路線遍及美國全土，客運站位於市區東部的第八街與Stewart St.路口。客運站週邊治安不差，但要小心站內偶爾有行徑可疑的人士出沒。路線和費用偶有變更，行前請先上網查詢或親洽站內櫃檯。

灰狗巴士
☎ 1-800-229-9424（免付費電話）
HP www.greyhound.com
西雅圖總站
811 Stewart St. & 8th Ave.
☎ 206-628-5526
MAP P183-B2

### 出發起／班次／所需時間／費用 （2003年3月/票價每年變更，請務必於當地再行確認）

| 起點 | 每日班次 | 所需時間 | 費用 |
|---|---|---|---|
| 溫哥華 | 7班 | 3小時45分鐘～4小時30分鐘 | US$24.25 |
| 波特蘭 | 9班 | 3小時25分鐘～4小時40分鐘 | US$20.25 |
| 舊金山 | 7班 | 18小時55分鐘～25小時40分鐘 | US$70 |
| 洛杉磯 | 7班 | 26小時30分鐘～29小時25分鐘 | US$91 |

## 美國國鐵Amtrak

每天一班由洛杉磯出發的星光號Coast Starlight經波特蘭抵終點溫哥華。由洛杉磯到西雅圖這長達一天半的路途，坐在寬敞舒暢的座位上，隨著車身晃動，享受一趟悠然自得的旅行。列車於清晨10點由洛杉磯出發，隔天晚上8點25分抵達西雅圖。

美國國鐵
☎ 1-800-872-7245（免付費電話）
Kings Street Station
3rd & Jackson Sts.
☎ 206-628-5561
MAP P183-C3

# 西雅圖一點靈

西雅圖西有奧林匹克山，東傍卡斯克德山，南鄰瑞尼爾山，面迎艾略特灣。一般參加旅遊團或短期滯留多以市內觀光或觀看棒球比賽為主，這裡我們就針對市中心的主要景點做介紹。

■旅遊服務中心
8th Ave. at Pike St.
Convention Center 1F
☎ 206-461-5840
■消費稅
8.8%（餐廳9.3%）
■人口
約563萬人（2000年）
■公共電話
☎ 市內通話US$50 ¢（市內無通話限制）

　　西雅圖南北狹長，可細分為六大地區，分別是太空針瞭望塔所在地**西雅圖中心**Seattle Center、潮流所趨的**貝爾鎮**Bell Town、**濱海區**Bayfront、飯店齊聚的**商業區**、古色古香的**拓荒者廣場**Pioneer Square，以及南部的**國際區**International District。西雅圖地方不大，腳力不錯的遊客可以試著西雅圖「走」透透！前往西雅圖中心可搭乘單軌電車，往濱海區可乘坐路面電車，到拓荒者廣場則可利用免費巴士，來一趟西雅圖逍遙遊。

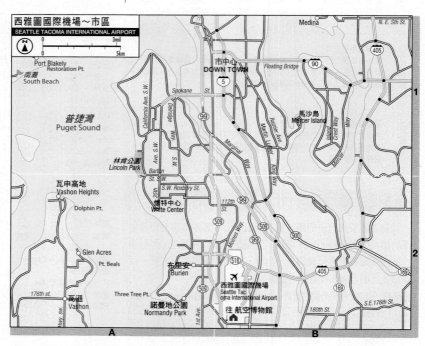

## 西雅圖基本概念

　　1851年曾有五個家族移居於此，他們與印地安酋長關係良好，便以酋長的名字西雅圖命名。之後華盛頓州掀起一股淘金熱，當地因森林鄰近優質港口而大放異彩，從而迅速吸引人口流入，成為亞洲與阿拉斯加之間的木材貿易港、吸收東洋移民的門戶，1962年世界博覽會更躋身為現代化都市，漸漸地西雅圖的主要產業集中於以波音公司為首的航太、軍事方面，目前則有微軟公司走電腦產業路線。

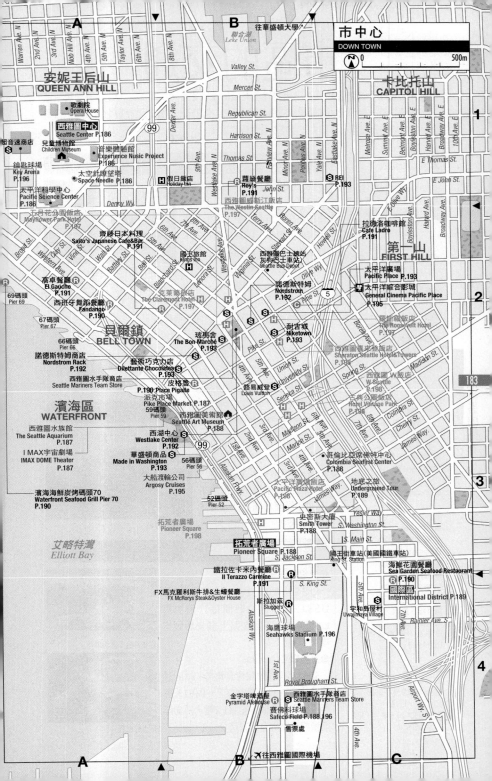

# 市區的交通

美國所有都市中西雅圖堪稱是巴士路線最完備的城市之一，不僅如此，各種觀光單軌電車、路面電車一應俱全。如果善用這些交通工具，相信您一定能遍遊計畫中的景點，在多雨、多斜坡的西雅圖，善用大眾運輸是最聰明的選擇。

■市區公車
☎ 206-553-3000
費用 尖峰（6～9點、15～18點）一段票US$1.50，兩段票US$2，其他時間皆US$1.25。週六・日、節日可向司機購買單日周遊券US$2
時間 依路線有別，一般為5～24點，部分公車深夜也運行。
HP transit.metrokc.gov/busl/

■隧道巴士
費用 ☎ 同市區公車
時間 隧道內為週一～五5～19點，週六10～18點，週日停駛。其他時間行駛於路面。

■路面電車
費用 尖峰US$1.50，其他時段US$1.25，購票後90分鐘內無限次搭乘有效，亦可轉乘市區公車。
☎ 同Metro Bus
時間 7～18點（週六・日10～18點30分）
HP transit.metrokc.gov/busl/

■計程車
●Yellow Cab
☎ 206-622-7395
●Orange Cab
☎ 206-444-0409
●Graytop Taxi
☎ 206-282-8222

■計程車資
市中心～機場：US$30～35
市中心～華盛頓大學：US$10～18

■單軌電車
☎ 206-441-6038
時間 7點30分～23點（週六・日9點～）
費用 US$1.25，老人、兒童US$50￠

## 市區公車Metro Bus

若想用雙腳遊歷西雅圖的景點其實也不成問題，不過市區公車的路線和班次不少，仍是多數遊客的好幫手。因為這裡的公車白天6～19點行駛於市區名為Free Area（東起6th Ave.，西

市區巴士宛如市民的雙腿

到Waterfront，南起Jackson St.，北到Battery St.）的固定區域，提供乘客免費搭乘。與洛杉磯相同的是，上車投票後請記得索取轉乘券，可享90分鐘內免費轉乘。

●隧道巴士 Tunnel Bus

又稱為地下巴士Underground Bus，是一種為解決市區交通阻塞所設計的地底巴士，北由會議中心出發行經第三街下方，往南至國際區之間有多條路線。

## 路面電車Street Car

北起第70碼頭沿濱海區Waterfront行駛進入Araskan Fwy.南達國際區。正式名稱為濱海路面電車，1980年從澳洲運抵西雅圖，1927年製造。

懷舊氣息洋溢

## 其他的交通工具

●計程車Taxi

US$1.80起跳，每英哩加算US$1.80，等待時間每分鐘加算US$50￠，不過在路上很少看到空車。

從車身色系區別車行

●單軌電車Monorail

1962年世界博覽會時建造。以90秒的速度奔馳於西湖中心（→P192）與西雅圖中心之間，全長1.2哩。乃40年前預設未來社會所營造。

偌大的車窗

● 渡輪與快艇 Ferry & Jet

　華盛頓州渡輪往返艾略特灣和加拿大的維多利亞等20多處。乘船處在第52碼頭，可免費索取路線圖和時刻表。此外，維多利亞飛梭號高速行駛於加拿大的維多利亞和第69碼頭之間，約2小時30分鐘。

汽車循序駛入渡輪內

■華盛頓州渡輪
Washington State Ferry
☎ 206-464-6400
HP www.wsdot.wa.gov/ferries

■維多利亞飛梭號
victoriaclipper
☎ 206-448-5000
HP www.victoriaclipper.com

⑨ Broad Street Stn.
⑧ Vine Street Stn.
⑧ Bell Street Stn.
⑥ Pike Street Stn.
⑤ University Street Stn.
④ Madison Street Stn.
③ Washington Street Stn.
② Occidental Park Stn.
① Jackson Street Stn.

西雅圖中心
Seattle Center
西雅圖中央車站
Monorail Stn.
太空針瞭望塔
Space Needle
Denny Park
Regrade Park
西雅圖巴士總站
（灰狗巴士車站）
Convention Place Stn.
西雅圖威斯汀飯店 H
S 太平洋廣場
西雅圖水手隊商店 S
西湖中心車站
Monorail Stn.
Westlake Stn.
西雅圖喜來登飯店 H
派克市場
Pike Place Market
University Street Stn.
H W 西雅圖飯店
西雅圖水族館
The Seattle Aquarium
艾略特灣
Elliott Bay
Pioneer Square Stn.
拓荒者廣場
PIONEER SQUARE
S. Main St.
S. Jackson St.
International District Stn.
國際區
INTERNATIONAL DISTRICT
S. King St.
國王街車站
（美國國鐵車站）
King St. Station
海鷹球場
Seahawks Stadium
Alaskan Fwy.
賽佛科球場
Safeco Field

—— 單軌電車
---- 隧道巴士
■ 隧道巴士站牌
　 市區巴士免費區
—— 濱海路面電車
■ 濱海路面電車站牌❶～❾

西雅圖市中心主要交通圖

西雅圖中心
305 Harrison St.
**交通** 出單軌電車西雅圖中心站不遠
**☎** 206-625-7200

太空針瞭望塔
219 4th Ave. N
**交通** 單軌電車西雅圖中心站下車徒步1分鐘
**☎** 206-443-2111
**時間** 10點～21點30分（週五・六～24點）**休** 無
**費用** US$12.50

太平洋科學中心
2nd Ave. N
**交通** 單軌電車西雅圖中心站下車徒步3分鐘
**☎** 206-443-3611
**時間** 10～17點（週六・日、夏天～18點）**休** 無
**費用** US$9

音樂體驗館
325 5th Ave. N
**交通** 單軌電車西雅圖中心站下車徒步1分鐘
**☎** 206-367-5483
**時間** 10～17點（週五・六～21點）**休** 無
**費用** US$19.95

---

*Seattle Center* ·······

# 西雅圖中心 MAP…P183-A1

⬤ 120

　從市中心的地標西湖中心（→P192）乘單軌電車90秒鐘即可抵達。1962年主題為「21世紀」的世界博覽會會址即今日的西雅圖中心，這裡除了有模擬太空船的太空針瞭望塔，更是一個整合文化、娛樂、運動、教育、商務的綜合公園。

● 太空針瞭望塔 Space Needle

頂層附設旋轉餐廳

　西雅圖中心最大的魅力所在—太空針瞭望塔。塔高180m，儼然已是西雅圖的象徵，更是西雅圖風景明信片上最熟悉的身影。搭電梯可直達高150m處的飛碟狀展望台，在這裡可以遠眺城內的摩天大樓群、華盛頓大學、賽佛科球場、濱海區，更遠的瑞尼爾山、卡斯克德山、奧林匹克山也一覽無遺。塔內絢爛的夜景更是美國境內數一數二，一入夜，寶石般的星光閃耀，牽動賞夜景的人潮。來到西雅圖，一定要前去瞧瞧。

● 太平洋科學中心 Pacific Science Center

超人氣雷射表演

　這裡的設施提供遊客親眼見證、親手觸摸的機會，即使是對科學頭痛的人也能體驗科學的樂趣。實體大的恐龍和猩猩模型逼真的動作、助您了解發電系統的科學區、IMAX天文館、昆蟲村等，在高科技的太平洋科學中心裏跳脫教育意味，任何年齡都能體驗科學的趣味。

● 音樂體驗館 Experience Music Project

　由本籍西雅圖同時也是微軟創辦人的保羅・艾倫所出資興建，為全球首座體驗式音樂博物館。2000年6月開幕，通稱EMP。紅、紫色的金屬建材外觀特別受人矚目。網羅了多款新

搖滾樂的展品超過8萬件

穎器材，讓您化身為藝人，選擇自己喜歡的樂器錄製音樂，也可以製作個人的CD、海報。另設有當地著名吉他手Jimi Hendrix的藝廊，熱愛音樂的人在這裡待上一整天也不嫌膩。

*Pike Place Market*·······························

# 派克市場 MAP···P183-B2

位於市區沿海的派克街與維吉尼亞街之間的老市場，90年的

悠久歷史，每年吸引逾900萬人次的觀光客。超過300家店舖販賣生活必需品，其中一家魚店在結帳時會表演將魚貨投擲到櫃檯，另有肉品、蔬果、麵包、酒類、鮮花、廚房

1907年的霓虹燈與時鐘

用品等琳瑯滿目。也有觀光客取向的飾品店、繪畫攤販、義式料理等餐廳和咖啡館。

*The Seattle Aquarium*·······························⑳

# 西雅圖水族館 MAP···P183-B3

網羅了普捷灣內超過350種的海洋生物，海驢的餵食表演更是人氣不滅。在360度環繞的海底巨蛋一窺海底世界的奧秘，或是觀察秋季洄游產卵的鮭魚，大小朋友一同加入這趟生態學習之旅。二樓為水與自然博物館。

紓解疲累的水族館

*IMAX DOME Theater*·······························

# 宇宙劇場 MAP···P183-B3

與西雅圖水族館同樣位於第59碼頭，兩者的入口相對。戲院

裡呈半圓形的180度大螢幕上映著70釐米電影。包括過去曾入圍奧斯卡金像獎的《The Eruption of Mount St. Helens》電影，紀錄了1980年聖海倫斯火山爆發的震撼、另要以大海與自

大螢幕震撼力十足

然為主題的影片等，都蒐藏在本劇場內。

---

**派克市場**
1st Ave. & Pike St.
🚇 由西湖中心徒步5分鐘
☎ 206-682-7453
🕐 10～18點（週日11～17點。依店家有別）
休無

---

**西雅圖水族館**
Pier 59,1483 Alaskan Fwy
🚇 自西湖中心徒步15分鐘
☎ 206-386-4320
🕐 10～20點（冬季～17點）休無
💰 US$11

---

**宇宙劇場**
Pier 59,1483 Alaskan Fwy
🚇 自西湖中心徒步15分鐘
☎ 206-622-1869
🕐 10點～20點30分（10～5月～19點）
💰 US$7

---

## 城市周遊券在手，西雅圖任我遊

囊括太空針瞭望塔、太平洋科學中心、西雅圖水族館、海灣渡輪遊、航空博物館、森林動物園六地的入場券，共值US$70.25，一張城市周遊券物超所值，特價只要US$42。其中太空針瞭望塔、太平洋科學中心、西雅圖水族館、海灣渡輪遊全部都在市區內，遊歷這四地原需US$44.25，有了城市周遊券立刻省下US$2.25。換句話說只要玩夠四個地方就值回票價了。在各售票口均可買得到城市周遊券。

## 拓荒者廣場

[交通] 由市中心搭21, 22, 118, 119, 130號公車

多家現場演奏的餐廳，市民的活動廣場。

## 西雅圖美術館

100 University St. at 1st

[交通] 由西雅圖中心徒步5分鐘

☎ 206-654-3255

[時間] 10～17點（週四～21點）[休]週一

[費用] US$10 學生、老人（62歲以上）US$7

[MAP] 183-B3

## 史密斯大廈

506 2nd Ave.

[交通] 由拓荒者廣場徒步5分鐘

☎ 206-622-4004

[時間] 夏季10～18點 [休]無。冬季週五11～18點，週六10～16點、週日10～18點 [休]週一～四

[費用] US$5

壯觀的白色大廈

## 哥倫比亞席佛特中心

701 5th Ave.

[交通] 由拓荒者廣場徒步10分鐘

☎ 206-386-5151

[時間] 8點30分～16點30分 [休]週六・日

[費用] US$5

## 賽佛科球場

1250 1st Ave.

[交通] 由市中心第一街搭21, 22, 56, 57號公車，自第二街搭132, 136, 137, 174號公車

☎ 206-346-4000

[費用] 參閱P196

---

*Pioneer Square* ⋯⋯⋯⋯⋯⋯⋯⋯⋯⋯⋯⋯⋯⋯⋯⋯⋯⋯⋯⋯⋯⋯⋯⋯⋯⋯⋯⋯⋯⋯⋯

# 拓荒者廣場 MAP⋯P183-B3

由市中心第一街往南一帶的拓荒者廣場為西雅圖發祥地。週邊留有19世紀後期到20世紀初期到西雅圖開墾的先人所營建的紅磚建築，現今做辦公室及畫廊、精品店之用。綠意盎然的行道樹之間穿插著圖騰柱和銅像等，盡現歷史的痕跡。入夜後又隨即搖身一變，化為live秀的舞台。

*Seattle Art Museum* ⋯⋯⋯⋯⋯⋯⋯⋯⋯⋯⋯⋯⋯⋯⋯⋯⋯⋯⋯⋯⋯⋯⋯⋯⋯ (120)

## 西雅圖美術館 MAP⋯P183-B3

美術館外觀的特徵是手持槌頭的人像雕刻。取其字母的首字，又稱為「SAM」。五層樓的建築，展示多達2萬1千件來自世界各國的藝術品，美國西北部的原住民、亞洲、非洲的收藏尤其著名。小賣店售有複製品及書籍、紀念品。

大型作品引人注目

*Smith Tower* ⋯⋯⋯⋯⋯⋯⋯⋯⋯⋯⋯⋯⋯⋯⋯⋯⋯⋯⋯⋯⋯⋯⋯⋯⋯⋯⋯ V₊

## 史密斯大廈 MAP⋯P183-B3

1914年創辦打字公司的史密斯氏所監造的42層大廈，堪稱當時美西最高的建築物。大廈內的八部電梯洋溢著懷舊風情。35樓的中國展示館內擺設著當年西太后所贈與的座椅，據說單身的女性坐過後可望在一年內結婚喔！

*Columbia Seafirst Center* ⋯⋯⋯⋯⋯⋯⋯⋯⋯⋯⋯⋯⋯⋯⋯⋯⋯⋯⋯ V₊

## 哥倫比亞席佛特中心 MAP⋯P183-C3

1985年落成，高288m，外觀由黑色玻璃帷幕所組成的76層摩登大廈，與鄰近的舊史密斯大廈形成一強烈對比。在美西，樓高僅次於洛杉磯的圖書館大廈Library Tower而稱冠於西雅圖，登上73樓的展望台，西雅圖內所有的市街盡收眼底。

*Safeco Field* ⋯⋯⋯⋯⋯⋯⋯⋯⋯⋯⋯⋯⋯⋯⋯⋯⋯⋯⋯⋯⋯⋯⋯⋯⋯⋯ V₊

# 賽佛科球場 MAP⋯P183-B4

西雅圖水手隊的主球場，1999年7月15日對聖地牙哥教士隊之戰時啟用。除了開闔式的屋頂和純天然的草皮之外，地底下更埋了長36km的暖氣管。至右外野約99.7m，至左外野約100.9m，到中外野約123.4m，欄杆高244cm，共有4萬7千個座位。

鈴木、佐佐木、長谷川等球員大放異彩

# 國際區 MAP⋯P183-C4

從市中心沿著第五街往南走，到了傑克森街一帶映入眼簾的盡是方塊文字的招牌，這裡是西雅圖頗負盛名的「唐人街」，中國菜、日式料理、韓國、菲律賓、泰國、越南料理等，亞洲各國的飲食、文化無不在此交會，亞洲風情四溢。

略高的山丘上綴滿櫻花樹

街中不少美味且高貴不貴的餐廳，屬老饕們的美食天堂。近年來國際區的發展卓著，2000年底大型日系超商—宇和島屋重整旗鼓後更顯熱鬧非凡。

# 航空博物館 MAP⋯P182-B2

位於市中心和西雅圖國際機場之間的波音公司的用地上。博物館的前身，正是1916年波音公司創業當時的建物。館內除了有飛機的歷史介紹，也能見識19到21世紀「人類遨遊天空的夢想」的歷史。另有阿波羅11號及火箭等有關外太空的展示。

各時代的彩色飛機懸吊半空

# 華盛頓大學 MAP⋯P183-B1

美西最大的學府—華盛頓大學。創立於1861年，1895年遷校至此。校內約3萬名學生，有森林、海洋，水產學院等在全美堪屬一流學府，而競艇、划船、足球等運動方面也是強項，素有「HUSKIES」（愛斯基摩犬的一種）的暱稱。校內設有山杜鵑花（華盛頓州州花）滿開的植物園、亨利美術館、柏克博物館等。

---

**國際區**

🚌 由市中心搭7,14,36號公車、隧道公車皆可達

**航空博物館**

9404 E. Marginal Way S.

🚌 由市中心搭往南行的174或301號公車。開車由1-5往南行，出158之後，在 Marginal Way右轉

☎ 206-764-5720

🕐 10～17點 休 無

費用 US$11

**華盛頓大學**

🚌 經市中心第三街下方隧道往北行的71,72,73號巴士，過了溝通皮吉特灣與華盛頓湖之間的運河後可看見寬廣的校園。由市中心出發約15分鐘。

---

## 地底之旅

　　過去的西雅圖因地勢低窪，每逢滿潮時下水道的水總會溢流到市街上，1896年終因水壓過低而釀成大火，因故西雅圖所有的道路被填高了三公尺之多。之後興建完成的大廈的二樓便成了出入口，而一樓則成為地下。爾後常因為有人自二樓跌落到地勢低窪的地方，因此便又全面填土將道路覆蓋。隨著歲月流逝，人們也逐漸淡忘西雅圖過往的地底城市，直至1965年，錯綜交織的地底世界才又再度重現市人眼前。有興趣的遊客請洽地底之旅（☎206-682-4646　608 1st Ave. 1日3～5次 需1小時30分鐘 US$9）。行程有時會有變動，請事先洽詢。

# 餐廳

西雅圖不愧為濱海城市，在這裡您可以大啖海鮮和西北料理。除鎮上的餐廳之外，在濱海區您更可以一面欣賞海景一面飽食佳餚。在市中心北部的貝爾鎮，裝潢時髦且廚師功力了得的餐館不少，也是一大美食重鎮。南部國際區的中國城是品嘗中式餐點的上乘之選，另有義式、日式、美式等多國餐點。

符號解讀 ♨需穿著正式服裝

---

**餐廳** 西北料理
*Waterfront Seafood Grill Pier 70*

## 濱海海鮮炭烤碼頭70

| | |
|---|---|
| 住址 | 2801 Alaskan Way, Pier 70 |
| ☎ | 206-956-9171 |
| 交通 | 由西湖中心徒步約15分鐘 |
| 時間 | 16～22點<br>（週五‧六～23點）<br>休無 |
| 費用 | 晚 $30～ |

MAP…P183-A2

西雅圖微風下的一餐
位於濱海區，面海的座席可270度環視海洋，在這可以品味西北料理或在新闢的海鮮酒吧點一道新鮮海鮮下酒。週末假日宜提早預約。

晴天的中庭，海風吹拂下的美食饗宴。

---

**餐廳** 中國料理
*Sea Garden Seafood Restaurant*

## 海鮮花園餐廳

| | |
|---|---|
| 住址 | 509 7th Ave. S. |
| ☎ | 206-623-2100 |
| 交通 | 搭隧道公車至國際區站徒步約5分鐘 |
| 時間 | 11點～凌晨2點（週五‧六～凌晨3點、週日～凌晨1點）<br>休無<br>午 $5～晚15～ |

MAP…P183-C4

單點、套餐都能包君滿意
國際區內的粵菜館，門前水槽裡的新鮮魚蝦蟹貝是店內的招牌，不乏為近海捕獲的唐金蟹慕名而來的饕客，菜色豐富。

依人數和預算烹調，不拘小節的餐廳。

---

**餐廳** 中南美料理
*Fandango*

## 方達哥

| | |
|---|---|
| 住址 | 2313 1st. Ave |
| ☎ | 206-441-1188 |
| 交通 | 由西湖中心徒步約10分鐘 |
| 時間 | 17～24點（酒吧～凌晨2點）<br>休無 |
| 費用 | 晚 $30～ |

MAP…P183-A2

手藝高超大廚為您精心烹調充滿拉丁美洲氣息、躍動力十足且時髦的餐館。2002年由全美知名的主廚克利斯丁‧凱夫開業，曾獲選西雅圖最佳餐廳的獎章。遠眺普捷灣，品味南美式調味的在地食材，菜單從攤販的招牌菜到道地的中南美料理是應有盡有。大啖美食之餘還能從開放式廚房欣賞廚師大展手藝的身影，更是別有一番風味。在朦朧的夜色下，享受甘醇的龍舌蘭酒香。

西雅圖水手隊的人氣王馬丁尼茲也是合資人之一

餐廳與菜餚都瀰漫著南美風情

---

**餐廳** 西北料理
*Place Pigalle*

## 普拉斯皮格魯

| | |
|---|---|
| 住址 | 81 Pike St., Pike Place Market |
| ☎ | 206-624-1756 |
| 交通 | 由西湖中心徒步約5分鐘（派克市場內） |
| 時間 | 11點30分～15點（週六～15點30分）、17點30分～21點30分（週五18～23點，週六18～22點30分）<br>休週日 |
| 費用 | 午 $10～<br>晚 $30～ |

MAP…P183-B2

NW版綜合料理
位於派克市場內的浪漫餐館，1982年開店，曾獲全球知名美食雜誌評選為No.1。

佔地利之便，午餐時間有不少觀光客光顧。

## 餐廳 義大利料理
*Il Terazzo Carmine*

### 鐵拉佐卡米內餐廳

| | |
|---|---|
| 住址 | 411 1st Ave. S. |
| ☎ | 206-467-7797 |
| 交通 | 搭隧道公車至國際區站徒步約10分鐘 |
| 時間 | 11點30分～14點30分、17點30分～22點30分（週六17點30分～22點30分）<br>休 週日 |
| 費用 | 午晚 $25～ |

MAP…P183-B3

**氣氛口味都滿分**

位於拓荒者廣場內，在西雅圖有18年歷史，氣氛優雅，吃過的義大利人都說讚，主廚推薦的義大利麵也可點半份。

酒類豐富，啜飲各地陳年美酒。

## 餐廳 日本料理
*Saito's Japanese Cafe & Bar*

### 齊藤日本料理

| | |
|---|---|
| 住址 | 2122 2nd Ave. |
| ☎ | 206-728-1333 |
| 交通 | 由西中心徒步約10分鐘 |
| 時間 | 11點30分～14點、17點30分～22點（週五・六僅開放壽司吧&雞尾酒吧～24點）<br>休 週日・一 |
| 費用 | 午 $7～<br>晚 $20～ |

MAP…P183-B2

**電視雜誌佳評如潮**

所有旅美日人一致推薦的壽司店，30～35種的食材盡是主廚齊藤先生嚴選的高級素材。位於貝爾鎮，裝潢時髦，售有清酒、純米酒、吟釀、大吟釀等40種酒類，在西雅圖水手隊球員之間也頗受好評。誠心推薦專為水手隊隊員佐佐木精心設計的「大摩神壽司捲」。

老闆同時也是主廚的齊藤，好性格遠近馳名

櫃檯總是新鮮食材羅列

## 餐廳 美式料理
*El Gaucho*

### 埃爾・高卓

| | |
|---|---|
| 住址 | 2505 1st Ave. |
| ☎ | 206-728-1337 |
| 交通 | 由西湖中心徒步約10分鐘 |
| 時間 | 17點～凌晨1點（週日～23點）<br>休 無<br>晚 $50～ |

MAP…P183-A2

**超有名牛排館**

貝爾鎮內的高級牛排館，人氣不滅的原因在於沉穩的裝潢&口味&服務，使用的是發酵過的安格斯牛肉，也有羊排、駝鳥肉、海鮮料理等，每晚8點起的鋼琴Live表演（爵士&藍調）也是好評所在。

類似電影《棉花俱樂部》的氛圍，另有雪茄吧台。

## 餐廳 綜合料理
*Roy's*

### 蘿絲餐廳

| | |
|---|---|
| 住址 | 1900 5th Ave. |
| ☎ | 206-256-7697 |
| 交通 | 由西湖中心徒步約5分鐘 |
| 時間 | 6點～10點30分、11點30分～14點、17～22點（週五・六～23點）<br>休 無 |
| 費用 | 晚 $25～ |

MAP…P183-B2

**總店位於夏威夷的名店**

由獲獎無數的山口蘿絲親自經營，位於威斯汀飯店內的分店是世界知名料理的薈萃，亞洲風情滿溢的料理讓許多食客吮指不已，不乏飯店外慕名而來的老饕。

位在飯店入口右側

## 咖啡館
*Cafe Ladro*

### 拉德洛咖啡館

| | |
|---|---|
| 住址 | 801 Pine St. |
| ☎ | 206-405-1950 |
| 交通 | 由西湖中心徒步約5分鐘 |
| 時間 | 5點30分～23點<br>休 無 |
| 費用 | 午晚 $20～ |

MAP…P183-B2

**以口味為賣點**

西雅圖市內擁有7家店舖的人氣咖啡店，店名的西班牙文意為咖啡小偷，正說明了店內的咖啡香足以將別家咖啡館的客源吸收殆盡，自製的蛋糕餅乾也是一大人氣，裝飾繪畫讓人印象深刻。

店員待客有如朋友一般，親切感十足的咖啡館。

# 購物

市中心的商場、購物中心、百貨公司結合了各式商店，時間不夠充裕的遊客，再這裡也能有效率地享受購物的樂趣，而城裡也有大大小小的商店和小賣店林立，話說西雅圖的名產不少，不過仍以煙燻鮭魚、巧克力、咖啡為送禮最佳良伴。販售西雅圖水手隊周邊商品的商店眾多，尤以球隊商店的貨色最齊全。

---

商店類別 購物中心

**Westlake Center**

## 西湖中心

| 住址 | 400 Pine St. |
| 電話 | 206-467-1600 |
| 交通 | 搭隧道公車至西湖中心站不遠 |
| 時間 | 9點30分～20點（週日11～18點）休無 |

MAP…P183-B2

### 市中心散步的地標

本購物中心也是松林街上的地標。整片的玻璃帷幕，內部採挑高式透天設計，採光充足美輪美奐。網羅各形各色的精品店與商店，大型飲食城、咖啡館、兩台提款機，對遊客而言兼具位置與機能性。3樓的飲食街有民俗料理、中國菜、墨西哥菜等，也有往返西雅圖中心的單軌電車乘車處，營運至深夜。（→P184）

是觀光重點，也是購物重鎮。

單軌電車乘車處位於3樓，也可以從屋外樓梯前往。

---

商店類別 禮品

**Made in Washington**

## 華盛頓商品

| 住址 | 2nd Fl. 400 Pine St., #206 |
| 電話 | 206-623-9753 |
| 交通 | 西湖中心內2樓 |
| 時間 | 9點30分～20點（週日11～18點）休無 |

MAP…P183-B2

### 購買禮物的首選

位於西湖中心的禮品店，網羅西雅圖所有名產，購物相當方便。有煙燻鮭魚、西雅圖的頂級咖啡、可愛的盒裝巧克力，遊客可在此一次買足且物美價廉。

水手隊的商品尤以球季限量發行的商品最有人氣

---

商店類別 百貨公司

**Nordstrom**

## 諾德斯特姆

| 住址 | 500 Pine St. |
| 電話 | 206-628-2111 |
| 交通 | 由西湖中心徒步約1分鐘 |
| 時間 | 9點30分～20點（週日11～19點）休無 |

MAP…P183-B2

### 論鞋類，無人能比

1901年創業，原為鞋子的專賣店，現為百貨公司，店內有時尚、珠寶、名牌設計師的精品，經營路線堪稱高級，但仍以鞋類的種類最為豐富，服務更是一流。在西雅圖近郊設有數家連鎖店。

開始銷售自創品牌的商品，個性風采耀眼。

---

商店類別 暢貨中心

**Nordstrom Rack**

## 諾德斯特姆商店

| 住址 | 1601 2nd Ave. |
| 電話 | 206-448-8522 |
| 交通 | 由西湖中心徒步約10分鐘 |
| 時間 | 9點30分～20點（週日11～18點）休無 |

MAP…P183-B2

### 天天都享有折扣

時尚感十足的百貨公司，Nordstrom的暢貨中心，與總店的差異是商品的擺設雖不夠精緻，但名牌種類豐富，服飾、鞋類、雜貨、小東西無一不是物美價廉，睜大眼睛挑一定能撿到便宜。

地下樓服飾區，一樓為皮包、珠寶、雜貨區。

| 商店類別 百貨公司 |
| --- |
| *The Bon Marche* |

## 玻馬舍

| 住址 | 1601 3rd Ave. |
| --- | --- |
| ☎ | 206-344-2121 |
| 交通時間 | 由西湖中心徒步約1分鐘 |
| | 10～20點（週日11～19點） |
| | 休 無 |

MAP…P183-B2

**市內擁有六家分店的老店舖**
與地標西湖中心對街的大型百貨公司，1890年創業，深受當地居民的喜愛，有時尚、化妝品、飾品、廚房用具、家具、食材等內容包羅萬象，創業百年的穩重建築型態令人印象深刻。

櫥窗內的展示也頗有看頭

| 商店類別 購物中心 |
| --- |
| *Pacific Place* |

## 太平洋廣場

| 住址 | 600 Pine St. |
| --- | --- |
| ☎ | 206-405-2655 |
| 交通時間 | 由西湖中心徒步約3分鐘 |
| | 9點30分～21點（冬季～20點、週日11～18點，餐廳、電影院按商家有異） |
| | 休 無 |

MAP…P183-B2

**近代風格的購物據點**
松林街上的高級購物中心，整合Tiffany、Max Mara、CLUB MONACO、 Tommy Hilfiger、Nicole Miller、J CREW等高級時尚精品店、三家餐廳、星巴達咖啡館、電影院等。陽光自玻璃帷幕的屋頂灑落，造就館內窗明几淨、時尚感十足的空間，煽動人群購物的心緒。入門口的客服人員會為您做親切的介紹。

明亮的色調與採光使人精神為之一振

入口位在馬路的裡側，目標顯著很容易辨識。

| 商店類別 戶外用品 |
| --- |
| *REI* |

## REI

| 住址 | 222 Yale Ave. N |
| --- | --- |
| ☎ | 206-223-1944 |
| 交通時間 | 由西湖中心徒步約10分鐘 |
| | 10～21點（週六・日～19點） |
| | 休 無 |

MAP…P183-C1

**愛好者眾多的專門店**
1938年由登山名家羅伊安德森所開業，提供高品質的登山用品，在全美擁有60多家連鎖店的大型戶外用品店，每一個部門都有專業的銷售員。店內設置的巨大攀岩設備Pinnacle也是人氣焦點。

大家一起來挑戰攀岩的滋味，費用US$8。

| 商店類別 運動用品 |
| --- |
| *Niketown* |

## 耐吉城

| 住址 | 1500 6th Ave. |
| --- | --- |
| ☎ | 206-447-6453 |
| 交通時間 | 由西湖中心徒步約3分鐘 |
| | 9點30分～20點（週六～19點、週日11～18點）休 無 |

MAP…P183-B2

**超酷耐吉城**
總店位在奧勒岡州，全球最廣為熟知的運動用品店，座落在流行感十足的街道上，光是摩登的建築物本身就非常引人矚目。舉凡鞋類、服飾、皮包、小物、運動用品琳瑯滿目，店員態度親切且機動性高。

建築物本身就非常耀眼

| 商店類別 巧克力 |
| --- |
| *Dilettante Chocolate* |

## 藝術巧克力店

| 住址 | 1603 1st Ave. |
| --- | --- |
| ☎ | 206-728-9144 |
| 交通時間 | 由西湖中心徒步約5分鐘 |
| | 9點～17點30分（週六10～18點、週日11～17點） |
| | 休 無 |

MAP…P183-B2

**西雅圖的巧克力老店**
鄰近派克市場，由獨立國協（前蘇俄）皇帝尼可拉斯2世的糕點工匠所傳承下來，1976年開業，混合甜味和苦味的巧克力人氣最旺，百老匯上另設有咖啡館，售蛋糕甜點。

從櫥窗內挑些巧克力送禮

# 娛樂

到了西雅圖，自然得到棒球場觀看水手隊大展身手，旅美途中若恰逢美國職棒大聯盟開賽，您一定要親臨現場體驗，另外也別遺漏了當地的美籃、美式足球隊，而在西雅圖這臨海的城市，更是免不了登船一遊。市內也有劇院、現場演唱餐廳、俱樂部、電影院，短期滯留的觀光客不妨選擇看電影，幽閒又不費工夫，行前先買本旅遊書做好規劃吧！

## 首先要蒐集相關訊息

推薦網羅各項旅遊訊息的英文雜誌《WHERE》、《quick guide》。在市中心的主要飯店、餐廳、機場均可取得。

## 購票方式

購買電影票或演唱會門票可直接洽詢各大窗口或電話預約。西雅圖不同於洛杉磯和舊金山，市區的範圍不大，想直接購票並非難事，重點是得先掌握各窗口和表演內容的訊息。棒球、籃球、美式足球賽的門票取得不易，可洽詢票務代理店，若要直接購買當地隊伍出賽的門票可洽：棒球賽（西雅圖水手隊→P196），籃賽（西雅圖超音速隊，☎ 206-283-3865），美

水手隊的門票可在水手隊商店裡購得

式足球（西雅圖海鷹隊，☎ 206-682-2800）。全美售票All American Tickets除代理MLB、NBA、NFL、NHL四大體壇賽事的門票，更兼營演唱會、歌劇門票，更會在

在預留的座席上悠閒地觀賽

當季賽前預留門票，您可以在此購得平時不易入手的門票。像水手隊賽程期間的1樓內野席、1樓右外野界外區、右外野席、會員制Diamond Club席，遊客不妨於臨行前先在國內預約門票，詳情請上網或電洽213-251-8020、當地免付費 ☎ 1-866-542-4476、📠213-251-8024、🕐10～18點、🚫週六・日 🅗🅟
www.allamerican-tkt.com

## Movies
## 電影

市內的電影院多達20家，各家的上映時間及內容、費用、設備不一而足，遊客如果選擇旅遊空檔看電影，建議地點好找又整齊美觀，位在太平洋廣場的「太平洋綜合影城11」，最新上映的好萊塢電影前總是 搶鮮要趁早

大排長龍，同期間有多部電影輪番上映，隨心情選部好片吧！

---

### 西雅圖主要電影院

*General Cinema Pacific Place 11*
**太平洋綜合影城11**

購物中心頂樓的電影院，環境極佳。

位於市區地標太平洋廣場購物中心4樓，共十一廳的大型電影院，售票窗口在4樓入口處，電影介紹的標示清楚，附賣店。MAP／P183-B2

*IMAX DOME Theater*
**I MAX巨蛋劇場**

位於大海邊的第59碼頭，一部分—濱海區

播映的並非好萊塢作品，所以更值得推薦。在半圓形的大螢幕下觀賞70米釐電影，只有在此才能享受到的新體驗，頂級音響設備，臨場感十足。MAP／P183-B3

---

## Cruises
## 遊船

「觀光、美食、購物」之餘，西雅圖市中心距海邊僅10分多鐘步行距離，乘船出遊也是不可遺忘的行程。濱海區各碼頭設計了各種觀光遊艇的行程，路線、時間、主題都不盡相同，大船渡輪公司的短程遊船安排的是艾略特灣觀光。乘風破浪，船上的西雅圖風光將帶給遊客無限的回憶。

●碼頭渡輪Harbor Cruises

從第55碼頭出發，約1小時。1949年開業以來深受觀光客及當地居民喜愛，遠眺濱海區、西雅圖街景、奧林匹克國家公園，深入了解西雅圖的歷史。夏季每日4～6班，冬季1～3班，費用US$17.50（4～9月US$15.25），全年無休。

●水門渡輪Locks Cruise

1963年創業，航程達2小時30分鐘。出第56碼頭後沿艾略特灣北上，來到調節華盛頓湖和普捷灣水位最知名的區騰登水門，過了這6公尺的水位差，南下進入聯合湖之後折返回航。夏季每日2～4班，冬季1班，費用US$31.50（4～9月US$27.50），全年無休。請洽大船渡輪公司Argosy Cruise（1101 Alaskan Ave. N.，☎ 206-623-4252 🄗 argosycruise.com MAP／P183-B3）

第55～56碼頭之間的旅遊服務中心與商店皆有售票

**Sports**
**體育**

*Major League Baseball (MLB)*
## 棒球

　　西雅圖水手隊的亞洲球員有日本的鈴木一朗、佐佐木主浩、長谷川茲利，都是大有名氣的人氣王，2001年達成了年間116勝的佳績，儼然已是西雅圖觀光的最大吸引力，沒看過西雅圖水手戰，就別說你來過西雅圖。

**購票方式**　事先購票最重要，若要現場購票可洽賽佛科球場售票窗口或市內各水手隊商店，網路購票請上網www.seattlemariners.com、www.ticketmaster.com（須刷卡）。若利用全美售票（→P194），出國前就能先行購票。觀賽中若想購買下一場的門票可親洽場內128、329號售票口。

*Safeco Field*
### 賽佛科球場

　　也是西雅圖水手隊的主場，1999年7月15日啟用，開闊式的屋頂搭配天然草皮，共約4萬7千個座位，至右外野約99.7m，中外野123.4m，左外野約100.9m，籬高244cm。1250 1st Ave.，☎206-346-4000，🚌從市中心第一街搭21、22、56、57號巴士，自第二街搭132,136,137,174號巴士。（→P188）

©Kiyoshi Mio

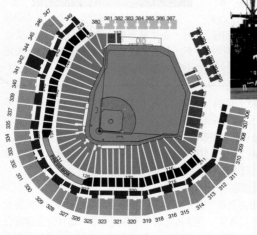

引進最新科技的球場

**＜票價＞**

Lower Box　US$45
Field　US$32
Terrace Club INF　US$45
Terrace Club OF　US$50
View Box　US$23
Lower Outfield　US$23
Lower Outfield Family　US$23
View Reserved　US$16
View Reserved Family　US$16
Left Field Bleachers　US$12
Center Field Bleachers　US$6
（2003年4月資料）

*NBA & NFL*
## 籃球 & 足球

*Key Arena*
### 鑰匙球場

　　西雅圖超音速隊的主場。可容納1萬7千人，常用做演唱會或活動場地。305 Harrison St.，☎206-684-8582，🚝單軌電車西雅圖中心站徒步5分鐘。MAP／P183-A1

也是WNBA暴風隊的主場地

*Seahawks Stadium*
### 海鷹球場

　　2002年新開幕的NFL西雅圖海鷹隊的本場。可容納6萬7千人，常用做體育賽事或演唱會。Occidental Ave. & S. King St.，☎206-381-8057。🚃美鐵King Street站徒步3分鐘。MAP／P183-B4

位在賽佛科球場隔壁

# 住宿

西雅圖的飯店幾乎都位於市中心第四街至第六街上，便於觀光，若是自行開車遊玩，西雅圖中心一帶有不少的汽車旅館，可以免去停車的困擾。以下的住宿費用是7、8月旺季時的價錢，其他月份另有折扣。

符號解讀 🍴附設餐廳

---

區域 市中心
*The Claremont Hotel*

## 克萊蒙

| 住址 | 2000 4th Ave. at Virginia St. |
| ☎ | 206-448-8600 |
| FAX | 206-441-7140 |
| 交通 | 由西湖中心徒步5分鐘 |
| 費用 | Ⓢ$179〜 Ⓣ$219〜 |
| 客房 | 120室 |
| MAP…P183-B2 | 🍴 |

**浪漫氣氛扣人心弦**

1926年創業，走浪漫路線的飯店，每間客房皆採歐式裝潢，房內寬敞，不但可在房間內享用早餐，午間櫃檯更有點心伺候，夜晚來臨時，飯店前的行道樹燈飾點點，深受女性顧客的喜愛。隔壁的Assagio為西雅圖素負盛名的義大利餐廳。近派克市場與西湖中心相當便利，在西雅圖眾多的飯店當中具有潛在的人氣，而在女性族群中也有相當口碑。

挑高式天井搭配暖爐的大廳，享受高格調的心靈饗宴。

晴天在Assagio的戶外中庭品嚐咖啡

---

区域 市中心
*The Westin Seattle*

## 西雅圖威斯汀

| 住址 | 1900 5th Ave. |
| ☎ | 206-728-1000 |
| FAX | 206-728-2259 |
| 交通 | 由西湖中心徒步3分鐘 |
| 費用 | Ⓢ$325〜 Ⓣ$345〜 |
| 客房 | 891室 |
| MAP…P183-B2 | 🍴 |

**可登高遠眺的高檔飯店**

西雅圖最大的飯店，由兩大圓柱型建物所構成，從高處俯瞰奔馳中的單軌電車，遠眺的景觀更是西雅圖內數一數二，附設健身俱樂部、室內泳池，設備堪稱全城第一。

西雅圖市內相當顯眼的雙子星

---

區域 市中心
*Mayflower Park Hotel*

## 五月花公園飯店

| 住址 | 405 Olive Way. At 4th Ave. |
| ☎ | 206-382-6991 |
| FAX | 206-382-6997 |
| 交通 | 由西湖中心徒步1分鐘 |
| 費用 | Ⓢ$160〜 Ⓣ$180〜 |
| 客房 | 171室 |
| MAP…P183-B2 | 🍴 |

**觀光便利的位置**

1927年創業，迷人的飯店，客房充滿浪漫氣息，飯店內隨處可見鮮花綴飾，與櫃檯的金屏風相輝映更生姿不少，近西湖中心觀光便利。

1樓的酒吧，散發出成人沉穩的魅力。

---

區域 市中心
*The Roosevelt Hotel*

## 羅斯福

| 住址 | 1531 7th Ave. at Pine St. |
| ☎ | 206-621-1200 |
| FAX | 206-233-0335 |
| 交通 | 由西湖中心徒步5分鐘 |
| 費用 | Ⓢ$140〜 Ⓣ$200〜 |
| 客房 | 151室 |
| MAP…P183-B2 | |

**沉醉在醉人琴聲中**

會議中心旁的歐風飯店，大廳放置一架平台式大鋼琴，夜晚有爵士鋼琴演奏。客房保留1900年代初期的風格，帶有一股摩登、奢華的氛圍。

大廳的平台式大鋼琴是飯店的象徵

## 區域 市中心
*Sheraton Seattle Hotels & Towers*

### 西雅圖喜來登

| | |
|---|---|
| 住址 | 1400 6th Ave. at Pike St. |
| ☎ | 206-621-9000 |
| FAX | 206-621-8441 |
| 交通 | 由西湖中心徒步5分鐘 |
| 費用 | Ⓢ$169～ |
| | Ⓣ$240～ |
| 客房 | 840室 |

MAP…P183-B2

**商務人士最舒適的居所**
位於西雅圖商務中心地帶的大型飯店，寬敞舒適相當受到商務人士歡迎，飯店內有展望台餐廳等五個餐廳、泳池、室內健身房，在飯店前攔計程車也很方便。

鄰近會議中心，深受商務人士歡迎。

## 區域 市中心
*W Seattle*

### 西雅圖W飯店

| | |
|---|---|
| 住址 | 1112 4th Ave. at Seneca St. |
| ☎ | 206-264-6000 |
| FAX | 206-264-6100 |
| 交通 | 由西湖中心徒步8分鐘 |
| 費用 | Ⓢ$229～ |
| | Ⓣ$290～ |
| 客房 | 426室 |

MAP…P183-B3

**時尚風華的飯店**
1999年開業，超摩登風格，裝潢色調走在時代的尖端，連許多知名人士也前來投宿。1樓的「Earth And Ocean」為創新的西北料理餐廳，在當地居民之間頗有好評。

採用大膽色彩與擺飾的櫃檯讓人暗大雙眼

## 區域 市中心
*Hotel Vintage Park*

### 古典公園飯店

| | |
|---|---|
| 住址 | 1100 5th Ave. at Spring St. |
| ☎ | 206-624-8000 |
| FAX | 206-623-0568 |
| 交通 | 由西湖中心徒步10分鐘 |
| 費用 | Ⓢ$210～ |
| | Ⓣ$230～ |
| 客房 | 126室 |

MAP…P183-B3

**葡萄美酒夜光杯**
葡萄色調的建築外觀，一看便知道這是一家酒藏豐富的飯店，傍晚大廳設有品酒會，裝潢簡單穩重又不失其高雅，給人奢侈的豪華感。

大廳麻雀雖小五臟俱全，統一採葡萄色調。

## 區域 市中心
*Pacific Plaza Hotel*

### 太平洋廣場飯店

| | |
|---|---|
| 住址 | 400 Spring St. at 4th Ave. |
| ☎ | 206-623-3900 |
| FAX | 206-623-2059 |
| 交通 | 由西湖中心徒步10分鐘 |
| 費用 | ⓈⓉ$124～ |
| 客房 | 160室 |

MAP…P183-B3

改裝後整潔美觀且服務親切1928年竣工，有點歷史的飯店，2001年甫改裝完畢，客房潔淨無塵，大廳隨時擺置蘋果和礦泉水。部分客房仍留有吊扇，以及1920～1930年代的木製桌椅、衣櫥，透露著一絲絲舊時代的信息。歐式早餐口碑甚佳。距賽佛科球場步行20～30分鐘。

與鄰近的西雅圖W飯店的時髦風格大異其趣

溫馨接待，深得女性遊客的心。

## 區域 拓荒者廣場
*Pioneer Square Hotel*

### 拓荒者廣場飯店

| | |
|---|---|
| 住址 | 77 Yesler Way. |
| ☎ | 206-340-1234 |
| FAX | 206-467-0707 |
| 交通 | 由拓荒者廣場步行1分鐘 |
| 費用 | Ⓢ$129～ |
| | Ⓣ$149～ |
| 客房 | 75室 |

MAP…P183-B3

**近賽佛科球場**
紅磚造型建築，1914年開業，也是西雅圖歷史悠久的飯店之一，1995年重新裝潢，鄰近濱海區和國際區，與賽佛科球場相距不遠。

歐洲風情四溢，穩重的建築風格。

海岸沿線盡是西海岸屈指可數的度假勝地

# 中央海岸

## CENTRAL COAST

租輛車自洛杉磯沿1號公路北上，映入眼簾的正是電影常見的加州景致。全美最宜人的氣候、碧海晴空、衝浪好手聚集的海灘、海岸線上大大小小魅力十足的城鎮，全都匯聚在這中央海岸上，是一個適合輕快音樂和絃的世外桃源，現在就讓我們一同瀏覽中央海岸的優美風景。

# 聖塔芭芭拉

聖塔芭芭拉位於洛杉磯以北150km，早期是由西班牙裔移民者的墾植而發展。一望無際的大海及群山環繞，隨處可見異國情調洋溢的西班牙式建築，其中也有不少充滿歷史軌跡的觀光景點。

**聖塔芭芭拉**
**一點靈**

來到聖塔芭芭拉多數遊客必定造訪州街State St.一帶的市區，以及濱海區的史登碼頭 Stearn's Wharf，其中州街上商家、餐廳櫛比鱗次，在這裡賞逛不大會迷路。參觀聖塔芭芭拉教堂最好搭車，其餘景點大多可以步行前往，另市區MTD的接駁巴士也很方便，聖塔芭芭拉街上設有旅遊服務中心，可免費索取地圖和觀光指南。

旅遊服務中心的服務人員態度親切

●區域代碼…聖塔芭芭拉 ☎805
●前往聖塔芭芭拉的交通…🚆 由洛杉磯搭美國國鐵約3小時，每日5班，US$15～21。🚌 由洛杉磯搭灰狗巴士約2～3小時，每日8班，US$12

**?** 聖塔芭芭拉旅遊服務中心
Santa Barbara Visitor Information Center
1 Garden St.
☎ 805-965-3021 時間 9～17點（週日10點～）🚫 無
（按季節而異）MAP P200-B2

■聖塔芭芭拉的交通
●市中心濱海接駁巴士
☎ 805-683-3702
接駁巴士MTD行駛於州街、沿海的卡布利略大道Carbrillo Blvd.，US$25¢，免費轉乘。
●聖塔芭芭拉觀光巴士
☎ 805-965-0353
起點史登碼頭，繞行主要景點，單日無限次搭乘 US$14。

*Mission Santa Barbara* 🔊 120 🅥

# 聖塔芭芭拉教堂 MAP…P200-A1

1786年創建，極具歷史性的傳道院，目前的建築物復原於1800年，外觀之美足以登上傳道院的王者寶座，教堂內歷史悠久的裝潢和紀錄古代種種歷史的展示物頗有一番風趣，而在其中一隅的墓地，有4千名改信基督教的美國祖先在此長眠。教堂前寬廣的草地今已成為人們休憩的場所。從這裡遠眺的海景無與倫比。

聖塔芭芭拉
SANTA BARBARA
0 ⎯⎯ 500m

往…聖塔巴拉教堂（約1.5km前方）
♦自然史博物館

聖塔芭芭拉官廳
Santa Barbara County Court House P.201
聖塔芭芭拉美術館
Santa Barbara Museum of Art P.201
州街古董購物城
State Street Antique Mall P.203
灰狗巴士總站
Greyhound Bus Terminal
天堂咖啡館
Paradise Cafe P.202
帕索廣場
Paseo Nueve P.203
心靈小路
Spirit's Path P.203
布卡提尼
Bucatini P.202
聖塔芭芭拉飯店
Hotel Santa Barbara P.203
聖塔芭芭拉釀酒廠
Santa Barbara Winery P.201
海邊咖啡館
Bay Cafe P.202
香茅餐廳
P.202 Citronelle
聖塔芭芭拉旅店
P.203 Santa Barbara Inn
朋友餐廳
Amigos P.202
Santa Barbara Visitor Information Center P.200
義大利陶藝暢貨中心
Italian Pottery Outlet P.203
史登碼頭
Stearn's Wharf
州街飯店
P.203 Hotel State Street
港灣豪景飯店
Harbor View Inn P.203
白鯨記餐廳
Moby Dick P.202
太平洋
Pacific Ocean

## Santa Barbara Museum of Art⋯⋯⋯⋯⋯⋯⋯ ⑫

# 聖塔芭芭拉美術館 MAP⋯P200-A1

入口裝飾了烏黑的母子像，吸引路人的目光，展覽有古希臘和歐亞的古典作品，夏卡爾和達利等現代藝術也不容錯過，其中館內90%的收藏皆由地方人士贈與，商店內也有不少當地知名藝術家的手工藝品。

美術館舉辦短期展示會和演講，記得向櫃檯索取行程表。

## Santa Barbara Winery⋯⋯⋯⋯⋯⋯⋯⋯⋯⋯ ⑫

# 聖塔芭芭拉釀酒場 MAP⋯P200-B2

1962年開業，聖塔芭芭拉最古老的釀酒場，種類眾多，價錢公道，也可以當場試飲，每個月更舉辦巧克力或起士等各式講座，可直接向服務人員洽詢，也能報名參加每月兩次的釀酒觀摩。右邊盡頭的房內擺設了許多大型木桶，值得一看，千萬不要錯過這個難得的景點。

## Santa Barbara Country Court House⋯⋯⋯⋯⋯⋯⋯⋯ ㉚ Ⓥ

# 聖塔芭芭拉官廳 MAP⋯200-A1

西班牙式白色建築與晴空的藍白掩映。搭電梯登上鐘樓的展望台，市內西班牙式的街景、一望無際的蔚藍海洋，實屬

絕佳景致。廳內涼風陣陣，屋頂的裝飾和瓷磚的運用色彩斑斕，精工細琢的噴水池和中庭也要順道繞繞。另有免費導覽服務。

使用突尼西亞、西班牙製瓷磚，1929年興建

**聖塔芭芭拉教堂**
- ☎ 805-682-4713
- 交通 由市中心搭車5分鐘
- MAP 9～17點 休無
- 費用 US$5

加州的第十所傳道院

**聖塔芭芭拉美術館**
- ☎ 805-963-4364
- 交通 由旅遊服務中心徒步約1分鐘
- 時間 10～17點（週五11～21點、週日12～17點）休週一
- 費用 US$7

**聖塔芭芭拉釀酒場**
- ☎ 805-963-3633
- 交通 由旅遊服務中心徒步約5分鐘
- 時間 10～17點 導覽時間:11點30分、15點30分 休無
- 費用 免費

工作人員介紹品酒的順序

**聖塔芭芭拉官廳**
- ☎ 805-962-6464
- 交通 由❓徒步約2分鐘
- 時間 8～17點（週六・日、節日10點～），鐘樓:～16點45分，導覽:週一～六14點、週五10點30分 休無
- 費用 免費

從聖塔芭芭拉官廳高約24m的鐘樓眺望北部山群。在晴空萬里的日子可360度環視，紅褐色屋頂與雪白色牆壁的對比搶眼，可遠眺市街另一頭的山海，是個絕佳的攝影景點。

## 海邊咖啡館
131 Anacapa St.
- ☎ 805-963-2215
- 交通 由?徒步約6分鐘
- 時間 11～15點、17點～20
  點30分 休週一
- MAP P200-B2

## 布卡提尼
436 State St.
- ☎ 805-957-4177
- 交通 由?徒步約4分鐘
- 時間 11點30分～14點30
  分、17～22點（週
  六・日11點30分
  ～22點）
  休無
- MAP P200-A2

## 天堂咖啡館
702 Anacapa St.
- ☎ 805-962-4416
- 交通 由?徒步約2分鐘
- 時間 11～23點
  休週五・六・日
- MAP P200-A1

## 朋友餐廳
29 East Cabrillo Blvd.
- ☎ 805-963-1968
- 交通 由?徒步約6分鐘
- 時間 11～21點（週五・六
  ～22點、週日10點
  ～，週日特製早午餐
  10～14點）休無
- MAP P200-B2

## 香茅餐廳
位在聖塔芭芭拉飯店內
- ☎ 805-963-0111（需預約）
- 交通 由?徒步約10分鐘
- 時間 6點30分～10點30分、
  11點30分～14點、18
  ～21點 休無
- MAP P200-C2

## 白鯨記餐廳
Steam's Wharf
- ☎ 805-965-0549
- 時間 7～21點 休無
- MAP P200-B2

**餐廳** 市中心有多家咖啡館和餐廳讓您品嚐世界各國的佳餚，度假飯店裡的高級餐廳裡，手藝非凡的廚師為客人精心烹調。而在濱海區絕對不能忘卻海鮮的存在，新鮮美味的海中極品包君滿意。

### 海邊咖啡館Bay Cafe
市中心風雅的海鮮店，先打聽好當日捕獲的海鮮再點菜，當地居民也會前來購買海產。

海邊咖啡館中庭的露天咖啡座別有情調，店內的氣氛寧靜。

### 布卡提尼Bucatini
時髦平價的義大利餐廳，本店最自豪的義大利菜深受當地年

布卡提尼的義大利料理使用許多起士和番茄，頗受歡迎。

服務相當親切的天堂咖啡館，特別推薦莓果鬆餅。

輕族群喜愛。

### 天堂咖啡館Paradise Cafe
小巧可愛的餐廳，門前的露天座椅鮮花朵朵開，年輕人之間頗有口碑，市區散步後不妨停下來小憩一會。

### 朋友餐廳Amigos
道地的墨西哥料理，週日的特製早午餐很受歡迎。

### 香茅餐廳Citronelle
濱海區最值得推薦的好店，也是聖塔芭芭拉最優質的餐廳，可享受高級的加州法國料理，一片碧海連天的景觀完美至極。

朋友餐廳雪白的外壁引人矚目，莎莎醬酸甜味美。

### 白鯨記餐廳
Moby Dick
位在史登碼頭的老店，因老闆親自招待而聞名，連前任美國總統柯林頓也前來光顧。所有的新鮮海產、肉類等食材都是經理自己進貨，信心滿滿。

香茅餐廳高雅的店內，戶外景觀無與倫比，位於聖塔芭芭拉飯店內。

右邊是白鯨記餐廳老闆

# 購物

聖塔芭芭拉有許多個性商店，純購物也樂趣十足，其中帕索廣場Paseo Nuevo有超過50家商店、百貨公司、餐廳進駐，是眼前最受矚目的景點，時髦的西班牙式設計深受喜愛，是年輕人的聚集地。也有多家骨董店，州街骨董購物商城State Street Antique Mall寬敞的店內商品齊全，尤以花襯衫的種類為最多。義大利陶藝暢貨中心Italian Pottery Outlet販售歐洲陶器，在這裡可以撿到不少便宜，其中8成是義大利製，商品皆由工廠直接批貨，不管哪一件通通7折優待。小至馬克杯大至甕壺各種款式應有盡有。心靈小路Spirit's Path售薰香、藥草、佛像等心靈療法相關商品，值得參觀。

來到帕索廣場光散步也不錯

上：在心靈小路可以找到心儀的商品
右：在州街古董購物商城裡挑選物美價廉的禮物

義大利陶藝暢貨中心盡是特價品

**帕索廣場**
Sate St. & De La Guerra St.
☎ 805-963-2202
交通 由◎徒步約2分鐘
時間 10～21點（週六～20點、週日11～18點，按各店家有異）休 無
MAP P200-A1

**州街骨董購物商城**
1219 State St.
☎ 805-965-2575
交通 由◎徒步約2分鐘
時間 11～18點（週五・六～22點、週日～17點，按季節而異）休 無
MAP P200-A1

**義大利陶藝暢貨中心**
19 Helena St.
☎ 805-564-7655
交通 由◎徒步約6分鐘
時間 10～17點 休 無
MAP P200-B2

**心靈小路**
506 State St.
☎ 805-962-2023
交通 由◎徒步約4分鐘
時間 10～22點（週五・六～23點），休 無
MAP P200-A2

聖塔莫尼卡飯店寧靜的大廳

# 住宿

以玩為主的話選市中心，想看海景的話則挑濱海的飯店。

左：州街的警衛全天候巡邏，安全無虞。
中：度假村型態的港灣豪景飯店
右：聖塔芭芭拉飯店內設有高級餐廳

## 聖塔芭芭拉的住宿

| 旅館名 | 住址／電話號碼／FAX | 費用／MAP | 備註 |
|---|---|---|---|
| 州街飯店<br>Hotel State Street | 121 State St.<br>☎805-966-6586<br>FAX805-962-8459 | ⑤US$45～<br>①US$50～<br>P200-B2 | 位於市中心和濱海區中間點，鄰近美國國鐵車站，適合喜好經濟旅遊的人，所有客房衛浴合一。 |
| 港灣豪景飯店<br>Harbor View Inn | 28 West Cabrillo<br>☎805-963-0780<br>FAX805-963-7967 | ⑤US$250～<br>①US$250～<br>P200-B2 | 鄰近史登碼頭，相當便利，戶外的海景泳池，適合優閒地長期居留。 |
| 聖塔芭芭拉飯店<br>Santa Barbara Inn | 901 East Cabrillo<br>☎805-966-2285<br>FAX805-966-6584 | ⑤US$179～<br>①US$179～<br>P200-C2 | 小規模飯店才能有如此體貼入微的服務，環境幽靜，面海的中庭和泳池畔優閒愜意。 |
| 聖塔芭芭拉飯店<br>Hotel Santa Barbara | 533 State St.<br>☎805-957-9300<br>FAX805-962-2412 | ⑤US$139～<br>①US$159～<br>P200-A2 | 位於市中心適合喜歡夜遊的玩家，週末夜晚飲酒狂歡安全也無慮，客房窗明几淨。 |

# 卡梅爾

距今約100多年前，藝術家和作家受卡梅爾鎮的自然美景吸引而搬進這座城市，佔地2.6 km²，僅5千人居住的小城鎮。懸山式木造屋頂、彩色玻璃窗、窗邊色彩絢麗的花兒、朦朧隱晦的古老建築靜靜佇立著，此景彷若英國偏遠鄉鎮的重現。毫無霓虹燈和招牌爭寵的卡梅爾鎮，放眼盡是宛如糖果屋的建築。1987年當選鎮長的影星柯林伊斯威特，也因為守護小鎮的人情味和古建築物出力不少而聞名。

### 卡梅爾
一點靈

除城鎮邊界的卡梅爾教堂和卡梅爾海灘外，沒有特別著名的觀光景點，因為卡梅爾是提供遊客優閒散步、從容購物，和細細品味這裡獨特氛圍的所在，而不是瘋狂遊樂的城鎮。散步以東西向主要道路海洋街Ocean Ave.為主，街上懸掛手工製木雕彩繪看板的禮品店、餐廳、骨董店、服飾店等，樸實而高雅的商家櫛比鱗次。沿

海洋街上宛若糖果屋的商店，簡直就是童話故事的翻版。

1號道路反方向一直走到城市盡頭就可抵達卡梅爾海灘，市街規劃一如棋盤方正整齊，絕對不可能迷路。

● 區域代碼…卡梅爾☎831
● 前往卡梅爾的交通…🚌 由舊金山的詮斯灣巴士站Trans Bay Bus Terminal搭灰狗巴士至海洋街Ocean Ave.下車，約4小時45分鐘。從蒙特利每小時有巴士出發，約15分鐘。

❓ Carmel Business Association
San Carlos St.,bet.5th & 6th Ave.
☎ 831-624-2522
🕐 9～17點（週六11點～）休 週日
MAP P204-B1

### 卡梅爾
### CARMEL-BY-THE-SEA

0　　　　500m

往十七英里觀景道
木椰小旅舍 🏨
P.206 Pine Inn
白山莊 🏨
P.206 Lobo's Lodge
海洋街
波塔瓦萊餐廳
P.206 Porta Bella

Carmel Business Association
P.204
福拉哈提愛芘餐廳
Flaherty's P.206
Ocean Ave.
🛍 卡梅爾廣場購物中心
Carmel Plaza P.206

卡梅爾海灘
P.205 Carmel Beach
海濱飯店
P.206 La Playa Hotel
10th Ave.

🛍 角櫃
The Coner Cupboard P.206
🏨 綠柏小旅
Cypress Inn P.206

🛍 船舶市場
Boatworks P.206

卡梅爾灣
Carmel Bay

11th Ave.
12th Ave.

草鷸小旅 🏨
Sandpiper Inn P.206

教堂路徑公園
Mission Trails Park

教會牧場飯店
P.206 Mission Ranch Inn

教會牧場飯店
Mission Ranch Inn P.206

🏛 卡梅爾教堂
Carmel Mission Basilica and Museum P.205

卡梅爾河
州立海洋公園
Carmel River
State Beach Park

Carmel River
往大蘇

往蒙特利

A　　　　　　B

海洋街盡頭閃耀光芒的白砂沙灘

*Carmel Mission Basilica and Museum* ·························· 🗨 ⑫

# 卡梅爾教堂 MAP…P204-B2

1771年本籍西班牙馬略卡島的朱尼佩洛‧賽拉神父原在蒙特利傳教，移居卡梅爾後重新建築了這座傳教院，起初是一所樸質的原木教堂，爾後其他神父繼承他的遺志，才打造了現在的砂岩教堂。

教堂內有數棟建築物環繞中庭而立，僅東半部開放參觀，訪客自專用的入口進入放置朱尼佩洛‧賽拉神父石棺的教堂內，過了小美術館、墓園後穿過中庭，緊接著來到展示室感受教會歷史，最後返回入口。或許是因神父本籍的緣故，教堂建築明顯可見南地中海和北非色彩，天花板、牆壁、地板無不呈現獨特面貌，置身其中有股不可思議之感。

中庭栽植許多花草樹木，抬頭仰望，映入眼簾的是一座南地中海摩爾風格的鐘樓。

教堂一隅的墓園則是3千名早期居住在附近的美國原住民的長眠地。

1887年羅馬教宗在此舉行彌撒

## 卡梅爾教堂
3080 Rio Rd.
☎ 831-624-3600
🚌 由❓徒步約20分鐘
🕐 9點30分～16點30分
（週日10點15分～）、6月1日～8月31日～19點15分 休無
💰 US $2

訪客專用入口

教堂內隨處可見古代雕刻

*Carmel Beach* ···························· 🗨 ⑫

# 卡梅爾海灘 MAP…P204-A1～A2

穿過杉樹群來到海洋街盡頭的卡梅爾海灘，眼前是一片細緻如砂糖般的白色沙灘及波光瀲瀲的碧海，其美景在加州是家喻戶曉，少見游泳嬉戲的泳客，單單慵懶地躺在沙灘上享受日光浴也是挺舒服的，若有時間，黃昏時候一定要去走一趟。可以看到遠處綠油油的山巒、紅通通的夕陽，此情此景將永銘於心。

海灘上可愛的松鼠

## 卡梅爾海灘
🚌 由❓徒步約5分鐘

位於市街以南的卡梅爾河州立海洋公園（MAP/P204-A2），觀光客不多。

## 波塔貝萊餐廳

Ocean Ave. bet. Lincoln St. & Monte Verde St.
- ☎ 831-624-4395
- 交通 由❓徒步約1分鐘
- 時間 11點30分～21點 休 無
- MAP ▶ P204-A1

## 福拉哈提茲餐廳

6th Ave. bet. Dolores. St. & San Carlos St.
- ☎ 831-624-0311
- 交通 由❓徒步約1分鐘
- 時間 11～22點（烤海鮮17點30分～）休 無
- MAP ▶ P204-A1

## 教會牧場飯店

26270 Dolores Ave.
- ☎ 831-625-9040（飯店☎ 831-624-6436）
- 交通 由❓徒步約20分鐘
- 時間 16～24點（週六10點～、週日9點～）
- MAP ▶ P204-A2

## 卡梅爾廣場購物中心

Ocean Ave. & Junipero St.
- ☎ 831-624-0137
- 交通 由❓徒步約1分鐘
- 時間 10～18點（週日12～17點）休 無
- MAP ▶ P204-A1

## 角櫃餐廳

Ocean Ave. & Dolores St.
- ☎ 831-624-7510
- 交通 由❓徒步約1分鐘
- 時間 9～19點（冬季～17點30分）休 無
- MAP ▶ P204-A1

### 🍴 餐廳

卡梅爾著實是個士紳淑女清閒度假的好去處。餐廳裡精選的鄉土料理和世界各地的美食齊聚一堂，本地的漁獲海鮮更是人氣絕頂，特別推薦您位在海洋街上的**波塔貝萊餐廳**Porta Bella，該店提供精緻的地中海

料理，以及位在第六街，以烤海鮮和生蠔吧聲名遠播的**福拉哈提茲餐廳**Flaherty's，而柯林伊斯威特所經營的**教會牧場飯店**Mission Ranch Inn，與所屬的飯店同名也值得光顧。

當地人常光顧的福拉哈提茲餐廳

### 🛍 購物

海洋街街上高雅的商店眾多，包括高級百貨公司Saks 5th Avenue、Ann Taylor、LV等超過50家高級商店進駐的**卡梅爾廣場購物中心**Carmel Plaza、具有特色的精品店——**角櫃**The Corner Cupboard、度假氣氛十足的服飾店——**船舶市場**Boatworks、以及骨董店、販售當地藝術家作品的商店等。

卡梅爾廣場四季當令的花朵萬紫千紅

## 🐾 卡梅爾的住宿

| 旅館名 | 住址／電話號碼／FAX | 費用／MAP | 備註 |
|---|---|---|---|
| 松樹小舍<br>Pine Inn | Ocean Ave. bet. Lincoln & Monte Verde<br>☎831-624-3851<br>FAX831-624-3030 | Ⓢ$125～<br>Ⓣ$145～<br><br>P204-A1 | 建於1889年，為卡梅爾的第一家飯店，中庭的商家眾多，大廳氣氛寧靜，呈現早期美國風情。 |
| 草鷸小舍<br>Sandpiper Inn | 2408 Bay View Ave. at Martin Way<br>☎831-624-6433<br>FAX831-624-5964 | Ⓢ$110～<br>Ⓣ$110～<br><br>P204-A2 | 距美麗的卡梅爾白沙灘僅30m，大部份客房面迎濱海豪景，另有附暖爐客房。 |
| 羅伯小屋<br>Lobo's Lodge | Monte Verde at Ocean Ave.<br>☎831-624-3874<br>FAX831-624-0135 | Ⓢ$99～<br>Ⓣ$115～<br><br>P204-A1 | 全客房皆有暖爐、客廳、餐廳，部分客房備有簡易廚房的山中小屋，適合喜歡放慢步調的旅客。 |
| 絲柏小舍<br>Cypress Inn | Lincoln & 7th<br>☎831-624-3871<br>FAX831-624-8216 | Ⓢ$125～<br>Ⓣ$125～<br><br>P204-A1 | 1929年興建，卡梅爾的地標型小飯店，高尚典雅且家具的樣式沉穩，觀光和購物都便利的飯店。 |
| 海灘飯店<br>La Playa Hotel | Camino Real & 8th<br>☎831-624-6476<br>FAX831-624-7966 | Ⓢ$135～<br>Ⓣ$315～<br><br>P204-A1 | 近海邊的度假飯店，客房仿造地中海式度假屋，環繞著花團錦簇的中庭，面海的客房不少，讓人度過優雅的一刻。 |

# 蒙特利

位於舊金山南方200km、人口3萬多人的沿海城市。湛藍的海洋、隨波搖曳的海草、白砂海岸、絲柏森林，自然資源豐富的蒙特利在西班牙和墨西哥統治時期被列為加州的中樞，直至半世紀前仍以漁業之都著稱，目前已發展為觀光地區，主打水族館等行程。

**蒙特利一點靈**　蒙特利目前有三大景點，分別是以水族館、罐頭工廠大道為觀光重點的太平洋叢林一帶，以及海關大樓等古蹟散在的市中心，最後是西海岸的漁人碼頭。一般來說步行即可抵達上述景點，不過每年到了夏天會推出免費的觀光巴士The Wave，只要善加利用就能有效率地暢遊本地。除此之外，名為「蒙特利歷史步道」Path of History的行程是從漁人碼頭附近的海關大樓廣場出發，行經19世紀竣工的八棟建築。可向旅遊服務中心索取散步的地圖，這對於一步一腳印的遊客大有幫助。蒙特利半島盛產葡萄酒，葡萄酒之旅也是不錯的選擇。

●區域代碼…蒙特利 ☎831
●前往蒙特利的交通…🚌 由舊金山的詮斯灣巴士站Trans Bay Bus Terminal搭灰狗巴士至德爾蒙提大道下車，約4小時30分鐘，每日4班，US$24.25。
🚗 由舊金山出發約3小時15分鐘。
●蒙特利的交通…5月下旬～9月上旬免費觀光巴士The Wave繞行市中心、漁人碼頭、罐頭工廠大道、水族館。
☎ 831-899-2555

**❓ Maritime Museum Visitor Center**
5 Custom House Plaza（近漁人碼頭）
☎ 831-649-1770（24小時）
⏰ 9點30分～17點、冬季9～17點（週日～16點）❻無
MAP P207-C1
另有兩處遊客中心，一在伊斯達那湖西側，一在中央道與第17街交叉路口，三地的服務時間皆同

矗立在太平洋叢林上的白色燈塔Point Pinos（MAP/P207-A2）

蒙特利海灣水族館

866 Cannery Row

**☎** 831-648-4888、24小時
服務台831-648-4888

**交通** 由❓徒步約15分鐘，
可在此搭乘市區免費
巴士The Wave

**時間** 10～18點（夏季、節
日9點30分～）**休**無

**費用** US$17.95

館內設有咖啡館和紀念品
店，可以好好地遊玩一番。

## 蒙特利海灣水族館 MAP…P207-B1

*Monterey Bay Aquarium* …… 🔵 **120**

　1996年落成，共有超過6500種加州的海洋生物。水族館位置面海，連同玻璃惟幕構成的戶外展示Outer Bay Gallery在內，連蒙特利灣也彷彿是水族館的一部分。看著高9m的大型水槽內隨波搖曳的海藻、海龜、翻車魚、鯊魚、鮪魚，讓人有置身海中之感，海星觸摸區更讓小朋友趣之若鶩。夏天限制入場，行前請事先預約。另在**波多拉咖啡館**Portola Cafe內可一眺蒙特利灣的景觀，自助式的餐廳提供簡餐與一般正餐，菜色豐富種類眾多。賣店提供有關海洋生物和大自然的書籍，當然也少不了紀念品的販賣。

大水槽裡悠游自在的魚群

---

## Bubba Gamp

蒙特利的新觀光景點人氣沸騰

　1994年上映，曾獲奧斯卡金像獎的電影《阿甘正傳》當中，有一幕劇情阿甘坐在長凳上，身旁擺著一份準備送給初戀情人的禮物，喃喃自語述說著過去的一段歷史。阿甘回憶起他跟黑人班長巴布說好歸鄉後一起出海捕蝦，而這

巴
布
最
愛
的
標
粉
酥
蝦

心
菜
單
阿
甘
最
擅
長
的
桌

球
拍
造
型
的
點

### 布&阿甘餐廳
阿甘正傳的拍攝地搖身變餐廳

一幕的外景地，正是本地蒙特利。電影最後阿甘為完成戰死沙場的巴布立下的遺願，選擇出海捕蝦且因而致富。如今，這段故事以餐廳的形式具體地呈現，它的名字叫Bubba Gamp。不用說，菜單當然要以蝦類為主，其中不乏「阿甘的最愛」、「巴布的最愛」等標記，光看菜單的描述就覺得十分有趣。餐廳前有張長凳，與電影中阿甘坐的如出一轍，最可愛的是凳上還放有當時阿甘準備好的禮物—巧克力和球鞋。

最佳的攝影景點，巴布&阿甘
餐廳前的長凳（720 Cannery
Row，☎831-373-1884，11～22
點，無休，MAP/P207-B1）

道路旁的招牌

*Cannery Row*·················································· ⑫⓪

## 罐頭工廠大道 MAP…P207-B1

　1920年代蒙特利以捕沙丁魚起家並帶動城市繁榮，這裡是當時一條罐頭工廠林立的大道。曾撰寫《天倫夢覺》等書的美國大文豪約翰‧史坦貝克所著之《製罐工廠》便是描述該時代的小說。如今，過往的工廠已由餐廳、商店所取代，成為絕佳的觀光景點，大道上的**蒙特利品酒中心**A Taste of Monterey Wine Center可試飲蒙特利半島酒廠的葡萄酒。

20世紀初建築林立的罐頭工廠大道

*Old Fisherman's Wharf*·································· ⑫⓪

## 漁人碼頭 MAP…P207-C1

　規模雖比舊金山的漁人碼頭小，卻是蒙特利的觀光重鎮，半世紀前各地的漁夫聚集在此捕捉沙丁魚與鯡魚，而現在突出於海上的碼頭上開設了許多海鮮餐廳，帶動觀光人潮而熱鬧非凡。碼頭也有賞鯨船等各式遊船活動。

*Pacific Grove*·································· ⑫⓪ Ⓥ

# 太平洋叢林 MAP…P207-A1～B1

　太平洋叢林緊鄰蒙特利，是一條靠海的步道，位於海灣水族館以西，維多利亞風格強烈的住家櫛比鱗次，景色優美有一定的好評，在維多利亞式建築群當中，有一部分是民宿，如**七重歇山旅館**，遊客可在此投宿一宿。因氣候溫暖而吸引美麗的大樺斑蝶大舉飛來過冬，包括Point Pinos白色燈塔在內，其他還有多處景點。

太平洋叢林清澈的海岸

■**歷史步道健行之旅**
Path of History

從漁人碼頭附近的海關大樓廣場出發，巡遊海關中心、太平洋叢林等多處19世紀建築物。

🕐**時間** 每日10點15分、12點30分、14點30分，每趟約1小時15分鐘
💰**費用** US$5

**請洽海關大樓廣場**
（MAP/P207-C1）
☎ 831-649-7118

**蒙特利品酒中心**
700 Cannery Row
☎ 831-646-5446
🚃**交通** 由❓徒步約10分鐘
🕐**時間** 11～18點 休**無**
MAP P207-B1

漁人碼頭品嘗各種鮮美海鮮料理

■**蒙特利的飯店**
蒙特利的飯店和汽車旅館每逢旺季價格飆漲（尤其是夏日週末），幾乎所有住宿都會漲US$100以上，預約時請事先確認。

太平洋叢林沿岸維多利亞式風格的民宿七重歇山旅館

🐚 **蒙特利的住宿**

| 旅館名 | 住址／電話號碼／FAX | 費用／MAP | 備註 |
|---|---|---|---|
| 水獺旅館<br>Otter Inn | 571 Wave St., Monterey<br>☎831-375-2299<br>FAX831-375-2352 | Ⓢ$89～<br>Ⓣ$129～<br>P207-B1 | 近罐頭工廠大道和水族館，觀光方便的汽車旅館，客房寬敞舒適，窗戶向屋外凸出，靠海的客房看得到大海，對開車旅遊的玩家相當便利。 |
| 七重歇山旅館<br>Seven Gables Inn | 555 Ocean View Blvd., Pacific Grove<br>☎831-372-4341<br>FAX無 | Ⓢ$175～<br>Ⓣ$175～<br>P207-B1 | 由1886年興建的維多利亞式住家改建而成的民宿，裝潢高雅宛如置身美術館一般，近蒙特利海灣水族館。 |
| 浪花旅館<br>Spindrift Inn | 652 Cannery Row, Monterey<br>☎831-646-8900<br>FAX831-373-4815 | Ⓢ$239～<br>Ⓣ$329～<br>P207-B1 | 面迎罐頭工廠大道、背對大海的古典飯店，飯店的裝潢瀰漫著成人的浪漫、溫柔氣息。 |

# 獨

## 占瑰麗海洋，魅力四射 的十七英里觀景道

**令人屏息的海景兜風**

若想開車暢遊蒙特利半島，其餘的都可以撇開不談，唯有這十七英里觀景道得細細咀嚼。17英里相當於27km，不是太遠，然兜風的收穫卻是無以計數的，全程共五個入口處，每部車門票只要US$7.75，就能暢遊包括喬治岬Point Joe、中國岩China Rock（MAP/P210-A1）、鳥岩Bird Rock、絲柏岩Cypress Rock（MAP/P210-A2）、名為孤立絲柏Lone Cypress的巨大絲柏、圓石灘Pebble Beach、佩斯卡得羅岬Pescadero Point等，途中景點眾多，沿路清楚標示各定點的位置供開車的遊客參考，即使身處異地也不致迷路，附設停車場，別忘了下車動一動。有海洋美景及大自然、野生動物的呼喚，內心的感動更加刻骨銘心。貪睡的海豹、眺望遠方的海鷗、撿食果實的松鼠、誤闖高球場遊玩的小鹿，身心靈都浸淫在這大自然的懷抱裡。

**高球迷嚮往的土地**

欣賞完海洋美景後，高球迷絕對不能錯過十七英里觀景道上的高球場，特別推薦圓石灘度假村Pebble Beach Resort（MAP/210-A2），

上：每一處景點都設有路標
左：太平洋叢林Pacific Grove的入口處

上：不少人騎越野車兜風
左：佩斯卡得羅岬名為鬼樹的枯樹群

湛藍海洋與整理完善的果嶺。場內亦提供住宿服務，宛如富豪級的度假聖地。餐廳供應家庭式料理，也可以買份午餐到海岸邊的野餐區享受片刻寧靜。

上：在鳥岩用望遠鏡觀察海豹&鳥兒
左：棲息於鳥岩的海豹

圓石灘度假村Pebble Beach Resort的度假小屋（☎831-624-3811，每間US$500~）

圓石灘高爾夫球場（住宿遊客的果嶺費含球車共US$350）

**十七英里觀景道**
**17MILE DRIVE**
0　2km

太平洋 Pacific Ocean
喬治岬 Point Joe P.210
中國岩 China Rock P.210
太平洋叢林入口 Pacific Grove Gate
西班牙灣高爾夫球場 Spanish Bay Golf Course
蒙特利半島鄉村俱樂部 Monterey Peninsula Country Club
入口 Gate
68
鳥岩 Bird Rock
海豹岩 Seal Rock
史派夫拉斯丘高爾夫球場 Spyglass Hill Golf Club
哈波丘高爾夫球場 Puppy Hills Golf Course
往蒙特利
絲柏岩 Cypress Rock P.210
孤立絲柏 Lone Cypress
鬼樹 Ghost Tree
佩斯卡德羅岬 Pescadero Point
公路①入口 Highway① Gate
1
圓石灘度假村 Pebble Beach Resort P.210
圓石灘高爾夫球場 Pebble Beach Golf Links
卡梅爾入口 Carmel Gate
圓石灘 The Lodge at Pebble Beach
卡梅爾 CARMEL-BY-THE-SEA
Cabrillo Hwy.

A

舊金山市區的纜車四通八達

# 舊金山

## SAN FRANCISCO

# 舊金山廣域圖
SAN FRANCISCO

N
0  1km

馬林郡
MARIN COUNTY

往那帕、索諾瑪 101
金門國立運動休閒區
Golden Gate National Recreation Area
馬林半島
Marin Peninsula

貝維德雷島
Belvedere Isl.

提布隆
TIBRON

沙薩利托
SAUSALITO P.305

理查遜灣
Richardson Bay

貝維德灣
Belvedere Bay

天使島
Angel Isl.

浣熊海峽
Raccoon Strait

往拉克斯柏、寬諾歐

雷德伍德公路
Redwood Hwy

金門大橋
Golden Gate Bridge P.265

貝克海灘
Baker Beach

要塞區
PRESIDIO  ①

舊金山灣
San Francisco Bay

惡魔島
Alcatraz Island P.254

漁人碼頭
FISHERMAN'S WHARF

北灘 海德街纜車
NORTH BEACH

電報山
TELEGRAPH HILL

海濱大道
The Embarcadero

PACIFIC HEIGHTS
太平洋高地區

海洋區
MARINA

范那斯大道
Van Ness

諾柏山
NOB HILL

②

金門國立運動休閒區
Golden Gate National Recreation Area

P.284～285
P.226～227
P.279
P.289
P.292

帕塞爾街海濱線性公園
Fort Mason P.18、P.315

馬林郡
MARIN COUNTY
康特拉・科斯塔郡
CONTRA COSTA COUNTY

往維沙利亞、S 沙加緬度與工廠資訊中心 往沙加緬度

880
24
580
880
92

奈特沃克協會球場
Network Associates Coliseum P.315

柏克萊
BERKELEY P.268

奧克蘭立公園
Chabot Camp State Park

奧克蘭
OAKLAND P.271

奧克蘭國際機場
Oakland International Airport

舊金山
San Francisco

舊金山
SAN FRANCISCO

達利城
DALY CITY

聖馬特奧郡
SAN MATEO COUNTY

太平洋
Pacific
Ocean

舊金山灣
San Francisco Bay

最佳西方第一旅館
Best Western

舊金山國際機場
San Francisco International Airport

往聖荷西

海華德
HAYWARD

金門國立運動休閒區
Golden Gate National Recreation Area
Golden Camp State Park

里奇蒙大橋
Richmond Bridge

30km

寶藏島
Treasure Isl.

葉爾巴布納島
Yerba Buena Isl.

海灣大橋
Bay Bridge

往索諾瑪、聖塔羅莎、加利斯托加、納帕

80

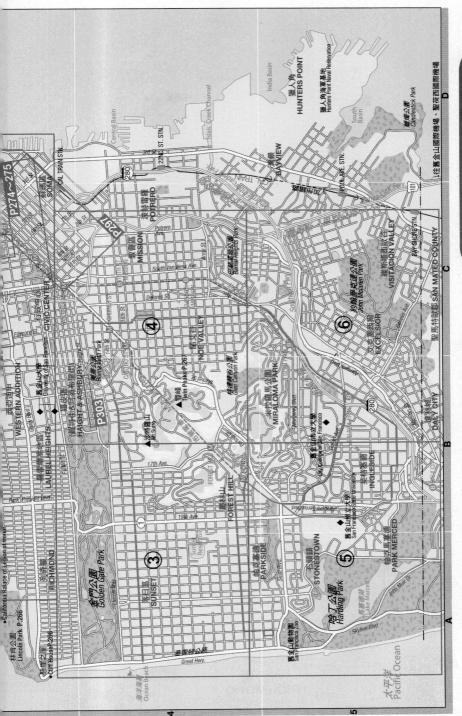

A B

往莎薩利托 ↑ 金門大橋
Golden Gate Bridge P.265

金門
Golden Gate

尖兵堡
Fort Point P.265

101 Marine Dr.

Fort Point Rock

瞭望台
View Point

金門通行費
收費站
Toll Plaza

Helmet Rock

Kobbe Ave.

柯羅拉多大道
Hitchcock St.

Lincoln Blvd.

貝克海灘
Baker Beach

Compton Rd.

Washington Blvd.

Park Blvd.

中國灘
China Beach

Gibson Rd.

Sea Cliff Ave.

林肯大道

國防外語學校
US Defense
Language Institute

山湖
Mountain Lake

山湖公園
Mountain Lake Park

Lake St.

林肯公園 P.266
Lincoln Park P.266

Lake St.

隆夏波
運動場
Rochambeau
Playground

列奇蒙運動場
Richmond Playground

加州街
California St.

凱瑟琳·D·巴克小學
Katherine D. Burke Elm. Sch.

林肯公園
高爾夫球場
Lincoln Park Golf Course

阿拉摩小學
Alamo Elm. Sch.

列奇蒙
網球場
Richmond Tennis Court

克萊門街
Clement St.

克萊門
網球場
Clement Tennis Courts

圖書館
海洋之星高中
Star of the Sea High S

普雷西迪歐中學
Presidio Jr. High Sch.

聖莫尼卡小學
St-Monica Elm. Sch.

列奇蒙
RICHMOND

亞貢運動場
Argonne Playground

基利街
Geary Blvd.

消防局

消防局

安查街
Anza St.

錫安·路登小學
Zion Lutheran Elm. Sch.

華盛頓高中
Washington High Sch.

往金門公園 ↓

① ②
③ ④
⑤ ⑥

A B

C   D   E

舊金山灣
San Francisco Bay

•燈塔

海洋公園
Marina Park

往漁人碼頭

要塞海岸～
沿岸置備隊基地
Fort Point Coast Guard Station

遊艇碼頭
Yacht Harbor

海洋大道

Marine Dr.

Allen St.

Marina Blvd.

Beach St.

克里西公園
Crissy Field

Mason St.

Doyle Dr.

探索博物館(科學博物館)
Exploratorium P.266

藝術宮
Palace of Fine Arts P.266

海洋區
MARINA

梅森街

101

Vallejo St.

要塞區認部
Presidio Headquarters

Forsyter Ave.

Bay St.

1

陸軍博物館
Army Museum

林塔大道

Torny Rd.

Montgomery St.

Anza St.

Graham St.

Keyes Ave.

Lincoln Blvd.

雷特靈綜合醫院
Letterman General Hospital

Lombard St.

Greenwich St.

格林治街

考郝羅運動場
Cow Hollow Playground

國家公墓
National Cemetery

Sherman Ave.

McDowell Ave.

要塞區基地
Presidio Military Reservation

Sherman Rd.

Filbert St.

Union St.

Lyon St.

Scott St.

2

要塞區
(普雷西迪歐)
PRESIDIO

Merton Ave.

Barnard Ave.

MacArthur Ave.

Morton St.

Rodriguez St.

Simonds Loop

Presidio Blvd.

Liggett Ave.

瓦雷荷街

Green St.

Vallejo St.

Washington Blvd.

Arguello Blvd.

百老匯

Broadway

215

儲水池
Reservoir

Portola St.

舊金山大學
附屬高中
San Francisco
University High Sch.

Pacific Ave.

Jackson St.

艾爾他
廣場公園
Alta Plaza Park

要塞區高爾夫球場
Presidio Golf Course

朱利亞斯·康恩運動場
Julius Kahn Playground

Walnut St.

Laurel St.

舊金山華道夫小學
San Francisco Waldorf Elm. Sch.

Clay St.

Divisadero St.

3

Washington St.

普雷西迪歐
高地運動場
Presidio Heights
Playground

圖書館

城區男子小學
Town Elm. Sch. for Boys

Cherry St.

Maple St.

華盛頓街

克雷街

加州街

Sacramento St.

德高高中
Drew High Sch.

科布小學
Cobb Elm. Sch.

老人之家
Home for the Aged

Pacific Ave.

利利恩塔爾小學
Lilienthal Elm. Sch.

霍爾元帥紀念醫院
Marshall Hall Memorial
Hospital

California St.

Pine St.

Bush St.

艾曼紐寺院
Temple Emanuel

小兒科醫院
Children's Hospital

松街

消防局

布希街

錫安山醫院
Mt. Zion Hospital

西亞迪申
WESTERN ADDITION

Euclid Ave.

Baker St.

Broderick St.

Post St.

喬治·皮巴迪小學
George Peabody Elm. Sch.

勞瑞爾山運動場
Laurel Hill Playground

優克里德街

Spruce St.

Locust St.

4

海洋之星小學
Star of the Sea Elm. Sch.

羅斯福中學
Roosevelt Jr.
High Sch.

太平洋長老教會醫院
Pacific Presbyterian Hospital

凱撒醫院
Kaiser Permanent
Medical Center

往日本城

羅雷爾高地區
LAUREL HEIGHTS

Geary Blvd.

Arguello Blvd.

瓦倫堡高中
Wallenberg High Sch.

Masonic Ave.

凱撒醫院
法國分部
Kaiser Permanent
French Campus

羅斯運動場
Ross Playground

舊金山大學
University of San Francisco

Turk St.

8th Ave.

7th Ave.

6th Ave.

5th Ave.

4th Ave.

3rd Ave.

2nd Ave.

Anza St.

普里森泰申中學
Presentation High Sch.

Golden Gate Ave.

塔克街

佛雷門
小學
Fremont
Elm. Sch.

往嬉皮區
(海特街&阿須布里街)

Balboe St.

C   D   E

C     D     E

1

2

3

4

P226～227

35號碼頭
Pier35

33號碼頭
Pier33

31號碼頭
Pier31

濱海公園
Water Front Park

North Point St.

Bay St.

29號碼頭
Pier29

27號碼頭
Pier27

舊金山灣
San Francisco Bay

電報山
TELEGRAPH HILL

23號碼頭
Pier23

19號碼頭
Pier19

加菲爾德小學
Garfield Elm. Sch.

柯伊特塔
Coit Tower P.252

17號碼頭
Pier17

聖彼得與保羅教堂
St-Peter&Paul's Ch. P.252

15號碼頭
Pier15

9號碼頭
Pier9

盛頓廣場
ashington Sq.

北灘
NORTH BEACH

7號碼頭
Pier7

商業學校
Sch. for Business & College

5號碼頭
Pier5

3號碼頭
Pier3

1號碼頭
Pier1

HeliPort

中國城
CHINATOWN

金融區
FINANCIAL DISTRICT

P274～275

金門渡輪大樓
Goldengate Ferry Bldg. P.233

世界貿易中心
World Trade Center

海洋廣場
Maritime Plaza

舊金山凱悅飯店 P.318
Hyatt Regency San Francisco

普萊斯德斯廣場
P.251 Portsmouth Sq.

安巴卡德羅中心
Embarcadero Center

哥斯達法哥
歷史博物館

California First Bank

P.257 Wells Fargo History Museum

工商會議所
Chamber of Commerce

聯邦準備銀行
Federal Reserve Bank

葛利芬飯店
Hotel Griffon P.318

海港飯店
The Harbor Court Hotel P.321

CALIFORNIA LINE.

279

安巴卡德羅
EMBARCADERO

證券交易所
Stock Exchange

日本總領事館

霍森街
FOLSOM ST.

217

往奧克蘭

Bay Bridge

24號碼頭
Pier24

Rincon Point

26號碼頭
Pier26

28號碼頭
Pier28

灣橋

The Ritz-Carlton
San Francisco P.316

中國城牌樓
Chinatown Gate
P.251

蒙哥馬利街
MONTGOMERY ST.

蒸斯灣車站
Transbay Bus Terminal
P.233

P.294

30號碼頭
Pier30

32號碼頭
Pier32

聯合廣場
Union Sq. P.250

布拉南街
BRANNAN ST.

34號碼頭
Pier34

36號碼頭
Pier36

The Westin St. Francis
.318

舊金山現代藝術博物館
San Francisco Museum of
Modern Art P.261

灣濱林
Bayside
Village

Hotel Nikko
San Francisco
.318

38號碼頭
Pier38

鮑威爾街
POWELL ST.

舊金山市政廳
San Francisco Visitor's Bureau

40號碼頭
Pier40

纜車乘車處
Cable Car Turntable
San Francisco Visitor's Information

莫斯肯會議中心
Moscone
Convention Center

南灘馬力納公園
South Beach Marina
Apartments

舊造幣廠博物館
Old Mint Bldg. Museum

蘇瑪區
SOMA

南公園
South Park

美國銀行
Bank of America

央郵局
st Office

南市場公園
South of Market Park

威斯·法哥銀行
Wells Fargo Bank

第2街國王街
2ND/KING ST.

太平洋貝爾公園
Pacifc Bell Park
P.13・P.315

中國灣
China Basin

消防局

加州
鐵路東站
CAL TRAIN STN.

第4街國王街
4TH/KING ST.

C     D     E

A　　　　　　　　B

沙特高地公園
Sutro Heights Park

拉法葉小學
Lafayette Elm. Sch.

華盛頓高中
Washington High Sch.

波波亞街

里西法蘭西斯高中
Lycée Francais High Sch.

列奇蒙
RICHMOND

卡布里諾街

卡布里諾運動場
Cabrillo Playground

富爾頓運動場
Fulton Playground

47th Ave.
46th Ave.
45th Ave.
44th Ave.
43rd Ave.
42nd Ave.
41st Ave.
40th Ave.
34th Ave.
33rd Ave.

30th Ave.

Balboa St.

富爾頓街

Fulton St.

**1**

荷蘭風車
Dutch Windmill

沙雷灘
Beach Chalet

市營高爾夫球場
Municipal Golf Course

North Lake

Chain of Lakes Dr.

老人中心
Senior Center

Spreckels Lake Dr.

史普雷凱爾湖
Spreckels Lake

金門公園體育館
Golden Gate Park Stadium

梅特遜湖
Metson Lake

墨菲風車
Murphy Windmill

John F. Kennedy Dr.

Middle Lake

Fly Casting Pool

Middle Dr.

South Lake

Martin Luther King Jr. Dr.

**2**

利托萊茨
浸信小學
Little Lights Baptist
Elm. Sch.

La Playa

45th Ave.

Lincoln Way

林肯道

38th Ave.

33rd Ave.
32nd Ave.
31st Ave.
30th Ave.

回文街

Irving St.

消防局

48th
Ave.
47th
Ave.
46th
Ave.
45th
Ave.
44th Ave.
43rd Ave.
42nd Ave.
41st Ave.

獄塔街

Judah St.

克克哈姆街

Kirkham St.

法蘭西斯·史考特基小學
Francis Scott Key Elm. Sch.

聖名小學
Holy Name Elm. Sch.

勞頓街

Lawton St.

羅頓小學
Lawton
Elm. Sch.

日落區
運動場
Sunset Playground

日落區
SUNSET

218

Moraga St.

摩納卡街

34th
Ave.
33rd
Ave.
32nd
Ave.
31st
Ave.
30th
Ave.
29th
Ave.

**3**

諾利艾加郝姆小學
Noriega Home
Elm. Sch.

諾利艾加街

Noriega St.

海洋海灘
Ocean
Beach

35

歐特加街

Ortega St.

圖書館

消防局

A.P.強尼尼中學
A.P. Giannini Jr. High Sch.

Pacheco St.

帕卻科街

羅伯·路易斯·史帝文生小學
Robert Louis Stevenson Elm. Sch.

太平洋
Pacific Ocean

西日落區運動場
West Sunset Playground

昆塔拉街

聖英格納奇斯高中
St-Ignatius High Sch.

Quintara St.

Sunset Blvd.

**4**

里耶維拉街

Rivera St.

Great Highway

聖地牙哥街

獨立高中
Independent High Sch.

Santiago St.

塔拉瓦爾街

Taraval St.

①　②

③　④

⑤　⑥

A

B

往漢汀頓公園

0          400m

C          D          E

希伯來學會小學
Hebrew Academy Elm. Sch.

◆卡布利羅小徐
Cabrillo Elm. Sch.

阿爾岡小學
Argone Elm. Sch.

Cabrillo St.

Park Presidio Blvd

↑往金門大橋

溫室植物園
Conservatory of Flowers

Conservatory Dr.

John F. Kennedy Dr.

墨里遜天文台
Morrison Planetarium

網球場
Tennis Court

往⑦行政中心

1

洛伊湖潭
Lloyd Lake

•船屋
Boat House

水族館
Aquarium

Middle Dr.

金門公園
Golden Gate Park P.263

草莓丘
Strawberry
Hill

•日本庭園
Japanese Tea Garden
P.264

加州科學學院
California Academy of Science P.263

Bowling Green Dr.

冰湖
Glen Lake

史翠湖
Stow Lake

史翠賓植物園
Strybing Arboretum & Botanical Gardens P.265

兒童運動場
Children's Playground

◀

哈德湖
Hard Lake

鄉村集市大樓
Country Fair. Bldg.

Lincoln Way

25th Ave.
23rd Ave.
22nd Ave.
19th Ave.
15th Ave.
14th Ave.
12th Ave.
11th Ave.
10th Ave.
9th Ave.
8th Ave.
7th Ave.
6th Ave.
5th Ave.
4th Ave.

Irving St.

◆傑佛遜小學
Jefferson Elm. Sch.

消防局

聖安妮小學
St-Anne Elm. Sch.

Parnassus Ave.

加州大學醫療中心
University of California Medical Center

2

市營電車

Judah St.

◆圖書館

MUNI METRO

Kirkham St.

Funston Ave.
12th Ave.
11th Ave.

21st Ave.
20th Ave.

①

Lawton St.

馬克吐溫高中
Mark Twain High Sch.

沙特羅山
Mt. Sutro

Crestmont Dr.

219

Lawton St.

修萊納醫院
Shriners Hospital

18th Ave.
17th Ave.
Lomita St.

悍景公園
Grand View Park

10th Ave.
9th Ave.
8th Ave.
7th Ave.

Oak Park Dr.
Warren Dr.

3

26th Ave.
25th Ave.
24th Ave.
19th Ave.

Noriega St.

Noriega St.

15th Ave.
16th Ave.

Ortega St.

11th Ave.

拉達沼
Laguna Honda

Ortega St.

Pacheco St.
14th Ave.

墨菲運動場
Murphy Playground

Clarendon Ave.

◀

日落驛蓄水池
Sunset Reservoir

23rd Ave.
22nd Ave.

Pacheco St.

Funston Ave.

日落高地公園
Sunset Heights Park

Soledo Ave.

Laguna Honda Blvd.

Quintara St.

叢林山
FOREST HILL

叢林山
FOREST HILL Ⓜ

◆消防局

Rivera St.

San Marcos Ave.

4

◆林肯高中
Lincoln High Sch.

Cecilia Ave.

Castenada Ave.

Magellan Ave.

Dewey Blvd.

往雙峰

Santiago St.

◆郝伯特‧胡佛中學
Herbert Hoover
Jr. High Sch.

Drantes Ave.

Merced Ave.
Vasquez Ave.
Garcia Ave.

馬克平廣場
McCoppin Sq.

14th Ave.

Taraval St.

西波特爾小學
West Portal Elm. Sch.

Granville Way
Kensington Way
Allston Way

◆圖書館

Taraval St.

市營電車

MUNI METRO

西波特爾
WEST PORTAL Ⓜ

往石頭鎮

C          D          E

C    往行政中心    D    E    1

消防局
凡尼斯大道
VAN NESS AVE.

約翰‧繆爾小學
John Muir Elm. Sch.

第一浸信會小學
First Baptist
Church Elm. Sch.

加州大學校區
Univ. of California
Extention

聖約瑟天
小學
St-Joseph Elm. Sch.

DNA酒吧
DNA Lounge P.314

造幣局
U.S. Mint

Clinton Park

中央公路
Central Skyway

Alameda St.

14th St.

Division St.

P291

多羅麗
教會 P.262
Mission Dolores

聖母小學
Nortre Dame Elm. Sch.

馬樹爾小學
Marshall Elm. Sch.

15th St.

法蘭克林廣場
Franklin Sq.

第16街教會區
16TH ST. MISSION

16th St.

Utah St.

艾維雷特中學
Everett Jr. High Sch.

17th St.

教會區
MISSION

聖查爾斯小學
St-Charles Elm. Sch.

Mariposa St.

2

教會高中
Mission High Sch.

18th St.

19th St.

Bryant St.

York St.

Hampshire St.

波特雷羅
POTRERO

多羅麗
教會公園
Mission Dolores Park

消防局

摩斯康
小學
Moscone
Elm. Sch.

教會區
教育中心
Mission Education Center

馬金雷廣場
McKinley Sq.

教會區運動場
Mission Playground

20th St.

Liberty St.

21st St.

教會區運動中心
Mission Recreation Center

約翰‧歐康奈爾高中
John O'Connel High Sch.

22nd St.

愛迪生小學
Edison Elm. Sch.

市中心高中
Downtown Alt. High Sch.

霍桑小學
Hawthorne Elm. Sch.

布萊恩小學
Bryant Elm. Sch.

舊金山綜合醫院
San Francisco
General Hospital

3

聖詹姆斯小學
St-James Elm. Sch.

23rd St.

霍雷斯中學
Horace Mann Jr. High Sch.

24th St.

第24街教會區
24TH ST. MISSION

圖書館

聖彼得小學
St-Peter Elm. Sch.

美景小學
Buena Vista Elm. Sch.

無玷始胎學院中學
Immaculate Conception
Academy High Sch.

25th St.

陽光高中
Sunshine High Sch.

波特雷羅
歐陽‧索爾公園
Potrero del Sol Park

消防局

加菲爾德
廣場
Garfield Sq.

26th St.

洛夫運動場
Rolph Playground

4

Lesar Chavee

Lesar Chavee

聖安東尼小學
St-Anthony Elm. Sch.

雷納德‧夫萊因小學
Leonard Flynn Elm. Sch.

消防署

27th St.

聖魯克斯醫院
St-Luke's Hospital

蒲雷西塔公園
Prescita Park

Duncan St.

28th St.

無玷始胎小學
Immaculate Conception Elm. Sch.

Valley St.

Ripley St.

聖保羅女子中學
St-Paul's Girls High Sch.

Bernal Heights Blvd.

30th St.

巴納爾高地公園
Bernal Heights Park

Powhattan Ave.

C    往格連公園    D    E

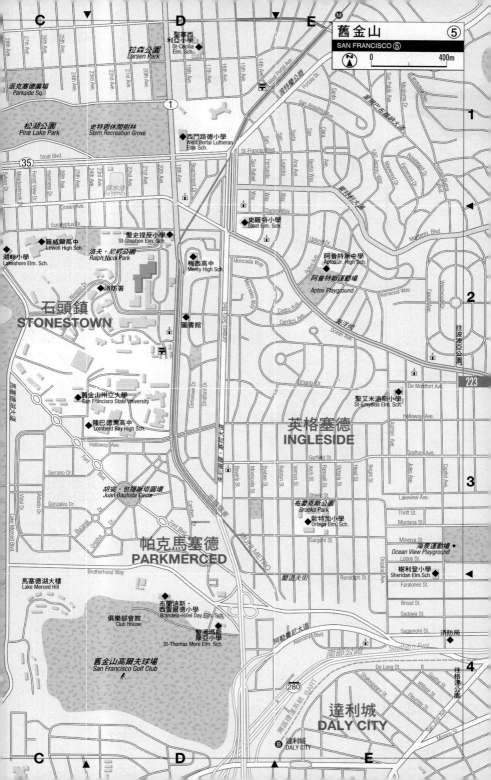

C    D    E

拉森公園
Larsen Park

派克塞德廣場
Parkside Sq.

聖塞西
利亞小學
St-Cecilia
Elm. Sch.

松湖公園
Pine Lake Park

史特恩休閒樹林
Stern Recreation Grove

西門路德小學
West Portal Lutheran
Elm. Sch.

Sloat Blvd.

健水池
Reservoir

史羅特小學
Sloat Elm. Sch.

阿普特斯中學
Aptos Jr. High Sch.

阿普特斯運動場
Aptos Playground

羅威爾高中
Lowell High Sch.

聖史提反小學
St-Stephon Elm. Sch.

湖畔小學
Lakeshore Elm. Sch.

洛夫‧尼可公園
Ralph Nicol Park

梅西高中
Mercy High Sch.

消防署

石頭鎮
STONESTOWN

圖書館

De Montfort Ave.

223

聖艾米迪斯小學
St-Emydius Elm. Sch.

舊金山州立大學
San Francisco State University

英格塞德
INGLESIDE

隆巴德灣高中
Lomberd Bay High Sch.

Garfield St.

Grafton Ave.

胡安‧包提斯塔圓環
Juan Bautista Circle

Lakeview Ave.

布魯克斯公園
Brooks Park

Thrift St.

Montana St.

Minerva St.

海景運動場
Ocean View Playground
Lobos St.

帕克馬塞德
PARKMERCED

歐特加小學
Ortega Elm. Sch.

Sargent St.

樹利登小學
Sheridan Elm. Sch.

馬塞德湖大樓
Lake Merced Hill

Falarones St.

Broad St.

俱樂部會館
Club House

布蘭迪斯‧
西雷爾德小學
Brandeis-Hillel Day Elm. Sch.

Sadowa St.

Sagamore St.

消防局

聖湯瑪斯小學
St-Thomas More Elm. Sch.

舊金山高爾夫球場
San Francisco Golf Club

往連公園

280

達利城
DALY CITY

達利城
DALY CITY

C    D    E

舊金山的玄關—金門大橋

# 舊金山基本概念

## SAN FRANCISCO

小檔案
● 人口：：78萬人
● 面積：：約125 km²

## 淘金熱中蓬勃發展的城市

舊金山位於加州中西部的半島尖端，全長50km，兩側為太平洋與舊金山灣。由於洋流影響，舊金山的氣溫鮮少低於5℃，或高於21℃；一年四季氣候溫和。

舊金山最早為人發現是在1769年。據傳，當時由波多拉率領的西班牙遠征隊無意間發現這片土地，不久後西班牙人即開始遷居至此。1821年，墨西哥脫離西班牙統治後，加州成為了墨西哥的領土，到了1850年，加州被當時向西擴展領土的美國所吞併，成為了美國的第31州。而幾乎在同一時期發生了一項重大事件，即淘金熱的出現。黃金的發現使得舊金山人口激增，而美洲大陸橫貫鐵路的開通，更加速了外來人口的湧進。20世紀初期，舊金山雖遭受大地震襲擊，不過在急速的重建作業下，該市又重回近代都市之列。二次世界大戰後，舊金山成為學生運動的中心，嬉皮也發源於此。1960年代，由嬉皮所創的嬉皮文化、1980年代出現的同性戀文化等，在這座城市中，反主流文化不斷產生，嶄新的資訊不斷由此傳播至美國各地及全球。而在教會區的拉丁文化、中國城的亞洲文化、北灘的義大利文化、日本城的日本文化等等，存在於不同區域間的各國文化亦共存共榮，互相尊重。

市中心的夜景

## 新舊融合的城市

對於不想逗留於人工遊樂場所，而傾向自由地享受異國街景的遊客而言，舊金山是個充滿魅力的城市。各地區所分別孕育出的獨特文化，不單只是觀光景點，至今仍是以自然的形態存在於日常生活之中。舊金山並非只重視傳統的事物，而是在保存古雅的事物之餘，同時也巧妙地將新的事物融於其中。因此，就城市整體來看，舊金山的新舊協調得宜，且隨著歲月累積，更趨成熟穩健。在旅行相關雜誌的問卷中，舊金山一直蟬聯「最想造訪的城市」前幾名，這應該是主要的理由吧。

## 「霧都」舊金山

在舊金山，隨處可見如畫的風景。而白霧更為這些風景增色不少，特別是瀰漫在霧中的金門大橋照片，更是經常可見。舊金山易起霧，晝夜溫差大，不過由於一年約有300天都是晴朗的天氣，因此氣候冬暖夏涼。舊金山名產酵母麵包、用於製造加州紅酒的葡萄栽培，均受益於這種氣候。雲霧繚繞於街中的景緻也是舊金山的獨特風情。霧散後，涼爽的空氣與溫暖的陽光洋溢於城市之中。舊金山特有的霧氣及加州的燦爛陽光展現出二種截然不同的面貌，令遊客流連忘返。

## 令人食慾大增的城市

舊金山有1700家以上的餐廳，名店之多享譽國際。中國、日本、義大利、東南亞、印度、南美等各國餐廳分布於城中，種類之多即使每天在外用餐也不覺厭煩。漁人碼頭的海鮮、北灘的義大利料理，只要事先決定好料理的種類，大概就知道要到哪一區用餐，即使是遊客也不會弄錯。此外，提起舊金山的名產就讓人想到海鮮料理，或是酵母麵包，不過，最近興起的加州料理餐廳也頗受矚目。加州料理融合了美式料理、法式料理以及東方料理的風味，是種獨創的料理，其特徵是不油膩，大多以健康取向為主。

## 市中心宛如交通工具的博物館

提起舊金山的交通工具，最有名的就是纜車了。從聯合廣場到漁人碼頭搭乘纜車，如同遊樂園的遊樂設施一般，讓整個行程變得更加生動有趣。有軌電車（市營電車的F線）也勾起了遊客思鄉的情懷。行駛於詮斯灣巴士站與卡斯楚街的路面電車，都是過去曾行駛於世界各國的著名車輛，宛如活生生的世界路面電車博物館。此外，連結安巴卡德羅車站與加州鐵路各站的市營電車N線，由於沿線大半都是順著海岸線，坐在車上即可享受海岸線與海灣大橋的美景。

旅遊服務中心位於纜車起站的西邊。由於在地下1樓，須稍加留意。

■旅遊服務中心
❓San Francisco Visitor Information Center
Lower Level, Hallidie Plaza, 900 Market St.
☎ 415-391-2000
🕐 9～17點（週六・日9～15點）休無
🚋 纜車：鮑威爾・海德街線，鮑威爾・梅森街線
市營電車：F, J, K, L, M, N線
灣區捷運：波威爾街站
MAP P227-B5

前往城區前，先到❓蒐集最新資訊。

免費導覽手冊與地圖可供參考。除在❓外，亦可在主要的飯店或餐廳中取得。

# 前往舊金山的交通

舊金山可說是美洲西海岸的玄關，所在位置相當重要。除了與亞洲各國相互連結外，與紐約、芝加哥、洛杉磯等美國主要都市間亦設有許多航班。不過，舊金山國際機場的規模不如洛杉磯國際機場，因此不至於會迷路。機場到市區的交通也相當完善，對於初次造訪的遊客而言，很容易就可到達下榻的飯店。

## 舊金山國際機場San Francisco International Airport(SFO)

■舊金山國際機場
☎ 650-794-6500
MAP P212-D2

■經由洛杉磯轉機時的注意事項

經洛杉磯轉機至舊金山時，入境審查是在洛杉磯，而不是在舊金山國際機場。因此，在抵達洛杉磯機場的入境大廳時，必須轉往國內線的航空站，並在櫃台辦理登機手續之後，前往登機門，要注意舊金山國際機場並沒有入境審查。

機場內設施完善、整潔

舊金山周邊有三個機場，美國國內線航班幾乎都會在舊金山國際機場起降。該機場位於市中心南方24km處，面對舊金山灣。機場航空站呈放射狀分布，分為南航站、中央航站、北航站，以及落成於2000年的新國際線航站。該航廈有A、G兩個大廳。從新國際線航站到國內線航站時，可步行，或利用免費的接駁巴士。該機場除了出入境手續較過去快速外，還設有全球第一個機場內博物館。展示的詢問電話 ☎ 650-821-6700。

舊金山國際機場更新後，更加便利。

## 機場內的主要設施

舊金山新國際線航站的中央大廳向左右延伸，南側為「A」大廳，北側則為「G」大廳。入境大廳位於2樓，出境大廳在3樓，而1樓則是辦理團體報到手續的櫃台與巴士總站。通過入境審查，取回隨身行李後，就可看到海關。海關左右分為入境大廳與轉機大廳，這裡設有 [?] 與兌換外幣處，旅客可在此蒐集觀光訊息，或兌換外幣。

航站內採光充足，氣氛佳。

旅遊服務中心
時間 8～17點 休 無
星空聯盟

由歐美、大洋洲、亞洲等15家航空公司所組成的航空策略聯盟。各航班均於G航空站起降。

### 旅遊服務中心 Information

各航廈的入境大廳均設有旅遊服務中心，提供旅遊相關訊息及大眾運輸工具等資料，同時也有懂他國語言的工作人員。雖然無法在此預約飯店，但只要告知工作人員預算與地點，就可以得到相關訊息。不過飯店仍須自行預約。

機場內有許多免稅商店

大廳中寬闊的航空公司報到櫃台

當然也可到了市中心後，再開始找下榻飯店，但由於在舊金山幾乎沒有投幣式置物箱，因此拖著行李找飯店是非常辛苦的。如果在國內沒有事先預約，至少可以在機場內先預約第一晚的下榻飯店，然後再搭計程車等交通工具前往。

**兌換外幣處** Money Exchange

一般認為機場內的匯率較低，其實不然。其實在舊金山的市中心，可兌換外幣的地方並不多，再加上每次兌換外幣均需手續費，因此兌換次數愈少，對遊客愈有利，在機場內事先兌換一定的金額也是一個不錯的選擇。

飯店或旅遊行程的預約可利用這支預約專用電話

## 由機場前往市區的交通

從機場要前往市區時，可選擇的交通工具從計程車到一般巴士，種類相當多。若考量時間與費用，最方便且最受歡迎的方式應該是搭定點式的**接駁巴士**DOOR-TO-DOOR VAN SERVICE。發車時間雖然是視乘客人數而定，但由於前往舊金山的乘客相當多，與在洛杉磯的情形不同，因此幾乎不需在機場等候就可立刻出發。票價會因公司或目的地的不同而稍有差異，在前往市區時，建議選擇符合自己喜好的交通工具。

■如何預約回程的接駁巴士
一般可委託飯店櫃台幫忙預約。預約時必須先付US$3給櫃台，到了機場之後，再將餘款交給司機。預約時請妥善保管飯店交付的乘車證明，並於下車前交給司機。由於接駁巴士會先繞到預約乘客的住宿飯店，然後再開往機場，因此到達飯店接送的時間會有15分鐘的誤差，請事先算好時間。

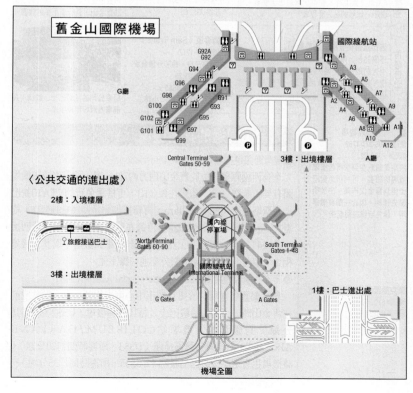

舊金山國際機場

國際線航站

G92A
G92
G94
G96
G廳
G98
G100
G102
G101
G91
G93
G95
G97
G99

A1
A3
A5
A7
A2 A4 A9
A6
A8 A10
A10 A12

A廳

Central Terminal
Gates 50-59

3樓：出境樓層

〈公共交通的進出處〉

2樓：入境樓層

♀旅館接送巴士

North Terminal
Gates 60-90

國內線
停車場

3樓：出境樓層

國際線航站
International Terminal

South Terminal
Gates 1-48

G Gates

A Gates

1樓：巴士進出處

機場全圖

### 機場前往市區的交通

| 工具 | 建議／使用方法 | 聯絡方法／費用／所需時間 |
|---|---|---|
| 接駁巴士 | 行駛於舊金山全區，是最普遍的交通工具。<br>感覺像是10人共乘的計程車，接送乘客往返機場與飯店之間。除乘客的住宿飯店外，途中不停車，總站位在各航站的出境大廳門口，幾乎所有公司的車班都是全天發車。由於巴士會直接將乘客送到飯店門口，因此不必擔心行李搬運的問題。下車時付費。 | Super Shuttle<br>☎650-246-2785<br>American Airporter Shuttle<br>☎415-202-0733<br>⊕US$14（所需時間30分鐘） |
| 機場巴士 | 一般的大型巴士。<br>分為2條路線，兩條都是按照發車時間表，往返於聯合廣場周邊6、7家主要飯店與機場之間，停靠地點在機場的入境大廳門口。來回票可享優惠。<br>路線1：喜來登皇宮飯店→艾傑特飯店→凱悅飯店→威斯汀‧聖法蘭西斯飯店→希爾頓飯店→文藝復興公園55飯店→萬豪飯店<br>路線2：凱悅麗晶飯店→聯合廣場節日飯店→威斯汀‧聖法蘭西斯飯店→希爾頓飯店→文藝復興公園55飯店→萬豪飯店 | 舊金山國際機場客運公司<br>（SFO Airporter INC.）<br>☎650-624-0500 ext.27<br>5點～20點30分，每30分發車<br>⊕US$12.5（所需時間30～60分鐘） |
| 計程車 | 可最快到達目的地的交通工具。<br>4人以上共乘時，費用比接駁巴士便宜。但要小心無照的私人計程車。 | ⊕US$30～35<br>（所需時間20～30分鐘）<br>＊起跳US$2.85 |
| 市營巴士 | 到市區最便宜的交通工具。<br>停靠站多，所需時間長，但費用便宜是吸引人的地方。不過，搭乘時只能攜帶一件行李，若從機場入境大廳的7B、7F搭乘山姆客運，可到達詮灣公車站。 | 山姆客運（Sam Trans）<br>☎650-817-1717<br>6～23點左右，每30分鐘發車<br>⊕292：US$1.25<br>BX（快車）：US$3.5<br>（所需時間30分鐘～1小時） |

超級接駁巴士公司Super Shuttle的定點接駁巴士。小費約US$1～2，行李過多時，最好多付一些。

市營巴士的乘車處，適合再次造訪舊金山，且行李不多的旅客。

租車公司的接駁巴士。建議可在機場內辦好租車手續。

■聖荷西國際機場<br>☎ 408-277-4759<br>MAP P332-C2<br>搭乘美國航空到聖荷西國際機場的旅客，可利用免費巴士坐到舊金山市區。由於須事先預約，因此在購買機票時，請先洽詢美國航空。

奧克蘭國際機場<br>☎ 510-577-4000<br>MAP P212-D1

## 舊金山周邊的其他機場

●聖荷西國際機場 San Jose International Airport(SJC)

聖荷西國際機場位於舊金山南方約70km處，與日本成田機場間有美國航空直飛。若要往舊金山，可搭乘免費的VTA10號巴士到聖塔克拉拉Santa Clara，再轉搭加州鐵路（US$5.25，約需1小時15分鐘）。加州鐵路會停靠在蘇瑪區的國王街與第四街交叉口4TH／KING ST.，然後再搭計程車到飯店。與其他機場相比，聖荷西國際機場的對外交通稍嫌不便。

●奧克蘭國際機場 Oakland International Airport(OAK)

奧克蘭國際機場位於奧克蘭市中心南方約8km處。從此處前往舊金山時，可搭乘接駁巴士（每10分鐘發車，US$2，約需10分鐘）到體育館／機場站COLISEUM／OAKLAND AIRPORT，然後轉搭灣區捷運（US$3，所需時間約20分鐘）。該機場也有定點接駁巴士服務（US$35，所需時間約35分鐘）。

## 灰狗巴士 Greyhound Bus

灰狗巴士停靠在蘇瑪區的詮斯灣巴士站Transbay Bus Terminal，該站周遭人煙稀少，環境較為荒涼，深夜最好提高警覺，坐計程車比較安全。

從總站走到聯合廣場約需15分鐘。總站前有市營巴士Muni Bus（→P239）站牌。要到聯合廣場可坐38號巴士；若是要到中國城或諾布山，則可搭乘1號或12號巴士。這個巴士站牌有許多不同的路線重疊，因此在上車前要特別小心不要坐錯了方向。若要前往市場街一帶時，可在安巴卡德羅車站搭乘市營電車Munimetro。在總站的2樓設有免費的飯店預約專線，以及預約飯店時可供參考的廣告看板。搭乘手扶梯到3樓，即可看到灰狗巴士的售票櫃台以及乘車處。

全美各地的灰狗巴士都聚集在詮斯灣巴士站

■灰狗巴士
☎ 1-800-229-9424（免費）

■詮斯灣車站
425 Mission St.
☎ 415-495-1569
時間 5～24點
MAP P217-D3

灰狗巴士的售票櫃台。總站內沒有客服中心，如果有任何問題，可直接到售票櫃台洽詢。

巴士在出發前一定會先廣播，請仔細聆聽。廣播後，螢幕板上會顯示乘車位置。

若還未預約飯店，可使用便利的預約專線。

### 灰狗巴士的發車地點／班次／所需時間／費用

| 發車地點 | 每日班次 | 所需時間 | 費用 |
| --- | --- | --- | --- |
| 洛杉磯 | 16班 | 8～13小時 | US$42 |
| 蒙特列 | 4班 | 4～6小時 | US$17.25 |
| 沙加緬度 | 13班 | 2～3小時 | US$13.25 |

## 美國國鐵 Amtrak

著名的美國長距離鐵路美國國鐵，每天由沙加緬度、洛杉磯、聖地牙哥、西雅圖等各大城市開往舊金山近郊的奧克蘭。美國國鐵並未在舊金山設站，因此若要到舊金山，可搭乘美國國鐵的專用巴士（需收費）。該巴士行駛於舊金山市區東邊的金門渡輪大樓，以及位於奧克蘭北邊3km處的愛莫利維爾車站之間。

■美國國鐵的售票處
在舊金山沒有美國國鐵的車站，不過可在金門渡輪大樓（MAP/P217-D2）的美國國鐵櫃台購買車票。
☎ 1-800-872-7245（免費）
209-832-8350

# 舊金山一點靈

雖然舊金山是個大城市，但規模並不大，很多景點可步行，或搭乘巴士前往。整個城市的面貌多彩多姿，共聚集了十多個各具特色的地區，如中國城、金融區、豪宅遍布的諾布山等，遊客可以用全身去感受舊金山千變萬化、魅力十足的景致。以自己的旅遊方式，輕鬆地漫步各個角落，享受其中的樂趣。

## 莎薩利托（→P305）

位於**金門大橋**北方的前衛城鎮。在15分鐘即可走完全程的主要街道上，遍布多家藝廊、餐廳及商店，感覺相當時尚。

無數遊艇聚集的莎薩利托

●治安　整體而言還不錯，但夜晚還是避免單獨行動。

## 聯合街（→P288）

散發一股歐式風情的時尚購物商圈。品味高尚的咖啡館、服飾店齊聚於此。街道南方一帶是**太平洋高地區**，可遠望整個港灣景色，也是大使館與豪宅林立的高級住宅區。各種樣式的建築物此起彼落，如果事先了解建築的相關知識，一定會有意想不到的樂趣。

舊金山最有人氣的購物商圈之一的聯合廣場。

●治安　整體而言還不錯，但夜晚還是避免單獨行動。

## 費爾摩街（→P292）

深受當地人喜愛的咖啡館及品味高尚的商店都聚集於此。此區南邊就是**日本城**，日本企業辦公室、提供各式日本美食的超市，以及日式經營的飯店坐落其間，此外，日本傳統的祭典也在此舉行，如櫻花祭、中元祭等等。

在日本城，除了日本料理外，韓國料理的餐廳也相當多。

●治安　整體而言還不錯，但夜晚還是避免單獨行動。

## 嬉皮區（→P301）

本區因為是嬉皮運動的發源地而聞名全球，時至今日，迷幻色彩的商店仍如同嬉皮全盛時期一般，林立於街弄之間，全身穿著特異前衛服飾的年輕人在此聚集。本區的西邊有人工打造的**金門公園**，迪揚博物館等建築物就坐落其間。

對於60年代的音樂場景感興趣的遊客，不妨到本區一遊。

●治安　最近有遊民群聚，治安不太理想，最好提高警戒。白天的主要街道較安全。

## 市政中心（→P260）

本區以**市政廳**為中心，除了美國聯邦、州、市等的政治、行政機關之外，**歌劇院**等文化設施也聚集於此，是一個新舊建築物並存的地區。

白天最好也要提高警覺。

●治安　本區有許多遊民，治安不佳，在白天也不要進到往來行人較少的巷弄。

莎薩利托→
金門大橋
聯合街
費爾摩
市政中心
嬉皮區
①
280

## 漁人碼頭（→P253、283）

此處原為漁夫或魚店聚集的港口，現在可稱得上是舊金山的招牌觀光勝地。知名商店、餐廳、禮品店聚集的**39號碼頭**是本區的觀光中心，這一帶都是可眺望海景的海鮮餐廳與購物中心。

39號碼頭是舊金山的觀光中心。

●治安　白天觀光客人潮擁擠，要小心扒手。夜晚人潮會逐漸散去，最好搭計程車。

## 中國城與北灘（→P278）

舊金山中國城的規模為全美屈指可數。繁華的**格蘭大道**上，到處可見禮品店、餐廳。在北方不遠處的北灘是義大利移民群居的地方，以**哥倫布大道**為中心，餐廳、販售義式濃縮咖啡的咖啡館、熟食店等商店如雨後春筍般林立。

中國城。柯伊特塔，瞭望台南方就是北灘，再往南走也可到

●治安　治安良好，不過中國城的商家很早關店，到晚上8點左右行人會漸漸減少，最好在白天造訪。

## 諾布山（→P256）

此處又稱為富豪之丘，費爾蒙、漢汀頓、麗池卡爾登等舊金山一流的豪華飯店都在此。位在北邊不遠的**俄羅斯山**上有著名的倫巴德街。

從19世紀中葉淘金熱時期開始，諾布山就是豪宅聚集之處。

●治安　整體而言還不錯，但夜晚還是避免單獨行動。

## 金融區（→P257）

銀行、證券交易所、高層大樓林立的市中心金融街。著名的觀光景點不少，由四棟大樓所構成的**恩巴卡德羅中心**，內有商店、餐廳、電影院、瞭望台等設施，以及三角形建築的**泛美金字塔**。

大廈林立的金融區。

●治安　白天時治安良好，但晚上及週末行人稀少，最好避免到此區。

## 聯合廣場（→P250、272）

聯合廣場位於舊金山的中心，由此地往外擴展，名牌精品店，老字號的百貨公司、高級飯店櫛比鱗次，形成一個流行的消費商圈。

隨時都是大排長龍的纜車乘車處。

●治安　無論白天或晚上都要小心扒手，晚上避免到行人稀少的道路上。

## 蘇瑪區（→P261、296）

蘇瑪區曾是工業地區，當時的倉庫、工廠在相繼改建為暢貨中心、餐廳、酒吧之後，現在已經成為受人矚目的新興景點。許多藝廊、美術館都集中於此，文化活動相當頻繁。此區的熱門景點是**舊金山現代藝術博物館**。

可供休憩散心的芳草花園

●治安　雖然本區正在快速開發中，但遊民仍是很多。儘量避免單獨在舊金山現代藝術博物館周邊走動，也不要進入小巷中。晚上最好搭乘計程車較為安全。

# 市區的交通

渡輪總站的41號碼頭一直都
是人聲鼎沸

舊金山的觀光行程從乘坐纜
車開始

■費用 US$2，全程一票到底
■時間 每條路線都是從6點～
24點30分，每隔15分鐘
發車。
■纜車相關訊息
☎ 415-673-6864

站牌標誌

在各總站均以人力改變纜車
的行駛方向。

基本上，遊覽舊金山市區可用徒步的方式，若要擴大活動
範圍，就須借助大眾運輸工具之力，最主要的就是簡稱
MUNI（San Francisco Municipal Railway）的數種市營交
通工具。著名的舊金山纜車、市營巴士，以及路面電車，
行駛範圍涵蓋整個舊金山，若能善加利用，短時間內就可
繞行市區一周。若再搭配灣區捷運系統與加州鐵路系統，
活動範圍更可延伸至市郊的奧克蘭、矽谷一帶。一般若以
聯合廣場做為觀光的起點，可搭纜車往漁人碼頭的方向，
或搭市營巴士到市區的其他地區，若要到郊外，則可選擇坐市營
巴士或地下鐵。當然，搭乘交通工具的模式並非一成不變，也可
按照自己的方法到處旅遊，悠閒自在地欣賞窗外的城市風貌也是
個不錯的點子。來到舊金山，就積極地利用大眾運輸工具，好好
享受一趟有效率的城市之旅吧。

## 纜車 Cable Car

纜車是舊金山最有名的交通工具，相當受到歡迎。自1873年
通車以來，經過了100多年的時間，始終以固定的速度（時速約
15km）行駛於城市之間。車體彷如遊樂園中的遊樂設施，光是
看著纜車在街上交錯的情景，就覺得相當有趣，如果親自搭
乘，就更能體會其中樂趣，難怪纜車站排一直都是大排長龍。
在1906年之前還有很多條纜車路線，但現在只剩下3條。這3條
路線分別是南北向連結鮑威爾街與漁人碼頭的鮑威爾・海德街
線、鮑威爾・梅森街線，以及東西向行駛於加州街的加州線。

對於觀光客而言，纜車是聯合廣場與漁人碼頭之間的主要交
通工具。但在旅遊旺季時，所有的站牌都是排隊等著搭車的人
潮，必須耐心等候，為了把握時間，改搭乘市營巴士應該是較
好的選擇。不過，若想要親身體驗搭乘纜車的樂趣，又不想浪
費時間，則可考慮利用早上8點左右的時段。

**搭乘方法** 纜車的車票可利用車站的自動售票機購買，或是
上車後付現給司機，全程車資均為US$2。如果
想使用MUNI周遊券（→P241），則必須先到鮑威爾街與市場街
的路口售票窗亭購買，在纜車內沒有販售。

除了總站之外，路邊的站牌也可以上下車。站牌上都
掛有「纜車停靠（Cable Car Stop）」的字樣，另外，
在十字路口軌道交會的地方，若有黃色標記，也代表
纜車站牌。纜車的兩邊階梯均可站人，但要抓好以免
掉下車廂。若要中途下車，只要告訴司機即可。

## 纜車的路線

### 鮑威爾・海德街線 Powell Hyde Line

從鮑威爾街與市場街交叉口的起站發車，行駛至漁人碼頭、罐頭工廠西側的終點。途經北灘、俄羅斯山、中國城、纜車博物館、倫巴德街等處，是最受遊客歡迎的一條路線。全程約需20分鐘。

### 鮑威爾・梅森街線 Powell Mason Line

從鮑威爾街與市場街交叉口的起站發車，繞至漁人碼頭東邊、最後停靠在泰勒街與海灣街交叉口的終點站。途經諾布山、中國城、纜車博物館，以及北灘。若要到漁人碼頭的39號碼頭，這條路線相當方便。全程約需20分鐘。

### 加州街線 California Line

行駛於加州街，東西兩端分別連結市場街與凡尼斯大道。全程約需15分鐘。

由於起站的不同，上下車的地方也會有所差異。下車處有圖示的標誌，在此不能上車。乘車處雖然總是大排長龍，但請耐心排隊等候。

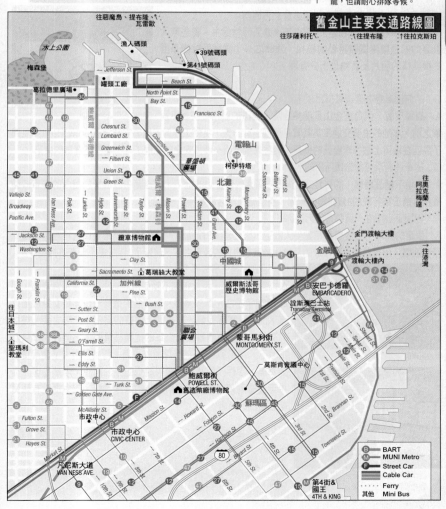

舊金山主要交通路線圖

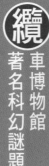

纜車博物館
著名科幻謎題大解析

纜車是舊金山悠久歷史的古物之一。自1873年通車之後，經過百餘年的時間，仍以固定速度（時速約15km）行駛於市區。長久以來，纜車在市區接送舊金山市民，迎接外地觀光遊客，是相當受人歡迎，且饒富趣味的交通工具。

為何纜車會在舊金山出現？纜車是利用何種結構行走上下坡道？通車當時的纜車又是長什麼樣子？到纜車博物館走訪一趟，相信所有問題必會迎刃而解。

纜車博物館位於鮑威爾‧海德街線與鮑威爾‧梅森街線交叉的十字路口，是棟紅磚砌成的建築物。

博物館正門處展示的舊式纜車絞盤的滑輪

博物館所在的建築物建於1909年。進入博物館中，首先映入眼簾的就是纜索實際捲動的模樣。除此之外，詳細解說纜車歷史與結構的照片及實物也十分有趣。

例如：

Q：為何纜車會在這個城市出現？

A：簡單來說，因為舊金山是個多丘陵、坡道的城市，在纜車通車之前，本地的主要交通工具其實是馬匹。有一天，英國工程師安德魯哈利迪Andrew Hallidie目睹了馬匹在坡道上被行李壓死的情景，於是想要發明一種更安全的交通工具，這就是纜車的由來。

Q：纜車是利用何種結構運轉的？

A：在地下鋪設纜線，約有120條鋼線佈滿整個舊金山的地下，然後藉由設於博物館內的纜車絞盤牽拉目前正在行駛的3條路線的纜車，整個結構與通車當時是一樣的。

Q：從通車到現在一直都是3條路線嗎？

A：通車的隔年，由於纜車相當受人歡迎，因此建了8條路線。但在1906年舊金山大地震時，纜車遭受破壞，所有路線面臨停駛的危機，後來在市民的奔走之下，保留了3條路線，一直維持至今。

牽拉纜車的巨大絞盤

Q：過去曾發生事故嗎？

A：從通車以來，百餘年間不斷使用的結果，纜車逐漸老舊，因此1980年左右，事故頻傳。最有名的是有一位年輕女姓被搖落車下而導致腦部受傷，結果鬧上法庭的案例。一時之間，城中的交通工具要由纜車換成公車的提議甚囂塵上，但在民眾熱心捐獻下，共花了2年多的時間整修更新。博物館內大量使用實物的車體、零件、照片、影像等視覺效果的解說，淺顯易懂，從中可體會到舊金山的民眾對纜車的深厚情感。館中還設有販賣紀念商品的商店。

通車當時的纜車。與現在的纜車相比，外觀相當簡單，但在結構上並沒有改變。

纜車博物館　MAP/P226-B3
**住址** 1201 Mason St.
**電話** 415-474-1887
**時間** 10～18點（11～3月～17點），全年無休，免費入場。
**交通** 纜車：鮑威爾‧海德街線，鮑威爾‧梅森街線

## 市營巴士 MUNI Bus

在市區觀光時，最便利可靠的就是這種市營巴士。全部共有54條路線，行駛區域涵蓋了市區到郊外的廣大範圍。由於路線繁多，搭車前最好先買一本巴士路線圖「STREET & TRANSIT MAP」（US$2），才不會搭錯路線。在旅遊服務中心、位於鮑威爾街與市場街交叉口的纜車總站前的售票亭、市中心的書報攤或書店等處，均可買到巴士路線圖。路線圖中記載了舊金山市所經營的所有交通工具的路線，十分便利。

新裝設在巴士站的螢幕板上會顯示下一班巴士的到站時間。

**費用** US$1，全程一票到底
**時間** 6點～凌晨1點左右
■市營巴士MUNI Bus的洽詢電話
☎ 415-673-6864

**乘車** 巴士站牌上印有紅底白字的「MUNI」字樣，上面會有停靠的巴士路線號碼。有的站牌豎立在有遮雨棚、長椅的巴士亭，也有的站牌是僅在路邊或在電線桿上標示「巴士停靠（BUS STOP）」而已。市中心的巴士站通常都相隔1～2個路口，巴士的路線號碼均標示在巴士的正上方，或車廂外側中央的上部。同一個巴士站會有許多路線經過，搭車時須仔細確認後再上車。

巴士站牌的標誌

市營巴士是由前門上車，上車後需向司機出示乘車券，如MUNI周遊卷等。若要車上投現，車資為US$1，可使用硬幣或US$1紙鈔，車上不找零，請備妥零錢。若要在途中換車，可向司機要一張轉乘票。

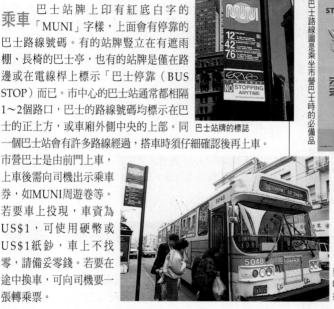

要搭乘的巴士到站時，請向巴士司機招手。

巴士路線圖是乘坐市營巴士時的必備品

---

### 其他路線巴士

以舊金山市中心作為定點移動時，只需搭乘市營巴士就可順利到達目的地，但如果要去郊區，就需有效地利用其它路線的巴士。例如，要到莎薩利托等舊金山北邊範圍廣闊的馬林郡，就可選擇最方便的金**門客運**Golden Gate Transit；有許多路線駛往柏克萊與奧克蘭方向的AC客運AC Transit；開往舊金山國際機場的山姆客運Sam Trans等。這些客運的總站都在詮斯灣車站（MAP/P227-D4）。

金門客運
☎ 415-923-2000
**費用** US$2.65～

AC客運
☎ 510-891-4700
**費用** US$1.50～

山姆客運
☎ 650-817-1717
**費用** US$1.25～

金門客運的巴士

金門客運的巴士站。站牌的設計與市營巴士完全不同，很容易分辨。50號巴士行駛於詮斯灣車站與莎薩利托之間。

舊金山

239
市區的交通

巴士站一定會標示停靠的巴士號碼，請仔細留意。圖中巴士站是標示在屋頂。

轉乘票換車時不需支付額外費用。不同於洛杉磯，舊金山在

**費用** US$1，全程一票到底
**時間** 因路線而異，5點～凌晨1點。
■市營電車的洽詢電話
☎ 415-673-6864

位在市場街的路邊，灣區捷運與市營電車的標誌在同一個站牌上，但自動售票機與出入口均不同，請仔細留意。

除了往市場街之外，J線可達卡斯楚街，N線可達嬉皮區及金門公園附近，可多加利用。

上車後，最前排位置為博愛座，請禮讓老弱婦孺。

## 下車

車內一般會廣播下一個停靠的站名，但往往不易聽懂，最好還是看好地圖。要下車時，只要拉一下窗邊上的繩子，車廂前方的停車燈就會亮起。巴士站名通常與巴士路線相交的街名一樣，非常好記。原則上是由後門下車，大多數的巴士都必須自己用手打開車門，也有部份是自動門。

## 轉乘

只要有轉乘票，在120分鐘之內即可免費換車2次。第一次司機會在票上戳記搭乘的時間，在搭乘下班車時，再交給司機即可。注意可別坐到反方向的巴士。使用轉乘票可轉乘市營電車或街車，但不可轉乘纜車或灣區捷運（→P242）。

## 市營電車 MUNI Metro

市營電車是行駛於市內的路面電車，但到了市中心是在地下行駛。除了原有的J、K、L、M、N五條路線外，2000年又新闢建一條行經漁人碼頭的F線。N線行駛於安巴卡德羅與加州鐵路的車站間。除了F線之外，其餘各路線均是沿市場街向西南方向行駛，在凡尼斯車站再分別往西邊或南邊駛去。

## 搭乘方法

車票可在車站內的自動售票機購買。在購票後120分鐘內，可轉乘市營巴士或街車2次，也可使用MUNI周遊卷。從安巴卡德羅車站到凡尼斯車站間，市營電車與灣區捷運都沿著市場街行駛，出入口也距離很近，乘車時要看清楚不要坐到灣區捷運BART。

車站的標誌與巴士站的標誌極為相似。

## 街車 Street Car

街車相當於市營電車的F線，也就是行駛於市場街沿線，由詮斯灣車站到卡斯楚街的路面電車。這條路線剛於1995年新通車，不同於其他的市營電車，街車全程都行駛於地面上。車身都是從世界各地蒐集而來的路面電車，色彩鮮艷且帶有復古風味的設計，讓路上行人為之驚艷不已。搭乘方法與市營電車相同。

復古的設計相當受當地居民歡迎

要到同性戀大本營的卡斯楚街，街車是相當便利的交通工具。

---

### 十分便利的MUNI周遊券

如果遊客預定在舊金山市內逗留1天以上，建議使用這種周遊券。只要在使用期限內，就可隨意搭乘舊金山公車局MUNI經營的所有交通工具，包括市營巴士、市營電車、纜車等等（不過不能用於灣區捷運）。周遊券分為三種，1日券US$6，3日券US$10，7日券US$15。位於波為街與市場街交叉口的纜車總站前的售票亭、旅遊服務中心、纜車博物館、STBS售票處（聯合廣場的史塔克頓街街街）等地均有販售，但在漁人碼頭總站的售票處通常都沒有販售。買好周遊券後，請自行以硬幣刮開使用的日期，若是購買3日券或7日券，必須每天使用。每次搭車時只要向司機出示周遊券即可。

除了MUNI周遊券之外，還有一種星期周遊券Weekly Pass（US$9）。顧名思義，只要有這種周遊券，除纜車外，在一週內可任意搭乘MUNI的所有交通工具。若要搭乘纜車，只需支付半價US$1即可。販售地點與MUNI周遊券相同。

位於鮑威爾街與市場街交叉口的纜車總站前的售票亭。MUNI的路線圖「STREET & TRANSIT MAP」也在此購買。

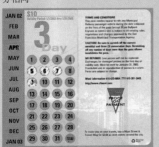

如果使用期間是從4月5日至7日時，只要將最左邊的4月APR.，以及數字的5、6、7刮開即可。

搭乘大眾運輸工具時，經常都會為零錢所苦。只要有了MUNI周遊券就可以專心觀光，不必再擔心零錢的問題了。

## 灣區捷運系統 BART

眾多舊金山復古的交通工具中，唯一現代化的灣區捷運。

灣區捷運系統Bay Area Rapid Transit連結了舊金山與對岸東海灣的奧克蘭、柏克萊等都市。自1974年通車以來，所有班次都是採用電腦控制的自動系統管理。現有5條路線，最高時速約為130km，以海底隧道與對岸相連。灣區捷運一般是行駛於地面，但經過市中心時，會轉到市場街的地下。在市場街沿線設有4個車站，分別是安巴卡德羅、蒙哥馬利街、鮑威爾街，以及市政中心。行駛於此區間時，路線與市營電車相同，而且出入口彼此相鄰，注意不要走錯。在不久的將來，路線將延伸至機場，屆時捷運系統的利用價值就會愈來愈高了。

■費用 US$1.15～4.95
■時間 4～24點（週六・日8點～），每15～30分鐘1班
■灣區捷運的洽詢電話
☎ 舊金山市內：
　415-989-2278
　柏克萊方面：
　415-465-2278

在自動售票機附近一定會看到路線圖，請利用此圖確認票價。

### 購票

① 看好車站內的票價表，確認坐到目的地的票價。車票只能在自動售票機購買，並沒有設售票口。
② 將應付金額投入自動售

自動售票機。請按照指示的號碼順序操作。

242
市區的交通

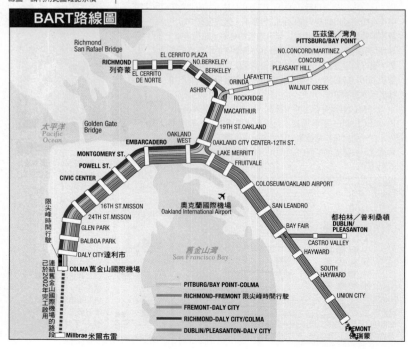

### BART路線圖

**San Rafael Bridge** / Richmond
**匹茲堡／灣角 PITTSBURG/BAY POINT**
NO.CONCORD/MARTINEZ
**RICHMOND 列奇蒙** / EL CERRITO PLAZA
NO.BERKELEY
CONCORD
PLEASANT HILL
EL CERRITO DE NORTE
BERKELEY
LAFAYETTE
ASHBY
ORINDA
WALNUT CREEK
ROCKRIDGE
MACARTHUR
Golden Gate Bridge
太平洋 Pacific Ocean
19TH ST.OAKLAND
OAKLAND WEST
**EMBARCADERO**
OAKLAND CITY CENTER-12TH ST.
**MONTGOMERY ST.**
LAKE MERRITT
**POWELL ST.**
FRUITVALE
**CIVIC CENTER**
COLISEUM/OAKLAND AIRPORT
限尖峰時間行駛
16TH ST.MISSON
奧克蘭國際機場 Oakland International Airport
SAN LEANDRO
都柏林／普利桑頓 DUBLIN/PLEASANTON
24TH ST.MISSON
BAY FAIR
GLEN PARK
CASTRO VALLEY
BALBOA PARK
舊金山灣 San Francisco Bay
HAYWARD
DALY CITY 達利市
連結舊金山國際機場的路段已於2002年完工啟用
COLMA舊金山國際機場
SOUTH HAYWARD
UNION CITY
PITBURG/BAY POINT-COLMA
RICHMOND-FREMONT 限尖峰時間行駛
FREMONT-DALY CITY
RICHMOND-DALY CITY/COLMA
DUBLIN/PLEASANTON-DALY CITY
**FREMONT 佛瑞蒙**
Millbrae 米爾布雷

票機左下角的投票口，可使用US$25¢、US$10¢、US$5¢硬幣，以及US$1、US$5、US$10、US$20的紙鈔。有的售票機會自動退幣，但大多數的售票機均不找零，請事先確認。如果沒有零錢，可利用設於售票機旁的兌幣機。不過，灣區捷運的車票如同電話卡一樣，是採預付形式的票卡，即使購買的票額較高，在下次買票時還可以使用，因此不會浪費沒用完的金額。如果手邊的票卡還沒用完，但卡上金額又不夠搭車時，只要將票卡插入售票機內，再補足差額，就可以拿到新的票卡了。

③請確認售票機上顯示的投入金額。

④請按下顯示投入金額左側的「PUSH」按鈕。

⑤取票。請確認票上以小字浮刻之金額。

兌幣機。在出入口附近的工作人員並不提供兌幣服務，請利用這台機器兌幣。

灣區捷運的票卡，較國內電話卡稍大。金額以小字刻於左上角的開孔下。

**乘車** 灣區捷運的所有車站都是使用自動驗票閘門。出站時需要票卡，請妥善保管。入站後請至月台候車。在市中心搭車時，有4條路線均停靠於同一月台，注意勿搭錯路線。月台上的螢幕會顯示到站列車的終點站，請確認後再上車。

自動驗票閘門。票卡請按箭頭方向插入。

某些車站會以電子佈告欄顯示列車的終點站。若要從市中心到奧克蘭國際機場時，須搭乘終點站為「弗里蒙FREMONT」的灣區捷運。

寬敞的車廂。車中會廣播下一個停靠的站名，但通常不容易聽清楚，建議自己利用路線圖確認。

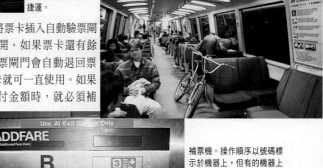

**下車** 出站時，只需將票卡插入自動驗票閘門，閘門就會打開。如果票卡還有餘額，出閘門後，自動驗票閘門會自動退回票卡。只要還有餘額，票卡就可一直使用。如果購買的票卡額度未達應付金額時，就必須補票。在自動驗票閘門附近，會有標示「ADDFARE」的補票機，只要將票卡插入機器內，補上差額，機器就會自動送出新的票卡，然後就可以用新的票卡出站了。

補票機。操作順序以號碼標示於機器上，但有的機器上的號碼已經磨損。補票的順序如下：
①插入票卡
②機器會顯示應補足的金額，請按照金額投幣。
③機器送出計算過的新票卡

■加州鐵路
費用 US$1.50～7.25
時間 6～22點左右
☎ 650-817-1717

## 加州鐵路Cal Train

加州鐵路是雙層短程列車，往返於舊金山與位於矽谷中心的聖荷西之間，是通勤族到舊金山的主要交通工具。

**搭乘方法** 蘇瑪區盡頭的國王街與第

車站周圍環境較為冷清，為安全起見，晚上最好搭計程車。

四街交叉口站4TH/KING ST.是加州鐵路的總站，到聖荷西花1小時30分鐘。加州鐵路只有一條路線，每一站都會停車。車票可於車站的售票窗口購買。票價以區段計費，無需對號入座。

■國王街與第四街交叉口站
交通 市營巴士：在聯合廣場搭30號或45號巴士
在漁人碼頭搭15號巴士
市營電車：N線
MAP P217-E4

## 渡輪

由於陸上交通工具的發達，海上交通交具的重要性逐漸消失。但是以港灣都市起家的舊金山，直至今日仍有許多渡輪開往市郊。從海上觀賞舊金山的城市風光也是一大樂趣，建議來舊金山的觀光客可到漁人碼頭搭乘渡輪，享受一次短暫的海上之旅。

■金藍色航運公司的洽詢電話
☎ 415-773-1188
往莎薩利托：每日約5班，需30～40分鐘。US$7.25
往奧克蘭：每日約13班，約需45分鐘。US$5

■金門客運
☎ 415-923-2000
往莎薩利托：每日約10班，需30～50分鐘。US$2.65

**搭乘方法** 旅客最常搭乘的路線是往莎薩利托，或是往奧克蘭。尤其是往莎薩利托時，建議可搭渡輪前往，回程時再坐市營巴士，可順便欣賞金門大橋的風景。經營遊艇事業的金藍色航運公司Blue & Gold，以及負責金門巴士

41號碼頭也有往惡魔島的渡輪

開往奧克蘭的渡輪。購票處在41號碼頭。有的渡輪可先上船再買票，請事先確認清楚。

的金門客運Golden Gate都有定期航班往返舊金山與市郊之間。由於航班數量不多，因此須事先確認航班時刻表。幾乎所有的渡輪都會經過金融區的金門渡輪大樓（MAP/P227-D3）。

## 計程車

■計程車
費用 起跳價：US$2.85續跳：每行駛1/5英里，或每1分鐘加US$45¢
夜間加成

■當地主要的計程車行洽詢電話
狄索多計程車De Soto Cab
☎ 415-970-1300
黃計程車Yellow Cab
☎ 415-626-2345
盧克索計程車Luxor Cab
☎ 415-282-4141
榮民計程車Veterans Cab
☎ 415-552-1300

在舊金山，許多計程車會在車頂放置商店的廣告看板，相當容易辨識。在路上也有沿街攬客的計程車，特別是

車身顏色按公司而異

在觀光客眾多的漁人碼頭設有計程車招呼站。

在聯合廣場附近最常見。舊金山的計程車公司大多是24小時營業。車資是按照碼表付費，另外還須支付15%的車資給司機作為小費。

舊金山

■從聯合廣場搭乘計程車時的費用一覽表
（以黃帽計程車為例）
到舊金山國際機場：US$35～
到漁人碼頭：US$12～
到金門公園：US$15～
到金門大橋：US$12～
■當地主要租車公司的洽詢電話
●艾維斯AVIS
☎ 1-800-331-1084
●省錢Doller
☎ 1-800-800-4000
●赫茲Hertz
☎ 1-800-654-3131
●預算Budget
☎ 1-800-527-0700
（以上皆為免費電話）

## 租車

舊金山巷弄繁雜，停車場又不足，並不適合自行開車觀光。如果搭飛機到舊金山，在機場租了車，建議可先到大眾交通工具較少的舊金山市郊，如酒鄉等處觀光，然後再開車繞到交通狀況不佳的市中心，將車子歸還給租車公司，這才是最明智的租車法。如果只是在市中心觀光，較有效率的方式還是走路、乘坐纜車或市營巴士。

**路況** 從地圖上來看，舊金山的街道如同棋盤一般，相當整齊，讓人誤以為在此開車輕鬆愉快，其實不然，因為單行道及禁止左轉的十字路口相當多，在此開車絕對不是一件容易的事。在熟悉路況之前，衛星導航系統必不可缺。如果要在舊金山開車，手邊一定要有一張清楚標示所有單行道的地圖。舊金山有許多住宅區，如果開到像雲霄飛車軌道般陡峭的坡道時，會看不到坡頂的狀況，因此要特別小心來車與行人。舊金山有許多的小巷弄，當行駛到沒有紅綠燈的十字路口時，要留意行車的優先順序，若看到標示「STOP」的十字路口，務必停車等候。此外，舊金山對於超速的取締也相當嚴格。

大城市中的許多道路標誌都不易理解。上圖表示一般車輛只能直行。

**停車須知** 在市中心最好別期待可以找到停車位。雖然舊金山市區有許多收費停車格，但幾乎任何時刻都停滿車子。有些停車位在規定的時間內，只允許送貨貨車使用。舊金山對於違規停車的取締標準相當嚴格，即使是暫停一下，也會被開罰單。

在坡道停車時，有的駕駛人沒有拉好手煞車，結果停妥的車子又再度滑動。因此，在坡道停車時，要將方向盤打死，讓前輪頂住路邊的人行道，如此一來，車子就不會往下滑動了。

在某些坡道上，車子是以垂直坡道方向的方法停車。

在坡道停車時，務必要將方向盤打死，否則容易發生意外。

舊金山
# 薦行程

舊金山的市區不會太大，靠步行方式就可以走遍，但是，在這樣一個巧緻的城市，又有許多不同的區域，即使花上整個星期，也無法徹底了解這些地方的文化。如何才能利用有限的時間玩遍整個舊金山呢？在此提供一個範例行程作為參考，大家也可以自行安排一套屬於自己的觀光行程。

位於漁人碼頭的39號碼頭是舊金山著名的觀光景點之一。附近有許多購物中心，到此採購紀念禮品也是不錯的選擇。

## 大範圍走馬看花型的旅遊

舊金山的各個地區都有其濃厚的地區特色，哪個地區一定要走上一遭，全憑個人的主觀決定。在此將優先介紹一些熱門的觀光景點，並分成一日遊與二日遊兩種行程，提供遊客作為參考。

### 舊金山基本行程一日遊

**聯合廣場／P250**
↓ 從聯合廣場往南走三個路口的教會街，在此搭乘20、50、60號金門客運的巴士，車程約30分鐘，於收費站廣場Toll Plaza下車。巴士約每小時一班。

**金門大橋／P265**
↓ 從收費站廣場Toll Plaza搭乘20、60、70號金門客運巴士，約15分鐘後，於凡尼斯大道Van Ness Ave.下車。徒步約15分鐘。

**漁人碼頭／P253**
↓ 在北角街North Point St.搭乘15號的市營巴士，車程約15分鐘，於史托克頓街Stockton St.下車。

**中國城／P251**
↓ 沿葛蘭特大道Grant Ave.向北走20分鐘左右。

**北灘／P278**

第一站的目的地是**金門大橋**，可搭乘市營巴士前往，但需換車。由於轉乘次數太多，可以考慮直接搭計程車前往。收費站廣場Toll Plaza與觀景區的距離不遠，步行即可。接著可搭乘計乘車前往**漁人碼頭**。從漁人碼頭到**中國城**時，建議可搭乘纜車。北灘的夜晚十分熱鬧安全，但獨自一人時仍要小心。

莎薩利托靠近金門大橋附近的觀景區，景色宜人。

### 舊金山輕鬆二日遊

第1天的行程重點是由南向北，暢遊舊金山市中心。第2天則是要到市中心以西的各個地區，以順時針方向來趟漫步之旅。

**第一天** 蘇瑪區的治安不太好，最好安排上午造訪。相形之下，現代藝術博物館附近比較安全，但入夜後還是避免單獨步行。到了漁人碼頭後，如果已購得當日的渡輪票，可到惡魔島上遊覽一番，不然也可以考慮到莎薩利托享用晚餐。

**聯合廣場／P250**
↓ 徒步約15分鐘

**蘇瑪區／P261**
↓ 徒步約20分鐘

**中國城／P251**
↓ 在鮑威爾街Powell St.搭乘鮑威爾、海德街線或鮑威爾‧梅森街線的纜車，車程約15分鐘。

**漁人碼頭／P253**
↓ 在41號碼頭搭乘渡輪，航程約40分鐘。最後一班渡輪的時間是19點。由於航班不多，最好事先確認。

**莎薩利托／P305**

**第2天** 第2天的行程需經常搭乘市營巴士，如果覺得車資或是轉乘票用法瑣碎煩人的話，可先購買MUNI的1日周遊券（→P241）再出發。第一站**嬉皮區**的交通相當方便，搭乘市營巴士就可直接到達。**金門公園**須從東側入口進入，如果要參觀公園中央的美術館或博物館，在園內必須步行約1㎞。接著搭22號巴士往**聯合街**方向，途中會經過費爾摩街，喜歡購物的人可在此下車。最後一站與一日遊的行程相同，也是安排在**北灘**，因為對於想體驗夜生活的人來說，北灘的確是最佳選擇。不妨找一間有情調的餐廳，度過一個浪漫之夜。

| 聯合廣場／P25 |
| --- |
| 在市política街 Market St.搭乘7、71號市營巴士，往西行駛約20分鐘後，於賀特街Haight St.下車。 |
| **嬉皮區／P301** |
| 徒步約15分鐘 |
| **金門公園／P263** |
| 在賀特街 Haight St.搭乘7、71號市營巴士，往東行駛約10分鐘後，於費爾摩街Fillmore St.下車。之後轉乘22號巴士，約15分鐘車程，於聯合街Union St.下車。 |
| **聯合街／P288** |
| 在聯合街Union St.搭乘41、45號的市營巴士，約15分鐘後，於華盛頓廣場Washington Sq.下車。 |
| **北灘／P278** |

位於金門公園內的加州科學學院

## ✓ 鎖定目的型的旅遊

根據自己的興趣鎖定旅遊景點，輕鬆地探訪城市之美，享受屬於自己的一趟知性之旅。無論是建築、藝術、運動、美食，或是購物，舊金山絕對可以滿足每一位遊客的好奇心。

### 瞭望舊金山市區的絕佳景點

舊金山有幾處視野極佳的景點分佈各區。首先可到位於電報山上的**柯伊特塔**，一覽舊金山灣及橫跨其上的金門大橋。倫巴德街也是一個絕佳的拍照地點，當地相當知名的就是纜車在浮於海灣的惡魔島映襯下，緩緩駛上**倫巴德街**

倫巴德街

| 柯伊特塔／P252 |
| --- |
| 在柯伊特塔搭乘39號的市營巴士，約5分鐘，於聯合街Union St.下車。從聯合街搭乘41、45號市營巴士，約10分鐘，於海德街Hyde St.下車。 |
| **倫巴德街／P256** |
| 在聯合街 Union St.搭乘41、45號市營巴士，約10分鐘，於史泰納街Steiner St.下車。再從史泰納街轉乘22號，約10分鐘，於海斯街Hayes St.下車。 |
| **阿拉莫廣場／P266** |
| 開車約15分鐘 |
| **雙峰／P267** |

的風景。維多利亞式建築林立的**阿拉莫廣場**風情萬種，也是值得一遊的去處。如果有車，可以考慮到聳立於卡斯楚區西北方的**雙峰**上賞景。若天氣晴朗，從此處望去，四面八方的景色均可盡收眼底，甚至可看到太平洋與奧克蘭的風景。

### "便宜大碗"的亞洲美食大蒐密

舊金山的亞洲料理口味道地、價格合理，到此來趟亞洲美食之旅也別有一番滋味。建議可以先到亞洲料理齊集的**新中國城**，此地有中國、越南、泰國、台灣料理等各式各樣的餐廳。市中心的**中國城**雖已成為觀光景點，但在靠近知名的葛蘭特大道盡頭的史托克頓街上，仍有一些鮮為人知、便宜又可口的店散佈其中。最後要介紹的是**聯合廣場西側**的地區。以郵政街為中心，附近有許多泰國、印度、越南料理的餐廳。

| 聯合廣場／P250 |
| --- |
| 在沙特街Sutter St.搭乘2號市營巴士，約30分鐘，於克萊門街Clement St.下車。 |
| **新中國城／P282** |
| 在加州街California St.搭乘1號市營巴士，約30分鐘，於葛蘭特大道Grant Ave.下車。 |
| **中國城／P278** |
| 徒步約20分鐘 |
| **聯合廣場西側／P272** |

# 善用1日周遊券，迅速掌握舊金山全部美景。舊金山的城區相當巧緻，以步行方式也能輕鬆暢遊其間。

在此介紹幾個精選的步行觀光行程，只需1天的時光就能玩遍舊金山市區，品味各地區的特色。

從柯伊特塔瞭望金門大橋的景色

## 徒步才能發現的小徑

從聯合廣場步行往中國城，走到聯合街盡頭時，右手邊可看到華盛頓廣場的草坪。從這裡搭39號巴士前往柯伊特塔，下車後往李維廣場前進，途中會經過一條叫做費爾伯特梯路的小徑，再繼續沿海邊走去就能到達漁人碼頭。全程約需3小時。

前往漁人碼頭享受午餐。

國立海洋博物館中展示的「美人魚號」遊艇。知名的冒險家堀江謙一就是以這艘遊艇獨自橫渡太平洋。

## 善用市營交通工具，一口氣玩遍舊金山

在漁人碼頭可先到國立海洋博物館參觀，之後再到金門大橋的觀景點－梅森堡。從這裡搭乘28號市營巴士到金門大橋，然後再搭29號巴士到富爾頓街，下車後走到馬路對面轉乘5號巴士，就可到金門公園。穿過史翠賓植物園後，可於第9街的巴士站搭71號巴士到費爾摩街，再轉乘22號巴士，在賀特街下車後，往左走就可到達阿拉莫廣場。接著搭22號巴士前往聯合街，下車後慢慢逛到海德街，然後搭纜車到倫巴德街。全程約需9小時。

近處拍攝的金門大橋，相當宏偉壯觀。

- 徒步的路線
- 搭市營巴士與纜車的路線
- P249的路線地圖

舊金山自由行

# 優閒漫步於獨具風格的四大區

## 聯合廣場

聯合廣場是舊金山的核心地區，在此所介紹的就是聯合廣場周邊的觀光路線。聯合廣場聚集了許多商家，是喜好逛街購物者的最愛。路線：**1**旅遊服務中心→**2**聯合廣場→**3**威斯汀・聖方濟飯店→**4**舊金山基金會→**5**哈利迪大樓→**6**克羅克商廊→**7**少女巷→**8**中國城牌樓。全程約需3小時。

## 中國城

在這條路線上可以感受到中國城的活力充沛與亞洲風味。中國城有超過15,000名美籍華裔，是美國對中國的貿易中心。路線：**1**中國城牌樓→**2**聖瑪利廣場**3**舊聖瑪利廣場→**4**太平洋遺產博物館→**5**普茲茅斯廣場→**6**中國文化中心→**7**普渡寺→**8**波哥大式建築→**9**韋弗利街區→**10**華人歷史學會→**11**關帝廟。全程約需3小時。

舊金山值得推薦的散步行程

## 北灘

充滿朝氣的北灘，大部份的居民是美籍義大利人，街上隨處可見餐廳、戲院、咖啡館、露天咖啡座等。到了北灘，可先在華盛頓廣場稍作休息後，再轉到電報山上的柯伊特塔，充份享受北灘的浪漫風情。路線：**1**華盛頓廣場→**2**聖彼得與保羅教堂→**3**柯伊特塔→**4**哥馬利街→**5**費爾伯特梯路→**6**紐拉爾→**7**北灘博物館。全程約需3小時。

從華盛頓廣場遠望聖彼得與保羅教堂

## 漁人碼頭

在景點密集的漁人碼頭想要玩得盡興，可以參考下列的範例行程。如果要往返於聯合廣場與漁人碼頭之間，建議多利用纜車。路線：**1**維多利亞公園→**2**海德街碼頭→**3**義式滾球場→**4**市政碼頭→**5**國立海洋博物館→**6**葛拉德禮廣場→**7**罐頭工廠→**8**安克瑞治購物中心→**9**漁巷→**10**傑佛遜街濱海區→**11**葛洛托斯海產→**12**U.S.S.邦巴尼托潛艇→**13**41&43號碼頭→**14**39號碼頭→**15**海獅觀賞區→**16**纜車總站。全程約4小時。

●資料提供：舊金山觀光局

## 聯合廣場 MAP…P217-C3

**聯合廣場**

**交通** 纜車：鮑威爾・海德
街線、鮑威爾・梅森
街線 街線 2, 3, 4, 30,
38, 45 ,71號等
市營電車：F, J, K, L,
M, N線
灣區捷運：蒙哥馬利
街站，鮑威爾街站

聯合廣場是許多百貨公司、飯店、劇院等的聚集地，也是舊金山市的核心地區。在南北戰爭期開，聯邦軍，亦即北方聯邦陣營曾在此召開會議，因而得名。在種滿棕櫚樹的廣場中央，聳立著一座27m高的圓柱，1903年，為了紀念美西戰爭時，美國海軍於馬尼拉灣擊敗西班牙艦隊所建，柱頂還裝飾了一尊勝利女神像。聯合廣場周邊知名精品店及高級飯店林立，由於附近並沒有熱門的觀光景點，因此可以優閒地享受逛街的樂趣。

**少女巷**

MAP P274-C3

少女巷中的露天咖啡座的遮陽傘開著朵朵傘花，宛如置身廣場之中。

其中**少女巷**Maiden Lane是一個獨具風格的地區。少女巷是條窄巷，從聯合廣場東區中央到科尼街Kearny St., 東西橫跨了兩個路口。在淘金熱的時期，此巷名為莫頓街Morton St.，街中到處都是港區城市才見得到的低俗酒吧，前來淘金的人們群集在此，經常發生兇殺事件。到了1906年，舊金山遭受大地震襲擊，整條街道趁此機會全面翻新，街名也改為「少女巷（Maiden Lane）」。現在，少女巷全天開放，專供行人使用，是步行者的天堂。巷道中有許多露天咖啡雅座，與外面街道的吵雜聲完全隔絕，給人一種閒適靜謐的感覺。少女巷的周邊是知名精品店的大本營，如果逛累了，到此休息一會兒也是不錯的選擇。從少女巷往西南方向走5分鐘左右，就可到達纜車總站。在觀光旺季的夏天，車站裡擠滿了要前往市中心的觀光人潮，讓人感受到出發站的熱鬧氣氛。

位於鮑威爾街與市場街轉角的纜車發車站。纜車在此藉由人力改變行駛方向。這也是候車站大排長龍的人們最想看到的一幕。

聯合廣場於2002年5月改建，廣場中將加裝花園露天咖啡座、表演舞台，以及輪椅專用入口等，已於2003年夏天重新開放。

舊金山的核心地區－聯合廣場

聯合廣場市場街邊，著名藝術家凱斯哈林的創作，在舊金山時有可見。

左：中國城的牌樓，是中國大陸於1969年送給舊金山市的禮物。
上：樓門上掛有國父孫中山的名言「天下為公」的牌匾

*Chinatown* ························(120)

# 中國城 MAP…P217-C2

要到號稱亞洲地區以外最大規模的中國城觀光時，建議從**中國城牌樓**Chinatown Gate進入。穿過中國城的正門牌樓之後，映入眼簾的是著名的葛蘭特街Grant Ave.，色彩艷麗的商店，沿著道路綿延約1km長。道路兩旁，禮品店與餐廳等商家櫛比鱗次，幾乎所有的店都掛著中文招牌。建築物的屋頂、街燈等的設計，都帶有濃濃的中國風。在葛蘭特街靠近中央的地方為**普茲茅斯廣場**Portsmouth Sq.。這裏是1850年第一批中國移民在舊金山的落腳地，現在已經成為舊金山居民的休閒公園。

相較於觀光色彩強烈的葛蘭特街，平行往西延伸的史托克頓街Stockton St.就顯得較貼近一般市民的生活，中國城居民的日常生活可在此窺見一二。特別是一大早，在狹窄的道路上，擠滿了販賣果菜、鮮魚、肉類等生鮮食品的店家及爭先恐後搶購美味食材的顧客，他們之間高分貝的對談聲等，這些活生生的場景呈現出中國人滿溢的活力，令人嘆為觀止。中國城內也有不少現做的點心或麵包店，可以邊喝茶邊享用熱騰騰的早點，這些地方的價格便宜也是吸引顧客的誘因之一。幾乎所有的店家晚上很早就打烊了，因此最好是白天來造訪。

在中國城內，隨處可見販賣幸運餅的商家。幸運餅內裝有祈求好運的紙籤，現在主要是由中國人在生產，但據說剛開始是日本人的點子。幸運餅的保存期限長，可以買來送人。

中國城
交通：多由聯合廣場約10分鐘
纜車：鮑威爾‧海德街線、鮑威爾‧梅森街線
市營巴士：15、30、45號等

**中國城牌樓**
葛蘭特大道與布希街
Grant Ave.& Bush St.
MAP P274-C2

連街燈的設計都充滿中國風的葛蘭特街

**普茲茅斯廣場**
MAP P279-C4

如果想吃日本口味的食品，也可到中國城來逛逛。在中國城可以買到許多日本人喜歡的點心，例如梅乾等。

中國城就如同視覺效果極佳的饗宴，到處可見色彩鮮艷的招牌。即使在狹窄的街道上，人車來往的步調都相當快速，充滿著活力。

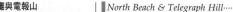

# 北灘與電報山 MAP…P217-D2

## 北灘與電報山

交通 ₪由中國城牌樓約15
分鐘、由漁人碼頭約
15分鐘
🚌15,30,45號等

華盛頓廣場綠意盎然，是舊金山市民休閒的好去處。

**華盛頓廣場**
MAP P279-A1

**聖彼得與保羅教堂**
666 Filbert St.
☎ 415-421-0809
時間 9～17點
MAP P279-A1

### ※品嚐熱那亞名產
北灘有許多義大利移民，特別是來自義大利北方港都熱那亞，因此在北灘有許多販賣青醬（用羅勒草製成的義大利麵醬）的店家，值得一試。

**柯伊特塔**
1 Telegraph Hill Blvd.
☎ 415-362-0808
時間 10～18點 休無
費用 US$3.75（參觀1樓壁畫免費）
MAP P279-C1

四周圍繞著教堂、咖啡館，及時尚餐廳的華盛頓廣場。

　沿著中國城葛蘭特街一路北上，到了與哥倫布大道Columbus Ave.交叉路口附近之後，中文招牌就完全不見蹤影，取而代之的是街頭林立的華麗餐廳與咖啡館，這一帶就算是**北灘**了。正如地名所示，在19世紀時，這個地區都還是一片沙灘，之後，隨著海埔新生地的開發，各國的移民到此定居，北灘因而逐漸繁榮。最早的移民來自智利，隨後而來的是愛爾蘭人與墨西哥人，到了十九世紀後期，義大利移民成為這股移民潮的主流，因此北灘又稱為小義大利。現在以哥倫布大道為中心，典雅高尚的義式咖啡館、點心舖、義式餐廳，以及販賣義式食材的

北灘的主要街道─哥倫布大道

商店皆聚集於此。此外，北灘繁華的夜生活也相當著名，入夜後，一盞盞引人暇想的霓虹燈紛紛亮起，熱鬧氣氛一直持續到深夜。位於哥倫布大道對面的**華盛頓廣場**Washington Sq.是當地居民用來午休、讀書的休閒場所，巨大的樹蔭就落在柔軟的草坪上。在廣場北側的**聖彼得與保羅教堂**St-Peter &Paul's Ch.，因女星瑪麗蓮夢露在此舉行婚禮而聲名大噪。

　此區最有名的觀光勝地就屬**電報山**了。過去，為了讓市中心知道入港船隻的船貨內容，便從這裡發送信號，電報山也因而得名。從高約90m的山丘上可俯視整個漁人碼頭與市中心。高63m，圓柱型的**柯伊特塔**Coit Tower就聳立在電報山頂，登上此塔可看到更廣闊的景色。

在柯伊特塔所在的電報山上放眼望去，舊金山景致盡收眼底。

從電報山上遠眺港區的景色。天氣晴朗時可看到金門大橋。

# 漁人碼頭 MAP216-B1～C1

漁人碼頭原是義大利漁民聚集的漁港，到了60年代，由於漁獲量減少，才逐漸演變成觀光景點。1978年，39號碼頭的啟動更帶動了觀光業的發展，漁人碼頭於是成為了舊金山的熱門觀光景點。建議可從觀光中心的**39號碼頭**往西，來一趟優閒散步之旅。

**左：39號碼頭**利用棧橋與建築物的木材建成，禮品店、服飾店與餐廳林立。站在棧橋上可看到慵懶地躺在船塢上的海豹群；從碼頭前端遠望，金門大橋與惡魔島的景色盡收眼底。碼頭上也有旋轉木馬等遊樂設施，宛如一個主題樂園，是舉家出遊的最佳去處。

右：**水底世界** Under Water World 展示了1萬多種棲息在舊金山灣與近海的魚類，是規模相當大的水族館。如同水族館的名稱一樣，館中設有100m長的活動步道，遊客可在這個水底隧道內欣賞魚群。

右：**罐頭工廠** The Cannery 是將知名的德爾蒙特桃子罐頭工廠改建而成的購物中心。整棟建築物內部彷如迷宮一般，有超過50多家的商店進駐。在種有橄欖樹的中庭裡還可欣賞現場表演。

左：**國立海洋博物館** National Maritime Museum 中展示著有關舊金山港的歷史，以及船艦發展的資料。模仿大型客船所打造的白色外牆令人印象深刻。

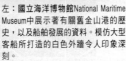

右：**國立海洋博物館**南邊的葛拉德禮廣場 Ghirardelli Square 是將從前的巧克力工廠改建而成的購物中心。葛拉德禮巧克力至今仍在生產，每天都有許多觀光客造訪，相當熱鬧。

---

想要品嚐海鮮美味，就到漁人碼頭。

## 漁人碼頭
**交通** 纜車：波威爾‧海德街線、波威爾‧梅森街線
🚌 10,15,19,30,47號等

## 39號碼頭
安巴卡德羅與海灘街交會處
The Embarcadero at Beach St.
☎ 415-981-7437
**時間** 視店家而定
**MAP** P285-D1

## 水底世界
Pier 39
☎ 415-623-5300
**時間** 10～18點（週五‧六‧日～19點）**休**無
**費用** 成人US$12.95、3～11歲US$6.50，2歲以下免費
**MAP** P285-D2

## 罐頭工廠
2801 Leavenworth St.
☎ 415-771-3112
**時間** 商店10～18點（週日11點～）
餐廳11點30分～18點
**MAP** P284-C2

## 國立海洋博物館
900 Beach St.
☎ 415-561-6662
**時間** 10～17點**休**無
**費用** 免費
**MAP** P284-B2

## 葛拉德禮廣場
900 North Point St.
☎ 415-775-5500
**時間** 視店家而定
**MAP** P284-B2

# 令人望而生畏的惡魔島

惡魔島由於曾是聯邦監獄所在地,因而聞名於世。許多惡名昭彰的犯人均被囚禁於此。惡魔島孤懸於舊金山灣的正中央,距離市區僅2.4km左右,從港口望去,確實感覺相當近,似乎一下子就可游到,但只要實際坐上長渡輪後就可發現,由於海面上長期吹著強風,潮流又湍急,波浪大到可以濺溼著甲板,與島上的距離會遠比想像中遙遠。由此即可了解,為何此處會成為美國收容重刑犯的場所吧。1963年,在監獄關閉之後,原本的建築物改建成歷史博物館,並開放給外界參觀。

惡魔島。山坡上的建築物就是從前的聯邦監獄。

**惡魔島 MAP/P212-C2**
渡輪的開船時間隨季節而異,須事先確認。每小時約1～2班,航行時間約需20分鐘。門票分為兩種,語音導覽US$13.25,不含語音導覽US$9.25。電話預約:☎415-705-5555(8～17點、週六・日～14點)

## 購票

渡輪的出發站在漁人碼頭的41號碼頭,售票處也在同一地點。只要船上有空位,就可立刻搭乘,但在7、8月時,參觀的人潮相當多,有時船票在1週前即被預購一空,因此須趁早預約。電話預約時需告知信用卡卡號,預購每張船票的手續費為US$2.25。使用預購票搭船時,須搭乘指定航班,但回程可自由選擇。船票包含了島上的入場費,到了島上最有名的景點「監獄」時,利用語音導覽邊聽邊參觀是最佳的參觀方式。語音導覽有多國語言可供選擇,內容解說淺顯易懂,在錄音帶中甚至還聽得到犯人的原音重現,臨場感十足。

搭乘渡輪往惡魔島出發

典獄長官邸。此處可清楚瞭望金門大橋,前後共住過4名典獄長。1970年時,毀於火災。

## 登島

下船後,先在軍隊宿舍前的廣場集合,聽取島上工作人員約10分鐘的導覽介紹。接著在廣場購買附解說的地圖(US$1)之後,就可以出發了。沿著緩坡往上走需10分鐘。惡魔島同時也是生態環境保護區,許多鳥類,如鷹、鵝等都在島上築巢。在鳥鳴聲的背景音樂下,走在島上綠意盎然的自然景觀與海洋交織而成的景色中,令人心曠神怡。

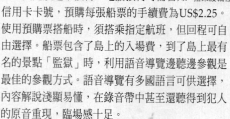

渡輪停靠在島上的碼頭。圖中建築物是負責監視監獄的士兵宿舍。

下船後,先在軍隊宿舍前的廣場聽取導覽介紹。

監獄的正前方是目前僅存一的監視高塔。當年聯邦監獄共有6座監視高塔,塔上均設有持槍警衛員守衛。

## 監獄（建築物內部）

　　若是購買含語音導覽的入場券，進入建築物時請先向工作人員索取語音導覽裝置。按下播放鍵後，就可以開始監獄之旅。首先經過的是犯人稱為百老匯的中央通道，道路兩旁是成排的獨囚房。通道盡頭懸掛著一座時鐘，犯人戲稱此區為時代廣場。獨囚房中，有幾間仍保持當年人犯的生活樣式。勞動犯每天待在獨囚房的時間是18個小時，不需勞動的犯人則是23小時。「獨囚房如同自己生命的一部份，而自己好像就是獨囚房的一部份…」，邊聽著語音導覽中犯人活生生的聲音，邊往前走，沿途可以看到食堂、隔離大樓，以及圖書館等，全程約需35分鐘。結束監獄內部的參觀行程後，可以繼續參觀運動場等其他設施，或是到外面散步，享受島上的自然之美，充份體驗這個小島所散發出的魅力。

語音導覽的出發點。從此處開始就可按下語音導覽系統的播放鍵。

下層為獨囚房，上層為一般牢房。

食堂是全體犯人唯一可以拿到刀叉的地方，也是監獄內最危險的地方。據說聯邦監獄內的伙食色香味俱全，相當可口。

右：監獄中典型的獨囚房。軍隊式的床上有枕頭、毛毯，以及床單。
下：惡行重大，展示在圖書館中的犯人照片。

水塔
運動場
倉庫/儲藏庫
郵件站
監獄官員俱樂部
教堂
衛哨與攻擊口
監視塔

建於1910年的郵件站。在聯邦監獄時期，此處是監獄官員的俱樂部。

打開餐廳入口左邊的門，就可以看到運動場。在所方准許的休閒時間內，犯人可在此打打棒球，或做其他運動。

建於1857年的衛哨與攻擊口，是島上最古老的建築。此處曾是防止敵人搭船入侵的第一道防衛線。

### 銅牆鐵壁的惡魔島監獄

　　1920～30年代，美國本土的凶殘犯罪猖獗，許多罪犯在被捕後，仍在獄所內興風作浪。聯邦政府認為有必要再找一個地方收容這些惡行重大的罪犯，於是就在惡魔島上設立了聯邦監獄，也因此惡魔島被稱為是監獄中的監獄。在此監禁的全是些惡名昭彰之徒，例如芝加哥黑社會帝王的卡彭、全民公敵的卡普，以及惡魔島鳥人的斯特魯等人。發生在1962年的脫逃事件震驚全美，法蘭克摩禮斯、約翰安其林，以及克里倫斯安其林等三人成功逃離聯邦監獄。克林伊斯威特所主演的電影「逃出惡魔島」就是以此事件為藍本。此外，由史恩康納萊與尼古拉斯凱吉共同主演的電影《絕地任務》，最後一幕就是在惡魔島所拍攝。

## 諾布山

**交通** 由中國城牌樓約10
分鐘、由聯合廣場約
15分鐘
纜車：鮑威爾‧海德
街線、鮑威爾‧梅森
街線、加州街線
1,27,30,45號等

立著大理石圓柱的費爾蒙大
飯店接待大廳

**葛瑞絲大教堂**
1100 California St.
☎ 415-749-6300
**時間** 7點～17點45分
MAP P274-A1

行經葛瑞絲大教
堂的纜車。教堂
附近飯店與高級
住宅林立，環境
相當清幽，因此
纜車經過時發出
的聲音，四周都
聽得很清楚。

---

*Nob Hill* ⸺⸺⸺⸺⸺⸺⸺⸺⸺⸺⸺⸺⸺⸺⸺⸺⸺ (30)

# 諾布山 MAP…P227-B3

從中國城出發，登上加州街
California St.的陡坡後，就到達了大
富豪聚集的諾布山。舊金山42座丘陵
中，諾布山是最高的一座。站在山
頂，舊金山灣、市中心的高樓大廈，
以及金門大橋的風景盡收眼底。淘金
熱時期，藉由淘金或建造鐵路而累積
巨額財富的人們紛紛在諾布山上修築
豪宅，但在1906年的大地震中，大半

纜車行駛於加州街的陡坡

豪宅都毀於一旦。今日所看到的費爾蒙、漢汀頓、馬克霍普金斯
等高級飯店就是建在當年的豪宅原址上。其中，**費爾蒙大飯店**
（→P317）與**漢汀頓大飯店**（→P317）就如同是諾布山上的博物
館一般，費爾蒙大飯店大廳的裝飾與擺設金碧輝煌，令人眼睛為
之一亮；而在漢汀頓大飯店內的酒吧，則是收藏了許多19世紀之
後，舊金山的一些珍貴歷史照片。除了住宿的客人外，每天到這
兩家飯店造訪的遊客始終絡繹不絕。建於1928年的**葛瑞絲大教堂**
Grace Cathedral就聳立在漢汀頓公園Huntington Park的正對
面。這座教堂是仿照巴黎聖母院
所建，青銅大門的設計則與佛羅
倫斯洗禮堂的二座青銅門相同。
沿著葛瑞絲大教堂附近寧靜的街
道，然後從梅森街Mason St.往北
邊山下走，就可看到**纜車博物館**
（→P238）。

---

## 俄羅斯山

**交通** 由漁人碼頭（罐頭
工廠）約10分鐘
纜車：鮑威爾‧海德
街線
41,45號等

**倫巴德街**
MAP P226-A2

想體驗在此開車的感覺嗎？

在纜車行經的路段中，最受
歡迎的就是倫巴德街附近的
景色。

---

*Russian Hill* ⸺⸺⸺⸺⸺⸺⸺⸺⸺⸺⸺⸺⸺⸺ 💬 30 Ⓥ

# 俄羅斯山 MAP…P216-B2

俄羅斯山一名始於淘金熱時期，有位俄羅斯漁夫葬在這座山
上，於是此名不脛而走。現在的俄羅斯山是高級住宅的集中
地，在海德街Hyde St.靠近山頂的地方，可遠眺漁人碼頭與惡
魔島，纜車就在這片風景映稱下，緩緩駛上俄羅斯山。這如畫
般的景致經常出現在風景明信片上，俄羅斯山也因而聞名於
世。東邊的下坡道是全球彎道最多的一
條坡道，也就是著名的**倫巴德街**
Lombard St.。倫巴德街的坡度高達了
27％，為了讓人車易於上坡，1922年
起，這條街上又建了8個彎道，並在沿
路上種植繡球花。由於此處景色宜人，
成為許多電影取景的熱門地點。

# 金融區 MAP…P217-D2～E2

從諾布山向東沿著加州街往下走，經過科尼街後，就進入了高樓林立的現代金融區。從淘金熱的時期開始，這一帶就是舊金山的商業中心，因此金融區又稱為西岸的華爾街。目前，這一帶依舊是銀行、證券公司等金融辦公大樓的中心地段。

高層大樓林立的金融區。

### ●泛美金字塔Transamerica Pyramid

泛美金字塔是金融區中最引人矚目的建築，細長的金字塔造型令人印象深刻。這棟建築落成於1972年，樓高260m，共48層，許多大型企業，如泛美保險公司等都進駐其中。一樓的電視牆免費播放從瞭望台看到的360度虛擬瞭望景觀。

### ●安巴卡德羅中心Embarcadero Center

安巴卡德羅中心是由5棟大樓組成的複合設施。除了辦公室外，還有商店、餐廳及電影院等設施，一般民眾也能使用。連結各大樓間的部份通道與樓梯設計在大樓外部，而大樓內部就宛如是一個小型的城市。

### ●威爾斯法哥歷史博物館Wells Fargo History Museum

從安巴卡德羅中心沿**沙加緬度街**Sacramento St.向西直行，就可看到在加州歷史最悠久的威爾斯法哥銀行Wells Fargo Bank。館內特別設立了一個展示區，利用照片、模型等解說這座銀行在加州歷史中所扮演的角色。其他也收藏了許多珍貴的文化遺產與資料，記錄了加州淘金熱之後的歷史，相當具有參觀價值。

除此之外，還有一些值得一看的建築物，例如曾在電影《火燒摩天樓》中出現的知名場景**美國銀行**Bank of America，紅色花崗岩外牆的高層建築令人印象深刻。在探究這些企業在舊金山發展過程中所做的貢獻之餘，來一趟輕鬆的建築之旅，也是不錯的行程規劃。在金融區內，有許多氣氛輕鬆的咖啡館可供遊客小歇片刻。由於此區是商業地帶，建議儘量選在平日走訪，才能感受這裡所洋溢的活力。

**金融區**

**交通** ▶ 由聯合廣場或中國城牌樓約10分鐘
纜車：加州街線
1,2,3,4,10,15號等
灣區捷運：安巴卡德羅站，蒙哥馬利街站
市營電車：蒙哥馬利街站

**泛美金字塔**
600 Montgomery St.
MAP ▶ P275-D1

**安巴卡德羅中心**
Sacramento St., & Battery St.
☎ 415-772-0700
時間 10～19點（週六～18點、週日12～17點）休 無
MAP ▶ P275-E1

**威爾斯法哥歷史博物館**
420 Montgomery St.
☎ 415-396-2619
時間 9～17點 休 週六·日
費用 免費
MAP ▶ P275-D1

威爾斯法哥歷史博物館

**美國銀行**
555 California St.
MAP ▶ P275-D2

上：泛美金字塔的黃昏景致
左：安巴卡德羅中心的中庭設有露天咖啡雅座，中午許多附近的上班族都會到此用餐，相當熱鬧。

# 美食街
## 舊金山

舊金山有許多移民，不同國籍的移民各據一方，因而形成了像中國城一般的小國度，不久之後，一家家充滿異國風味的餐廳孕育而生。除了原汁原味的加州料理之外，在舊金山還可品嚐到世界各國的料理及融合各國飲食文化的所謂「無國界料理（fusion cuisine）」等。全新風味的菜肴隨時等候老饕們前來品嚐。

## 加州料理

在各地都可看到加州料理的餐廳。所謂的加州料理，就是加州廚師在西洋料理中加入特製辣醬所開發出的創意料理。料理的食材基本上有加州現採的新鮮蔬果及紅酒等。大部份的加州料理雖然份量較多，但都是健康取向。

加州料理的份量超大，但味道清淡，容易入口。

## 蘇瑪區的無國界料理

近年來，美國興起了無國界料理的風潮。由於現代化建築相繼落成，現在舊金山最受矚目的就是蘇瑪區（→P261）了，在這個地區也出現了一些無國界料理的餐廳。無國界料理的意思就是「融合」世界各國的食材與烹調方法的料理，其中最受歡迎的就是在西洋料理中融入日本與泰國料理的亞洲無國界料理。

右：法國廚師用香脆的派製成的煙燻鮭魚三明治US$13。柔嫩多汁的太平洋鮭魚US$15，搭配醬油與醋一起食用。

左：在醃漬的鮪魚上擺上青椒，創意十足的無國界壽司US$6.75。色彩鮮艷的彩虹捲US$9.50。夜晚特選料理的辣味鮪魚US$8.75。

**Restaurant Data**
三樂 Sanraku at Metreon
住 101 4th St. ☎415-369-6166
時 11～22點 休 無
MAP/P297-A2

**Restaurant Data**
傑斯特 Jester's
住 50 Third St. ☎415-974-6400 時 平日：6點30分～10點、11～14點 週一・二：18～22點 週五・六：18點～22點30分 休 無
MAP/P297-A1

充滿時尚感的蘇瑪區年輕人最多。

## 漁人碼頭的海鮮料理

想要品嚐新鮮的海產，就要到海鮮寶庫的漁人碼頭，許多道地美味的海鮮餐廳都聚集於此。在靠近漁人碼頭標誌周圍成排的攤位上，也可以買到新鮮的速食海鮮，如海鮮三明治、水煮螃蟹等。在太平洋海邊呼吸新鮮空氣，更能突顯出海鮮料理的美味。

右上：當地的居民也到漁人碼頭的攤販買海鮮。圖中男仕所拿的螃蟹只需US$5。
左：販賣各式海鮮料理的攤販，不禁令人食指大動。一盤混合龍蝦與小蝦的料理只需US$7.50。
右下：在湛藍的天空輝映下，漁人碼頭的標誌顯得格外耀眼。

## 北灘的義大利料理

北灘又有小義大利之稱。在北灘中心的哥倫布大道上，滿是以義大利代表色綠、白、紅所點綴的時尚義式餐廳與咖啡館。建議以義大利紅酒搭配義大利麵及披薩一起食用。

哥倫布大道附近到處都聽得到義大利文的對話。

熱騰騰的通心麵US$9、羊奶酪、以及蕃茄沙拉US$5。每天早上出爐的義式香餅。店面雖小卻能吸引人們目光的義式餐廳。

**Restaurant Data**
佛莫義式料理 L'Osteria del formo
⊕519 Columbus Ave. ☎415-982-1124⊕11點30分～22點（週五・六～22點30分）休週二
MAP/P279-B2

## 中國城的中華料理

在歐美首屈一指的舊金山中國城中，中式餐廳多到令人眼花撩亂。除了晚餐之外，這裡的早點也相當精緻。許多餐廳一早就提供飲茶的服務，推車上裝在盤子或蒸籠裏的美味點心，往往會點過多而吃不完。如果想品嚐各種不同口味的佳餚，建議3人以上同行。

紅豆餅、肉丸 US$1.80、燒賣 US$2.00，蝦餃US$2.80，只要花不到US$20都可吃到這麼多料理。

到中國城品嚐各式料理

**Restaurant Data**
金龍Golden Dragon Restaurant
住816-822 Washington St.
☎415-398-3920
⊕8～23點
休無
MAP/P279-B4

典型的中國城社區

## 市政中心 MAP…P216-B4

左側資訊欄：

**市政中心**
- 交通 ➤ 由聯合廣場約15分鐘
  🚌 5,7,9,42,47,49號等
  灣區捷運：市政中心站
  市營電車：市政中心
  站、凡尼斯大道站

**市政廳**
400 Van Ness Ave.
- ☎ 415-554-4000
- 時間 8～16點（週六‧日12點～）休 無
- MAP P227-A5

**公立圖書館**
100 Larkin St.
- ☎ 415-557-4400
- 時間 9～20點（週一‧六10～18點、週五12～18點，週日12～17點）休 無
- MAP P227-A5

**歌劇院**
301 Van Ness Ave.
- ☎ 415-864-3330
- MAP P227-A5

**戴維斯交響音樂廳**
201 Van Ness Ave.
- ☎ 415-864-6000
- MAP P227-A5

外觀令人印象深刻的戴維斯交響音樂廳

**日本城**
- 交通 🚌 2,3,4,38號等

**日本中心**
Post St. & Buchanan St.
- ☎ 415-922-6776
- 時間 9～18點（週六10點～、週日10～17點）休 無
- MAP P216-A4

日本城的地標五層塔，與日本的五層塔感覺有點不同。

正文：

如果舊金山的金融中心是在金融區，那麼市政中心就是政治、行政、文化以及藝術的中心，聯邦、州、市相關的新舊辦公房舍都集中於此。雖然大部份的建築物都沒有對外開放，但其中有很多是模仿歷史建築物所建，或是出自知名建築師之手，因此光是觀賞建築物的

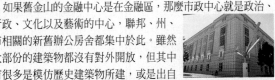
1996年正式啟用的公立圖書館，內部相當寬敞舒適。

外觀，也算值得了。尤其是市政中心地標的**市政廳**City Hall，據說這棟建築物莊嚴宏偉的圓頂是仿造義大利聖彼得大教堂的樣式，雖然在1989年的地震中損毀，但已在1999年修復完成。外型摩登的**公立圖書館**Public Libraly內的藝廊可免費參觀。1932年完工的**歌劇院**Opera House坐落在市政廳西側，兩棟建築中間隔著一條南北向的凡尼斯大道Van Ness Ave.，是世界著名的舊金山歌劇的發祥地。由歌劇院往南，就可看到戴**維斯交響音樂廳**Davies Symphony Hall。這兩棟建築物都是代表舊金山的娛樂景點。原本位

1978年以前，全美歷史最悠久的舊金山芭蕾舞團所使用的歌劇院。

於金門公園的**亞洲藝術博物館**，利用重新改裝的舊市立圖書館，於2003年2月正式進駐市政中心。館內蒐藏1萬4000多件亞洲藝術品，頗值得一看。

## 日本城 MAP…P216-A3～B3

日本人最早移民到舊金山是在1860年，而日本城這個地區則是在1906年大地震之後才出現。早期的日本移民大多住在中國城或蘇瑪區，在大地震之後，由於這個地區遭破壞的程度較輕，因此日本移民紛紛遷移至此。隨著了第二次世界大戰的爆發，日裔居民人數銳減，雖然如此，現在仍有許

日本中心是日本居民交換訊息的場所

多日系的飯店、購物中心、餐廳，及銀行等聚集於此，成為日裔居民交流的場所。**日本中心**Japan Center落成於1968年，是最熱鬧的地方。日本中心有許多商業文化的複合式大樓，包括

日本中心採用玻璃帷幕的設計，內部樹木的配置也經過安排。

書店、餐廳等各式商店都進駐其中。和平廣場Peace Plaza也在日本中心，日本贈送給舊金山的五層塔就聳立於這座廣場上。當地日裔居民的傳統慶典，例如春天的櫻花祭、夏季的盂蘭盆祭都會在這座廣場中舉行。

# 蘇瑪區 MAP···P217-D3～4

舊金山的市區有許多坡道，但在市場街Market St.南邊卻是一片平坦的土地。由於位在市場街南邊（South of Market），一般就簡稱為蘇瑪區。蘇瑪區過去曾是工業區，但近年來，這裡的工廠和倉庫紛紛改建為暢貨中心、餐廳、酒吧，及藝廊等新景點，逐漸轉型為舊金山文化藝術的重鎮。

舊金山現代藝術博物館。建築物本身就帶有現代藝術的風格。

●舊金山現代藝術博物館San Francisco Museum of Modern Art 1995年，在開館60週年之際，館方決定遷至現址，重新對外開放。之後，大家稱呼博物館為「SFMOMA」，並成為蘇瑪區的中心。館中主要展出20世紀現代藝術與照片，另外也收藏了馬蒂斯、莫內、畢卡索等歐洲知名畫家的作品。

●藝文中心Center For the Arts 從舊金山現代藝術博物館穿過第3街3rd St.，就可到達正對面的芳草花園Yerba Buena gardens。這座花園內的綜合文化設施就是藝文中心。

●新力娛樂中心Metreon 在這座由新力公司一手建立的綜合娛樂中心內，遊客可享受電影、購物、餐飲、虛擬遊戲等多項娛樂。另外，這裡還有全天域（IMAX）太空劇場，，販售萬代（BANDAI）DVD與玩具的萬代小舖，以及新力公司直營的高科技商店。

新力娛樂中心。隔壁就是芳草花園。

●皇頂出版藝廊Crown Point Press Gallery 由各藝廊推薦選出的各國藝術家作品（包含繪畫、版畫等）可在此展示與出版。

上：芳草花園

🔍 蘇瑪區有許多以企畫展為主的藝術設施，最新資訊請洽TIX（→P311）。

下：新力娛樂中心附近的查恩藝術中心ZEUM是屬於年輕族群的場所。在這裡可以體驗高科技的媒體藝術。

---

**蘇瑪區**

交通 ✈ 由聯合廣場約10分鐘
🚌 14,15,27,30,45號等
灣區捷運：蒙哥馬利街站、鮑威爾街站
市營電車：蒙哥馬利街站、鮑威爾街站

**舊金山現代藝術博物館**
151 3rd St.
☎ 415-357-4000
時間 11～18點（週四～21點）休週三
費用 US$10（週四18～21點半價）
MAP P297-A1

挑高的大廳。陽光直接從天花板照射進來。

**藝文中心**
701 Mission St.
☎ 415-978-2787
時間 11～17點休週一
費用 US$6
MAP P297-A1

以企劃展為主的藝文中心

**新力娛樂中心**
101 Fourth St.（芳草花園）
☎ 415-369-6000
時間 10～22點休無
MAP P297-A2

**皇頂出版藝廊**
20 Hawthome St.
☎ 415-974-6273
時間 10～18點休週日・一
費用 免費
MAP P297-B1

**查恩藝術中心**
221 Fourth St.
☎ 415-777-2800
時間 11～17點休週一・二（開放時間不固定，需事先洽詢）
費用 US$7
MAP P297-B2

261
觀光

## 散發獨特文化氣息的 卡斯楚區&教會區

### 舞動在風中的同性戀標誌——彩虹旗

在舊金山，50年代的披頭族、60年代的嬉皮文化、70年代的新世紀樂風、80年代的環保運動、90年代的高科技旋風等，隨時都會產生新的潮流，其中同性戀文化就起源於卡斯楚區Castro（MAP/P220-B2）。搭乘市營電車到卡斯楚街站，下車出站後，立刻就可看到一面象徵同性戀的巨大彩虹旗在風中飄揚。從1997年起，這面彩虹旗開始出現在卡斯楚區中心的哈維·米爾克廣場Harvey Milk Plaza（MAP/P220-B2），在台座上，記載著同志爭取自由與權利的歷史，以及有卓越貢獻者的姓名。

上：繁華的卡斯楚街
左：米爾克廣場的彩虹旗

### 流行的大本營——卡斯楚區

卡斯楚區是個相當摩登的地方。雖然不能一概而論，但大多數同性戀者的思維都非常細膩與前衛，也因此，在這個彩虹旗舞動的地區中，許多商家都飄散著一份敏銳的感性。許多商店或餐廳都在卡斯楚區發跡，隨後成功地進軍到市中心。

1977年，公開出櫃的哈維米爾克獲選為舊金山議員後，同性戀的勢力逐漸抬頭。直至今日，這股勢力仍以各種不同的型態從卡斯楚區影響整個舊金山。

解放同性戀的壁畫也成為一個藝術作品

### 喧鬧混沌中，拉丁文化延續的命脈——教會區

教會區Mission（MAP/P221-D2）的歷史遠從西班牙人殖民時就開始了。之後將近220年的時間，這裡一直都是移民的大本營。現在，這一區絕大多數是拉丁民族的移民。走在街上，耳中聽到的幾乎都是西班牙語，讓人有置身墨西哥的錯覺。拉丁民族開朗、熱情的個性，他們所孕育出的文化，以及便宜好吃的料理都魅力十足。唯一的缺點是這區的治安不佳，因此黃昏後就不要再逗留了。

灣區捷運的第24街－教會區站周邊有許多壁畫。走馬看花，欣賞這些壁畫也相當有趣。

多羅麗教會Mission Dolores是舊金山最古老的建築 3321 16th St. ☎415-621-8203
⊕9～16點（12～13點休息）⊗無
⊕US$2（樂捐）MAP/P221-C2

# 金門公園 MAP…P219-C1

金門公園是世界最大的人造公園，其腹地從東到西長達五㎞之遠。在1870年以前，這裡還是一片荒蕪的沙地，在公園負責人威廉霍爾與園藝家約翰麥可拉倫兩人的通力合作之下，從世界各地蒐集各類的花草樹木，成功地綠化了這片土地。1894年，國際博覽會在此舉行。園內除了美術館與博物館之外，高爾夫球場、網球場、足球場等運動設施也一應俱全，還有寬敞的草坪、湖泊，以及眾多的雕像點綴其間。園中有志工提供免費的導覽服務，有興趣的遊客可加以利用。

金門公園綠意盎然的景色，令人無法想像這裡曾是沙地。

上：格蘭特將軍的雕像。漫步欣賞美國知名人物的雕像也十分有趣。右：金門公園內的騎警相當友善，打聲招呼就可以和他們合影留念。

## ●加州科學學院 California Academy of Science

栩栩如生的恐龍模型

加州科學學院成立於1853年，是美洲西岸最古老的科學學院。學院內設有世界級規模的自然科學博物館Natural History Museum、水族館Steinhart Aquarium及天文館Morrison Planetrium，相當值得參觀。旅遊服務中心就在往樓下咖啡館的階梯前面，可先在此取得地圖後，再開始參觀。

此外，學院中的虛擬地震館（Earthquake）也相當受到歡迎，可讓人體驗到1906年舊金山大地震的搖晃程度。進入學院收票口之後，即可拿到地震館的入場券，請務必去體驗一下地震的威力。

上：博物館外牆使用玻璃帷幕，採光極佳。
左：大廳的恐龍骨頭標本

---

**金門公園**

🚋 28,29,43,76號等

❓ 旅遊服務中心
Mclaren Lodge麥可拉倫小屋
501 Stanyan St.
☎ 415-831-2700
🕐 8～17點 休 無
※位於公園東側的管理事務所。提供園內設施導覽及回答旅客的問題，也備有地圖。

園中有免費的導覽服務，包括日本庭園在內，光是與花園相關的導覽行程就有9種。除此之外，四季皆有不同的行程安排，詳情請洽麥可拉倫小屋，或電洽☎415-750-5105。

**加州科學學院**
☎ 415-750-7145
🕐 10～17點（夏季9～18點）休 無
💰 大人US$8.50，12～17歲US$5.50，5～11歲US$2，4歲以下免費
MAP P219-E1

館方以生動活潑的方式介紹各種生物的生態與環境，即使對自然科學的不熟悉的人也能了解，頗受好評。

虛擬地震館的入口。大地震的搖晃程度到底如何？遊客可到此親自體驗。

263
觀光

## 日本庭園

☎ 415-752-4227
時間 8點30分～18點 休 無
費用 US$3.50
MAP P219-D1

建於1790年，高約3m的佛像。

●日本茶道庭園 Japanese Tea Garden

這座庭園原是在1894年國際博覽會中展出的日本村，之後受到完整保存並加以改建，成為美國最古老的日式庭園。園中栽植了櫻花、杜鵑等象徵日本四季的花朵，並有鯉魚池、燈籠、五層塔、稱為月橋 Moon Bridge 的拱橋、佛像、釋迦如來佛像等點綴其中。在茅草屋頂的茶室中，還可以享用日本茶。百年前由外國人所構思建築的日式庭園，多少還瀰漫著一些美式色彩，在此優閒散步也是一個有趣的經驗。由櫻井長雄（Sakurai Nagao）所打造的禪庭園 Zen Garden 等景色，呈現出難得一見的日本傳統之美。

洋溢著日式風情的庭園大門

在茶室中，身穿和服的女性會為遊客沖泡日本茶（10點30分～15點）。

鮮紅色的五層塔。

陡峭的拱橋。雨後，橋上相當溼滑，小心摔跤。

---

### Asian Art Museum of San Francisco

### 舊 金山亞洲藝術博物館

為了讓美國人能更了解東洋神秘藝術作品的魅力，舊金山亞洲藝術博物館於1966年正式在金門公園內落成啟用。以展示亞洲藝術作品為主的博物館當中，該館的規模算是全球數一數二。長年擔任國際奧委會主席的艾佛列布倫達吉Avery Brundage將他的蒐藏捐贈給該館，成為該館主要的展出項目。擁有13000多件超過6000年以上的歷史藝術作品，相當具有參觀的價值。該館將遷至市政中心。

#### 市政中心新館

亞洲藝術博物館的新址過去曾是公立圖書館，是棟古色古香的建築，在舊金山的歷史中，佔有相當重要的地位。新館除了新的展示品外，舊的展示品也經過復原後，重新展出。本館於2003年3月正式啟用。博物館服務專線 ☎ 415-379-8800

新館設在市政中心，於2003年3月，啟用

日本文物館的完成圖

● 史翠賓植物園 Strybing Arboretum & Botanical Garden

史翠賓植物園
☎ 415-661-1316
時間 8點～16點30分（週末10～17點）休無
MAP P219-D2

史翠賓植物園佔地28萬m²，在偌大的園區內種植了從加洲、智利、澳洲、南非、紐西蘭等地所蒐集的7000多種花草樹木。園區內還設有許多別具風格的主題園，例如原始植物園Primitive Plants garden、月光園Moon-viewing Garden、芳香園garden of Fragrance等。此外，園內的海倫羅素園藝圖書館Helen Crocker Russell Library of Horticulture，可提供免費的園藝諮詢服務。

圖中的花來自開普省（南非），園內到處可見稀有植物。

園中的花草樹木都依照原產地分類，研究世界植物的人可一探究竟。

眼中所見的自然美景，令人無法相信自己置身於大都市。

若是走累了，可在草坪上優閒地度過午後時光。

---

*Golden Gate Bridge* ······················· 💬120 🅥🄵

# 金門大橋 MAP…P212-B2

金門大橋
交通 🚌 28,29號
金門客運：20,50,60號
費用 過路費：US$3（只限往市區方向），徒步免費。

這座巨大的橋樑完工於1937年，全長約2.7㎞，高227m，設計師為約瑟夫史特勞斯。金門大橋被視為舊金山的象徵，從動土到完工，共花了四年半的時間，超過3500萬美元的龐大費用，工程相當浩大。橋身的顏色是被稱為國際標準橋的橘紅色，會選用這個顏色是由於鮮豔的橘紅色在大霧中的能見度最高，又能與碧海、藍天、綠樹相輝映。另一方面，金門大橋的命名也是其來有自，在淘金熱的時候，這座橋就如同是通往金礦的一扇大門，因而得名。

眺望金門大橋的最佳位置是在橋身南側的尖兵堡Fort Point（MAP/P214-B1）。這座雕堡建於1861年，當初主要的目的是在防止敵人入侵，並監視是否有人私自運出金礦，在建橋時，這裏曾是主要的工作場所。此外，在靠近莎薩利托的觀景點Vista Point，或是大橋另一邊靠西的瞭望台Battery Spencer都是欣賞美景的最佳地點。

橋上風勢強烈，橋桁設有約1.2㎞長的步道，供行人與腳踏車通行。

與在尖兵堡實際展示的主纜線大小相同。用於造橋的纜線長達12萬㎞。

從尖兵堡眺望金門大橋的景色

*Lincoln Park* ·········································· ⑫⓪ V🅿️

## 林肯公園 MAP…P213-A3

林肯公園與金門公園都是舊金山市民最愛的休閒去處。公園中最知名的景點就是**加州榮譽勳位館**California Palace of the Legion of Honor。館中除了收藏16～20世紀初期的歐洲繪畫外，也經常舉辦現代藝術的展覽。館內的**凱薩琳漢拉罕廳**The Katharine Hanrahan Gallery內，收藏了莫內、馬內、竇加，雷諾瓦，以及梵谷等人的畫作；在**愛德華希爾斯**

加州榮譽勳位館。館中展出魯本斯、林布蘭、莫內、馬蒂斯等知名畫家的作品。

**林肯公園**
🚃 ▭▭▭ 18,38號等

**加州榮譽勳位館**
☎ 415-863-3330
時間 9點30分～17點
費用 US$12
MAP P213-A3

**懸岸之屋**
1090 Point Labos
☎ 415-386-3330
時間 9點～15點40分（週五‧六‧日8點30分～），16點30分～22點（週五‧六‧日22點30分）休 無
MAP P213-A3

欣賞藝術宮的外觀充滿藝術氣息

**藝術宮**
🚃 ▭▭▭ 28,41,43,45號等
MAP P215-E2

**探索博物館**
3601 Lyon St.
☎ 415-561-0360
時間 10～17點
費用 US$10
MAP P215-E2

**阿拉莫廣場**
🚃 ▭▭▭ 21號等

廳The Edward E. Hills Gallery內，收藏了代表20世紀的馬蒂斯與畢卡索等人的繪畫與作品。由於該館面向舊金山灣，金門大橋的優美景色一覽無遺。另外，位於公園西側懸岸上的**懸岸之屋**Cliff House建於1863年，是一棟濱海的建築，淘金熱時期，這裡曾是相當熱鬧的社交場所，現在則是觀賞火紅的太陽沉入太平洋的著名景點。不少餐廳與禮品店林立，深受觀光客歡迎。

懸岸之屋有令人懷念的古董遊戲機，還有可拍攝周邊景色的巨型照像機。

*Presidio* ·········································· 💬 ⑫⓪ V🅿️

## 要塞區 MAP…P212-B3

在1995年納入金門國家休閒區之前，此處有長達200多年的時間都是軍事重地，直至今日，在要塞區仍可感受到過去軍區的歷史背景。要塞區面對舊金山灣，周圍有豐饒的森林資源，環境絕佳，遊客可以在舊金山涼爽的微風吹拂之下，享受爬山與騎單車的樂趣。要塞區東側的**藝術宮**The Palace of Fine Arts是為了慶祝巴拿馬運河開通，於1915年建造，建築物的外觀瀰漫著神秘色彩。藝術宮內還設有一座**探索博物館**The Exploratorium。在這座館內，訪客可以親手體驗科學的進步，以及人類聽覺、視覺等五官之謎。

*Alamo Square* ·········································· 💬 ㉚ V🅿️

## 阿拉莫廣場 MAP…P216-A4

位於市中心西側的阿拉莫廣場，由於地處舊金山的坡陵之上，視野極佳，是熱門的景點之一。相較於現代高樓建築，一排典雅的維多利亞式建築，更顯得古色古香。從廣場往上下俯瞰，舊金山灣的景致盡收眼底。清澈的海水與蔚藍的天空，令人流連忘返。

廣場上滿是歐式建築

## 雙峰 MAP…P213-B4

雙峰位於卡斯楚區的東南方，是座坡度平緩的山丘，山丘頂端聳立著二座紅色鐵塔。雖然雙峰的海拔不到300m，但由於四周沒有任何建築物遮掩，因此從山丘頂端的瞭望台俯瞰，金門大橋、市中心、惡魔島等處的風景都能盡收眼底。黃昏時分，當天空由紫色轉成青色時的風景最為迷人。根據當地原住民的傳說，雙峰原是一對夫婦，由於成天吵架而觸怒神明，最後被落雷所分隔。在天氣晴朗時，山頂上聚集了許多攤販與遊客，相當熱鬧。

### 雙峰

**交通** 🚗🚕 由聯合廣場約20分鐘。由於沒有大眾運輸工具行經，遊客可考慮租車，或參加當地旅遊團。旅遊團的資訊請洽旅遊服務中心。

從瞭望台拍攝的舊金山街景。最主要的街道是市場街。

雄偉的景色令人不禁為之讚嘆

舊金山

267

---

## 🔵 乘遊艇，迎著海風暢遊舊金山灣

San Francisco Bay Cruise

想從不同角度眺望舊金山的遊客，可以選擇乘坐遊艇。全程僅需1小時左右。金藍色航運公司的遊艇停靠在39號碼頭或41號碼頭，而紅白色航運公司的遊艇則停靠在43又1/2號碼頭。兩家公司的遊艇路線相同，都是先開往金門大橋，看著遊艇緩緩駛近金門大橋，是整段行程的重頭戲，穿過金門大橋後，遊艇會掉頭往惡魔島的方向駛去。在遠眺島上風景的同時，一面回想這座島嶼的歷史，令人感觸良多。最後，遊艇就在市區摩天大樓的景色映襯下，緩緩地駛回出發的港口。乘坐遊艇暢遊舊金山灣時，甲板是最佳的觀景地點，由於海上風大，即使是在夏天，也最好多帶一件外套。

金藍色航運的遊艇

金藍色航運Blue & Gold（☎415-773-1188）與紅白色航運Red & White（☎415-673-2900）都有推出遊灣的行程。兩家公司的收費都是1小時US$19～20。從早上10點開始，每30分鐘～1小時1班。行程隨季節有所變動，請事先確認。

由海上仰望金門大橋別具震撼力

從舊金山灣遠望市中心的街景

惡魔島

金門大橋

41號碼頭　39號碼頭

43 1/2號碼頭
紅白色航運
售票處

金藍色航運
售票處

漁人碼頭

# 諾貝爾獎得主
# 輩出的學術城市

柏克萊位於舊金山對岸，由於西岸名校—加州立大學柏克萊分校設立在此，因此逐漸發展成為一個學術城市。加州立大學柏克萊分校最早是設立於奧克蘭，經過一段時間的演進，這兩個位於舊金山灣東岸的城市，漸漸呈現出不同的風格，但自由活潑的氣氛與美麗的海景卻始終如一。

上：奧克蘭傑克倫敦村的木板道路
左：從勞倫斯科學館所拍攝的柏克萊街景

帕尼斯小屋
Chez Panisse P.270

Hearst Ave.

北門
North Gate

Berkeley Way

地學館
Mc Cone
Building

哈利威爾曼大樓
P.269 Harry B. Wellman Hall

加州大學柏克萊分校UCB
University of California,berkeley P.269

大學路
University Ave.

西門
West Gate

校園訪客中心
Campus Visitor Center

大學大樓
University Hall

柏克萊
BERKELEY

東門
East Gate

班克羅夫圖書館
Bancroft Library

Univer sity Drive

赫斯特希臘劇場
Hearst Greek Theater

生命科學館
Valley Life
Sciences Building

杜艾圖書館
Doe Library

薩瑟塔鐘塔
Sather Tower P.269

大學附屬植物園

Center St.

南大樓
South Hall P.269

學生活動中心
Student Union

赫斯特體育館
Hearst Gym

班克羅夫道
Bancroft Way

旅遊服務中心
Information Center

南門
South Gate

柏克萊大學美術館
UC Berkeley Art Museum P.269

Durant Ave.

杜蘭特
Durant

Channing Way

間奏曲咖啡
Cafe Intermezzo
P.270

Haste St.

## 柏克萊
## BERKELEY

0          400m

柯蒂書屋
Cody's Books
P.270

往佩坎特、咖啡霉薈

Shattuck Ave.

Berkeley Way

Fulton St.

Ellsworth St.

Dana St.

Bowditch St.

Telegraph Ave.

College Ave.

Piedmont Ave.

Gayley Rd.

A          B          C

## 柏克萊　　Berkeley

**超過130年歷史的柏克萊分校**　在加州境內，加州州立大學UC（University of California）共有九個校區，1866年成立的柏克萊分校UCB（University of California Berkeley）成為了這個地區的中心。剛開始，柏克萊分校原是設在奧克蘭，當時僅有10名教職員與38名學生，規模並不大。到了1873年，才正式在柏克萊開課，發展至今，該校已成為一間相當龐大的學校，共有2000名教職員以及30000多名學生。眾所周知，柏克萊分校為60年代最早發起學生運動的學校。在130年的校史中，已經造就出超過15位的諾貝爾獎得主，在全美高等學府中首屈一指。

**漫遊寬廣的校園**　柏克萊分校的校園相當寬廣，因此最好先在校園遊客中心（MAP/P268-A1）取得校園地圖與自助旅行用的導覽手冊。校園遊客中心就在校園西側的牛津街Oxford St.與大學路University Ave.的交叉口附近。南門的學生活動中心Student Union一樓設有旅遊服務中心（MAP/P268-B2），在這裡也能獲得相同的資訊。柏克萊分校的校園是開放式的，因此若要在校園散步，或是使用學校設施都不成問題。每天早上10點（週日

柏克萊大學的吉祥物─熊的雕像

下午1點），校園內會提供免費的90分鐘散步之旅，如果有時間的話，可以參加看看。不需另外預約，直接到遊客中心報名即可。

從校園任一角落都可看到的**薩瑟塔鐘塔**已成為柏克萊大學的表徵。這座塔建於1914年，高約93m，塔身是模仿威尼斯聖馬克廣場上的鐘塔。從觀景樓（10～16點。無休）望出去的景色相當迷人。除此之外，校園內還有許多相當漂亮的建築，例如圖書館、大學禮堂等，優閒地漫步也能自得其樂。另外，與學生一起愜意地躺在草坪上，這也是在柏克萊才有的樂趣。

另外，學校還有兩個特別景點，一是位於班克羅夫特路Bancroft Way上的**柏克萊大學美術館**，另一個是沿坎恩路Canyon Rd.向西，隱身在小丘之中的大學附屬**植物園**UC Botanical Garden（200 Centennial Dr.。☎510-643-2755，開放時間9～17點，無休。入園費US$3，週四免費。MAP/P268-C1），如果有時間，一定要到此一遊。

**柏克萊大學美術館**UC Berkeley Art Museum
2626 Bancroft Way☎510-642-1745⏰11～19點 休週一、二 費US$8（每月第一個週四免費）MAP/P268-C2

**校園遊客中心**Campus Visitor Center
101 University Hall, 2200 University Ave. ☎510-642-5215⏰8點30分～16點30分 休週末MAP/P268-A1
**前往柏克萊的交通**
從舊金山市中心搭開往列奇蒙Richmond的灣區捷運，在柏克萊站Berkeley下車（售票機的站名標示為柏克萊市中心站Berkeley Downtown），車程約需30分鐘。若要前往柏克萊大學，車站地上出口的美國銀行前就有接駁巴士，徒步也不用到15分鐘。

校園中相當醒目的薩瑟塔
Sather Tower（MAP/P268-C1）

綠意盎然的校園
南大樓South Hall
（MAP/P268-B1）

哈利威爾曼大樓Harry R. Wellman Hall（MAP/P268-B1）。

洋溢著自由風氣的學生街

圖書館南邊的**電報路**Telegraph Ave.是學生聚集的主要街道。電報路兩旁排滿了賣裝飾品或小東西的攤販、染布等色彩絢麗的雜貨店家，還有學生們常逛的唱片行與書店，整條路上都感受到自由與活力。不過，這裡的治安不太好，尤其是德維特街Dwight Way以南的區域龍蛇雜處，最好不要前往。

電報路上的書店——柯蒂書屋Cody's Books
2454 Telegraph Ave.
☎510-845-7852
⊕10～22點 休無
MAP/P268-B2

柏克萊的美食

柏克萊大學附近有許多餐廳、咖啡館、速食店，以及三明治屋等等。從平價的一般館子，到高雅講究的餐廳，應有盡有。尤其是電報路上的「**間奏曲咖啡**」以及夏塔克大道上的「**帕尼斯小屋**」都是相當知名的店，經常都是座無虛席。在「間奏曲咖啡」的門口，可以看到大排長龍的人群。

上：間奏曲咖啡Cafe Intermezzo（2442 Telegraph Ave.☎510-849-4592⊕10～22點 休無。MAP/P268-B2）
右：風味獨特，在全美頗受好評的帕尼斯小屋Chez Panisse。（1517 Shattuck Ave.☎510-548-5049⊕11～15點、18點～22點30分，週五・六11點30分～15點30分、18點30分～22點30分 休週日。MAP/P268-A1）

270

## 4th Street Shops

提到柏克萊，通常會想到參觀柏克萊大學及電報路逛街。但是，現在最熱門的卻是柏克萊船塢區附近的**第四街商圈**4th Street Shops（MAP/P268-A1）。從柏克萊大學出發，沿著大學路向西走30分鐘就可到達。在這個小小的地區中，聚集了許多時髦有創意的商店，以及連老饕都讚不絕口的餐廳。一到假日，這裡的大型停車場都找不到空位，熱鬧的情形可見一斑。這一帶已經成為柏克萊地區的新景點了。

**柏**克萊的新興景點—第四街商圈

上：生意興隆的墨西哥餐廳—佩坎特PICANTE（1328 6th St.☎510-525-3121⊕11～22點、週五～23點、週六10～23點、週日10～22點 休無 MAP/P268-A1）
左下：咖啡膏膏Cafe Rouge（1782 4th St.☎510-525-1440⊕11點30分～22點、週一11點30分～15點 休無 MAP/P268-A1）

## 奧克蘭　Oakland

### 從優閒的鄉村田園搖身成為工業地區

奧克蘭位於舊金山對岸，長久以前，這片土地就以盛產橡樹（oak）而得名。這個寧靜的城市原是林業重鎮，在1936年由於海灣大橋的修建，奧克蘭一躍成為舊金山的衛星城鎮。最近，這裡更發展成為舉世聞名的工業重鎮。

**傑克倫敦與奧克蘭**　散步在奧克蘭的海岸邊，在很多地方都會看到傑克倫敦（Jack London；1876～1916）的名字。他是美國20世紀初期的知名作家，生平喜好冒險。少年時代就曾在日本航線的船上工作，也曾搭乘載貨火車遊歷全美。他利用這些冒險的空檔時間，以自學的方式考上柏克萊大學，但入學不久就又離開學校，進往阿拉斯加淘金。之後，傑克倫敦又重返奧克蘭，並以自己的親身經歷為藍本，開始寫下一本本有關冒險與野生動物的小說。出道作品為1900年出版的短篇小說《狼子》（The Son of The Wolf）。奧克蘭有兩個地方就以傑克倫敦為名，一是**傑克倫敦廣場**，另一個是**傑克倫敦村**。海岸附近還有**兒童美術博物館**Museum of Children's Art；MOCHA（☎510-465-8770。MAP／P271-B2），當地居民經常造訪這裡，相當熱鬧。

**維多利亞式建築與美麗的湖泊**　除了與傑克倫敦相關的地方之外，奧克蘭當然還有其他著名的景點。**保育公園**Preservation Park（☎510-874-7580。免費。MAP／P271-A1）內，有許多美輪美奐的維多利亞式建築。橡樹街Oak St.東邊的**梅里特湖**也相當優美。如果有時間，一定要到這兩個地方觀光。

---

**? 奧克蘭商會**
Oakland Chamber & Commerce
🏢 475 14th St.
☎ 510-874-4800
🕐 9～17點 🈵 週六・日
MAP／P271-B1

**? 傑克倫敦廣場旅遊服務中心**
Jack London Square Information Booth
🏢 Jack London Square
🕐 11～17點 🈵 週一・二
MAP／P271-B2

**前往奧克蘭的交通**
由舊金山的市中心搭往Richmond或Pitsburg Bay Point的BART，於Oakland City/12th St.下車，約15分鐘。

奧克蘭的船塢區

黃昏時分的傑克倫敦廣場Jack London Square（MAP／P271-B2）

傑克倫敦村Jack London Village（MAP／P271-B2）

可以優閒消磨時光的好去處—梅里特湖Lake Merritt（MAP／P271-C1）

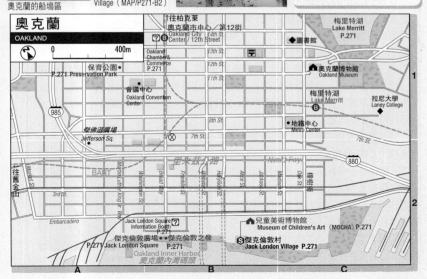

### 奧克蘭　OAKLAND

0　　400m

往柏克萊
奧克蘭市中心／第12街
Oakland City Center / 12th Street

Oakland Chamber & Commerce P.271

13th St.
12th St.
11th St.

圖書館

梅里特湖
Lake Merritt
P.271

保育公園 P.271 Preservation Park

會議中心
Oakland Convention Center

奧克蘭博物館
Oakland Museum

梅里特湖
Lake Merritt

拉尼大學
Laney College

8th St.

傑佛遜廣場
Jefferson Sq.

7th St.

地鐵中心
Metro Center

7th St.

尼米茲公路 Nimitz Fwy.

BART

3rd St.

Market St.
Martin Luther King Jr. W.
Washington St.
Broadway
Franklin St.
Webster St.
Harrison St.
Alice St.
Jackson St.
Oak St.
Madison St.

往舊金山

Embarcadero

Jack London Square Information Booth P.271

傑克倫敦廣場　傑克倫敦之像
P.271 Jack London Square

奧克蘭內灣碼頭
Oakland Inner Harbor

兒童美術博物館
Museum of Children's Art（MOCHA）P.271

傑克倫敦村
Jack London Village P.271

A　　　　　B　　　　　C

# 餐廳&購物

舊金山市中心有四個魅力四射的美食與購物區。聯合廣場一帶聚集了多家暢銷精品店與高級商店；漁人碼頭則有許多禮品店與海鮮餐廳；充滿年輕氣息的聯合街上，服飾店與餐廳就開在成列的維多利亞式建築中；而過去曾是工業區的蘇瑪區在重新開發後，暢貨中心、餐廳、俱樂部等新的娛樂場所相繼出現。在這些地區裡，有不少的高級餐廳與商店，雖然市區規模並不大，但對於想要滿足口腹及購物慾望的旅客而言，舊金山就如同一座寶山，即使有一週的時間都不夠用。對饕客而言，以中華料理聞名的中國城及義式咖啡館聚集的北灘都是必訪之地。如果還有時間，不妨到日本城北方的費爾摩街、嬉皮文化發源地的嬉皮區，或是搭乘遊輪，沿路吹著海風到莎薩利托觀光。

## 舊金山的超級名店

符號解讀　🏬需穿著正式服裝

## Union Square
## 聯合廣場

在舊金山市中心的聯合廣場一帶，餐廳、咖啡館、百貨公司與服飾店林立。無論是購物或用餐，這裡都是極佳的去處。在餐廳的部份，聯合廣場附近的速食店與咖啡館都相當醒目，逛街逛累了，可以到這些店裡小歇片刻。如果想安靜地享用美食，一些飯店裡的餐廳會是不錯的選擇，不但口味好、氣氛佳，有不少客人即是專程為了餐廳的美食而進飯店，**坎普頓飯店**（→P316）與**普雷斯考特飯店**（MAP/P274-A3）就是很好的例子。許多熟食店或餐廳都是一早就開始營業，因此不用擔心早餐問題。從聯合廣場往西走10分鐘左右，這裡成排的餐廳大部份是東南亞料理，如泰國菜、越南菜等。

若是來此購物，最吸引人的就是街上到處林立的高級精品店。世界名牌的專賣店，如Gucci、Hermes，或是Nike等美國的名牌服飾店，大多集中在此區，許多百貨公司或購物中心，彼此都相距不遠，感覺像是台北的東區一般。每家商店或百貨公司都非常講究店內的裝潢，即使是純逛街，心情也會很愉快。

在美國相當受歡迎的Nike Town

**餐廳** 加州料理

*Postrio*

## 波士特里歐

| | |
|---|---|
| 住址 | 545 Post St. |
| ☎ | 415-776-7825 |
| 交通 | 由聯合廣場步徒約3分鐘 |
| 時間 | 11點30分～14點（週日9點～）、17點30分～22點 休無 |
| 費用 | 午$30～ 晚$60～ |

MAP…P274-A3

以新鮮食材製成的創意菜色

波士特里歐餐廳位於普雷斯考特飯店內。數名現代藝術家在主餐區內做開放式廚房的設計。餐廳內挑高的天花板與鮮艷的地毯，搭配嶄新的照明、藝術作品與繪畫等，讓人有新潮與開放的感覺。這裡的料理無國界，發揮自由的創意將亞洲、地中海料理融入加州料理中，每天早、中、晚都推出不同的獨創料理。此外，在菜色的搭配及裝盤的擺設上也十分講究。佐料都是用新鮮的藥草、蔬菜、水果、香料自製而成，極量避免使用市售的調味料。麵包、甜點、義大利麵、小鬆糕也都是餐廳自製的。員工的服務態度相當好。

上：口味、氣氛俱佳的波士特里歐餐廳
右：開放空間的主餐區

---

**餐廳** 加州料理

*Rubicon*

## 魯畢康

| | |
|---|---|
| 住址 | 558 Sacramento St. |
| ☎ | 415-434-4100 |
| 交通 | 由聯合廣場徒步約15分鐘 |
| 時間 | 11點30分～14點30分、17點30分～22點30分（週六17點30分～23點） |
| | 休週日 |
| 費用 | 午$10～ 晚$20～ |

MAP…P275-D1

以紅酒聞名的餐廳

厚達48頁的酒單中，以加州產的紅酒為主。1、2樓是吧台與用餐區，3樓是紅酒賣場。餐廳將法國菜的特色融入加州料理，從前菜到套餐，可隨顧客的喜好自行搭配。

位在商業區的街上，許多老顧客都會在下班後來此小酌一番。

---

**餐廳** 美式料理

*Sears Fine Food*

## 西爾思美食

| | |
|---|---|
| 住址 | 439 Powell St. |
| ☎ | 415-986-1160 |
| 交通 | 由聯合廣場徒步約1分鐘 |
| 時間 | 6點30分～14點30分 |
| | 休週二・四 |
| 費用 | 午$7～ |

MAP…P274-B3

體驗美國食物的份量

1938年，由瑞典人的家族開店至今。店內以輕鬆的氣氛與便宜的價格，提供美式風味的早、午餐，是當地居民非常喜愛的一家美味老店。無論是三明治、煎蛋捲，沙拉、自製蛋糕，菜色豐富，一應俱全。其中最受顧客歡迎的就是瑞典風味的薄餅，食材為蕎麥粉，直徑約5cm的小薄餅一份有18張之多。使用大量生奶油與草莓製成的法國鬆餅也十分可口，這兩種商品都添加了自製的奶泡。所有餐點的份量都物超所值，可見美國人的食量有多大。美式作風的服務不夠親切。

到舊金山希望能光顧的店。需留意營業時間。

即使是愛吃甜食的人，想吃完這盤草莓鬆餅US$7.95也不是件容易的事。

---

**美食街** 美式料理

*Macy's Cellar*

## 梅西百貨地下美食街

| | |
|---|---|
| 住址 | 170 O'Farrell St. |
| ☎ | 415-397-3333 |
| 交通 | 由聯合廣場徒步約3分鐘 |
| 時間 | 10～20點（週四～六～21點、週日11～19點）休無 |
| 費用 | 午 晚$5～ |

MAP…P274-C4

梅西百貨的美食街

位於梅西百貨本館地下1樓的美食街是個可以讓遊客暫時停下腳步的地方。加州風味的披薩店、與高級餐廳史霸哥同等級，但較經濟實惠的佛爾夫岡快餐Wolfgang Puck Express、舊金山著名的波丁酸麵包等店都聚集在這個地下街，非常方便。

店員待客有如朋友一般，親切感十足的咖啡館。

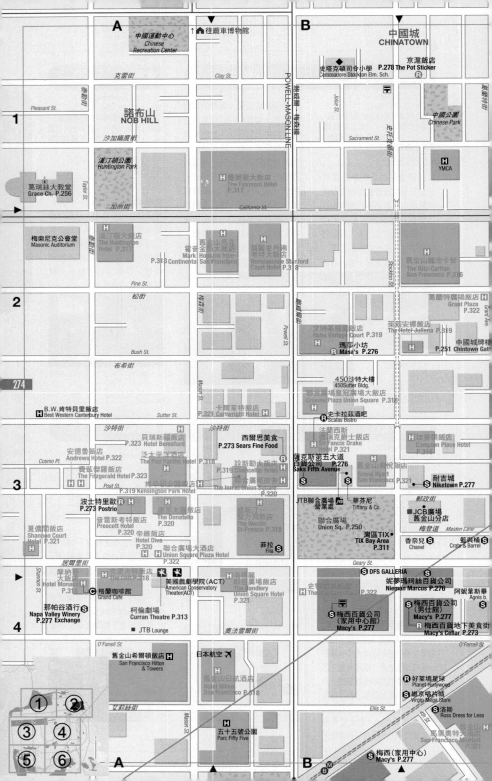

**A**

中國運動中心
Chinese Recreation Center

↑ 往織車博物館

克雷街 Clay St.

Pleasant St.

諾布山
NOB HILL

沙加緬度街

漢汀頓公園
Huntington Park

Taylor St.

加州街
California St.

葛瑞絲大教堂
Grace Ch. P.256

**1**

274

梅索尼克公會堂
Masonic Auditorium

漢汀頓大飯店
The Huntington
Hotel P.317

黃金山馬克
霍普金斯
Mark Hopkins Inter-
Continental San Francisco
P.313

文藝史丹佛
寇特大酒店
Renaissance Stanford
Court Hotel P.318

Pine St.
松街

Bush St.
布希街

Mason St.

Powell St.

B.W.肯特貝里飯店
Best Western Canterbury Hotel

Sutter St.
沙特街

安德魯飯店
Andrews Hotel P.322

Cosmo Pl.

費茲傑羅飯店
The Fitzgerald Hotel P.323

貝瑞斯福飯店
P.323 Hotel Beresford

泛太平洋酒店
The Pan Pacific Hotel P.318

博文肯公園飯店
The Inn at Union Square

沙特街
沙特街

西爾思美食
Sears Fine Food P.273

誼斯勒夫飯店
P.319 Chancellor Hotel

博文肯公園飯店
The Inn at Union Square
P.320

Post St.

**3**

波士特里歐
Postrio P.273

安德魯飯店
P.319 Kensington Park Hotel

普瑞斯考特飯店
Prescott Hotel
P.320

唐那太羅飯店
The Donatello
P.320

帝維飯店
Hotel Diva
P.320

威斯汀聖
方濟飯店
The Westin
St-Francis P.318

夏儂南飯店
Shannon Court
Hotel P.321

Shannon St.

居爾里街

聯合廣場大飯店
Union Square Plaza Hotel

菲拉
Fila

摩納哥
大飯店
Hotel Monaco
P.318

吉里大飯店
Clift P.318

格蘭咖啡館
Grand Cafe

美國戲劇學院 (ACT)
American Conservatory
Theater(ACT)

劍橋
The Bandley
Union Square Hotel
P.321

**4**

那帕谷酒店
Napa Valley Winery
P.277 Exchange

柯倫劇場 Curran Theatre P.313

JTB Lounge

O'Farrell St.

舊金山希爾頓飯店
San Francisco Hilton
& Towers
P.313

日本航空 ✈
舊金山日航酒店
Hotel Nikko
San Francisco P.318

五十五號公園
Parc Fifty Five

Mason St.
艾莉絲街

**A**

▲

**B**

中國城
CHINATOWN

史塔克頓司令小學 P.278 The Pot Sticker
Commodore Stockton Elm. Sch.

京滬飯店
京滬飯店

往培勒爾-梅森纜

Joice St.

Sacrament St.

史托克頓街

中國公園
Chinese Park

YMCA

California St.

黃金山麗池卡登
The Ritz-Carlton
San Francisco P.316

Stockton St.

葛蘭特廣揚飯店
Grant Plaza
P.322

茱莉安娜飯店
The Hotel Juliana P.319

中國城牌樓
P.251 Chintown Gat

Grant Ave.

艾特維羅飯店
Hotel Vintage Court P.319

瑪莎小坊
Masa's P.276

450沙特大樓
450Sutter Bldg.

聯合廣場皇冠廣場大飯店
Crowne Plaza Union Square P.318

史卡拉茲酒吧
Scalas Bistro

法蘭西斯
瑞克爵士飯店
Sir Francis Drake
Hotel P.321

坎普頓飯店
Campton Place Hotel
P.316

薩克斯第五大道
Saks Fifth Avenue P.276

黃金山君悅飯店
Grand Hyatt
San Francisco P.321

耐吉城
Niketown P.277

JTB聯合廣場
營業處
JTB
Tiffany & Co.

郵政街

JCB飯店
舊金山分店
梅登道 Maiden Lane

聯合廣場
Union Sq. P.250

灣區TIX
TIX Bay Area
P.311

香奈兒
Chanel

籃與桶
Crate & Barrel

阿妮葉斯畢
Agnis b.

Geary St.

DFS GALLERIA

妮夢瑪珂絲百貨公司
Nieman Marcus P.276

史丹佛
P.322

梅西百貨公司
(家用中心館)
Macy's P.277

梅西百貨公司
(男仕館)
Macy's P.277

梅西百貨地下美食館
Macy's Cellar P.273

O'Farrell St.

好萊塢星球
Planet Hollywood

維京唱片城
Virgin Mega Store

洛斯
Ross Dress for Less

Ellis St.

舊金山萬豪大飯店
San Francisco Marriott
P.321

梅西(家用中心)
Macy's P.277

**B**

▲

C
普茲茅斯廣場
P.251 Portsmouth Sq.

舊金山金融區
聯合飯店
Holiday Inn
San Francisco
Financial District P.321

D
泛美金字塔
Transamerica Pyramid P.257

Ⓡ 佛提哥
Vertigo

E

Clay St.

Commercial St.

舊金山君悅飯店
Park Hyatt San Francisco
P.317 Ⓗ

安巴卡德羅中心
Embarcadero Center P.257
天空甲板
Sky Decki P.257
安巴卡德羅中心影城
Embarcadero Center Cinema
P.312

1

Kearny St.

魯畢康
P.273 Rubicon Ⓡ

威爾斯法哥
歷史博物館
P.257 Wells Fargo History Museum

Lelidesdorff St.

加州第一銀行
California First Bank

Halleck St.

Front St.

往金門渡輪大樓

Ⓣ舊聖瑪利教堂
Old St-Mary's Ch.

加州線
CALIFORNIA LINE

加州銀行
Bank of California

聯合銀行
Union Bank

聖瑪利廣場
St-Mary's Sq.

加州街
California St.

美國銀行
Bank of America P.257

工商會議所
Chamber of Commerce

櫻花銀行
Sakura Bank

第一州際中心
First Interstate Center

金融區
FINANCIAL DISTRICT

George Claude Al.

舊金山文華東方酒店
P.317 Mandarin Oriental
San Francisco

Ⓗ

松街
Pine St.

2

翠頓飯店
Triton
P.319

證券交易所
Stock Exchange

Bush St.

P.296

布希街

Sansome St.

Market St.

METRO
BART

1st St.

275

Montgomery St.

Sutter St.

市營鐵道
通勤鐵道系統

香蕉共和國
Banana Republic P.277

Ⓗ 葛拉瑞公園飯店
The Galleria
Park Hotel P.321

Ⓢ 克羅克商廊
Crocker Galleria P.277

Ⓢ 洛夫·羅蘭
Polo Ralph Lauren

沙特街

市場街

Stevenson St.

Ecker St.

3

Post St.

郵政街

P.250 梅登道

Ⓜ 蒙哥馬利街
Ⓑ MONTGOMERY ST.

Stevenson St.

2nd St.

金門大學
Golden Gate Univ.

居爾里街

班克羅夫特大樓
Bancroft Bld.

皇宮飯店
Palace Hotel P.318

Mission St.

Minna St.

中央塔
Central Tower

京野
Kyoya P.296 Ⓡ

皇巴克
Ⓒ Starbucks

JTB 舊金山分店

蘇瑪區
SOMA

Natoma St.

4

3rd St.

Jessie St.

艾珥特飯店
Argent Hotel P.318 Ⓗ

Minna St.

Natoma St.

霍森街
Howard St.

2nd St.

葉爾巴布維納塔
Yelba Buena Tower

Ⓢ SFMOMA博物館禮品店
SFMOMA Museum Store P.300

北莫斯肯會議中心
Moscone Convention Center North

Ⓐ 舊金山現代藝術博物館
San FranciscoMuseum of Modern Art P.261

皇頂出版藝廊
Crown Point Press Gallery P.261

霍森大道
Ⓡ Hawthorne Laoe P.298

C
D
E

## 餐廳 素食料理

*Ananda Fuara*

### 亞那達芙兒拉

| | |
|---|---|
| 住址 | 1298 Market St. |
| ☎ | 415-621-1994 |
| 交通 | 由聯合廣場徒步約20分鐘 |
| 時間 | 8〜20點（週三〜15點） 休 週日 |
| 費用 | 中 $10〜 晚 $15〜 |

MAP…P297-A4

**身心健康的良方**

提供無國界的蔬菜料理，例如蔬菜豆腐漢堡、起士蔬菜披薩、墨西哥玉米餅、蔬菜咖哩、蔬菜咖哩餃，以及蔬菜烤馬鈴薯等。店裡所佈置的花草樹木、設計成天空的牆壁、心靈音樂的樂聲，都讓人感到全身舒暢。

店內的感覺像樂園。早、中、晚的菜色皆不同。

## 餐廳 泰國料理

*Osba Thai Noodle Cafe*

### 歐斯吧

| | |
|---|---|
| 住址 | 696 Geary St. |
| ☎ | 415-673-2368 |
| 交通 | 由聯合廣場步行徒步約8分鐘 |
| 時間 | 11點〜凌晨1點（週五・六〜凌晨2點） 休 無 |
| 費用 | 晚 $7〜 |

MAP…P227-B4

**最拿手的辣味泰國拉麵**

位於街角的玻璃帷幕建築。這家店的招牌是用米做成的泰國拉麵。由於配料的不同，可分成18種湯麵與7種油炸麵。顧客可以從三種不同程度的辣味中挑選。除了麵類外，還有飯類、泰式酸辣湯、泰式香腸等。服務生的態度都相當親切有禮。

配料豐盛的泰國拉麵營養成分高。快速又便宜的服務也是一項賣點。

## 餐廳 法國料理

*Masa's*

### 瑪莎小坊

| | |
|---|---|
| 住址 | 648 Bush St. |
| ☎ | 415-989-7154 |
| 交通 | 由聯合廣場步行徒步約5分鐘 |
| 時間 | 18點〜21點30分 休 週日・一 |
| 費用 | 晚 $80〜 |

MAP…P274-B2

**有服裝要求的高級餐廳**

本店是美國數一數二的高級餐廳。店裡的絨毯、牆壁、椅子都採用紅色系，約可容納70名顧客，是間相當雅緻的餐廳。需事先預約。菜單是以6〜9道菜構成的套餐為主，單點每道US$25〜。店裡的料理都選用最高級的食材，例如龍蝦沙拉、塊菰醬鵝肝、嫩煎羊排等。

營業時間只有晚上。招牌並不顯眼，需特別留意。

## 商店 百貨公司

*Nieman Marcus*

### 妮夢瑪珂絲百貨公司

| | |
|---|---|
| 住址 | 150 Stockton St. |
| ☎ | 415-362-3900 |
| 交通 | 由聯合廣場徒步約3分鐘 |
| 時間 | 10點〜19點（週日12點〜18點） 休 無 |

MAP…P274-C3

**走高級品牌路線**

高品質的品牌珠寶、化妝品、名牌服飾等種類眾多，是相當受歡迎的百貨公司。其中皮革製品也相當多，例如樣式齊全的Ferragamo皮鞋及大家都非常熟悉的知名品牌Calvin Klein、PRADA等。另外，用天然素材製成的化妝品也非常暢銷，有些商品尚未進駐國內，可要好好地把握購物的良機。在頂樓的熟食店可以找到適合作為禮物的商品，如巧克力、餅乾、咖啡、紅茶等的禮盒。除了外觀豪華外，內部裝飾也令人印象深刻。館內挑高的天花板設計，外觀是由玻璃帷幕裝飾而成，相當漂亮。

數塊玻璃構成的玄關入口。天花板是用玻璃帷幕裝飾而成，值得一看。

位於頂樓高格調的熟食店。最暢銷的商品是巧克力。

## 商店 百貨公司

*Saks Fifth Avenue*

### 薩克斯第五大道百貨公司

| | |
|---|---|
| 住址 | 384 Post St. |
| ☎ | 415-986-4300 |
| 交通 | 由聯合廣場徒步約1分鐘 |
| 時間 | 10點〜18點30分（週五・六〜19點，週日11〜18點） 休 無 |

MAP…P274-B3

**高級精品的大本營**

總店位於紐約的老字號百貨公司。許多高級名牌精品店在此設櫃，只要到這裡走一趟，大概就可以知道最新的流行趨勢。2樓的設計師專櫃網羅了歐美知名品牌，是必逛之處。專業彩妝名店「浮生若夢」（Make Up Forever）也一定不能錯過。

高品味十足，是探索時尚流行的好地點。

## 商店 百貨公司

*Macy's*

### 梅西百貨公司

| | |
|---|---|
| 住址 | 170 O'Farrell St. |
| ☎ | 415-954-6271 |
| 交通 | 由聯合廣場徒步約3分鐘 |
| 時間 | 10～20點（週日11～19點）休 無 |

MAP…P274-B4～C4

#### 男仕商品應有盡有

由兩棟建築物所構成，一棟是販賣仕女用品與家具的家用中心館；另一棟則是男仕館。從高級名牌到休閒平價的物品，應有盡有。在仕女館3樓的服務台可以索取貴賓折價券，另外還提供日文賣場導覽與寄放行李的服務。

針對年輕族群的休閒專櫃相當多，價格也合理。

## 商店 購物中心

*Crocker Galleria*

### 克羅克商廊

| | |
|---|---|
| 住址 | 50 Post St. |
| ☎ | 415-393-1505 |
| 交通 | 由聯合廣場徒步約8分鐘 |
| 時間 | 10～18點 休 週日 |

MAP…P275-D3

#### 輕鬆自在的購物氣氛

橫跨沙特街與郵政街，全長約100m的購物中心。3層樓建築，中央通道為挑高建築，光線由玻璃天花板射入。到處都有花草樹木的擺設，感覺相當明亮。館內設有咖啡館，購物途中可到此小歇片刻。從精品店到速食餐廳，館內約有40家店面。

館內猶如有屋頂的散步步道。下雨天也不須撐傘。

## 商店 精品店

*Banana Republic*

### 香蕉共和國

| | |
|---|---|
| 住址 | 256 Grant Ave. |
| ☎ | 415-788-3087 |
| 交通 | 由聯合廣場徒步約3分鐘 |
| 時間 | 9點30分～20點（週日9～19點）休 無 |

MAP…P275-C3

#### 受歡迎的的休閒精品店

設計簡單、質感佳、樣式時髦的休閒服飾精品店。店內的服飾以黑、白、米、灰等單色系為主，質料大多使用麻、綿等不傷肌膚的材質。印有店標的T恤價格便宜，適合送禮。時髦的內部裝潢與高格調的展示空間，令人感到輕鬆無壓力。

白色外牆的現代建築。樸實但不失流行的品牌風格。

## 商店 運動用品

*Niketown*

### 耐吉城

| | |
|---|---|
| 住址 | 278 Post St. |
| ☎ | 415-392-6453 |
| 交通 | 由聯合廣場徒步約1分鐘 |
| 時間 | 10～20點（週日11～19點） |

MAP…P274-C3

#### Nike的主題樂園

運動用品製造商Nike設在舊金山的分店，主要是販售男性用品、籃球、網球、高爾夫球等運動用品分門別類。店裡的大型螢幕上現場轉播體育節目，籃球形狀的椅子以及耐吉標誌的手扶梯等等，店內的設計充滿著娛樂的效果，保證讓購物者心情愉快。

運動鞋專櫃。穿鞋椅的設計相當引人矚目。

## 商店 紅酒

*Napa Valley Winery Exchange*

### 那帕谷酒行

| | |
|---|---|
| 住址 | 415 Taylor St. |
| ☎ | 800-653-9463 |
| 交通 | 由聯合廣場徒步約8分鐘 |
| 時間 | 10～19點（週日～17點）休 無 |

MAP…P274-A4

#### 加州紅酒專賣店

加州紅酒的專賣店。本店特別強調的是小型製酒業者所生產的優質紅酒，因此許多在別處買不到的獨家紅酒，在此都可以找到。店內的溫度管理也相當完善。店裡還有一項相當貼心的服務，如果客人沒有要求，店員不會主動過來為客人介紹，因此可以安心地挑選紅酒。

店面雖小，陳設的商品卻應有盡有。許多商品還未引進國內。

## 商店 玩具

*FAO Schwarz*

### 史瓦茲玩具行

| | |
|---|---|
| 住址 | 48 Stockton St. |
| ☎ | 415-394-8700 |
| 交通 | 由聯合廣場徒步約3分鐘 |
| 時間 | 10～18點（週日11點～）休 節日 |

MAP…P274-C4

#### 專為兒童設計的遊樂場

走進大門，迎面而來的就是大型時鐘台、黑猩猩與長頸鹿的布偶。以童話《傑克與魔豆》為主題的作品也點綴其中，整個賣場就如同一個夢幻的玩具主題樂園。有些玩具在店內還可以當場玩，例如跳舞機等。以愉快的心情一邊遊玩，一邊挑選商品，連大人都會變得童心未泯。

令人感到趣味盎然的趣味時鐘台。店裡充滿了夢幻氣氛。

## Chinatown & North Beach
# 中國城&北灘

中國城與北灘是舊金山的美食特區。從高級名店到攤販風格的小吃店，各種型態的中華料理餐廳群集於**中國城**。尤其是**傑克森街Jackson St.**一帶，小巧精緻的餐廳特別多。除了中華料理外，走健康取向的越南料理與日本料理的餐廳也散落於中國城內。此外，中國城的餐廳收費較聯合廣場便宜，其實這也是吸引人潮的一大魅力。早上可以到**史托克頓街Stockton St.**逛逛，在感受精力充沛的市場景觀之餘，還可以舒適地享用稀飯、點心，或是剛出爐的麵包。

到中國城吃道地的中菜

**北灘**有許多義裔移民居住。早上還算安靜，但中午過後，整個地區開始有了生氣，接著從黃昏到深夜是北灘最熱鬧的時段。白天可以坐在咖啡館或餐廳的露天座位上，看著熙來攘往的人群，邊優閒地享用咖啡、義大利麵，或蛋糕。入夜之後，絢爛的霓虹燈將北灘點綴得五光十色。到了週末，在綠意盎然的華盛頓廣場Washington Sq.一帶，來此飲酒作樂或享用晚餐的人潮幾要擠爆了整個街道與商家。北灘道地的義大利紅酒與義式濃縮咖啡魅力十足。熟食店內麵包、家常菜、橄欖油等各式各樣的義大利餐點與食材任君挑選。在北灘，遊客可以充分地感受到舊金山式的義大利風情。

---

🍴 中國料理
*New Asia*

### 新亞洲

| | |
|---|---|
| 住址 | 772 Pacific Ave. |
| ☎ | 415-391-6666 |
| 交通時間 | 由普茲茅斯廣場徒步約5分鐘 |
| | 9～15點（週末8點30分～）、17～21點㊡無 |
| 費用 | ㊛$9～ ㊰$13～ |

MAP…P279-B3

**在豪華的餐廳內享用飲茶**
白色外牆與圓型窗戶的大型中華料理餐廳，令人印象深刻。寬廣的大廳中，高掛的豪華吊燈及300席的座位，非常壯觀。店面看起來雖然很華麗，但價錢卻很公道。飲茶是新亞洲的招牌菜，每

盤的價格從US$1.90起，餐點種類約40多種。數名推著推車的女服務生穿梭於餐桌之間，客人只要坐在座位上點菜即可。菜色以大眾化口味為主，例如燒賣等，不過，這裏所使用的食材都是上等的蝦、蟹、肉，客人經常會禁不起美食的誘惑而吃太多。每盤料理的份量都很多，多一點人才能品嚐到各種不同的餐點，如果吃不完，店裏還會提供外帶服務。週末早上8點30分就開始營業，到此吃頓早餐也相當便利。

上：飲茶菜色豐富，令人大快朵頤。
右：外觀獨具特色，並不難找。

---

🍴 中國料理
*The Pot Sticker*

### 京滬飯店

| | |
|---|---|
| 住址 | 150 Waverly Pl. |
| ☎ | 415-397-9985 |
| 交通時間 | 由普茲茅斯廣場徒步約2分鐘 |
| | 11～22點㊡無 |
| 費用 | ㊛$15.50～ ㊰10～ |

MAP…P227-C3

**餃子大集合**
京滬飯店位於中國城內，從葛蘭特大道往西走一個路口即可到達。美味餃子是這家店的招牌，煎餃、蒸餃、水餃、湯餃等，種類眾多。餃子餡的變化也很多，有包青菜、豆腐、蝦仁等。除此之外，店裡還提供多種營養美味的套餐。家庭式的氣氛令人感到溫馨，員工的服務態度也不錯。

餐廳外觀相當醒目。店裡也有準備外語的菜單。

中國城 & 北灘
CHINATOWN & NORTH BEACH

0          100m

往漁人碼頭

電報山
TELEGRAPH HILL

柯伊特塔 P.252 Coit Tower

加菲爾德小學 ◆
Garfield Elm. Sch.

聖彼得與保羅教堂
St-Peter & Paul's Ch. P.252

Filbert St.

菲柏街

Filbert St.

Stockton St.

華盛頓廣場 P.252
Washington Sq. P.252

帕哥達宮劇場
Pagoda Palace Theater

華盛頓廣場旅館
Washington Square Inn

華盛頓廣場餐廳
Washington Square Bar & Grill

馬利歐斯·
波希米亞雲茄店
Mario's Bohemian Cigar Store

摩西
Mooses P.280

經典義式雪糕
Gelato Classico Club P.282

Union St.

聯合街

卡尼街

玫瑰手槍
Rose Pistola P.281

Jasper Pl.

Barnam Pl.

Grant Ave.

格林街

北灘
NORTH BEACH

佛莫義式料理
P.259 L'Osteria del forno

瑪拉義式西點
Mara's Italian Pastery
P.282

Green St.

美國銀行
Bank of America

威爾斯·法哥銀行
Wells Fargo Bank

葛瑞珂咖啡館
P.282 Caffè Greco

279

瓦雷荷街

Vallejo St.

Stockton St.

Fresno St.

史托克頓街

Churchill St.

珍派克小學
Jean Parker Elm. Sch.

裝蒜餐廳
P.281 The Stinking Rose

P.280 金山酒樓
Gold Mountain Restaurant

Powell St.

鮑威爾街

消防局

百老匯

Broadway

維蘇威咖啡
P.281 Vesuvio Cafe

珍珠爵士
Jazz at Pearl's P.314

新亞洲
P.278 New Asia

Columbus Ave.

太平洋大道

Pacific Ave.

Powell St.

Trenton St.

哥倫布大道

中國城
CHINATOWN

Grant Ave.

Beckett St.

Kearny St.

往金融區

南京小館
P.280 House of Nanking

John St.

鮑威爾·海德線
POWELL- HIDE LINE

傑克森街

Jackson St.

金花酒吧
Golden Flower Lounge P.280

舊金山市政中心
假期飯店
Holiday Inn San Francisco
Financial District P.321

中國醫院
Chinese Hospital

①    ②

③    ④

⑤    ⑥

華盛頓街

擎天酒樓
King Tin Restaurant

金龍大酒家
Golden Dragon P.259

Washington St.

三和粥粉麵
San Who Restaurant
P.280

普茲茅斯廣場
Portsmouth Sq.
P.251

往京滬飯店

A          B          C

## 🍴 中國料理
### *Gold Mountain Restaurant*

## 金山酒樓

| | |
|---|---|
| 住址 | 644 Broadway |
| ☎ | 415-296-7733 |
| 交通 | 由華盛頓廣場徒步約4分鐘 |
| 時間 | 飲茶：10點30分〜15點（週末8點〜）、晚餐：17點30分〜21點30分 🈺無 |
| 費用 | 🈷$10〜、🌙$20〜 |

MAP…P279-C3

**華人光顧的飲茶餐廳**

金山酒樓就位在全美最大的舊金山中國城內，是當地華人公推最好吃的一家港式飲茶，從連日來的大排長龍就可看出受歡迎的程度。35種以上的點心都從US$1.80起跳。每逢週末假日，剛開店不久就會出現排隊人潮，上午的點心以一般的燒賣、春捲等為主，到了人潮擁擠的11點之後，裝有油炸類與當日特製點心的手推車就會來回穿梭在餐桌之間，因此有的客人反而會選在最擁擠的時段用餐。餐廳除了靠觀光客的消費之外，最重要的是要受到當地居民的青睞，才能算是一間成功的餐廳。

港式飲茶的代表菜，燒賣US$1.80〜、炒麵US$8.50。

由於這家店是面向坡道而建，因此餐廳本身也隨著坡道傾斜。

## 🍴 中國料理
### *House of Nanking*

## 南京小館

| | |
|---|---|
| 住址 | 919 Kearny St. |
| ☎ | 415-421-1429 |
| 交通 | 由普茲茅廣場徒步約1分鐘 |
| 時間 | 11〜22點 🈺無 |
| 費用 | 🈷🌙$6〜 |

MAP…P279-C4

**大排長龍的知名餐廳**

位在中華料理餐廳林立的街道上，物美價廉，頗受好評。用餐時間一到，店門口往往大排長龍。白天與晚上的菜單都相同。本店美味的秘訣就在炒菜時淋在配料上的醬汁。醬汁中含有大量的大蒜，甜辣濃郁的味道徹底襯托出食材本身的好口味。

外觀雖然樸素，但客人與食物的熱氣讓整個店內熱鬧非凡。

## 🍴 中國料理
### *San Who Restaurant*

## 三和粥粉麵

| | |
|---|---|
| 住址 | 813 Washington St. |
| ☎ | 415-982-0596 |
| 交通 | 由普茲茅斯廣場徒步約1分鐘 |
| 時間 | 11點〜凌晨3點 🈺週日 |
| 費用 | 🈷$6〜、🌙$10〜 |

MAP…P279-B4

**用優質米熬煮的粥料理**

粥料理是這家店的主餐，有多種口味，如豬肉粥、牛肉粥、蝦仁粥等。所有粥料理在調理過程中，只加入少許的鹽，味道較為清淡。店內的桌椅都是簡單樸素的木製品，感覺像是路邊攤，是一家平價的餐廳。

店內氣氛相當簡樸，價格與口味都令人滿意，累積了不少老顧客。

## 🍴 越南料理
### *Golden Flower Lounge*

## 金花酒吧

| | |
|---|---|
| 住址 | 667 Jackson St. |
| ☎ | 415-433-6469 |
| 交通 | 由普茲茅斯廣場徒步約2分鐘 |
| 時間 | 9點30分〜21點30分 🈺無 |
| 費用 | 🈷🌙$5〜 |

MAP…P279-C4

**以麵類為主的越南料理**

店裡最受歡迎的餐點是用米作成的越南麵，有蝦仁、螃蟹、牛肉等多種口味。共通的特點是味道清淡、湯頭佳。麵裏外加生豆芽與九層塔調味，食用後可保暖，不傷胃。用生春捲皮將豬肉和胡蘿蔔包在一起吃的生春捲US$4.25也是這家店的招牌之一。

平易近人的感覺，即使一個人也不會彆扭。

## 🍴 地中海料理
### *Mooses*

## 摩西

| | |
|---|---|
| 住址 | 1652 Stockton St. |
| ☎ | 415-989-7800 |
| 交通 | 由華盛頓廣場徒步約1分鐘 |
| 時間 | 10點〜14點30分，17〜22點（週四〜六11點30分〜，週五・六〜23點，週日17〜22點）🈺無 |
| 費用 | 🈷$10〜、🌙$20〜 |

MAP…P279-B1

**取自地中海的豐富食材**

店內提供的是義式地中海料理，每天都有不同的菜色。全店約可容納100名客人，輕鬆的氣氛相當受歡迎。老闆用自己的姓氏作為這家店的店名。

寬廣舒適的用餐空間，顧客可以在此盡情享用義式地中海料理。

## 餐廳 大蒜料理

### The Stinking Rose

## 裝蒜餐廳

| | |
|---|---|
| 住址 | 325 Columbus Ave. |
| ☎ | 415-781-7673 |
| 交通 | 由華盛頓廣場徒步約4分鐘 |
| 時間 | 11～23點（週五・六30點）休無 |
| 費用 | 午$15～ 晚$20～ |

MAP…P279-B3

#### 義式風味的大蒜料理

店內大部份的餐點都帶有濃濃的大蒜味。橄欖油、茴香、迷迭香等草藥調味的香味，更襯托出料理的美味。義式料理的菜色多也是店內的特色之一，尤其是義大利麵，更是應有盡有。使用羅勒、橄欖油、大蒜製成的熱那亞青醬，麵糊攪拌的義大利麵，寬麵，以及肉丸子等都是店內的人氣商品。本店的義大利麵都是自製的。主菜以羊肉、雞肉，或兔肉料理為主，也有鮭魚或鱒魚等海鮮。配菜的溫麵包沾上濃郁蒜味的橄欖油，相當美味可口。店內牆壁及天花板上的裝飾，都是以大蒜作為主題，色彩鮮豔、朝氣十足。從年輕族群到全家福都會到店用餐，晚餐時間經常都是高朋滿座，如果不喜歡排隊，可以考慮人較少的午餐時間。

鮮豔的外觀可媲美娛樂設施

別出心裁的室內設計與獨特的裝飾品，令人感到心情愉快。

## 餐廳 義大利料理

### Rose Pistola

## 玫瑰手槍

| | |
|---|---|
| 住址 | 532 Columbus Ave. |
| ☎ | 415-399-0499 |
| 交通 | 由華盛頓廣場徒步約1分鐘 |
| 時間 | 11點30分～16點、17點30分～23點（週五・六～23點30分）休無 |
| 費用 | 午$11～ 晚$20～ |

MAP…P279-B2

#### 融合義式與美國風格餐廳

在北灘，玫瑰手槍無論是口味，或是用餐氛圍都深受好評。店內以白色與茶色做為裝潢的底色，整體的感覺相當輕鬆。伴隨著店內悠揚的爵士樂聲，可以看到一對對年輕的情侶。吧台的座位只提供飲料的服務。廚房採用開放式的設計，經常可見一盤盤等著上桌的義大利麵、沙拉、醋漬魚等美味佳餚。許多顧客都是來以一邊飲酒，一邊品嚐這些可口的下酒菜。酒類以義大利紅酒為主，餐點則以北義大利料理的口味加上加州當地食材所烹調的健康料理，相當受到歡迎，自製甜點的味道也相當不錯。每週四～週日的晚上10點到10點30分有現場演奏。

上：陽光從窗外射入，店內採光佳。
下：餐廳外也有面向街道的露天雅座

## 咖啡館

### Vesuvio Cafe

## 維蘇威咖啡

| | |
|---|---|
| 住址 | 255 Columbus Ave. |
| ☎ | 415-362-3370 |
| 交通 | 由普茲茅斯廣場徒步約4分鐘 休無 |
| 時間 | 6點～凌晨2點 |
| 費用 | 午晚$10～ |

MAP…P279-C3

#### 醒目的外牆壁畫

一樓有吧台，2樓則是以窗戶分隔的餐桌席為主。在空間有限的店內，到處可見與城市相關的擺設，例如年代久遠的海報、照片，纜車招牌等，光是欣賞這些物品也會覺得很有趣。店內充滿了古典寧靜的氣氛，旅遊的途中不妨進來休息片刻。

店內挑高的設計，感覺不錯。

咖啡館
*Mara's Italian Pastery*

## 瑪拉義式西點

| | |
|---|---|
| 住址 | 503 Columbus Ave. |
| ☎ | 415-397-9435 |
| 交通 | 由華盛頓廣場徒步約2分鐘 |
| 時間 | 7點～22點30分（週五・六～24點）**休**無 |
| 費用 | **午晚**$5～ |

MAP…P279-B2

### 推薦店家自製的義式西點

店內專賣義式奶酥、餅乾、冰淇淋、蛋糕等點心。所有的義式奶酥都帶有濃郁的奶油味，蛋糕也是店內招牌之一。商品主要供客人外帶，當然也可在店內品嚐。早餐的時間即開始營業，非常方便。店內也有賣濃縮咖啡等的純義大利咖啡。

櫥窗內擺滿了剛出爐的義式奶酥與麵包。

咖啡館
*Caffé Greco*

## 葛瑞珂咖啡館

| | |
|---|---|
| 住址 | 423 Columbus Ave. |
| ☎ | 415-397-6261 |
| 交通 | 由華盛頓廣場徒步約2分鐘 |
| 時間 | 7～23點（週五・六～凌晨1點）**休**無 |
| 費用 | **午**$7.50～**晚**$10～ |

MAP…P279-B2

### 提供美味點心的咖啡屋

面對哥倫布大道的義式咖啡館。不少客人喜歡在露天的座位上，邊喝著義式咖啡或紅酒，邊享用點心及簡餐。三明治的售價US$7.50，早晚價錢均一，客人還可以提出自己想吃的口味呢！如果加點沙拉，也不會超過US$10。

顯眼的招牌。玻璃櫥窗的店面正對著馬路。

冰淇淋店
*Gelato Classico Club*

## 經典義式冰淇淋

| | |
|---|---|
| 住址 | 576 Union St. |
| ☎ | 415-391-6667 |
| 交通 | 由華盛頓廣場徒步約1分鐘 |
| 時間 | 12～22點（週五・六～23點）**休**無 |
| 費用 | **午晚**$3～ |

MAP…P279-B1

### 義式冰淇淋專賣店

舊金山少數的冰淇淋專賣店，店內的義式冰淇淋由義籍老闆自行研發。冰淇淋的製造地點就在店內，玻璃櫃中擺著剛做好的冰淇淋。店內所有的冰淇淋都使用天然素材，這也是店家引以為傲之處。

位於華盛頓廣場東側。低糖冰淇淋的人氣指數也很高。

## New Chinatown

### 便 宜又好吃的餐廳集中地區－新中國城

在遠離塵囂、安謐恬靜的住宅區列奇蒙Richmond的一角，通稱為新中國城。從聯合廣場搭乘巴士到此約需30分鐘。剛開始，法令規定華人不得購買現在的中國城以外的土地，直到1940年解禁之後，許多華裔才紛紛搬至當時正在開發的列奇蒙地區。之後，來自泰國、越南等地的亞洲移民陸續住進這個地區，人口逐漸增加，於是就形成了第二個中國城。新中國城最繁華的地區是連結帕克普雷西迪歐大道Park Presidio Blvd.與亞格羅大道Arguello Blvd. 東西走向的克萊門街Clement St（MAP/P214-C4）兩端。相較於市中心的中國城，新中國城的建築物雖不高，但規劃相當整齊，整體感覺相當舒適。在克萊門街的兩側，亞洲各國的餐廳林立，宛如是一個民族餐廳的展示博

新中國城的街景相當整齊

物館，有中華料理、越南料理、台灣料理、韓國料理等，餐廳的口味與價格令人心動。這個地區潛藏著無比的魅力，這不是只在街上走馬看花就能領略的，難怪許多當地的饕客會三不五時地往這裏報到。在新中國城看不到一家觀光禮品店，只會看到許多熱中美食的華人站在剛出爐的麵包、點心及新鮮食材的店前，全神貫注地挑選商品的情景，令人印象深刻。

■交通　搭沿聯合廣場以南的Geary St.行駛的38號，或由聯合廣場往北一區塊的Sutter St.搭2號的迷你公車，約30分鐘車程。

新中國城並不是為了迎合觀光客，看得到的是華人生活中料理與風格的傳承。

## Fisherman's Wharf
# 漁人碼頭

舊金山最大的觀光勝地，也是饕客與喜好購物者不可錯過的景點之一。這裡的商家相當多，遊客可以盡情享受貨比三家的購物樂趣。如果想要品嚐美食，海鮮是最佳選擇，到處可見新鮮蝦子、螃蟹、龍蝦等海中美味的餐廳。大部份的高級餐廳都坐落在可以看到海景的絕佳位置，顧客可以兼顧觀景與美食。如果有人不知道該如何點海鮮，或是想要大口品嚐美味者，建議到露天的攤販走一遭。熱騰騰的螃蟹、龍蝦、蝦子，沙拉、三明治、生蚵等一道道美味的餐點都陳列在攤位上，點餐時只需用手一指即可。另外，以蛤蜊、蔬菜等熬煮而成的奶油蛤蜊湯也是本地不可錯過的一道名菜。

如果想要大肆採購，70多家個性商店林立的**39號碼頭**（MAP／P285-D1）是必逛之處。將建於20世紀初的工場改建而成的**葛拉德禮廣場**（MAP／P284-B2）等購物中心，是本地主要的購物地點。這裏的名牌精品店不多，大部份都是針對觀光客的個性商店，一定可以買到物美價廉的紀念品。24小時營業或是開到晚上8點左右的商家不少，對遊客而言是一大福音。

39號碼頭是漁人碼頭的中心，也是購物者是必逛之地。

---

**餐廳** 海鮮料理
*A Sabellas Restaurant*

## 沙貝勒斯

| | |
|---|---|
| 住址 | 2766 Taylor St. |
| ☎ | 415-771-6775 |
| 交通 | 由纜車總站徒步約2分鐘 |
| 時間 | 17～22點 休 無 |
| 費用 | 晚 $25～ |

MAP…P285-C2

美景與新鮮海產的絕佳組合位在面海的建築物3樓，除了窗口之外，大部份的座位也都看得到海景。這家創立於1887年的老店不只觀光客來此用餐，更深受當地居民的喜愛。保持人氣的秘訣就在於精心挑選的新鮮食材及不斷研究開發的各式料理。主廚麥克沙貝勒Michael Sabella曾於1988年入選為全美國家廚師名錄National directory of Chefs in America前三十名，烹飪實力可見一斑。菜單上的菜色大多和一般海鮮餐廳的正統餐點無異，但在味道上卻略勝一籌，因此在老顧客

之間頗受好評。以漁人碼頭相當出名的奶油蛤蜊湯為例，配料豐富，海產的鮮味在奶油濃湯中完整重現。炸蝦仁略帶辛辣，現炸後就立即上桌，香脆可口，蝦肉飽滿有嚼勁，醬料是主廚自製的塔塔醬。特選料理是帶有濃郁蒜香的烤螃蟹。另店內隨時提供剛出爐的酵母麵包，都值得一試。

店內靠海的的大窗戶，店內光線充足，迷人的海景盡收眼底。

一口接一口的辣味蝦仁

咖啡館 歐陸料理

*The Buena Vista*

## 美景小飯館

| | |
|---|---|
| 住址 | 2765 Hyde St. |
| ☎ | 415-474-5044 |
| 交通 | 由纜車總站徒步約1分鐘 |
| 時間 | 9點~凌晨1點30分<br>（週六‧日8點~）<br>休 無 |
| 費用 | 午晚 $5~ |

MAP…P284-B2

知名的愛爾蘭咖啡US$4。有的客人一早就開始微醺。

### 愛爾蘭咖啡的老店

1952年，在美國以第一家推出愛爾蘭咖啡而聞名。在刻有店名的特製玻璃杯內，裝著咖啡與威士忌，最上面還加上一層生奶油，口感香醇甘美，但酒精度頗高，小心不要喝太多。店內有吧台與8張圓桌，氣氛古典溫馨，讓人聯想到英國的酒吧。白天經常可以看到全家福一起用餐。早餐的餐點尤其豐富，有煎蛋捲、三明治等。晚上則以喝酒的客人為主。

店門口就是纜車總站，可以利用等車的時間用餐。

餐廳 素食

*Greens*

## 葛琳斯

| | |
|---|---|
| 住址 | Fort Mason Building A |
| ☎ | 415-771-6222 |
| 交通 | 由國立海洋博物館徒步約3分鐘 |
| 時間 | 12~16點、17點30分~21點<br>（週日10點30分~14點、週一17點30分~21點）休 無 |
| 費用 | 午 $8~ 晚 $10~ |

MAP…P284-A1

### 眺望海灣的素食專賣店

葛琳斯位於梅森堡的舊倉庫內，是家相當受歡迎的素食專賣店。店外就是遊艇碼頭，從這裡可以遠眺金門大橋。菜單上的單點菜色都使用新鮮的食材，如雞蛋、乳製品、豆類、穀類、蔬菜、水果等，都有益健康。

由倉庫改建而成的餐廳。午餐時間經常可見排隊的人潮。

P.286 The Basic Brown Bear Factory ⓢ 原創棕熊工廠
P.287 Lark in the Morning ⓢ 晨曦中的雲雀
P.286 Sox Sox Sox ⓢ 三雙襪子
查理布朗 Charlie Brown's ⓡ

海德街碼頭 Hyde Street Pier
45號碼頭 Pier 45
哈利里茲號 Hercules
瓦帕瑪號 Wapama
優利卡號 Eureka
漁人碼頭 Fisherman's Wharf
C.A.塞亞號 C.A.Thayer
阿爾瑪號 Alma

Municipal Pier

舊金山國立海洋歷史公園 San Francisco Maritime National Historical Park

ⓡ 葛琳斯 Greens P.284

水上公園 Aquatic Park
國立海洋博物館 National Maritime Museum P.253

安克瑞治購物中心 The Anchorage Shopping Center

史科馬茲 Scoma's
郝瓦德強生 Howard Johnson

纜車乘車處 Cable Car Turntable
罐頭工廠 The Cannery P.253 ⓢ
纜車下車處

漁人碼頭假日飯店 Holiday Inn Fisherman's Wharf Ⓗ
迪尼 Denny
漁人碼頭瑞迪遜飯店 Radisson Hotel at Fisherman's Wharf P.323
拉馬 Rama

梅森堡 FORT MASON

葛德禮廣場 P.253 P.283 Ghirardelli Square ⓖ
美景小飯館 P.284 The Buena Vista ⓒ
大太平洋鐵工廠／帕塔哥尼亞 Great Pacific Iron Works/Patagonia ⓢ

Bay St.

漁人碼頭萬豪飯店 Marriott at Fisherman's Wharf ♦

港灣街
加利雷歐高中 Galileo High Sch. ♦
俄羅斯山公園 Russian Hill Park
蓄水池

葛拉德禮巧克力蘇打工廠 ⓖ Ghirardelli Chocolate Mountain & Soda Fountain P.285
拉帕斯塔 La Pasta ⓡ
包汀 Bourdin ⓡ
獨一無二 One of a Kind P.287 ⓢ
帽子年代 The Hat Generation P.286 ⓢ
小纜車 Little Cable Car ⓢ

舊金山美術館 San Francisco Art Institute ♦

倫巴德街 Lombard St. P.256

往金門大橋

101

往諾布山↓

A | B

## 咖啡館
### *Ghirardelli Chocolate Mountain & Soda Fountain*

## 葛拉德禮巧克力蘇打工廠

| | |
|---|---|
| 住址 | 900 North Point St., Ghirardelli Sq. |
| ☎ | 415-474-3938 |
| 交通 | 由國立海洋博物館徒步約1分鐘 |
| 時間 | 7～23點（週五・六～24點）休無 |
| 費用 | 午晚$8～ |

MAP…P284-B2

**十多種口味的超大聖代**

由著名的老牌巧克力製造商萬拉德禮所經營，店內的熱巧克力、巧克力蘇打等的原料都是使用自製的巧克力。其中，最受歡迎的就是店內的超大聖代。約有十種口味，每份聖代的大小都約有國內的一倍大。杯裏擺上兩球特大冰淇淋，接著淋上巧克力醬，然後再擠些奶油，一客聖代就完成了。觀光旺季的午後，許多人為了品嚐聖代而大排長龍。咖啡館隔壁設有賣場，專門出售巧克力禮盒。

在數十種的聖代當中人氣指數排行第一，一個人很難吃得完。

店內採半自助式，可以挑選自己喜歡的座位。露天座位也是不錯的選擇。

## 咖啡館
### *Eagle Cafe*

## 鷹咖啡

| | |
|---|---|
| 住址 | Pier 39 |
| ☎ | 415-433-3689 |
| 交通 | 39號碼頭 |
| 時間 | 7點30分～21點 休無 |
| 費用 | 午晚$5～ |

MAP…P285-D1

39號碼頭唯一從早就開始營業的店家鷹咖啡創立於1928年，是家老字號的咖啡館。營業時間從早上7點半開始，因此很多客人一早就到39號碼頭散步，然後到此稍做休息，早上8點左右店內通常是一位難求的熱鬧景象。在店內，顧客可以邊欣賞著寧靜的海景，一邊享用煎蛋捲等簡餐、蛋糕及飲料。

碼頭雖然人煙稀少，但鷹咖啡卻是從早就很熱鬧。

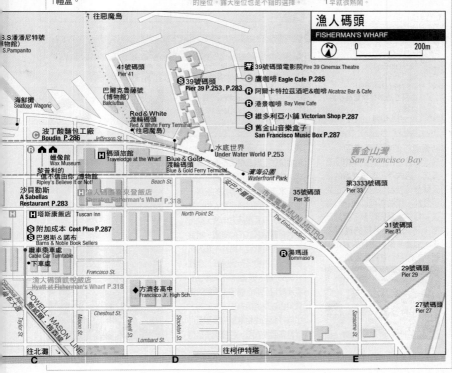

**漁人碼頭**
FISHERMAN'S WHARF

0 ─── 200m

往惡魔島

S.S潘潘尼特號（博物館）
S.S.Pampanito

41號碼頭
Pier 41

巴爾克魯薩號（博物館）
Balclutha

海鮮攤
Seafood Wagons

Red & White 渡輪碼頭
Red & White Ferry Terminal
（往惡魔島）

波丁酸麵包工廠
Boudin P.286

Jefferson St.

蠟像館
Wax Museum

碼頭旅館
Travelodge at the Wharf

Blue & Gold 渡輪碼頭
Blue & Gold Ferry Terminal

39號碼頭電影院 Pire 39 Cinemax Theatre

鷹咖啡 Eagle Cafe P.285

阿爾卡特拉茲酒吧&咖啡 Alcatraz Bar & Cafe

港景咖啡 Bay View Cafe

維多利亞小舖 Victorian Shop P.287

舊金山音樂盒子 San Francisco Music Box P.287

39號碼頭
Pier 39 P.253、P.283

水底世界
Under Water World P.253

渭海公園
Waterfront Park

舊金山灣
San Francisco Bay

第3333號碼頭
Pier 33

黎普利的「信不信由你」博物館
Ripley's Believe It or Not!

沙貝勒斯餐廳
A Sabellas Restaurant P.283

漁人碼頭喜來登飯店
Sheraton Fisherman's Wharf P.318

Beach St.

35號碼頭
Pier 35

塔斯康飯店
Tuscan Inn

附加成本 Cost Plus P.287

巴恩斯&諾布
Barns & Noble Book Sellers

North Point St.

31號碼頭
Pier 31

The Embarcadero

市營鐵路電車 MUNI METRO

纜車乘車處
Cable Car Turntable

下車處

湯瑪遜
Tommaso's

29號碼頭
Pier 29

Francisco St.

漁人碼頭凱悅飯店
Hyatt at Fisherman's Wharf P.318

方濟各高中
Francisco Jr. High Sch.

Chestnut St.

27號碼頭
Pier 27

Columbus Ave.

POWELL. MASON LINE
鮑爾纜車：梅森線

Mason St.

Powell St.

Stockton St.

Sansome St.

Taylor St.

往北灘

Lombard St.

往柯伊伊特塔

C    D    E

## 咖啡館
### Boudin

#### 波丁酸麵包工廠

| | |
|---|---|
| 住址 | 156 Jefferson St. |
| ☎ | 415-928-1849 |
| 交通 | 由國立海洋博物館徒步約5分鐘 |
| 時間 | 9～17點（週五～日10點30分～18點）休無 |
| 費用 | 午晚 $7～ |

MAP…P285-C2

**自製的美味酸麵包**

150年來，老字號的波丁酸麵包工廠就不斷地生產舊金山名產—酸麵包。酸麵包是世界上保存期限最長的麵包之一，製作過程完全不添加酵母，吃起來相當有嚼勁，而且內層黏滑可口，略帶酸味。將麵包中間挖空，然後加上奶油蛤蜊湯是店裡相當受歡迎的商品之一。店內採自助式服務，價格合理。除了麵包之外，還有披薩、三明治、沙拉等各式餐點。麵包店附近，聚集了許多賣海鮮的小販，相當熱鬧。坐在餐廳外面的露天座位，一邊吹著海風，一邊享用美食，會覺得格外好吃。早上來店用餐時，隔著店內的大窗戶，還可以看到師傅在揉麵粉的樣子。店裏有提供酸麵包外帶的服務。

上：供外帶用的麵包
右：店內採自助式，在櫃台點餐時須先付錢。

## 商店 精品店
### Sox Sox Sox

#### 三雙襪子

| | |
|---|---|
| 住址 | 2801 Leavenworth St.,The Cannery 1F（South Bldg.） |
| ☎ | 415-563-7327 |
| 交通 | 由國立海洋博物館徒步約3分鐘 |
| 時間 | 10～18點 休無 |

MAP…P284-C2

**從腳開始流行**

店內販賣絲襪、褲子、裙子等商品，但主要仍是以襪子為主。銷售的對象從小孩到婦女、男仕，鎖定的客層相當廣。雖然店內也有賣素面的襪子，但是各色毛線繡上迪士尼的卡通人物、舊金山灤光勝地、蒙娜麗莎或巴哈等知名人物的襪子，特別受到顧客青睞。

獨特的腳部流行更能增添旅遊的情趣

## 商店 精品店
### The Hat Generation

#### 帽子年代

| | |
|---|---|
| 住址 | 900 North Point St., Ghirardelli Sq. |
| ☎ | 415-749-1734 |
| 交通 | 由國立海洋博物館徒步約1分鐘 |
| 時間 | 10～18點 休無 |

MAP…P284-B2

**時尚流行的帽子專賣店**

最近在舊金山已經少見帽子專賣店。店內不只是男女帽的樣式齊全，在展示空間上也是經過設計，讓顧客可以一一欣賞這些帽子。夏天較多涼爽的草帽，冬天則以毛料的氈帽為主，隨著季節與流行的變化，商品的內容也會跟著變動。

店裏的氣氛令人忍不住都想試戴。

## 商店 玩具店
### Basic Brown Bear Factory

#### 原創棕熊工廠

| | |
|---|---|
| 住址 | 2801 Leavenworth St., The Cannery 2F（South Bldg.） |
| ☎ | 415-626-0781 |
| 交通 | 由纜車總站徒步約2分鐘 |
| 時間 | 10～17點 休無 |

MAP…P284-C2

**親手製造的玩偶**

位於罐頭工廠二樓的布偶熊專賣店，店內的大熊招牌相當引人注意。本店提供一項特殊的服務，顧客可以當場將綿花塞入中空的布偶內，只要跟店方申請，就可以親自體驗塞綿花的樂趣，相當受到小朋友歡迎。將綿花塞入布偶後，店內會將布偶縫好，全程只需5分鐘，顧客就可以擁有一隻屬於自己的布偶了。原創的布偶角色以泰迪熊為主，大公熊、小熊等商品也相當多。顧客還可以替布偶換衣服，各種玩法都相當有趣。

塞棉花時，工作人員會陪在身邊，不用擔心。

看到可愛的小熊，很想放在家裡當作寵物。

## 商店 日用品
**Cost Plus**

### 附加成本

| | |
|---|---|
| 住址 | 2552 Taylor St. |
| ☎ | 415-928-6200 |
| 交通 | 由纜車總站徒步約3分鐘 |
| 時間 | 10〜21點（週日〜20點）休無 |

MAP…P285-C2

#### 物美價廉的商品

1950年開始營業的老店，整棟磚紅色的建築上攀附著常春藤，相當起眼。整層的巨大賣場中，包括家具、廚房&衛浴用品、加工食品及餐具等的日常用品一應俱全。由於價格較一般的百貨公司約便宜二成，許多舊金山的當地居民都會來此購物。賣場中還陳列有來自義大利、西班牙、法國、德國等世界著名的紅酒，不過最主要的賣點還是當地生產的加州紅酒。紅酒的溫度管理得宜，只要向賣場的人員詢問，就能得到十分詳盡的建議。

挑高的天花板，店內如同體育館一樣的寬敞，只看不買也是樂事一樁。

商品種類豐富的紅酒賣場，顧客可以在此盡情地選購。

## 商店 樂器
**Lark in the Morning**

### 晨曦中的雲雀

| | |
|---|---|
| 住址 | 2801 Leavenworth St., The Cannery 2F（Center） |
| ☎ | 415-922-4277 |
| 交通 | 由纜車總站徒步約3分鐘 |
| 時間 | 10〜18點 休無 |

MAP…P284-C2

#### 世界各國的樂器應有盡有

店內展示的樂器都是老闆親自踏遍世界各地所蒐集的成果。從弦樂器、銅管、木管，到鍵盤等，各領域的樂器一應俱全。特別是打擊樂器與弦樂器的種類更是豐富，連專家都經常來此挑選樂器。仿照實際樂器做成的袖珍樂器也相當受顧客歡迎。

店員對於參觀的客人都很親切。店內也有展示手風琴、笛子等懷舊樂器。

## 商店 雜貨
**One of a Kind**

### 獨一無二

| | |
|---|---|
| 住址 | 900 North Point St., Ghirardelli Sq. |
| ☎ | 415-776-3200 |
| 交通 | 由國立海洋博物館徒步約1分鐘 |
| 時間 | 10點30分〜18點 休無 |

MAP…P284-B2

#### 手工的木雕作品

店內主要是以老闆布魯斯亞伯特的作品為主，其他也有販售當地藝術家的木雕作品。利用古木刻成的豪華藝術品、杯墊、割信刀等小東西，各種用途與尺寸的木雕作品應有俱有。其中首飾或筷子等小物品最受遊客歡迎。

利用不同顏色的木頭組合而成的作品，令人耳目一新。

## 商店 禮品店
**Victorian Shop**

### 維多利亞小舖

| | |
|---|---|
| 住址 | Pier 39 |
| ☎ | 415-781-4470 |
| 交通 | 39號碼頭內 |
| 時間 | 9點30分〜21點 休無 |

MAP…P285-D1

#### 最具舊金山風格的禮品

店內商品以舊金山的傳統建築－維多利亞式建築為藍本。其中，最暢銷的是X形的刺繡、版畫、繪畫之類的商品。牆壁上掛滿密密麻麻、各式各樣的作品，許多遊客會連外框一起買下，作為送人的禮品。除此之外，壁毯與裝飾品也是店內的暢銷商品。

店內彷彿是維多利亞式建築的博物館，相關商品都排列在一起。

## 商店 禮品店
**San Francisco Music Box**

### 舊金山音樂盒子

| | |
|---|---|
| 住址 | Pier 39 |
| ☎ | 415-433-3696 |
| 交通 | 39號碼頭內 |
| 時間 | 10〜20點（週五・六〜21點）休無 |

MAP…P285-D1

#### 奇幻的音樂盒專賣店

這家店的招牌與大門的顏色都是清爽的海洋藍，令人印象深刻。一踏進店內，就能聽到音樂盒的美妙樂音。大部份的音樂盒都是採用著名的舊金山纜車作為設計主題。無論是用色或形狀大小都別出心裁。除此之外，店內還陳列了人物、房子、旋轉木馬等造型的音樂盒，充滿奇幻的感覺。

店面的設計猶如童話世界，令人忍不住想進去瞧瞧。

## Union Street
# 聯合街

走在聯合街上，可以感受到濃濃的歐洲風味，街道兩側有一些小巧精緻的餐廳與咖啡館。由於鄰近舊金山的高級住宅區－太平洋高地區Pacific Heights，因此成為當地居民購物或用餐的地方。在1950年維多利亞式建築興建之前，這附近原是一片牧草。聯合街現在仍留有一棟維多利亞**八角屋**Octagon House，這棟建築是當年象徵幸運的標誌，同時也見證了當時的歷史。從西邊的費爾摩街附近下坡，一路到維多利亞八角屋一帶，在這個小範圍的地區，聚集了美味的早餐店、雅致的咖啡館，還有時尚典雅的服飾店。這裡的街景並不華麗，給人一種雅致整

還嗅得到牧草味道的維多利亞八角屋

齊、小巧玲瓏，以及歐式風味的感覺。看不到大型商店也是本區的特色之一，但所有的人對商品的品質都讚不絕口。除此之外，這裏還有多家高雅的個性商店。如果天氣晴朗，還可以坐在屋外的座位上，邊喝著義式濃縮咖啡，邊優閒地看著街上人來人往的景致。舊金山的居民自豪地表示這裡是世上最美的一條街，我們不妨置身其中，體會當地居民的心情，好好地度過愉快的一天。

---

**蛋糕店** 法國料理、點心
*La Nouvelle Patisserie*

## 諾維拉麵包舖

| | |
|---|---|
| 住址 | 2184 Union St. |
| ☎ | 415-931-7655 |
| 交通 | 由夏曼小學徒步約6分鐘 |
| 時間 | 7～20點（週五・六～23點）休 無 |
| 費用 | 午晚 $7～ |

MAP…P289-A2

### 如珠寶盒般的櫥窗

位於聯合街的諾維拉麵包舖從早上7點開始營業，店內的櫥窗裏陳列著媲美藝術品的奶油水果餡餅及歐坦拉巧克力蛋糕等。在當地已經有十多年的歷史，深受當地居民喜愛，從早上九點前不斷湧入的人潮就可略知一二。經常可以看到有人到店裏拿了預訂好的蛋糕就走；也有小姐坐在露天座位上，點了份奶油水果餡餅當早餐；還有上班族到店裡買幾片餅乾後趕去上班的情景。如果想在聯合街體驗當地居民的生活，上午是最佳時段。最便宜的蛋糕或水果奶油餡餅只要US$3左右。公認搭配可麗餅最好吃的3種果醬，最便宜的小罐裝只要US$5.95。

上：露天座位約只有十位
右：美味可口的圓形奶油水果餡餅US$32.95

---

**餐廳** 美式料理
*Left at Albuquerque*

## 亞柏克爾克

| | |
|---|---|
| 住址 | 2140 Union St. |
| ☎ | 415-749-6700 |
| 交通 | 由夏曼小學徒步約5分鐘 |
| 時間 | 11～24點休 無 |
| 費用 | 午 $10～晚 $20～ |

MAP…P289-A2

### 朋友聚會的好去處

帶有美國西南部色彩的休閒餐廳，在這裏可以品嚐到乳酪捲、墨西哥餅等美食。店裏還有各式各樣的小菜，適合舉辦熱鬧的餐會。乳酪捲是顧客一致認為最好吃的一道菜，千萬不可錯過。瑪格麗特調酒也相當受歡迎。

自1996年開業以來，店裡永遠是座無虛席。

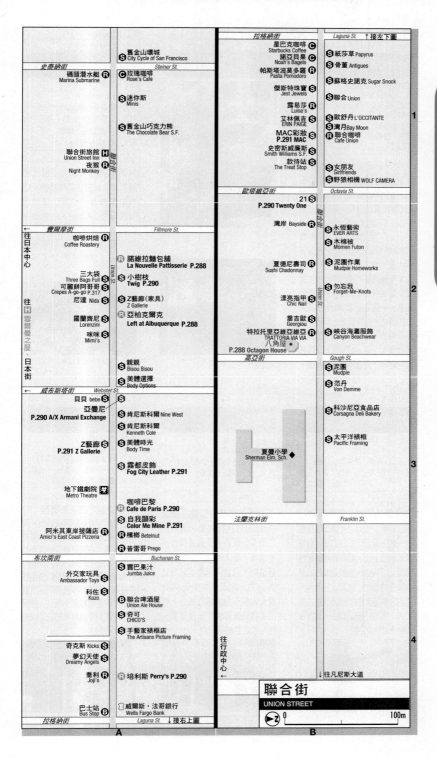

**史泰納街 Steiner St.**

舊金山環城
City Cycle of San Francisco ⑤

碼頭潛水艇
Marina Submarine ®

玫瑰咖啡
Rose's Cafe ®

迷你斯
Minis ⑤

舊金山巧克力熊
The Chocolate Bear S.F. ⑤

聯合街旅館
Union Street Inn ⒣
夜猴
Night Monkey

**費爾摩街 Fillmore St.**

咖啡烘焙
Coffee Roastery ®

三大袋
Three Bags Full ⑤
可麗餅阿哥哥
Crepes A-go-go P.317
尼達 Nida

羅蘭齊尼
Lorenzini

咪咪
Mimi's ⑤

諾維拉麵包舖
La Nouvelle Pattiserie P.288 ®

小樹枝
Twig P.290 ⑤

Z藝廊(家具)
Z Gallerie ⑤

亞柏克爾克
Left at Albuquerque P.288 ®

親親
Bisou Bisou ⑤

美體選擇
Body Options ⑤

**威布斯塔街 Webster St.**

貝貝 bebe ⑤
亞曼尼
P.290 A/X Armani Exchange

肯尼斯科爾 Nine West
肯尼斯科爾
Kenneth Cole ⑤

Z藝廊 ⑤
P.291 Z Gallerie

美體時光
Body Time ⑤

霧都皮飾
Fog City Leather P.291 ⑤

地下鐵劇院
Metro Theatre

咖啡巴黎
Cafe de Paris P.290 ®

自我顯彩
Color Me Mine P.291 ⑤

阿米其東岸披薩店
Amici's East Coast Pizzeria

檳榔 Betelnut ⑤

普雷哥 Prego ®

**布坎南街 Buchanan St.**

賈巴果汁
Jumba Juice ⑤

外交家玩具
Ambassador Toys ⑤
科佐
Kozo

聯合啤酒屋
Union Ale House ⑧

奇可
CHICO'S ⑤

手藝家裱框店
The Artisans Picture Framing ⑤

奇克斯 Kicks ⑤
夢幻天使
Dreamy Angels ⑤

喬利
Joji's ® 培利斯 Perry's P.290

巴士站
Bus Stop
威爾斯·法哥銀行
Wells Fargo Bank ⓑ

**拉格納街**　**Laguna St. ↓接右上圖**

往日本中心　往Ⓗ雪爾曼之屋、日本街

**A**

---

**拉格納街**　　　　　**Laguna St. ↑接左下圖**

星巴克咖啡
Starbucks Coffee ©
諾亞貝果
Noah's Bagels ⑤
帕斯塔波莫多羅
Pasta Pomodoro ®

傑斯特珠寶
Jest Jewels ⑤

霧易莎
Luisa's ⑤

艾林佩吉
ERIN PAIGE ⑤

MAC彩妝
P.291 MAC

史密斯威廉斯
Smith Williams S.F. ⑤

款待站
The Treat Stop ⑤

**歐塔維亞街 Octavia St.**

21 ⑤
P.290 Twenty One

灣岸 Bayside ®

夏德尼壽司
Sushi Chadonnay ⑤

漂亮指甲
Chic Nail ⑤

喬吉歐
Georgiou ⑤

特拉托里亞維亞維亞
TRATTORIA VIA VIA
八角屋 ●
P.288 Octagon House

**高亞街 Gough St.**

夏曼小學
Sherman Elm. Sch. ◆

**法蘭克林街**　　**Franklin St.**

往行政中心 ←　往凡尼斯大道 →

紙莎草 Papyrus ⑤
骨董 Antiques ⑤

蘇格史諾克 Sugar Snock ⑤

聯合 Union ⑤

歐舒丹 L'OCCITANE ⑤
灣月 Bay Moon ⑤
聯合咖啡
Cafe Union ®

女朋友
Girlfriends ⑤
野狼相機 WOLF CAMERA ⑤

永恆藝術
EVER ARTS ⑤
木棉被
Mômen Futon ⑤

泥園作業
Mudpie Homeworks ⑤

勿忘我
Forget-Me-Knots ⑤

峽谷海灘服飾
Canyon Beachwear ⑤

泥園
Mudpie ⑤

范丹
Von Demme ⑤

科沙尼亞食品店
Corsagna Deli Bakery ®

太平洋裱框
Pacific Framing ⑤

**聯合街**
**UNION STREET**

0　　　　　　　　　　　　　100m

**B**

餐廳 美式料理
*Perry's*

## 培利斯

| | |
|---|---|
| 住址 | 1944 Union St. |
| ☎ | 415-922-9022 |
| 交通 | 由夏曼小學徒步約3分鐘 |
| 時間 | 9～24點 休無 |
| 費用 | 午晚$15～ |

MAP…P289-A4

氣氛與音樂俱佳的咖啡吧
注重品味的咖啡餐廳，走進店
內，立刻可以看到門邊貼著老闆
所收藏的藝術海報。如果是三五
好友一同至此，可以試試每週
三、六推出的龍蝦特餐
US$18.95，若是想吃到便宜美味
的大餐，週六、日9點～下午3點
的早午餐則是不錯的選擇。悠閒
地坐在店內的院子裡，一邊享受
美食，一邊看著聯合街上人來人
往的景色，相當恬意。料理的份
量不但多，且裝飾得相得漂亮。
雖然價格不斐，如果親自品嚐各
種料理，一定會覺得物超所值。

除了晚上的營業時間之外，白天也有提供餐點。

古典風味的培利斯咖啡吧

餐廳 法國料理
*Cafe de Paris*

## 咖啡巴黎

| | |
|---|---|
| 住址 | 2032 Union St. |
| ☎ | 415-931-5006 |
| 交通 | 由夏曼小學徒步約3分鐘 |
| 時間 | 11點30分～22點（週五、六～凌晨2點）休無 |
| 費用 | 午$10～晚$15～ |

MAP…P289-A3

典雅的氣氛中享受法國大餐
擁有40多年歷史的咖啡館，店
內氣氛典雅，也提供道地的
法國料理US$20～。店內最受
歡迎的還是美式料理的牛排
與炸薯條。如果來到咖啡巴
黎，可以試試店內每天不同
的特餐。

咖啡館內瀰漫著都會成年人的氣氛

商店 精品店
*Twenty One*

## 21

| | |
|---|---|
| 住址 | 1799 Union St. |
| ☎ | 415-409-2121 |
| 交通 | 由夏曼小學徒步約3分鐘 |
| 時間 | 10點30分～19點（週六10點～，週日11～18點）休無 |

MAP…P289-B1

合理價格買到最新時尚流行
適合年輕女性的流行商品應有盡
有，從亮麗流行的花紋T恤，到時
髦的單色上衣，顧客的年齡層相
當廣泛。獨樹一格的定價方式是
這家店的特徵，如同店名所示，
店內的商品大多從US$21起跳，主
要的定價方式分成US$21、US$31及
US$41及US$51四種。

21位於聯合街一角，大塊玻璃外牆的店面。

商店 精品店
*A/X Armani Exchange*

## 亞曼尼

| | |
|---|---|
| 住址 | 2090 Union St. |
| ☎ | 415-749-0891 |
| 交通 | 由夏曼小學徒步約3分鐘 |
| 時間 | 10～20點（週日11～18點）休無 |

MAP…P289-A3

不再遙不可及的亞曼尼服飾
Armani由於設計前衛、剪裁漂
亮而深受好評，不過售價也相
對偏高，讓人難以下手購買。
但是到了這裏，消費者就可以
放心了。本店是休閒版A/X在
舊金山唯一的專櫃服飾店。雖
然價格比較便宜，但是簡單、
時髦的設計毫不遜色。

店內的右手邊是女性服飾，左手邊是男性服飾。T恤也適合作為禮物。

商店 美式手工藝店
*Twig*

## 小樹枝

| | |
|---|---|
| 住址 | 2162 Union St. |
| ☎ | 415-928-8944 |
| 交通 | 由夏曼小學徒步約5分鐘 |
| 時間 | 10～19點（週日～18點）休無 |

MAP…P289-A2

精緻的個性飾品專賣店
在這家附設藝廊的專賣店內，可
以買到高格調又充滿個性的美式
手工藝品。店裡蒐集了來自全美
各地藝術家們的魅力作品，分門
別類展示販賣。大部份的商品都
是餐具、玻璃杯等廚房用品或裝
飾品，其實價格並不便宜，但保
證可以買到令人滿意的禮品或旅
行的紀念品。

相當受到女性的歡迎。即使只是瀏覽店內櫥窗也是樂事一椿。

## 商店 室內裝潢用品
### Z Gallerie
### Z藝廊

| | |
|---|---|
| 住址 | 2071 Union St. |
| ☎ | 415-346-9000 |
| 交通 | 由夏曼小學徒步約3分鐘<br>10～20點（週日11～18點） |
| | 休 無 |

MAP…P289-A3

追求高品質的室內裝潢用品
Z藝廊販售來自法、英的生活
雜貨。店裏最自豪的就是商
品種類豐富、樣式齊全，從
衛浴用品到廚房雜貨、餐
具、文具應有盡有。店內左
邊用牆壁隔開為海報展示
區，無論是安迪・沃荷，或
是凱斯・哈林的海報都可在
此找到。

高級感十足、優質流行的商品一應俱
全。

## 商店 皮革製品
### Fog City Leather
### 霧都皮飾

| | |
|---|---|
| 住址 | 2060 Union St. |
| ☎ | 415-567-1996 |
| 交通<br>時間 | 由夏曼小學徒步約3分鐘<br>11～18點（週日12～17點） |
| | 休 週一 |

MAP…P289-A3

量身訂做
以店家原創的外套為主要賣點的
皮革製品專賣店。約有6成的商
品是在店內當場縫製，因此顧客
若要調整尺寸，店方可以貼心地
滿足客戶的要求。用柔軟的小牛
皮製成的大衣是店裡的暢銷商
品。除了外套之外，店裏還有短
褲、手提包、錢包、皮帶等小飾
品。也可買到色彩鮮艷的皮革。

訂做的商品須3～6個禮拜左右才能交
貨

## 商店 化妝品
### MAC
### MAC彩妝

| | |
|---|---|
| 住址 | 1833 Union St. |
| ☎ | 415-771-6113 |
| 交通<br>時間 | 由夏曼小學徒步約2分鐘<br>11～19點（週日～18點） |
| | 休 無 |

MAP…P289-B1

引進最新款的化妝品直營店
許多超級名模愛用的知名化妝品
MAC的直營店。無論是店面或店
內，時尚感十足，店員的態度都
相當親切，只要是關於護膚，或
是彩妝技巧的問題，店員都會親
切的解答，不妨多加詢問。由於
是直營店，產品齊全，在這裏可
以最早買到最新產品。

MAC化妝品種類豐富，口紅有140多
種，眼影有100多種顏色。

## 商店 漆繪陶瓷
### Color Me Mine
### 自我顯彩

| | |
|---|---|
| 住址 | 2030 Union St. |
| ☎ | 415-474-7076 |
| 交通<br>時間 | 由夏曼小學徒步約3分鐘<br>10～21點（週日～19點） |
| | 休 無 |

MAP…P289-A3

想不想成為舊金山藝術家?!
如果預定在舊金山待上幾天，
那就一定要造訪這家店。在這
裏，顧客可以親身體驗在陶器
上畫圖的樂趣。首先從3百多
種的陶器中選出自己喜歡的樣
式，從大到小型的彩繪盤子、
煙灰缸，種類相當多，顧客可
以視自己的預算與時間來做選
擇。接著是用鉛筆描出底稿，
如果想不出圖案也不須擔心，
工作室的電腦內存有25,000多
種圖樣，只需從中選擇喜歡的
圖樣就可以了。打好底稿之
後，就要選顏色了，這裏有超

過30種的顏色任君選擇。上完
色後，所有的工作就告結束，
之後只要交給工作人員去燒製
即可。當天陶器上完釉藥後，
就會送進爐內燒製，隔天晚上
7點左右就可到店內領取成品
了。把對舊金山的印象燒製成
自製的陶器，相信這將會是世
上獨一無二的最佳禮物。

無論是大人或小孩都能在這間工作室
內玩得開心。

在一片和樂的氣氛下創作，這種體驗一定能令人印象深刻。

## Fillmore Street
## 費爾摩街

　　如果要用一句話來介紹費爾摩街，平凡中帶著風雅是最適當的形容詞了。這裡原本就是舊金山雅痞族的聚集地，通常都會在街上的咖啡館和酒吧打發時間。一到黃昏，許多穿著時尚帥氣的年輕上班族就從四面八方湧進。

　　或許是受到這種時尚風潮的影響，這條街上有許多高品味的生活雜貨及室內裝潢用品店。整體而言，店家的氣氛都相當高尚成熟，可以享受高水準的購物樂趣。此外，許多美味餐廳林立也是這裡的特徵之一，例如費爾摩的傑克森、比凡迪城等，都是全美評價很高的餐廳。

往聯合街 ↑

**Ⓡ** 費爾摩的傑克森 Jackson Fillmore Trattoria P.294

Jackson St.　傑克森街

圖里咖啡 Tully's Coffee **Ⓒ**
新鮮事 Juicy News **Ⓢ**

**Ⓢ** 舊金山交響樂 San Francisco Symphony Repeat Performance
**Ⓢ** 彩繪效果 Paint Effects
**Ⓢ** 雲特威爾 Yountville

鮑利咖啡 P.293 Pauli's Cafe **Ⓡ**

華盛頓街　Washington St.

—艾爾他廣場公園 Alta Plaza Park

**Ⓢ** 給我鞋 Gimme Shoes
**Ⓢ** 家庭工業 Cottage Industry P.295
**Ⓢ** 富巢 Nest

克雷街　Clay St.

克雷劇場 Clay Theater 📽️
天一 P.293 Ten-Ichi **Ⓡ**
賈巴果汁 Jamba Juice **Ⓒ**
歐舒丹 P.294 L'Occitane **Ⓢ**
咖啡豆 & 茶葉 **Ⓒ** The Coffee Bean & Tea Leaf

**Ⓡ** 拉波沙達 La Posada
**Ⓢ** 維亞維內托 Via Veneto
**Ⓢ** 奧瑪瓜 Aumakua P.295
**Ⓡ** 星巴克 Starbucks Coffee
地中海 La Méditerranée P.294 **Ⓡ**

太平洋醫療中心 ✚ Pacific Medical Center

柔依 Zoe P.294 **Ⓢ**

沙加緬度街　Sacramento St.

皮特咖啡館 **Ⓒ** Peet's Coffee & Tea

Steiner St.

**Ⓢ** 美容用品店 Beauty Store
費爾摩糕餅 Filmore on Bakery

Bebe 貝貝 **Ⓢ**
比凡迪城 P.293 Vivande Porta Via **Ⓡ**
冬日樹枝 **Ⓢ** P.295 Winterbranch Gallery

Fillmore St.

Webster St.

加州街　California St.

薩沙 La Salsa **Ⓒ**
精英咖啡 The Elite Cafe **Ⓡ**
歐加尼城 Organi City **Ⓡ**
貝琪強森 Betsey Johnson **Ⓢ**
泰史提克 Thai Stick **Ⓢ**

**Ⓒ** 皇家咖啡 Royal Ground Coffee
**Ⓡ** 杜森夫人帽店 Mrs. Dewson's Hats
**Ⓢ** 史密斯 & 霍肯 Smith & Hawken
哈利斯 Harry's P.293 **Ⓡ**
**Ⓡ** 栗子咖啡 Chestnut Café

松街　Pine St.

大阪 Osaka **Ⓡ**
弗羅里歐 Florio **Ⓡ**

**Ⓡ** 強尼火箭 Johnny Rockets
**Ⓢ** 美體時光 Body Time
梅萊恩 Mainline P.295 **Ⓢ**

Wilmot St.

我們家 Chez Nous **Ⓡ**

**Ⓡ** トラヤ Toraya
**Ⓡ** まるや Maruya
**Ⓡ** なるみ骨董 Narumi Antiques

十字路 Crossroads Trading Co. **Ⓢ**

布希街　Bush St.

**Ⓡ** 特利咖啡 Trio Coffee

J.T指甲藝術 J.T.Nails P.294 **Ⓢ**
地獄披薩 Pizza Inferno P.293

## 費爾摩街
**FILLMORE STREET**
🧭 0 ─────── 100m
A　　　　B

↓ 往日本中心　Sutter St.

冬日樹枝店內的高品味室內擺飾

## 餐廳 披薩
### Pizza Inferno
### 地獄披薩

| | |
|---|---|
| 住址 | 1800 Fillmore St. |
| ☎ | 415-775-1800 |
| 交通 | 由艾爾他廣場公園徒步約7分鐘 |
| 時間 | 11點30分～23點（週五・六～24點）休 無 |
| 費用 | 午晚$8～ |

MAP…P292-A3

**讚不絕口的特製方型披薩**
店內環境寬敞明亮，工作人員親切友善，特製披薩美味可口，由於這三大優點，本店的生意相當好。披薩的口味介於美式與義式之間，披薩皮雖薄，但配料相當多。基本口味的披薩有19種，而追加的配料有22種，口味選擇相當多，顧客可以依自己的喜好做選擇。店裡也有羅勒或起司等單一口味的披薩，顧客可以自行在上面加料，拷一片屬於自己的創意披薩。店內除了一般座位外，還有靠窗的吧台座位，獨自一人也可以在這裡輕鬆用餐，不會感到煩膩。

上：壁上的油漆色彩鮮艷
右：美味的新鮮餡料

## 酒吧 美式料理
### Harry's
### 哈利斯

| | |
|---|---|
| 住址 | 2020 Fillmore St. |
| ☎ | 415-921-1000 |
| 交通 | 由艾爾他廣場公園徒步約5分鐘 |
| 時間 | 16點～凌晨2點休 無 |
| 費用 | 晚$15～ |

MAP…P292-A3

**走進店裡輕鬆地喝一杯**
店內充滿了古典風味，內部裝潢令人感覺置身在年代悠久的英式酒吧。不過，來到哈利斯卻不必太過拘束，店裡的酒保與員工都十分爽朗友善。而如此不平衡的搭配似乎就是這家店大受歡迎的原因。晚上6點以後的特別優惠更是吸引客人的一大噱頭。

每週四～六的晚上有70年代的現場爵士演奏

## 餐廳 美式料理
### Pauli's Cafe
### 鮑利咖啡

| | |
|---|---|
| 住址 | 2500 Washington St. |
| ☎ | 415-921-5159 |
| 交通 | 由艾爾他廣場公園徒步約2分鐘 |
| 時間 | 8點30分～14點（週五・六～15點）休 無 |
| 費用 | 午$12～ |

MAP…P292-A1

**令人安心的無農藥蔬菜**
從偌大的窗戶射入的陽光讓人心情愉快，室內的裝潢風格簡單高雅。料理US$10～以輕淡的美式餐點為主。這家店最自豪的是使用無農藥的蔬菜，符合現代人的健康概念。週末有提供早午餐。

坐在靠窗的座位上，邊看著路過的人群，邊享受美食。

## 餐廳 日本料理
### Ten-Ichi
### 天一

| | |
|---|---|
| 住址 | 2235 Fillmore St. |
| ☎ | 415-346-3477 |
| 交通 | 由艾爾他廣場公園徒步約2分鐘 |
| 時間 | 11點30分～14點、17～22點（週六・日17～22點）休 無 |
| 費用 | 午$8～晚$20～ |

MAP…P292-A2

**以新鮮食材取勝**
店內的氣氛令人心情平和，招牌的生魚片與壽司更讓人讚不絕口。壽司的種類可由客人自己選擇，此外，店內也有日式套餐，午餐時間更推出平價便當US$11.50～。其他菜色還有天婦羅、炸雞塊、烏龍麵以及火鍋類等，相當豐富。

在乾淨漂亮的環境中，仔細品嚐道地的日式美食。

## 餐廳 義大利料理
### Vivande Porta Via
### 比凡迪城

| | |
|---|---|
| 住址 | 2125 Fillmore St. |
| ☎ | 415-346-4430 |
| 交通 | 由艾爾他廣場公園徒步約4分鐘 |
| 時間 | 10點～22點休 無 |
| 費用 | 午$15～晚$25～ |

MAP…P292-A2

**暢銷的手工義大利麵**
這家風格獨特的義大利料理店有著細長的用餐空間。老闆卡爾曾寫過義大利料理食譜，相當有名氣。手工的義大利麵是店裡的招牌料理。店內設有熟食區，如果趕時間，可以善加利用。

晚餐時間經常會客滿，用餐前最好先預約。

## 餐廳 義大利料理
### *Jackson Fillmore Trattoria*

> 費爾摩的傑克森

| | |
|---|---|
| 住址 | 2506 Fillmore St. |
| ☎ | 415-346-5288 |
| 交通 | 由艾爾他廣場公園徒步約2分鐘 |
| 時間 | 17點30分～22點（週五・六～22點30分、週一～21點30分、週日17點～21點30分）休 無 |
| 費用 | 晚 $12.50～ |

MAP…P292-A1

**道地義大利的純正口味**
多種純正口味的義大利料理讓老闆引以為傲，特選料理有薄片烤土司與墨魚燴飯。料理多使用舊金山出產的新鮮海產，尤其是用鼠尾草與奶油調味而成的鮭魚更是店裡的招牌。

外觀與一般餐廳並無兩樣，但料理的味道卻是一級棒。

## 餐廳 地中海料理
### *La Mediterranee*

> 地中海

| | |
|---|---|
| 住址 | 2210 Fillmore St. |
| ☎ | 415-921-2956 |
| 交通 | 由艾爾他廣場公園徒步約3分鐘 |
| 時間 | 11～22點（週五・六～23點）休 無 |
| 費用 | 午 $7～晚 $10～ |

MAP…P292-A2

**罕見的黎巴嫩料理**
提到地中海料理，通常會令人聯想到希臘料理，然而這家店的菜色是舊金山也很少見的黎巴嫩料理。店裡的特選料理是2人份的中東拼盤，包括摩潔開胃拼盤與黎巴嫩三明治等名菜，若是初次體驗黎巴嫩料理，一定要嚐嚐這種道地的美味。各式拼盤都有一般與素食兩種選擇，可以滿足客人的需求。這家店不接受事先預約。

用合理的價格就可以品嚐到道地的黎巴嫩料理

店內的氣氛相當時髦靜謐，給人一種居家的感覺。

## 商店 精品店
### *Zoe*

> 柔依

| | |
|---|---|
| 住址 | 3571 Fillmore St. |
| ☎ | 415-929-0441 |
| 交通 | 由艾爾他廣場公園徒步約3分鐘 |
| 時間 | 11～19點（週日12～17點）休 無 |

MAP…P292-A2

**適合東方人的尺寸齊全**
簡單高雅又能順應時尚潮流的服飾，相當受到當地女性的歡迎。適合東方人的小號尺寸服裝也不少，在這裡應該可以找到合適的衣服。從休閒服飾到正式禮服一應俱全，種類相當豐富。

親切的店員會提供客人服裝搭配等的相關意見

## 商店 指甲沙龍
### *J.T Nails*

> J.T指甲藝術

| | |
|---|---|
| 住址 | 1848 Fillmore St. |
| ☎ | 415-563-4373 |
| 交通 | 由艾爾他廣場公園徒步約7分鐘 |
| 時間 | 9～19點（週日10點～18點30分）休 無 |

MAP…P292-A3

**道地的美式指甲藝術**
指甲藝術近年來在亞洲愈來愈風行。在美國，上指甲沙龍就如同美容院一般，各個年齡層的顧客都有，已經不只是年輕人的專利了。這家店有多種服務項目，修指甲只需US$8～，約為國內收費的1/3～1/4左右。

受歡迎的秘訣在於氣氛開放，隨時都可以輕鬆造訪。

## 商店 禮品、雜貨
### *L'Occitane*

> 歐舒丹

| | |
|---|---|
| 住址 | 2207 Fillmore St. |
| ☎ | 415-563-6600 |
| 交通 | 由艾爾他廣場公園徒步約4分鐘 |
| 時間 | 10～19點（週六9點30分～18點、週日11～18點）休 無 |

MAP…P292-A2

**來自普羅旺斯的香味**
歐舒丹從沐浴用品到精油製品，以連鎖方式行銷全球。目前在舊金山的聯合街也設有分店，基本的商品以肥皂、精油為主。從聯合街到費爾摩街一帶的街景飄散著英倫風情，與店內的氣氛十分吻合。

玻璃櫥窗的明亮店裡瀰漫著肥皂與精油的香味

## 商店 禮品、雜貨
### MainLine

## 梅萊恩

| | |
|---|---|
| 住址 | 1928 Fillmore St. |
| ☎ | 415-563-4438 |
| 交通 | 由艾爾他廣場公園徒步約6分鐘 |
| 時間 | 10～19點（週六‧日11點～） 休無 |

MAP…P292-A3

### 獨具風格的禮品

在舊金山當地頗有人氣的禮品店，在卡斯楚區也設有分店。憑著同志特有的纖細與遊戲的心情，本身也是同志的老闆所蒐集的獨特雜貨成為這家店受歡迎的秘訣。從略帶顏色的情趣商品到時尚的室內小飾品，應有盡有。

無論是同志徽章或是愛滋徽章都買得到

## 商店 美式手工藝店
### Cottage Industry

## 家庭工業

| | |
|---|---|
| 住址 | 2326 Fillmore St. |
| ☎ | 415-885-0326 |
| 交通 | 由艾爾他廣場公園徒步約7分鐘 |
| 時間 | 11～19點（週日～18點） 休無 |

MAP…P292-A1

### 成排的民族風味手工藝品

在拉丁樂曲與獨特香味飄盪的空間裏，秘魯的樂器、香水、首飾材料的珠飾、皮扣、面具以及雕像等，全拉丁美洲的民俗藝品與手工藝品密密麻麻地陳列在此。喜歡民族工藝的人看了會心動的商品種類眾多，另外還有許多服裝與紡織品的設計、花紋都十分特殊。

櫥窗內的展示品也十分吸引人

## 商店 美式手工藝店
### Aumakua

## 奧瑪瓜

| | |
|---|---|
| 住址 | 2238 Fillmore St. |
| ☎ | 415-673-4200 |
| 交通 | 由艾爾他廣場公園徒步約2分鐘 |
| 時間 | 10點30分～18點30分（週日11～18點） 休無 |

MAP…P292-A2

### 鮮為人知的美式手工藝店

小巧的店內排滿了密密麻麻的首飾與室內小飾品，每一件都帶著濃濃的藝術氣息。最引人注目的就是首飾類的物品。許多耳環、胸針等小首飾都是模仿動物造型，或

上：民族風味的手工藝品
右：店內雖然不大，但商品種類相當多。

是以自然為題材，兼具了個性與可愛的特點。每一件首飾都有著無法言喻的味道。另外，店裡也有許多手工藝品作家製做的玻璃工藝品與民族風味濃厚的人偶，每件作品都具有相當敏銳的感覺和獨特的風格。在夏威夷的信仰中，店名奧瑪瓜意指守護家族的動物神祇，這家店會販賣夏威夷的手工藝品也是由於這個緣故。充滿創意的美式禮品齊聚一堂。

## 商店 美式手工藝店
### Winterbranch Gallery

## 冬日樹枝

| | |
|---|---|
| 住址 | 2119 Fillmore St. |
| ☎ | 415-673-2119 |
| 交通 | 由艾爾他廣場公園徒步約5分鐘 |
| 時間 | 10點30分～17點30分 休無 |

MAP…P292-A2

### 專為大人設計的手工藝品

店裡擺設的都是美國的手工藝品。美式手工藝品有各式各樣的類型，本店主要是針對成年人的可愛手工藝品，大部份都是能讓人感到溫馨的作品。基本設計都是根據現代藝術，而不走鄉村路線。這些手工藝品的價錢不一，大約在US$40左右。只要賞玩過一次，就會為之深深著迷，令人忍不住想要帶回家。現代的美式手工藝品的內涵彷如廣闊的大地一般。能接觸到柔和與優美的藝術品可說是這家店所蘊藏的樂趣吧！

櫥窗設計得如同藝廊一般，充滿高級的品味，相當受到歡迎。

十分暢銷的牽手人偶。表情讓人有說不出的喜愛。

# 蘇瑪區

Soma

蘇瑪區過去曾是工業區，如今搖身一變成為領導時尚潮流的地區。隨著許多個性餐廳與夜店相繼開張，蘇瑪區也成了話題的焦點。不過，由於這一區相當大，還有許多地方仍未開發，因此在街上漫步想要開發新景點的方法並不安全，即使是在白天，仍有許多地方人煙稀少，絕對要避免夜裏單獨行動。建議事先決定好目的地，然後利用計程車或巴士前往。餐廳集中的地區首要要提到的是**舊金山現代藝術博物館**（→P261）一帶。泰國、墨西哥、日本等各國的餐廳林立，許多店不僅是在餐點的味道上，連店內的佈置也十分講究，頗受歡迎。其次是**霍森街Folsom St.**與**第11街11th St.**的交會處一帶，許多夜店都集中在此。同志聚集的漢堡店、可以喝到當地啤酒的酒吧、將倉庫改建而成的墨西哥餐廳、有現場演奏的老牌餐廳等，這些以年輕人為主要訴求的商店有著高貴不貴的服務與嶄新的氣氛，相當受到矚目。而蘇瑪區的暢貨中心更是喜愛購物者的天堂。從時尚流行、化妝品、家具、戶外用品，到音樂用品等，各個領域的商店林立。不過許多暢貨中心都在週日公休，平日的打烊時間也較早，最好事先做好確認。

天氣晴朗時，坐在戶外的露天用餐廳，如芳草花園的露天咖啡等，是不錯的選擇。

**餐廳** 日本料理

*Kyoya*

## 京野

| 住址 | 2 New Montgomery St. |
| ☎ | 415-546-5090 |
| 交通 | 由中央郵局徒步約7分鐘 |
| 時間 | 11點30分～14點、18～22點（週六18～22點）休週日、一 |
| 費用 | 午$25～晚$50～ |

MAP…P297-A1,275-D4

**正統的高級日本料理店**
位於皇宮飯店1樓的日本料理店。店內提供的餐點完全是道地的日本美味，絕沒有混雜一絲的美式風味，因此甚受好評。從壽司、天婦羅，到火鍋類料理等，日式餐點應有盡有，且每種料理都選用當季最新鮮的食材。無論是從日本進口，或是當地出產，只有高品質的食材才能搬上餐桌。高級的日式餐具、漂亮的料理裝盤方法，現煮現吃，這種以客為尊的日式服務精神讓來店的顧客都能滿意。許多商業宴會都在這家高級餐廳舉行，不過也有許多客人是獨自前來享受美

食，因此店裡也備有天婦羅與燒烤等的套餐。午餐時間還有數種平價料理US$20～可供選擇，例如每週更換菜色的松花堂便當（餐盒內裝有炸、烤、涼拌等菜色的便當）、有二個小蓋飯的小丼套餐（例如醋飯與天婦羅蕎麥麵）等。店內有壽司吧台8席與用餐桌位86席，雖沒有和式座位或包廂，但座位的空間都相當寬敞。

店內裝飾綜合了日本傳統美與摩登的室內裝潢。

新鮮的食材排列在壽司吧台上。壽司師傅為日本人。

**A**　　　　　　　　　**B**

霍桑大道
Hawthorne Lane P.298

Ⓜ 蒙哥馬利街
MONTGOMERY ST.
客達旁 P.318
Palace Hotel

JTB 舊金山分店
口渴熊釀酒股份有限公司
Thirstybear Brewing Co. P.299

京野 Kyoya P.296
Ⓢ SFMOMA 博物館禮品店
SFMOMA Museum Store P.300
皇頂出版藝廊
Crown Point Press Gallery P.261

班克羅夫特大樓
Bancroft Bldg.
加州歷史會博物館商店
California Historical Society Museum Shop P.300
舊金山現代藝術博物館
San Francisco Museum of Modern Art P.261

艾保特酒店 P.318
The Argent Hotel P.318
San Francisco Visitors Bureau

中央塔
Central Tower
傑斯特 P.258 Jester's
美景塔
Yelba Buena Tower
藝文中心
Center For the Arts P.261
Ⓡ 雀維斯
Chevys P.298
Ⓡ 七岩
Cha-am P.298

舊金山 娛樂城搬店
San Francisco Marriott P.321
新力娛樂中心
Metreon P.261

美國銀行
Bank of America

Zue. St.

蘇瑪區
SOMA

第一洲際銀行
First Interstate Bank

三樂 Sanraku P.258
查恩藝術中心
Zeum P.261
盧魯 Lulu P.298

消防局

Ⓜ 鮑威爾街
POWELL ST.
百普布卡 Buca di Beppo P.298
克雷蒙提納大樓
Clementina Towers

纜車乘車處
三麗歐 Sanrio P.300
舊金山購物中心
San Francisco Shopping Centre P.299
溫德哈姆酒店 Wyndham P.318

芳草廣場
Yerba Buena Square P.300

San Francisco Visitor's Information

裘麗米蘭酒店
Jules Milano P.320
寶石飯店 Hotel Bijou P.323
舊造幣廠博物館
Old Mint Bldg. Museum

南市場公園
South of Market Park
貝西・卡麥蓋爾小學
Bessie Carmichael Elm. Sch.
法院
Hall of Justice

中央郵局
Main Post Office
美西頂級飯店
Ⓗ Best Western Americania P.323

雷尼瓦飯店 P.323
Ramly Hotel P.323

喬治歐設計暢貨中心
Georgiou Designer Outlet

聯邦大樓
Federal Bldg.
Ⓜ 市民中心
CIVIC CENTER

舊金山市政中心假期飯店
Holiday Inn San Francisco Civic Center P.321
福克納現代攝影藝廊
Faulkner Contemporary Photo Gallery

亞邦達美兒拉
Ananda Fuara P.276
球場樂美達飯店
Ramada Plaza Hotel International at Market Street P.323

洛羅精品
Rolo P.300
瘦子Slim's

北方之臉
The North Face P.300

美國銀行
Bank of America
第11街
11th St.

DNA酒吧
DNA Lounge

聖牛
Holy Cow P.314

凡尼斯大道
VAN NESS AVE.

瑪利餐廳
P.299 Mary's

**A**　　　　　　　　　**B**　　　　　　　　　**C**

① ②
③ ④
⑤ ⑥

## 🍴餐廳 美式料理
### *Hawthorne Lane*

**霍森大道**

| | |
|---|---|
| 住址 | 22 Hawthorne St. |
| ☎ | 415-777-9779 |
| 交通 | 由藝文中心徒步約4分鐘 |
| 時間 | 11點30分～14點、17點30分～21點（週五．六17點30分～22點、週日17點30分～21點）休無 |
| 費用 | 午$12～晚$24～ |

MAP…P297-B1

**巷弄之間隔絕塵囂的餐廳**
紅磚外牆上有藤葛攀附，店內則擺設著摩登家具，整體的感覺清爽又時髦。店內以美式料理為主，再自由搭配亞洲或法國等地的料理。前衛、成熟的氣氛讓人樂在其中。

白天的陽光從窗外照入。店中央另設有吧台。

## 🍴餐廳 義大利料理
### *Buca di Beppo*

**百普布卡**

| | |
|---|---|
| 住址 | 855 Howard St. |
| ☎ | 415-543-7673 |
| 交通 | 由藝文中心徒步約3分鐘 |
| 時間 | 17～22點（週六・日12點～）休無 |
| 費用 | 午$7～晚$20～ |

MAP…P297-B2

**休閒風的義大利餐館**
味道清淡的鄉村式義大利餐館。義大利的家庭料理有著媽媽的味道，其中最好吃的首推義大利麵。所有的料理價格都不貴US$6.75～，份量又相當多，最好事先問過店員後再點餐，以免吃不完。

紅色霓虹燈招牌以及人行道上明顯的紅色雨棚是這家店的標識

## 🍴餐廳 義大利料理
### *LuLu*

**魯魯**

| | |
|---|---|
| 住址 | 816 Folsom St. |
| ☎ | 415-495-5775 |
| 交通 | 由藝文中心徒步約4分鐘 |
| 時間 | 11點30分～22點（週六・日～23點30分）休無 |
| 費用 | 午$10～晚$25～ |

MAP…P297-B2

**適合搭配紅酒的燒烤料理**
在寬敞的店內後方設有開放式的燒烤區，花時間慢慢燒烤的魚、肉是店裡最自豪的菜色。使用香草植物與大蒜等調味料，更增加了食物的風味。店內自製的義大利麵與披薩也深受顧客喜愛。店內備有美、法、義大利等地的紅酒，共有500多種可供選擇。

店員一律裝著牛仔褲，充滿年輕氣息的休閒餐廳。

## 🍴餐廳 泰國料理
### *Cha-am*

**七岩**

| | |
|---|---|
| 住址 | 701 Folsom St. |
| ☎ | 415-546-9711 |
| 交通 | 由藝文中心徒步約3分鐘 |
| 時間 | 11～15點，17～22點（週日17點～22點）休無 |
| 費用 | 午$5～晚$7～ |

MAP…P297-B1

**可選擇不同辣味的泰國料理**
店面正對著霍森街，陽光從玻璃外牆照射店內，感覺十分明亮。店裡到處都有擺有花卉，並且打掃得一塵不染。泰籍店員親切的服務態度更增加了顧客的滿意度。由於這家店靠近會議中心，午餐時間以上班族居多，而晚餐則是情侶與女性顧客的世界。店裡的氣氛讓獨自來的客人也能感到自在。料理的種類相當多，有湯、前菜、主菜、甜點等，所有的調味料都直接從泰國進口。點菜時，店員會詢問顧客可以吃多辣，其實本店的辣味並沒有想像中的辣。還可以品嚐到泰國的星哈啤酒。

價格公道、氣氛優閒的泰國餐廳

溫暖的陽光加上純白的設計，店內顯得格外明亮。

## 🍴餐廳 墨西哥料理
### *Chevys*

**雀維斯**

| | |
|---|---|
| 住址 | 201 3rd St. |
| ☎ | 415-543-8060 |
| 交通 | 由藝文中心徒步約2分鐘 |
| 時間 | 11～22點（週五・六～23點）休無 |
| 費用 | 午晚$8～ |

MAP…P297-B1

**享受自由搭配菜色的樂趣**
在這家氣氛閒閒的店內，顧客可以用最合理的價格，吃到份量超多的墨西哥料理US$10～。一坐好位子，店員立刻就會送上一大盤洋芋片。顧客可以從墨西哥餅、乳酪捲等單點的菜色中，選擇2～3種搭配成一個套餐，經濟又實惠。

店裡播放著拉丁美洲的背景音樂，散發著陽光般的燦爛氣息。也可以只點飲料。

## 餐廳 墨西哥料理

*Mary's*

### 瑪利餐廳

| | |
|---|---|
| 住址 | 1582 Folsom St. |
| ☎ | 415-626-1985 |
| 交通 | 由中央郵局徒步約15分鐘 |
| 時間 | 11～22點（週五～24點、週六10～24點、週日10點～） |
| | 休 無 |
| 費用 | 午晚 $7.50～ |

MAP…P297-B4

紅色的看板是這家店的標幟。店址就在第12街與霍森街的交會處。

夜遊前先來填飽肚子吧

位於被稱為南市場區的霍森街與第11街交界處一帶，由於本店是蘇瑪區知名的夜遊勝地，因此相當受歡迎。店內以酒類與燒烤類為主，大部份都是舊金山當地口味的餐點。「蘇瑪雞餐」是店裡銷售最好的料理之一，餐裡有莫札里拉乳酪、烤雞、辣味蕃茄醬及青椒三明治，全部只要US$7.50。店內空間相當寬敞，吧台從白天開始營業。店的斜前方就是知名的聖牛迪斯可舞廳。在現場表演開始前，先到這裡飽餐一頓吧。

蘇瑪雞餐上的薯條味道辛辣

## 餐廳 啤酒屋

*Thirstybear Brewing Co.*

### 口渴熊釀酒股份有限公司

| | |
|---|---|
| 住址 | 661 Howard St. |
| ☎ | 415-974-0905 |
| 交通 | 由藝文中心徒步約3分鐘 |
| 時間 | 11點30分～24點（週六12～、週日16點30分） |
| | 休 無 |
| 費用 | 午 $13～晚 $18～ |

MAP…P297-B1

提供西班牙菜與自釀啤酒

西班牙下酒菜與自釀啤酒是店內的招牌料理。由倉庫改裝而成的店內有昏暗的燈光、磚牆、爵士樂的背景音樂，幽靜的氣氛相當吸引人。皇頂出版藝廊（→P261）也在同一棟大樓內。

店內洋溢著都市的感覺，時髦的裝潢也是吸引顧客的一大特點。

## 餐廳 中華料理

*Shanghai 1930*

### 上海1930

| | |
|---|---|
| 住址 | 133 Steuart St. |
| ☎ | 415-896-5600 |
| 交通 | 由世界貿易中心徒步約3分鐘 |
| 時間 | 11點～14點30分、17～22點（週六·日17～23點） |
| | 休 無 |
| 費用 | 午 $5～晚 $15～ |

MAP…P227-D4

當地十分捧場的中華料理店離碼頭不遠。雖然外表一點都不起眼，但料理卻是一流，不但曾登上美食評鑑指南《查格》，當地報紙也來採訪過。價錢合理，春捲只要US$7，個人消費額約US$12。

每週五、六從晚上7點半開始有爵士樂團的現場表演

## 商店 購物中心

*San Francisco Shopping Center*

### 舊金山購物中心

| | |
|---|---|
| 住址 | 865 Market St. |
| ☎ | 415-512-6776 |
| 交通 | 由中央郵局徒步約7分鐘 |
| 時間 | 9點30分～20點（週日10～18點）休 無 |

MAP…P297-A2

百聞不如一見的螺旋手扶梯

購物中心共有九層，從一樓挑高到屋頂，每層均以螺旋狀的手扶梯相互連結，讓人感受到整體規模的雄偉。由於這裡是全球第一個採用螺旋狀手扶梯的建築，因而名噪一時，成為舊金山著名的觀光與攝影點。目前有服飾、鞋子、珠寶等約80個品牌在此設櫃，大部份是以當地的品牌為主，世界知名品牌反而不多見。也因為如此，這裡較適合喜歡追求個性時尚的人。除了購買禮品方便之外，也有一些咖啡館與餐廳。

每層樓均有螺旋狀的手扶梯相連結

購物中心內有許多別出心裁的專櫃

## 商店 玩偶周邊商品

*Sanrio*

### 三麗歐

| | |
|---|---|
| 住址 | 865 Market St. |
| ☎ | 415-495-3056 |
| 交通 | 由藝文中心徒步約3分鐘 |
| 時間 | 9點30分～20點（週日11～18點）休無 |

MAP…P297-A2

### 美國的凱蒂貓專賣店

總公司位於舊金山的美國Sabrui直營店。在地下一樓設有服務中心，從這裡可直接前往舊金山購物中心，動線設計相當良好，因此有許多來自世界各地的觀光客都會來此參觀。美國限量發行的商品種類不少。

搭乘手扶梯的地點就在附近，是相當顯眼的集合地點。

## 商店 精品店

*Rolo*

### 洛羅精品

| | |
|---|---|
| 住址 | 1301 Howard St. |
| ☎ | 415-861-1999 |
| 交通 | 由中央郵局徒步約9分鐘 |
| 時間 | 11～19點 休無 |

MAP…P297-B4

### 年輕人青睞的精品店

洛羅服飾的暢貨中心內，年輕有趣的設計風格，深受年輕人的喜愛。店裡的男女裝種類齊全，但是最暢銷的還是T恤、夾克等的中性原創服飾。8～5折的價格也是吸引顧客的一大關鍵。除此之外，如D&G等不分男女都非常喜歡的年輕品牌，種類也相當多。

獨樹一格的服裝設計令人忍不住想全部帶走

## 商店 禮品、雜貨

*SFMOMA Museum Store*

### SFMOMA博物館禮品店

| | |
|---|---|
| 住址 | 151 3rd St. |
| ☎ | 415-357-4035 |
| 交通 | 由藝文中心徒步約2分鐘 |
| 時間 | 10點30分～18點30分（週四～21點30分）休無 |

MAP…P297-A1

### 琳瑯滿目的精緻小禮品

緊鄰舊金山現代藝術博物館，除了與博物館相關的海報、明信片、書籍之外，還販賣當地藝術家所設計的珠寶和皮包，相當受到女性顧客喜愛。藝術氣息濃厚的玩具、T恤等，店內所提供的商品種類齊全，且別具創意。

圖書書、玩具等兒童專櫃的商品，種類齊全。

## 商店 戶外用品

*The North Face*

### 耐吉城

| | |
|---|---|
| 住址 | 1325 Howard St. |
| ☎ | 415-626-6444 |
| 交通 | 由中央車站徒步約10分鐘 |
| 時間 | 10～19點（週日11～18點）休無 |

MAP…P297-B4

### 喜歡戶外運動的人必逛之處

暢銷的戶外用品品牌的直營暢貨中心，位於暢貨中心聚集的地區。每年隨著季節更迭，店裡都會推出應景商品，不過帆布背包、羽絨雪衣卻是全年都打7.5～8折，而且都是一些不常降價的品牌，來到店裡請務必仔細挑選，一定可以得到意外的收穫。

以服裝為主的商品價格低廉、種類齊全

## 商店 暢貨中心

*Yerba Buena Square*

### 芳草廣場

| | |
|---|---|
| 住址 | 899 Howard St. |
| ☎ | 每家店均不同 |
| 交通 | 由藝文中心徒步約6分鐘 |
| 時間 | 每家店均不同 休每家店均不同 |

MAP…P297-B2

### 個性商店聚集的綜合大樓

位於綜合會議中心南邊的轉角處，大樓內有許多時尚服飾的暢貨中心，物美價廉的各類商品陳列其中。其中生意最好的就是「鞋子俱樂部」鞋子專賣店，從運動鞋到正式的鞋子都有，種類十分齊全。至於追求個性時尚的女性顧客則可到「世代」去逛逛。

蘇瑪區的巨大暢貨中心。在這裡可以找到令人驚喜的商品。

## 商店 禮品·雜貨

*California Historical Society Museum Shop*

### 加州歷史學會博物館商店

| | |
|---|---|
| 住址 | 678 Mission St. |
| ☎ | 415-357-1848 |
| 交通 | 由聯合廣場徒步約7分鐘 |
| 時間 | 11～17點 休週日·一 |

MAP…P297-A1

### 尋找禮品的好去處

有加州地圖、歷史相關書籍、照片、小件商品等各式紀念品的店。位於藝術文化中心附近，教堂街附近旁。有徽章的T恤、傘等很適合買回國送人的紀念品。印有加州熊的T恤值得推薦。

在店內可感受到加州歷史的氣氛

## Haight - Ashbury

# 嬉皮區（賀特街&阿須布里街）

　　嬉皮區位於兩座公園之間，一座是專供舊金山市民休閒的**金門公園**（→P263），另一座則是在金門公園東邊矮丘上的美景公園Buena Vista Park。賀特街與阿須布里街是這區的主要幹道，全區從這兩條街道向外擴展。嬉皮區由於是花童運動的發源地，因而一夕成名。1950年代後期，許多不滿傳統觀念與體制的年輕人聚集在一起，開始過著團體生活。直到1967年，為追求自由性愛、藥物與音樂而來到此地的年輕人居然多達20萬人。

　　嬉皮全盛時期，在這些年輕人之間蔚為流行的代表物有色彩鮮艷、設計大膽的綁染T恤、用珠子做成的首飾、東洋風的雜貨、蠟燭、印度線香、菸斗、唱盤、無政府主義的書籍、現場演奏餐廳等。在嬉皮區內，現在有許多店家仍然保有當時的風貌。這裡的年輕人喜歡標新立異的裝扮，色彩迷幻的服裝，眉毛、臉頰、嘴唇上的穿環與刺青，感覺像是嬉皮與龐克的混合體，展現出舊金山另外一種不同的面貌。在這個迷幻色彩濃厚的商店地區，無論是購物或用餐，一定可以感受到與眾不同的愉快經驗。

沿路盡是具獨特個性的商店

---

**餐廳** 美式料理
*All You Knead*

### 攪和

| | |
|---|---|
| 住址 | 1466 Haight St. |
| ☎ | 415-552-4550 |
| 交通 | 由美景公園徒步約4分鐘 |
| 時間 | 8～23點（週二～18點） |
| 休 | 無 |
| 費用 | 午$4～晚$7～ |

MAP…P303-B1

#### 大口品嚐美式美食

掛在牆上的現代藝術作品充分表現出舊金山的風格。以沙拉醬著名的的沙拉與三明治是店裡的主要餐點，份量絕對包君滿意。每張餐桌上都擺有果醬、芥茉醬與蕃茄醬，展現出傳統美式簡餐的面貌。

雙蛋培根鬆糕也是這家店的熱門菜色之一。

---

**餐廳** 阿拉伯料理
*Kan Zaman*

### 坎扎曼

| | |
|---|---|
| 住址 | 1793 Haight St. |
| ☎ | 415-751-9656 |
| 交通 | 由金門公園徒步約2分鐘 |
| 時間 | 17～24點（週六‧日12～凌晨1點） 休 無 |
| 費用 | 午$10～晚$15～ |

MAP…P303-A2

#### 挑戰道地的阿拉伯美食

店內的裝潢是模仿14世紀的摩爾宮殿。菜色的種類相當豐富，如果不知該如何點菜時，可以試試看店裡最受歡迎的碳烤雞肉或碳烤牛排。用完餐後，可以到吧台享受阿拉伯水煙作為飯後甜點，共有蘋果、蜂蜜與杏桃三種口味可供選擇。

週末的晚餐時間，店裡有肚皮舞的現場表演。

---

**餐廳** 加勒比海料理
*Cha Cha Cha*

### 恰恰恰

| | |
|---|---|
| 住址 | 1801 Haight St. |
| ☎ | 415-386-5758 |
| 交通 | 由金門公園徒步約2分鐘 |
| 時間 | 11點30分～16點，17～23點（週五‧六～23點30分） 休 無 |
| 費用 | 午S$12～晚$20～ |

MAP…P303-A2

#### 豔陽高照的加勒比海

以古巴料理為主的加勒比海美食。店內擺設了許多觀葉植物，讓人有置身熱情的加勒比海餐廳的感覺。料理的味道也深受好評。店內的生意相當好，隨時都是高朋滿座，晚餐時間經常要等上兩個小時。

用小盤裝的料理也是本店的特色之一，適合三五好友聚餐。

商店 精品、雜貨

*Positively Haight Street*

## 賀特街的嬉皮窩

| | |
|---|---|
| 住址 | 1400 Haight St. |
| ☎ | 415-252-8747 |
| 交通 | 由美景公園徒步約4分鐘 |
| 時間 | 10～20點（週日11～19點） |
| 休 | 無 |

MAP…P303-B2

### 現代風的嬉皮服飾

店內雖然飄盪著60～70年代的懷舊氣氛，但所有的商品卻都展現出現代風格的時尚流行，例如綁染的服裝、珠子製成的首飾等，這些都是本店最引以為傲的地方。來到這裡，不但可以買到一些帶有嬉皮風格的商品，T恤種類也相當豐富，可以當作禮物送人。許多商品在嬉皮風格中巧妙地融入現代設計，即使是不喜歡嬉皮風味的顧客也可在此挑到滿意的商品。此外，店裡還有許多種特殊造型的蠟燭與線香，店家自製的玻璃菸斗也是相當暢銷的商品之一。

上：嬉皮區的特殊T恤
右：帶有異國風味的店舖外觀

商店 精品店

*Ambiance*

## 氣氛

| | |
|---|---|
| 住址 | 1458 Haight St. |
| ☎ | 415-552-5095 |
| 交通 | 由美景公園徒步約4分鐘 |
| 時間 | 10～19點（週日11點～） |
| 休 | 無 |

MAP…P303-B1

### 品味絕佳的商品應有盡有

宴會上的小飾品、光鮮亮麗的服裝都整齊地排列在店內。包括有東洋的蠟燭、線香、鍍錫的玩具等商品，打破國籍的界限，樂在其中。店舖外觀看似一間小型的服飾店，但店內的空間相當大，賣場還分成上、下兩層。店內最裡頭所擺放的服裝相當漂亮時髦，適合外出時穿著。

典雅的服裝用色與銀飾深受顧客喜愛

商店 精品店

*Aaardvark's Odd Ark*

## 食蟻獸的奇特方舟

| | |
|---|---|
| 住址 | 1501 Haight St. |
| ☎ | 415-621-3141 |
| 交通 | 由美景公園徒步約5分鐘 |
| 時間 | 11～19點 |
| 休 | 無 |

MAP…P303-B1

### 想找品質佳的二手衣嗎？

位在嬉皮區的一角，是近來在西海岸頗為盛行的二手衣連鎖店。在這家舊金山分店內，有著寬敞的樓層與整齊的展示空間，深受男女顧客的青睞。二手衣的種類眾多，從50年代的服裝到設計師的作品一應俱全。

連鎖店內的男女裝款式十分齊全

商店 禮品、雜貨

*Mendel's*

## 孟德爾小舖

| | |
|---|---|
| 住址 | 1556 Haight St. |
| ☎ | 415-621-1287 |
| 交通 | 由金門公園徒步約7分鐘 |
| 時間 | 10點～17點50分（週六～17點20分，週日11點～16點50分） 休 無 |

MAP…P303-A4

### 種類眾多的手工藝品材料

店內有文具、珠飾、鈕扣、緞帶、布料等手工藝品材料。商品種類之多，令人嘆為觀止。對於喜好手工藝品的人而言，一定會覺得愛不釋手。其中布料的種類更是豐富，無論是非洲或南美洲的特殊布料，這裡都買得到。

這裡可以找到國內少見的手工藝用品

商店 骨董、雜貨

*Happy Trails*

## 快樂小徑

| | |
|---|---|
| 住址 | 1615 Haight St. |
| ☎ | 415-431-7232 |
| 交通 | 由金門公園徒步約6分鐘 |
| 時間 | 11點～19點30分 休 無 |

MAP…P303-A4

### 好玩又有趣的雜貨大賣場

包括50年代的玩具與商品，趣味十足的骨董小飾品種類齊全。除此之外，還有許多流行玩具，例如中間有丘比特玩偶的透明肥皂等的創意商品也相當受歡迎，相信收到這些禮物的人一定會非常開心。其他像是復古服飾及古董家具也是本店的熱門商品。

在這家有趣的商店內，擺滿了許多獨具風格的雜貨與小飾品。

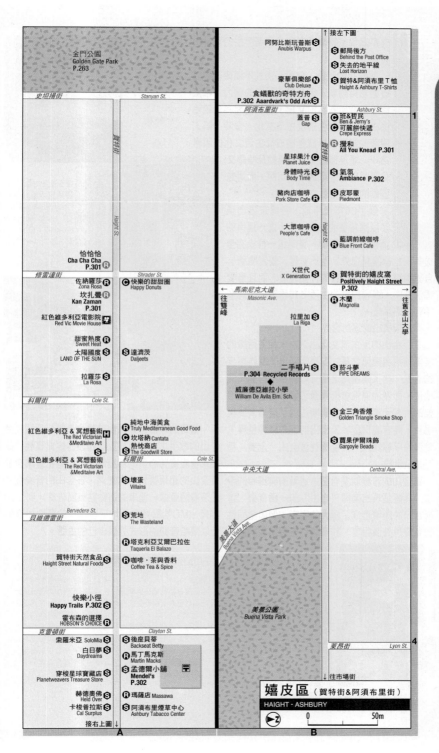

舊金山

303 餐廳 & 購物

金門公園
Golden Gate Park
P.263

史坦揚街　Stanyan St.

賀尼街

Haight St.

恰恰恰
Cha Cha Cha
P.301 R

修雷達街　Shrader St.

佐納羅莎 R
Zona Rosa

坎扎曼 R
Kan Zaman
P.301

紅色維多利亞電影院
Red Vic Movie House

甜蜜熱度 R
Sweet Heat

太陽國度 S
LAND OF THE SUN

拉羅莎 S
La Rosa

科爾街　Cole St.

紅色維多利亞 & 冥想藝術 H
The Red Victorian &Meditaive Art

紅色維多利亞 & 冥想藝術
The Red Victorian &Meditaive Art

貝維德雷街　Bervedere St.

賀特街天然食品 S
Haight Street Natural Foods

快樂小徑 P.302 S
Happy Trails

霍布森的選擇 R
HOBSON'S CHOICE

克雷頓街　Clayton St.

索羅米亞 SoloMia S

白日夢 S
Daydreams

穿梭星球寶藏店 S
Planetweavers Treasure Store

赫德奧佛 S
Held Over

卡梭普拉斯 S
Cal Surplus

接右上圖

快樂的甜甜圈 C
Happy Donuts

達潤茨 S
Daljeets

純地中海美食 R
Truly Mediterranean Good Food

坎塔納 Cantata C

熱忱商店 S
The Goodwill Store

壞蛋 S
Villains

荒地 S
The Wasteland

塔克利亞艾爾巴拉佐 R
Taqueria El Balazo

咖啡・茶與香料 R
Coffee Tea & Spice

後座貝蒂 S
Backseat Betty

馬丁馬克斯 S
Martin Macks

孟德爾小舖 S
Mendel's
P.302

瑪薩店 S
Massawa

阿須布里煙草中心 S
Ashbury Tabaco Center

A

阿努比斯玩普斯 S
Anubis Warpus

豪華俱樂部 N
Club Deluxe

食蟻獸的奇特方舟
P.302 Aaardvark's Odd Ark S

阿須布里街　Ashbury St.

蓋普 S
Gap

星球果汁 C
Planet Juice

身體時光 S
Body Time

豬肉店咖啡 R
Pork Store Cafe

賀尼街

Haight St.

大眾咖啡 C
People's Cafe

X世代
X Generation

接左下圖 ↑

郵局後方 S
Behind the Post Office

失去的地平線 S
Lost Horizon

賀特&阿須布里里 T 恤 S
Haight & Ashbury T-Shirts

1

班&哲民 C
Ben & Jerny's

可麗餅快遞 C
Crepe Express

攪和 R
All You Knead P.301

氣氛 S
Ambiance P.302

皮耶蒙 S
Piedmont

藍調前線咖啡 C
Blue Front Cafe

賀特街的嬉皮窩 S
Positively Haight Street
P.302

2

馬索尼克大道
Masonic Ave.

← 往雙峰

拉里加 S
La Riga

二手唱片 S
P.304 Recycled Records

威廉德亞維拉小學
William De Avila Elm. Sch.

往舊金山大學 →

賀特街

木蘭 R
Magnolia

菸斗夢 S
PIPE DREAMS

金三角香煙 S
Golden Triangle Smoke Shop

賈果伊爾珠飾 S
Gargoyle Beads

3

中央大道　Central Ave.

景觀大道
Buena Vista Ave

美景公園
Buena Vista Park

萊昂街　Lyon St.

4

↓ 往市場街

嬉皮區（賀特街&阿須布里街）
HAIGHT - ASHBURY

0    50m

B

## 在不滿傳統體制的環境下孕育而生的舊金山音樂

60年代的美國，年輕人由於不滿傳統的社會觀念與體制，因此投入所有的精力，希望親手打造出嶄新的文化，也就是因為對政治失去信心而產生的反主流文化。當時，陷入膠著的越戰可以說是造成反主流文化的因素之一。嬉皮運動、花童運動及嗑藥文化等相繼而生可謂最佳寫照，而這些運動的發源地就在舊金山。

到了60年代中期，在嬉皮區出現了所謂花童的一群人後，這一連串的運動就相繼展開。當時這一群人完全被美國社會擯棄在外、他們蓄髮、經常嗑藥、自組團體、醉心於東方的神秘思想，而且喜愛搖滾音樂。這種頹廢的生活方式逐漸吸引許多年輕人的目光。

### 由藥物架構出的迷幻世界

在舊金山的反主流文化思潮中，相當活躍的傑佛遜飛機與死之華二支樂團唱出了當時嬉皮的心聲。地下樂團死之華有著神聖不可動搖的地位，而傑佛遜飛機則具備了當時舊金山搖滾樂的所有元素。這二支樂團透過了現場演奏與唱片，將音樂與藥物架構出的迷幻精神世界、愛與和平訊息，大量傳往舊金山、全美，甚至是全世界。

舊金山的音樂就是希望透過藝術與獨特的手法，具體呈現出美國"自由"的一種音樂，這對當時的樂壇造成了極大的影響，例如全國性的免費戶外演唱會、許多迷幻搖滾樂團的誕生

紐約格林威治村與舊金山嬉皮區是支持反主流文化的二大地區

嬉皮區最大間的中古唱片行「唱片回收（Recycle Records）」。137 Haight St. ☎415-626-4095。⊕10～20點，週六10～21點，週日11～19點，無休。MAP/P303-B2。

網羅了60年代的搖滾樂到目前的最新專輯，種類齊全，也有販售CD。

等。傳奇的歌后珍妮絲喬普林也是當時活躍在舊金山的歌手之一，而據說連披頭四經典專輯"胡椒軍曹寂寞芳心俱樂部樂隊"的靈感也是來自於舊金山的超現實情景。當然，舊金山的音樂圖像並沒有隨著這一連串的運動結束而告終，到了90年代，MC哈默與數位地下會社等的舊金山音樂仍以嬉哈音樂的形式強調自己的主張。

在人來人往的嬉皮區，經常可看到街頭藝人。

### 了解60年代舊金山的關鍵詞

**反主流文化（Counter Culture）**
為了對抗傳統觀念與文化，年輕人自我形成的獨特思想與生活文化（一般譯為叛逆文化或反體制文化）。尤其是在60年代後期，當時正值越戰期間，美國本土對於戰爭的看法分歧，反戰運動、校園鬥爭、嗑藥、嬉皮等現象相繼流行，社會價值觀嚴重動搖，反主流文化因而蔓延開來。

**花童（Flower Children）**
花童是指聚集在嬉皮區的嬉皮。當時這群人用花鼓吹自然、反物質文明、愛、和平、無競爭的社會等觀念，因此產生了這個名詞。在這些觀念下，企圖改變整個社會風氣的運動就稱為花童運動，愛與和平是他們的口號。

**迷幻（psychedelic）**
迷幻是60年代中期流行於舊金山的一個名詞，意指藉由藥物產生幻覺的精神狀態。當時的藝術家希望在音樂與創作中，重新呈現出這種幻覺的世界。一般提到舊金山音樂，通常就是指迷幻搖滾樂。

## Sausalito
# 莎薩利托

　　從舊金山穿越金門大橋後，行駛5分鐘左右就可到達莎薩利托。莎薩利托位於舊金山灣北邊的馬林郡Marin County，以東南部的理查德森灣Richardson Bay為中心，發展成一個超高級住宅區。這塊土地是在近年才發展成舊金山市民嚮往的住宅區，在60年代時，這裡是企圖逃避重稅者的避風港。年輕人聚集到此，展開了不用納稅的船上生活。受到了這段歷史的影響，在莎薩利托的北邊，現在仍停靠著多達100艘的船屋，住著一群喜歡追求不同生活樂趣的人。

　　首先，可以從與海岸線平行的主要街道——橋路大道Bridgeway開始逛起。只要15分鐘就可逛完的街道兩邊，林立著多家餐廳與商店。因為有大批的藝術家移居至此，因此在街上可以看到許多販賣藝術作品的藝廊等商店，感覺相當前衛。每年夏季，這裡經常會舉辦藝術展覽活動。此外，在面海的地方，也

靠近海灣的度假村。遠離都市的塵囂，優閒度假的好去處。

有多家美味海鮮的餐廳。從蔚藍的海洋望過去，舊金山的高樓大廈、海灣大橋、海上的遊艇等景色盡收眼底，享受這一刻的優閒時光，心情輕鬆無以能比。從海岸線延伸到山邊的**公主街**Princess St及橫貫住宅區的**加利多尼亞街**Caledonia St.上，散佈著多家咖啡館與商店，也是不錯的旅遊景點。

橋路大道上的愜意咖啡館

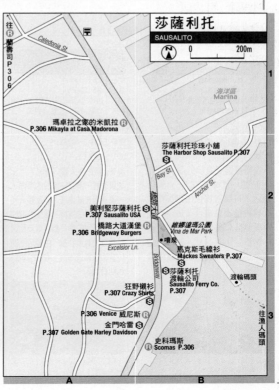

莎薩利托
SAUSALITO
N　　0　　　　200m

往蘭壽司P.306
Caledonia St.
海洋區 Marina

1

瑪卓拉之家的米凱拉
P.306 Mikayla at Casa Madorona

莎薩利托珍珠小舖
The Harbor Shop Sausalito P.307

Bay St.
Anchor St.

2

美利堅莎薩利托
P.307 Sausalito USA

橋路大道漢堡
P.306 Bridgeway Burgers

維娜達瑪公園
Vina de Mar Park
噴泉

Excelsior Ln.

馬克斯毛線衫
Mackes Sweaters P.307

Bridgeway

莎薩利托渡輪公司
Sausalito Ferry Co. P.307
渡輪碼頭

狂野襯衫
P.307 Crazy Shirts

P.306 Venice 威尼斯

金門哈雷
P.307 Golden Gate Harley Davidson

往漁人碼頭

3

史科瑪斯
Scomas P.306

A　　　　　　　B

# 🍴🍵 eat & buy

**熟食店** 美式料理
*Venice*

## 威尼斯

| 住址 | 625 Bridgeway |
|---|---|
| ☎ | 415-332-3544 |
| 交通 | 由維娜達瑪公園徒步約3分鐘 |
| 時間 | 9～19點 休 無 |
| | 中$5～ |

MAP…P305-B3

門口隔著一條道路就是海岸，在海風吹拂之下享用美食的經驗一定很特別。

### 品嚐世界各地美食

店裡隨時都擠滿了熱愛美食的顧客。最受客人喜愛的餐點是三明治。由顧客親自選擇配料與麵包，再由店家當場做成可口的三明治。主廚特選的招牌三明治及配料就寫在黑板上，不懂英文的人也不必擔心，當然都是現點現做、貨真價實的美味三明治。既然走一趟風光明媚的莎薩利托，遊客可以坐在店門口的長椅上，一邊吹著海風，一邊品嚐店裡的美味餐點。除了三明治外，店裡還有提供紅酒、起士及甜點。

網羅了世界各地的美味，在當地深受歡迎的熟食店「威尼斯」。

**餐廳** 美式料理
*Mikayla at Casa Madrona*

## 瑪卓拉之家的米凱拉

| 住址 | 801 Bridgeway |
|---|---|
| ☎ | 415-331-5888 |
| 交通 | 由維娜達瑪公園徒步約4分鐘 |
| 時間 | 18點～21點30分 休 無 |
| | 中$30～晚$45～ |

MAP…P305-A1

### 獲得美國各雜誌的高評價

位在「瑪卓拉之家」飯店內，可眺望舊金山灣美景。店內的餐點融合了加州料理與歐陸料理的風格，深受顧客歡迎，連雜誌、報紙也讚不絕口。用餐區的氣氛浪漫多情。

每星期天的早午餐也不可錯過，在溫室內用餐別有一番情趣。

**餐廳** 義大利料理
*Scomas*

## 史科瑪斯

| 住址 | 588 Bridgeway |
|---|---|
| ☎ | 415-332-9551 |
| 交通 | 由維娜達瑪公園徒步約4分鐘 |
| 時間 | 11點30分～21點（週二・三17點30分～、週五・六～21點30分）休 無 |
| | 中$15～晚$25～ |

MAP…P305-B3

### 美味海鮮令人讚不絕口

如果想要一邊眺望蔚藍的海洋，一邊享用美味海產，這家義大利餐廳是不錯的選擇。最受歡迎的料理有新鮮的魚貝類，以及相當有嚼勁的義大利麵。由於店面的位置相當靠近海邊，看到的景致也別有洞天。

如果更想要融入這裡的氣氛，可以稍微盛裝打扮。

**漢堡屋** 美式料理
*Bridgeway Burgers*

## 橋路大道漢堡

| 住址 | 737 Bridgeway |
|---|---|
| ☎ | 415-332-9471 |
| 交通 | 由維娜達瑪公園徒步約1分鐘 |
| 時間 | 9～17點 休 無 |
| | 中$5～ |

MAP…P305-B2

### 道地的美味漢堡

無論是材料、做作，或是份量，這裡的餐點都與國內截然不同。大門右手邊，剛出爐的糕點散發出陣陣的香味，看著店員熟練地製作漢堡的模樣更是令人食指大動。漢堡是美國的代表食物之一，千萬不可錯過。

店內雖然大排長龍，但絕對物超所值。

**餐廳** 日本料理
*Sushi Ran*

## 蘭壽司

| 住址 | 107 Caledonia St. |
|---|---|
| ☎ | 415-332-3620 |
| 交通 | 由維娜達瑪公園徒步約20分鐘 |
| 時間 | 11點45分～14點30分，17～23點（週日17點～22點30分）休 無 |
| | 中$20～晚$40～ |

MAP…P305-A1

### 來體驗道地的日本壽司吧！

雖然不在莎薩利托的市中心，但是店裡的人潮仍然相當多。依顧客喜好，現場做的壽司人氣最旺，當地居民一致認為是灣區最棒的日本料理店。

許多遠道而來的客人只為了吃壽司。

## 商店 服飾店
*Crazy Shirts*

### 狂野襯衫

| | |
|---|---|
| 住址 | 639 Bridgeway |
| ☎ | 415-331-8171 |
| 交通 | 由維娜達瑪公園徒步約2分鐘 |
| 時間 | 10～19點（週五・六10～20點）休無 |

MAP…P305-B3

**美式禮品的代表**
經常購物的人應該對這家店耳熟能詳。這家店發源於夏威夷，靠著獨特的野貓插圖而擄獲了消費者的心，現在全美各地，均有販賣當地特有的插圖與地名的限量T恤。如果不知道要挑選什麼禮物送人，可以到這裡看看。

狂野襯衫在日本也有分店，未來也會推出當地設計的限量的T恤。

## 商店 服飾店
*Mackes Sweaters*

### 馬克斯毛線衫

| | |
|---|---|
| 住址 | 26 Elportal |
| ☎ | 415-332-4357 |
| 交通 | 由維娜達瑪公園徒步約1分鐘 |
| 時間 | 10點30分～18點 休無 |

MAP…P305-B3

**所有的衣服都是國製**
陽光直接照射店內，天花板也採挑高的設計，讓整個空間看起來明亮又開放。外套與毛衣都帶有清爽的海洋風格。店內商品全都是美國製造，種類之多絕對會讓來店的客人吃一驚。服裝雖然採海洋風格，但色彩相當鮮豔，不限於紅、白、藍三色，如印染、格子、線條等模樣，款式相當多。

白牆上的商店招牌也不失海洋的形象

## 商店 服飾店
*The Harbor Shop Sausalito*

### 莎薩利托珍珠小舖

| | |
|---|---|
| 住址 | 100 Bay St. |
| ☎ | 415-331-6008 |
| 交通 | 由維娜達瑪公園徒步約2分鐘 |
| 時間 | 9點30分～18點（週六・日9點～18點30分）休無 |

MAP…P305-B2

**與遊艇相關的知名品牌**
緊鄰遊艇碼頭。與遊艇相關的服飾品牌當中，派克科技與吉爾大不列顛等英國知名品牌的商品尺寸齊全。在氣候多變的舊金山，耐用、保暖又防水的遊艇專用服裝顯得特別實用。

各式色彩鮮豔的商品可做比較。店內也有童裝部。

## 商店 蒐藏品店
*Golden gate Harley Davidson*

### 金門哈雷

| | |
|---|---|
| 住址 | 605 Bridgeway |
| ☎ | 415-332-1777 |
| 交通 | 由維娜達瑪公園徒步約4分鐘 |
| 時間 | 10點～17點30分（11～3月～17點）休無 |

MAP…P305-B3

**連收藏家也會為之瘋狂**
店裡有關哈雷機車的收藏品一應俱全，例如皮革背心、T恤、海報、打火機等等。無論在任何一個角落，全都擺滿了各式與哈雷機車相關的商品，哈雷的收藏迷來到這家店內，一定會為之驚嘆不已。

店內如同是一個令人目眩神迷的哈雷世界。

## 商店 周邊商品
*Sausalito Ferry Co.*

### 莎薩利托渡輪公司

| | |
|---|---|
| 住址 | 688 Bridgeway |
| ☎ | 415-332-9590 |
| 交通 | 由維娜達瑪公園徒步約2分鐘 |
| 時間 | 9點30分～20點（週六・日～21點）休無 |

MAP…P305-B3

**歡樂無限比擬玩具盒**
店內有趣的商品多不勝數，以漫畫人物為主，包括原子小金剛、鋼彈戰士、美少女等，大家耳熟能詳的漫畫周邊商品一應俱全。繪有異形或怪獸插圖的餐具組也是趣味感十足。

店內也有許多爵士樂手的插畫T恤

## 商店 精品店&服飾店
*Sausalito USA*

### 美利堅莎薩利托

| | |
|---|---|
| 住址 | 749 Bridgeway |
| ☎ | 415-332-4778 |
| 交通 | 由維娜達瑪公園徒步約1分鐘 |
| 時間 | 10～18點休無 |

MAP…P305-B2

**令人目不轉睛的展示品**
店內有許多可愛的海灘服及舊金山、莎薩利托等地的名產。展場內設置了古色古香的加油站，感覺相當特殊，如同電影「美國風情畫」當中，在海邊大道約會的年輕情侶光顧的商家一般。店裡的毛巾相當別致，送禮自用兩相宜。

店內的禮品區充滿濃濃的美國風味，十分可愛。

# 魅力無法擋的購物天堂 暢貨中心

通常提到美國西岸的暢貨中心，很多人會立刻聯想到洛杉磯近郊。不過，舊金山周邊的暢貨中心可是一點也不遜色。從巨大的購物中心，到殖民村莊式的建築，各種型態應有盡有。現在的暢貨中心已經擺脫了工廠出清大拍賣的印象，取而代之的是一個時髦又充滿樂趣的購物天堂。

從精品服飾到日常用品、食品等種類齊全的暢貨中心。

## 宛如迷宮般的巨大購物中心

眾所周知，舊金山附近有許多的大型暢貨中心，尤其是靠近聖荷西的**灣區超級購物中心**，從聖荷西往南約1小時車程就可到達。在盛產大蒜聞名的基爾洛市的**基爾洛頂級暢貨商場**也是規模大到令人無法想像。次外，在往沙加緬度路上的**維加米爾工廠暢貨中心**，除了日常用品的種類齊全外，規模也是不容小覷。

維加米爾的暢貨中心內有120間店家，基爾洛頂級暢貨中心則是由四棟建築物所構成，每棟之間還有接駁巴士往返，規模之龐大可見一斑。灣區的超級購物中心則有185家店進駐。雖然每家購物中心都有自己的特色，但最值得推薦的還是基爾洛頂級暢貨中心。這裡的商品種類眾多，空間又相當寬敞，是享受購物樂趣的最佳的選擇。

**基爾洛頂級暢貨品中心Prime Outlets Gilroy**
這裡是熱中購物者的天堂。Nike、Ann Taylor、Gap等知名的服飾大廠都有進駐。681 Leavesley Rd.,Gilroy
☎408-842-3729、10～20點（週日～18點）、無休
MAP/P332-C3

**灣區超級購物中心**
Great Mall of the Bay Area
將福特汽車的舊工廠改造而成的室內購物中心。愛好購物者耳熟能詳的品牌，如BeBe、Marshalls、Sanrio等有進駐。447 Great Mall Dr., Milpitas ☎408-956-2033㉗10～21點（週日11～20點）、無休 MAP/P332-C2

**維加米爾工廠暢貨中心**
Factory Stores at Vacaville
以廚房、寢具等生活用品與雜貨的專賣店佔大多數，也有其他的服飾店進駐。 321-2 Nut Tree Rd., Vacaville。☎707-447-5755㉗10～21點（週日～18點）、無休 MAP/P212-D1

**暢貨中心的購物絕招**
在暢貨中心挑選商品時，要從店家的最裡面開始。一般而言，便宜又質好的商品都會擺最裡面。只要記住這個秘訣，就能有效率地購物。

那帕高級暢貨中心Napa Premium Outlets
這家精緻的暢貨中心位於恬靜優閒的酒鄉，Osh Kosh與J.Crew
是這裡相當受歡迎的品牌。629 Factory Stores Dr., Napa. ☎707-
226-9876營10～20點（週日～18點），無休 MAP/P325-A4

## 在村莊式的購物中心內大採購

　　大型購物中心雖然可以滿足購物的慾
望，但對於容易疲累的人而言，小而美的
購物中心反而較能貼近他們的需求。酒鄉
那帕的**那帕高級暢貨中心**與**聖海琳娜高級
暢貨中心**的規模雖不大，但購物氣氛極
佳。那帕高級暢貨中心有50家店，而聖海
琳娜高級暢貨中心就只有10家店。兩家建
築都帶有殖民風味，陳設的商品也相當前
衛，種類繁多。這裡最主要的都是與服飾
相關的店，ESPRIT、Max Studio、
Coach，色彩絢麗的克什米爾針織衫等。
雖然價格偏高，但只要多加留意，一定可
以找到物美價廉的商品。

　　除此之外，在舊金山南邊度假勝地的蒙
特瑞有**美國錫罐工廠暢貨中心**；沙加緬度
東邊約30m，位於淘金城市的**霍森高級暢
貨中心**；還有離酒鄉索諾瑪西邊約20m的
**帕他魯馬村高級暢貨中心**等。任一家暢貨
中心的佔地都相當廣闊，一定可以體驗到
前所未有的快感。

聖海琳娜高級暢貨中心St-Helena Premium Outlets
從那帕的暢貨中心往北約行駛20分鐘就可到達。Brooks
Brothers、Coach、Joan & David等知名品牌均在此設店。
3111 North St. Helena Hwy., St-Helena. ☎707-266-9876營10～
18點，無休 MAP/P325-A1

霍森高級暢貨中心Folsom Premium Outlets
共有75家店運動用品、服飾店、鞋子、雜貨等。
Samsonite、HUSH PUPPIES等多家知名品牌也有進駐。
13000 Folsom Blvd., Folsom☎916-985-0312營10～21點（週日
~18點）、無休 MAP/P334-C2

帕他魯馬村高級暢貨中心
Petaluma Village Premium Outlets
酒鄉的大型購物中心，Ann Taylor、Off
5th、Brooks Brothers等知名品牌均有進
駐。2200 Petaluma Blvd. North, Suite 210,
Petaluma ☎707-778-9300營10～20點（週
日~18點），無休 MAP/P329-A3

美國錫罐工廠暢貨中心American Tin Cannery factory Outlets
建築物本身是利用廢棄的罐頭工廠改建而成。雖然商品
的種類不多，但還是可以找到價廉物美的商品。125
Ocean View Blvd., Pacific Grove ☎831-372-1442營10～19點、
（週日～18點），無休 MAP/P207-B1

魅力無法擋的購物天堂

# 娛樂

電影、戲劇、運動、現場演奏等娛樂節目也是舊金山誘人的魅力之一。從古典音樂、歌劇、芭蕾、歌劇等正式表演、教堂內的小型演奏會、騷莎與佛朗明哥舞蹈等拉丁表演俱樂部，到由倉庫改建而成的現場瘋狂演唱會，光是市中心附近就有許多不同型態的娛樂場所，讓人再次感受到舊金山藝文活動的盛行。

從球季開始，舊金山巨人隊的比賽總是場場爆滿。難得來到舊金山，就盡情地融入當地居民的生活，親身感受這裡的氣氛吧。娛樂相關的訊息相當容易取得，無論是透過報紙、雜誌、免費期刊、旅遊服務中心，或是一些贈閱的小冊子上都有介紹。

## 首先要蒐集資訊

蒐集訊息的方法有很多，在此介紹其中幾種。

### ①旅遊服務中心免費贈閱的導覽手冊

《舊金山導覽手冊The San Francisco book》季刊主要是針對一般旅客。除了旅遊服務中心外，在知名飯店的大廳也可得。手冊內介紹購物、觀光、娛樂，及餐廳等相關訊息。在娛樂方面，有劇場、舞蹈、歌劇、遊樂設施、運動及其他的特別活動，依照日期的先後順序，簡單明瞭地介紹景點與活動內容。電影相關的訊息並無介紹。

除了娛樂方面之外，其他訊息也非常充實的《舊金山導覽手冊》。

街角的免費期刊箱。人氣旺的刊物立刻被一掃而空。

### ②期刊

在舊金山的街道上，到處可見免費期刊的專用信箱。其中最歡迎的兩份免費期刊是《衛報》與《舊金山週報》。兩份都是每週二出刊的八卦小報。

### ●衛報Guardian

約有100多頁，是份相當厚實的刊物，蒐集了許多即時的娛樂消息。有關俱樂部、電影、劇場、現場演奏等訊息尤為豐富。最新的熱門作品也以專欄方式大肆報導。

左邊是《舊金山週報》，右邊是《衛報》。兩本都是可靠的訊息來源。

### ●舊金山週報SF Weekly

雖然目前的發行量較《衛報》略遜一籌，但在電影消息方面的報導特別詳細，一直都深獲好評。

### ●藝文月刊ARTS MONTHLY

即時藝文訊息豐富的新聞月刊。除了藝文方面之外，音樂演奏會的訊息也相當充實。所有的內容都是按照地點分類，詳細記載活動內容與行程規劃。

內有大量圖片的《藝文月刊》免費期刊各有所長，可配合自己的需求做選擇。

●舊金山一週重點

Key This Week San Francisco

40頁左右的週刊，介紹當週舉行的活動，並有詳盡的解說。內容涵蓋酒吧、俱樂部的相關訊息與地圖。

●亞洲週刊 Asian Week

專門提供亞裔美國人娛樂資訊的週刊。行事曆內，記載了許多亞裔美國人的活動。

③報紙

《舊金山觀察報（San Francisco Examiner）》（US$1.65）是舊金山最暢銷的報紙。星期天的副刊《娛樂資料手冊（DATE BOOK）》非常具有參考價值。從娛樂相關的新聞報導、到當日的歌劇、歌舞劇、現場演奏、運動、電影等的節目表都有詳盡的介紹。順帶一提的是，這家報社就是當年的報業鉅子威廉魯道夫赫斯特上班的公司。

封面人物是活躍在美國職棒的鈴木一朗。

美國星期天的報紙份量遠比國內報紙多。週日上午可以跟當地居民一樣，帶份報紙到咖啡館安排一天的行程。

## 購票方式

購票有二種方式，一種是直接到各個會場的售票窗口買票，另一種則是透過代理店。以下介紹3家較為知名的代理店。

受到聯合廣場施工的影響，2002年5月起，灣區TIX遷至地下停車場。

●灣區TIX  TIX Bay Area  灣區TIX專門代售演奏會、歌舞劇、歌劇、娛樂活動等各領域的門票。當天，若有歌舞劇或歌劇賣剩的票，可以用半價買到。週六可先預購週日或週一的門票。半價門票無法以電話詢問，須當場以現金購買。網頁上可查詢主要劇場的節目表。

**HP** www.theatrebayarea.org **住** 251 Stockton St. **☎** 415-433-7827

**時** 11～18點（週五・六～19點）**休** 週一  MAP／P274-B3

●售票網 Tickets.com  接受電話購票的合法公司，專門代理運動、演奏會、娛樂活動等各種門票。付費方式僅限信用卡，須酌收手續費。當天在會場窗口取票。

**HP** www.tickets.com **☎** 510-762-2277 **時** 8點30分～21點 **休** 無

●全美售票 All American Tickets  由於已經預購指定席的年票，因此顧客訂票成功的比率非常高。全美最熱門的四大運動，棒球、籃球、NFL，以及NHL的門票都可買得到。除此之外，全美售票也代售演奏會、歌舞劇等各種活動的門票。查詢及購票可利用電話或網路，一般消費者較為擔心的信用卡購票方式，原則上是以傳真為主。通常在出國前就可拿到票。

**HP** www.allamerican-tkt.com **☎** 1-888-507-3287

**FAX** 213-251-8024

**時** 10～18點 **休** 週六・日

舊金山

311

娛樂

**Movies**
電影

在舊金山市中心，就有30多家電影院，最受歡迎的是由多家電影院構成的複合影城。如果想要得到最新的電影訊息，可以參考《舊金山觀察報》副刊「娛樂資料手冊」的電影導覽。有的營業時間從上午10點開始，有的則是下午才開始。最後一場的放映時間平均

複合影城通常只有一個售票處。按上演片名分設櫃台。通常是在各樓層分別驗票。

在晚上10點左右。每年4月下旬～5月上旬，在舊金山會舉行為期2週的舊金山國際電影節 San Francisco International Film Festival，世界各地獨立製片的電影都會在此上映（詢問處：舊金山國際電影節☎415-561-5000）。

**購票方式**　直接到電影院的窗口購票是最普遍的方法。票價由各電影院自訂，最新作品約需US$10左右。週末晚上的觀眾相當多，最好提早出門。

── 舊金山的知名電影院 ──

### *AMC 1000 Van Ness*
### AMC凡尼斯1000

8層樓建築的大型電影院。大門面對凡尼斯大道。

　1998年開幕的最新影城，仿古代希臘建築的外觀，充滿了古雅的情趣。共有14個放映廳，分散在8個樓層中，在舊金山可稱得上是最大規模的電影院。這裡不受理電話詢問。

🏠 1000 Van Ness Ave. MAP/P227-A4

### *Castro Theatre*
### 卡斯楚影院

和同志們一同欣賞電影如何？

　　　　位於同志聚集的卡斯楚區主要街道上，自1920年開幕以來，至今仍繼續有新片上映，是座歷史相當古老的電影院。白色外牆上的彫刻相當漂亮。播放的空檔時間還可欣賞管風琴的表演。🏠 429 Castro St.☎415-621-6120 MAP/P220-C2

### *AMC Kabuki 8*
### AMC 歌舞伎8號

只有8個放映廳的小型影城。

　　　　位於日本城的AMC 歌舞伎8號，與 AMC凡尼斯1000同屬一家公司。地上3層樓的建築，開幕於1986年。建築外牆使用玻璃帷幕，現代感十足，令人印象深刻。這裡不受理電話詢問。🏠 1881 Post St. MAP/P216-A4

### *Embarcadero Center Cinema*
### 安巴卡德羅中心影城

金融區晚上行人不多，要小心自身安全，儘量選在白天逛街。

　　　　以打造「都市中的都市」為目標的大型複合式高樓，當然少不了電影院。這家影城就位於1號館1樓的購物拱廊，很容易找到。

🏠 1 Embarcadero Center, Promenade Level☎415-352-0810
MAP/P275-E1

# 音樂劇與歌劇

從聯合廣場以西到凡尼斯大道的居爾里街一帶是舊金山劇場的集中地。演出的內容從正式的歌舞劇，到充滿喜感的表演等，種類眾多。在翻閱訊息相關雜誌時，要仔細思考自己想看的節目。

除了著名的音樂劇，在小劇場也可觀看獨一無二的演出。

## 購票方式

如果有時間，或是對英文沒把握時，親自到劇場的售票窗口買票是最好的方法。主要的劇場都離聯合廣場不遠，徒步就可到達。配合演出的節目內容，每週約有二次的白天公演，票價有時會比晚上便宜。在灣區TIX可以用半價買到當天多出來的門票，但不一定是自己想看的節目，也無法選擇座位，這些缺點都應事先考慮清楚。

---

## 舊金山的主要劇場

### Curran Theatre
### 柯倫劇場

舊金山的代表劇場之一，自1992年以來，許多百老匯歌舞劇或歌劇都在此演出。從聯合廣場步行只要2分鐘，地理位置很理想。除了百老匯歷久不衰的作品，如「悲慘世界」、「歌劇魅影」等之外，好萊塢的電影明星羅賓威廉也在此主持脫口秀節目。

🏠 445 Geary St.
☎ 415-551-2000　MAP／P274-A3

柯倫劇場附近聚集了許多劇場

### Davies Symphony Hall
### 戴維斯交響音樂廳

在新舊建築物參雜的市政中心，戴維斯交響音樂廳是相當引人矚目的現代建築。

這裡是著名的舊金山交響樂團San Francisco Symphony的根據地，於1911年正式啟用。舊金山交響樂團是西岸首屈一指的管弦樂團，由邁可・提爾森・湯瑪斯擔任總指揮，日本的小澤征爾也曾是這的常駐指揮。除了9～6月的定期公演外，還有特別公演，節慶時也會舉辦各種演唱會的活動。🏠 201 Van Ness Ave.☎ 415-864-6000 MAP／P227-A5

### Opera House
### 歌劇院大樓

位於戴維斯交響音樂廳北邊不遠的歌劇院大樓

二次世界大戰後，日本已故的吉田茂首相就在此簽訂舊金山和約，歌劇院大樓因而聞名。1923年成立的舊金山歌劇團San Francisco Opera（6～7月、9月上旬～1月中旬），以及成軍於1933年，美國歷史最悠久的舊金山芭蕾舞團（2月上旬～5月中旬）都在此演出。每年12月底公演的《胡桃鉗（Nutcracker）》相當賣座，最好提早買票。🏠 301 Van Ness Ave.☎ 415-864-3330 MAP／P227-A5

**Live & Dance Club**
現場演奏與俱樂部

提到舊金山的夜生活，當然少不了現場演奏與俱樂部。集合了世界各地音樂家的現場演奏餐廳、騷莎舞廳、舞蹈秀等，各種形式的夜店就分布在舊金山市內的廣大地區。舊金山居民常去的地方大多離市中心較遠，以下就介紹幾個便於遊客前往的地方。

晚上最好搭計程車回旅館

### 舊金山主要的現場演奏餐廳與俱樂部

*DNA Lounge*
#### DNA酒吧

外牆漆成平凡的紫色，店內卻是非比尋常的熱鬧。

在這家俱樂部內，聚集了許多充滿活力的年輕人。每天晚上，店內如同在舉行盛大的派對一樣，相當熱鬧。店內播放的音樂有70年代的熱門音樂、嘻哈樂曲、到後龐克樂風等，種類繁多。

🏠 375 11th St. ☎ 415-626-1409 🕐 21點～凌晨4點 🛏 週日・一 💲 不收門票（除部份樂團表演以外）MAP／P221-D1

*The Fillmore*
#### 費爾摩

在這棟紅磚建築物前，經常可以看到等著排隊進場的年輕人。

位於費爾摩街與居爾里街相交的轉角處，距離日本城不遠。由於山塔那與珍妮傑克森等一線的歌手常在此表演，因而聲名遠播。日本知名樂團「美夢成真」也曾在此表演過。

🏠 1805 Geary St. ☎ 415-346-6000 🕐 表演通常在19～21點 🛏 不定
MAP／P216-A4

*Holy Cow*
#### 聖牛

位於蘇瑪區霍森街上的夜店。二十歲以下禁止進入。牛型招牌是這家店的標記。

位於蘇瑪區的霍森街，給人的感覺像是日本的晴海或台場。這家店的正字標記就是一頭牛的招牌。沒有表演的日子不收門票。店內播放的是從70年代到90年代的現代古典音樂，曲風很廣。

🏠 1535 Folsom St. ☎ 415-621-6087
🕐 20點～凌晨2點（週三21點～）
🛏 週日～二 MAP／P297-B4

*Jazz at Pearl's*
#### 珍珠爵士

店內輕鬆的氣氛除了吸引成年人之外，也深受年輕人的好評。

位於北灘的爵士樂餐廳，每天都播放不同風格的爵士樂，例如拉丁爵士或現代爵士。這家餐廳只要點飲料或簡餐即可，不需額外付門票。

🏠 256 Columbus Ave. ☎ 415-291-8255 🕐 20點～凌晨2點（表演21點～、週五・六21點30分～）🛏 無
MAP／P279-C3

**Sports**
運動

美國的職業運動都很十分精彩，一整年都有不同的比賽進
行。既然來到了舊金山，就趁著這個機會，到體育館去看看
吧。只要身處在球場內，一定能感受到熱血沸騰的緊張氣氛。
**購票方式** 體育賽事的門票經常是一票難求。通常都是事先向
代理店（→P311）預訂，當天再到體育場的售票口取票。職
棒比賽也有出售當日賽事的門票，但不一定買得到。

*Pacific Bell Park*
## 太平洋貝爾公園

日本選手新庄剛志在這個著名的球場上表現得十分亮麗。在球場內外，有知名職棒選
手的照片、塑像、面罩、牆上的壁畫等，令人備感溫馨。外野看台的後方是一整片的海
洋，景色相當漂亮。沐浴在加州燦爛的陽光底下，觀賞一場精彩的球賽，是非常健康的
休閒活動。

**住** 24 Willie Mays Plaza **☎** 415-972-2000 **交** 在市中心搭乘市營電車，在國王街與第二街
交叉口2ND／KING ST.站下車，徒步約1分鐘。或搭15、30、45號市營巴士，下車後走
一個路口。MAP／P217-E4

※太平洋貝爾公園的比賽門票十分暢銷，可利用網路訂票。 **HP** www.sfgiants.com

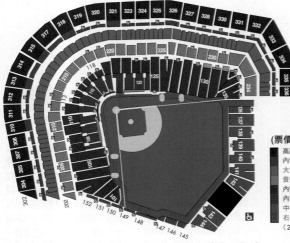

太平洋貝爾公園
**Pacific Bell Park**

**（票價）**
高層看台（View Reserve） US$18～22
內野上層包廂（View Box） US$24～25
大包廂（Luxury Suites） 售完
貴賓室（Club Level） US$40～50
內野下層包廂（Lower Box） US$30～32
內野球員休息室上方（Field Club） 售完
中、左外野（Bleacher） US$14～18
右外野（Arcade） US$24～26
（2003年4月統計資料）

*Network Associates Coliseum*
## 奧克蘭球場

這裡是MLB奧克蘭運動家隊Oakland
Athletics與NFL奧克蘭突擊者隊Oakland
Raiders的主場。隔壁的奧克蘭主體育館
Arena in Warriors則是NBA金州勇士隊
Golden State Warriors的主場。**☎** 510-639-
7700（奧克蘭主體育館510-569-2121）**交** 在
市中心搭乘灣區捷運，約20分鐘後，在體育
館／奧克蘭機場站COLISEUM／OAKLAND
AIRPORT下車。MAP／P212-D1

*3 Com Park*
## 三康公園

這裡是NFL（美式足球）種子球隊舊金
山49人隊San Francisco 49ers的主場。比
賽當天，在這座可容納7萬人的體育館
內，放眼望去全是身穿紅衣的49人隊球
迷。1999年以前，大聯盟的舊金山巨人隊
的主場也在此。

**☎** 415-656-4900

**交** 比賽當天，可在市中心搭乘往球場的直
達巴士。

# 住宿

由於大眾運輸工具十分發達，無論住在舊金山市內的任何地區都很方便。一般而言，從蘇瑪區、市政中心到艾迪街Eddy St.一帶，治安較差，如果選擇這附近的飯店，晚上要盡量避免外出。只要選擇保全系統健全的飯店，應該就不會有什麼太大的問題。

飯店最集中的地區是觀光景點的聯合廣場周邊。這裡除了有多家高級飯店外，經濟的商務旅館也不少，應該很好訂房。諾布山是高級飯店林立的地區，而漁人碼頭

一帶則是以中價位的飯店居多。可以透過旅遊服務中心代為預約。一般的住宿費用內不含早餐，大部份都是以信用卡付費，若要付現，除住宿費用外，飯店還會要求顧客支付保證金。如果沒有信用卡，在訂房時就有可能被拒絕，還是將信用卡帶在身上比較保險。

## 舊金山最有名的飯店

符號解讀　🍴附設餐廳

## 高級 $180～

區域 聯合廣場

*Campton Place Hotel*

### 坎普頓飯店

| 住址 | 340 Stockton St. |
|---|---|
| ☎ | 415-781-5555 |
| FAX | 415-955-5536 |
| 交通 | 由聯合廣場徒步約1分鐘 |
| 費用 | ⑤$295～ ①$335～ |
| 客房 | 117室 |

MAP…P274-C3　🍴

**引以為傲的高雅餐廳**

靠著無微不至的服務態度，博得顧客的一致好評。歐式建築的內部，使用許多東方的裝飾品。1樓的餐廳還榮登全美餐廳前25名，令人想在這充滿典雅的氣氛裡，優雅地吃一頓以精選食材烹調的早餐。

區域 諾布山

*The Ritz-Carlton San Francisco*

### 舊金山麗池卡登

| 住址 | 600 Stockton St. |
|---|---|
| ☎ | 415-296-7465 |
| FAX | 415-986-1268 |
| 交通 | 由聯合廣場徒步約3分鐘 |
| 費用 | ⑤①$350～ |
| 客房 | 336室 |

MAP…P274-C2　🍴

**美輪美奐的客房夜景**

正面是希臘神殿風格的樑柱，這棟以厚重石頭建築而成的飯店建於1909年。過去曾是學校與公司的房舍，直到1991年才改裝成飯店。從客房、咖啡館、餐廳到酒吧，無論從哪一個角度看過去，

飯店內就如同畫一般，十分優雅，最適合成年人做為社交場合之用。大廳內飄揚著豎琴或鋼琴的彈奏樂音，顧客可以坐在這裡喝茶或是用餐。星期天上午10點就開始爵士樂團的現場演奏，邊聽精采的演奏，邊享受美味的自助餐，頗受好評。從客房往外望去，海灣大橋、市中心的景色一覽無遺。8～9樓是俱樂部，這裡有樓層專屬的管理人員，提供的服務項目有早餐、午餐、下午茶、晚上還有酒類與開胃菜。

上：飯店外觀宛如希臘神殿，讓人印象深刻。
右：在大廳的餐廳內，可以現場聆聽優雅的音樂演奏。

| 區域 諾布山 | | |
|---|---|---|
| *The Huntington Hotel* | | |

## 漢汀頓大飯店

| 住址 | 1075 California St. |
|---|---|
| ☎ | 415-474-5400 |
| FAX | 415-474-6227 |
| 交通 | 由聯合廣場徒步約6分鐘 |
| 費用 | Ⓢ$275～Ⓣ$300～ |
| 客房 | 140室 |

MAP…P274-A2

### 堅守創業至今的傳統

自1922年開幕以來，都是由同一家族經營。飯店的最高原則就是提供顧客人性化的服務。藤葛纏繞的厚實磚牆、採用暗色系的佈置和照明的內部裝潢、陳列著古典家具與美術品的優雅客房等，任何一個細節都可看出老闆的用心。

適合喜愛古典氣氛的客人

---

| 區域 諾布山 | | |
|---|---|---|
| *The Fairmont Hotel* | | |

## 費爾蒙大飯店

| 住址 | 950 Mason St. |
|---|---|
| ☎ | 415-772-5000 |
| FAX | 415-772-5013 |
| 交通 | 由聯合廣場徒步約4分鐘 |
| 費用 | ⓈⓉ$289～ |
| 客房 | 591室 |

MAP…P274-B1

### 豪華氣派的飯店大廳

費爾蒙大飯店聳立於諾布山，是家相當有份量的飯店，王公貴族、各界龍頭、知名人物、美國總統都是這裡的忠實顧客。大廳極為豪華，紅絲絨椅、大理石柱、格子設計的華麗天花板等都是高級品味的裝潢。飯店內附設三間餐廳與健身房。

舊金山首屈一指、各界名人經常光顧的大飯店

---

| 區域 金融區 | | |
|---|---|---|
| *Park Hyatt San Francisco* | | |

## 舊金山柏悅飯店

| 住址 | 333 Battery St. |
|---|---|
| ☎ | 415-392-1234 |
| FAX | 415-296-2895 |
| 交通 | 由普茲茅斯廣場徒步約4分鐘 |
| 費用 | Ⓢ$395～Ⓣ$420～ |
| 客房 | 360室 |

MAP…P275-E1

### 商業人士的最愛

舊金山柏悅與商店、餐廳、電影院進駐的大型建築安巴卡德羅中心相當近，兩棟建築間有迴廊可相通。重視機能性的客房雖沒有豪華的佈置，不過房間採用整齊時髦的淡色系，窗戶也是屬於大規模的設計。部份的客房可從浴室看到海灣大橋。

客房的設計摩登、光線明亮，空間也十分寬敞。

---

| 區域 金融區 | | |
|---|---|---|
| *Mandarin Oriental San Francisco* | | |

## 舊金山文華東方酒店

| 住址 | 222 Sansome St. |
|---|---|
| ☎ | 415-276-9888 |
| FAX | 415-433-0289 |
| 交通 | 由普茲茅斯廣場徒步約6分鐘 |
| 費用 | ⓈⓉ$475～ |
| 客房 | 158室 |

MAP…P275-E2

### 飯店四周的視野極佳

第一州際中心為金融區內的48層樓複合式大廈，舊金山文華東方酒店就在這座大廈內。酒店的大廳位於1樓，最上層的38～48樓則是客房。住宿費用是依照可看到的景觀與房間大小而定。整體而言，客房都相當寬敞，而且大部份都採用花紋與亮色系佈置，感覺相當高雅。

客房宛如是瞭望台。建議在房間內吃頓優閒的早餐。

---

| 區域 太平洋高地區 | | |
|---|---|---|
| *The Sherman House* | | |

## 雪爾曼之屋

| 住址 | 2160 Green St. |
|---|---|
| ☎ | 415-563-3600 |
| FAX | 415-563-1882 |
| 交通 | 由艾爾他廣場徒步約10分鐘 |
| 費用 | ⓈⓉ$360～ |
| 客房 | 14室 |

MAP…P216-A2

### 維多利亞風格的建築

雪爾曼之屋坐落於太平洋高地區內，與諾布山同為舊金山的高級住宅區。飯店老闆將過去曾是私人住宅的維多利亞式小屋重新改建成飯店。內部氣氛高雅，令人感到相當自在，目前已經成為十分熱門的住宿地點。共有6間豪華套房與8間一般套房。每間客房的內部裝潢都不同，例如有附壁爐的房間、東方風味的客房、有陽台的房間、房間內的床有加設頂蓬，或是利用英國傢俱佈置的古典客房等。從每間客房的玻璃窗望出去，中庭及海邊的景色盡收眼底。在兩層樓的會客廳內，家具與用品佈置得相當細膩，讓人感受到經營者的用心，從中也可以略知舊金山上流社會的生活情形。

上：會客廳內設有壁爐，大家可以圍在一起輕鬆聊天。
右：住在雪爾曼之屋，如同在豪宅作客一般。

# 舊金山的高級飯店

| 旅館名／區域 | 住址／電話號碼／FAX | 費用／MAP | 備註 | |
|---|---|---|---|---|
| 聯合廣場皇冠廣場大飯店<br>Crowne Plaza Union Square | 480 Sutter St.<br>☎415-398-8900<br>FAX415-989-8823 | ⑤$189～<br>⑦$189～<br>P274-B3 | **聯合廣場**<br>現代化的建築，從最上層的酒吧看出去的景色相當迷人，頗受歡迎。離聯合廣場只有1條街的距離。 | |
| 克里夫特飯店<br>The Clift | 495 Geary St.<br>☎415-775-4700<br>FAX415-931-7417 | ⑤$195～<br>⑦$220～<br>P274-A3 | **聯合廣場**<br>位在劇場與藝廊聚集的區域，通常以個人的住宿旅客為主。飯店內的餐廳評價不錯。 | |
| 摩納哥大飯店<br>Hotel Monaco | 501 Geary St.<br>☎415-292-0100<br>FAX415-292-0111 | ⑤$229～<br>⑦$229～<br>P274-A4 | **聯合廣場**<br>1996年重新開幕。飯店的顏色與設計均採用華麗的法式風格。 | |
| 威斯汀—聖方濟飯店<br>The Westin St-Francis | 335 Powell St.<br>☎415-397-7000<br>FAX415-774-6865 | ⑤$389～<br>⑦$409～<br>P274-B3 | **聯合廣場**<br>飯店面對聯合廣場，大廳模仿維多利亞時代的裝潢。 | |
| 舊金山日航酒店<br>Hotel Nikko San Francisco | 222 Mason St.<br>☎415-394-1111<br>FAX415-394-1159 | ⑤$159～<br>⑦$159～<br>P274-B4 | **聯合廣場**<br>距離聯合廣場2條街。有提供日本報紙、有線電視等服務。 | |
| 泛太平洋酒店<br>The Pan Pacific Hotel | 500 Post St.<br>☎415-771-8600<br>FAX415-929-2009 | ⑤$289～<br>⑦$289～<br>P274-A3 | **聯合廣場**<br>由知名的飯店設計師約翰波特曼親手設計，內部裝潢使用大量的大理石。 | |
| 漁人碼頭凱悅飯店<br>Hyatt at Fisherman's Wharf | 555 Northpoint St.<br>☎415-563-1234<br>FAX415-749-1234 | ⑤$189～<br>⑦$189～<br>P285-C2 | **漁人碼頭**<br>位在纜車梅森線終點站，是棟充滿古典風味的磚紅色建築。 | |
| 漁人碼頭喜來登飯店<br>Sheraton Fisherman's Wharf | 2500 Mason St.<br>☎415-362-5500<br>FAX415-956-5275 | ⑤$189～<br>⑦$189～<br>P285-C2 | **漁人碼頭**<br>位在漁人碼頭的中心。有健身房等設施完善。 | |
| 舊金山馬克霍普金斯大飯店<br>Mark Hopkins Inter-Continental San Francisco | 999 California St.<br>☎415-392-3434<br>FAX415-421-3302 | ⑤$259～<br>⑦$259～<br>P274-B2 | **諾布山**<br>大廳使用維多利亞風格的家具，十分豪華。頂樓雞尾酒吧的風景相當怡人。 | |
| 萬麗史丹佛考特大飯店<br>Renaissance Stanford Court Hotel | 905 California St.<br>☎415-989-3500<br>FAX415-391-0513 | ⑤$289～<br>⑦$289～<br>P274-B2 | **諾布山**<br>飯店內使用不少壁畫與彩繪玻璃裝飾，古典風味的佈置吸引了很多客人。 | |
| 舊金山凱悅飯店<br>Hyatt Regency San Francisco | 5 Embarcadero Center<br>☎415-788-1234<br>FAX415-398-2567 | ⑤$200～<br>⑦$200～<br>P227-D3 | **金融區**<br>位在安巴卡德羅中心內，造型非常特殊。最上層有旋轉觀景餐廳。 | |
| 葛利芬飯店<br>Hotel Griffon | 155 Steuart St.<br>☎415-495-2100<br>FAX415-495-3522 | ⑤$375～<br>⑦$375～<br>P227-D3 | **金融區**<br>內部使用白磚裝潢。從飯店走到渡輪大樓只需5分鐘。從部份的客房內可看到海灣大橋。 | |
| 溫德罕姆飯店<br>Wyndham | 85 5th St.<br>☎415-421-7500<br>FAX415-243-8066 | ⑤$179～<br>⑦$179～<br>P297-A2 | **蘇瑪區**<br>建築本身稍微老舊，但內部改裝得很理想，將新舊的優點做巧妙地結合。 | |
| 艾傑特飯店<br>The Argent Hotel | 50 3rd St.<br>☎415-974-6400<br>FAX415-348-8207 | ⑤$200～<br><br>P297-A1 | **蘇瑪區**<br>37層的都會型高層飯店，從聯合廣場徒步約5分鐘。原名是ANA飯店。 | |
| 皇宮飯店<br>Palace Hotel | 2 New Montgomery St.<br>☎415-512-1111<br>FAX415-243-4120 | ⑤$250～<br>⑦$250～<br>P297-A1 | **蘇瑪區**<br>創立於1875年。內部裝潢極盡豪華，世界各國的知名政經人物經常光顧。 | |

# stay

## 中級 $120～179

*Chanceller Hotel*

### 詮斯勒大飯店

| 住址 | 433 Powell St. |
|---|---|
| ☎ | 415-362-2004 |
| FAX | 415-362-1403 |
| 交通 | 由聯合廣場徒步約1分鐘 |
| 費用 | Ⓢ$148～ Ⓣ$163～ |
| 客房 | 137室 |

MAP…P274-B3

**5顆星水準的地理位置**
外觀保存了1914年開幕時的模樣，內部改建得相當完善，不會讓人覺得老舊。除了豪華套房外，所有客房無論大小或內部裝潢都一樣。客房以紅藍相間的色系為主。床的大小不一，可自行選擇一張大床，或是兩張小床。客房內雖沒有空調設備，附有吊扇。

*The Hotel Juliana*

### 茱莉安娜飯店

| 住址 | 590 Bush St. |
|---|---|
| ☎ | 415-392-2540 |
| FAX | 415-391-8447 |
| 交通 | 由聯合廣場徒步約3分鐘 |
| 費用 | Ⓢ$130～ Ⓣ$145～ |
| 客房 | 107室 |

MAP…P274-C2

**輕鬆自在、充滿活力的氣氛**
飯店所在位置交通便利，環境也相當幽靜。客房稍嫌小了一點，內部裝潢使用花紋或線條，顏色採用黃、紅、粉紅鮮豔亮麗的色彩，吸引不少女性顧客。客房都擺有咖啡機。每晚5～6點之間，有壁爐的大廳裡，還提供免費的葡萄酒。

繽紛亮麗的客房，深受女性顧客的歡迎。

*Kensington Park Hotel*

### 肯辛頓公園飯店

| 住址 | 450 Post St. |
|---|---|
| ☎ | 415-788-6400 |
| FAX | 415-885-3268 |
| 交通 | 由聯合廣場徒步約3分鐘 |
| 費用 | Ⓢ Ⓣ $150～ |
| 客房 | 89室 |

MAP…P274-B3

**成熟高貴的住宿氣氛**
這棟12層樓的建築落成於20世紀初期。木門電梯令人感受到歷史的悠久，不過客房都重新裝修過，住起來相當舒適，巧妙地將新舊的氣氛融為一體。大廳裝飾著豪華的地毯、沙發與吊燈，散發出高級社交場合般的氣氛。客房內佈置著桃花心木做成的桌椅、衣櫃，以茶色、玫瑰紅、藍色等鮮豔的色系為主，感覺相當典雅。5樓有一間小型的健身房。90%的客房內都有浴缸。每天早上7點起，各層樓均有有提供早餐的服務，房客可自行取用咖啡、紅茶、鬆餅、可頌麵包等。

磚紅色的典雅外觀。飯店內有座知名的劇場。

中、高年的客人較喜歡這裡的一般客房

*Hotel Vintage Court*

### 文特基庭園飯店

| 住址 | 650 Bush St. |
|---|---|
| ☎ | 415-392-4666 |
| FAX | 415-433-4065 |
| 交通 | 由聯合廣場徒步約3分鐘 |
| 費用 | Ⓢ Ⓣ $149～ |
| 客房 | 107室 |

MAP…P274-B2

**崇尚東洋的經營者**
客房內的床單與窗簾都印有小碎花的圖樣，營造出可愛的氣氛。除豪華套房外，幾乎所有客房的裝潢都一樣。部份客房內有浴缸。知名度相當高的餐廳「瑪莎小坊」（→P276）就在這家飯店內。傍晚，在大廳可以喝到免費的葡萄酒；飯店內的咖啡與紅茶也是無限暢飲。

客房的顏色與設計都讓人感到心情愉快

*Hotel Triton*

### 翠頓飯店

| 住址 | 342 Grant Ave. |
|---|---|
| ☎ | 415-394-0500 |
| FAX | 415-394-0555 |
| 交通 | 由聯合廣場徒步約5分鐘 |
| 費用 | Ⓢ Ⓣ $219～ |
| 客房 | 140室 |

MAP…P275-C2

**盡情享受度假風情的飯店**
手工繪製的牆壁、特殊造型的家具與裝飾品、熱帶色彩濃厚的的色系，都能突顯出自我的風味，因而吸引了不少顧客。許多藝術家對這家飯店也情有獨鍾。服務生的制服相當休閒，襯衫搭配上長褲，與飯店內的氣氛十分相稱。

客房內天馬行空的創意佈置，深受情侶與藝術家的喜愛。

## The Donatello

區域 聯合廣場

### 唐那太羅飯店

| | |
|---|---|
| 住址 | 501 Post St. |
| ☎ | 415-441-7100 |
| FAX | 415-885-8842 |
| 交通 | 由聯合廣場徒步約3分鐘 |
| 費用 | ⑤①$189～ |
| 客房 | 94室 |
| MAP…P274-A3 | 🍴 |

#### 景致絕佳的酒吧

外觀看起來像是大型飯店，但事實上只有90多間客房，因此每一間都非常地寬敞。頂樓的酒吧是這裡的賣點之一。在景觀良好的會客室內，飯店客人可以自由使用大螢幕電視、暖爐、影音資料，還可以盡情享受咖啡、紅茶，以及新鮮水果。飯店內還有按摩室、健身房、三溫暖及按摩浴缸等設備。客房以白色為主，感覺很清爽、明亮，浴袍、吹風機與熨斗都是房內的基本配備。飯店內的義大利餐廳「金加利」除了各式葡萄酒，料理也相當美味。

飯店內的招牌酒吧。任何客人都可以進入消費。

明亮素雅、寬敞又整潔的客房

## Hotel Diva

區域 聯合廣場

### 帝維飯店

| | |
|---|---|
| 住址 | 440 Geary St. |
| ☎ | 415-885-0200 |
| FAX | 415-346-6613 |
| 交通 | 由聯合廣場徒步約3分鐘 |
| 費用 | ⑤$209～ |
| | ①$219～ |
| 客房 | 111室 |
| MAP…P274-A3 | |

#### 現代感十足的義大利式設計

現代藝術的裝潢設計，流露著嶄新的現代歐洲風。在2樓的會客廳，除飲料與水果可自由取用外，還提供歐式早餐的服務。飯店內附設有健身房。可向6樓的住宿服務櫃台租借錄影帶。

嶄新獨特的用色與設計。衛浴用品也相當可愛。

---

## The Inn at Union Square

區域 聯合廣場

### 聯合廣場旅舍

| | |
|---|---|
| 住址 | 440 Post St. |
| ☎ | 415-397-3510 |
| FAX | 415-989-0529 |
| 交通 | 由聯合廣場徒步約1分鐘 |
| 費用 | ⑤$195～①$240～ |
| 客房 | 30室 |
| MAP…P274-B3 | |

#### 全面禁菸，不收小費

不同於飯店素雅的外觀，每間客房的大小與裝潢都不同。利用孤挺花、玫瑰等花卉佈置出典雅的感覺。飯店所有的樓層均禁煙，而且嚴格規定不收小費。每層樓都設有小型的接待櫃台。住宿費用內含一份歐式早餐。

客房的感覺稍微有點穿，但是優雅的裝潢巧妙地彌補了這項缺點。

## Hotel Milano

區域 蘇瑪區

### 米蘭飯店

| | |
|---|---|
| 住址 | 55 5th St. |
| ☎ | 415-543-8555 |
| FAX | 415-543-5843 |
| 交通 | 由藝文中心徒步約7分鐘 |
| 費用 | ⑤$109～①$149～ |
| 客房 | 108室 |
| MAP…P297-A2 | 🍴 |

#### 日本人經營的飯店

以喬治亞曼尼在米蘭的住宅為設計藍本，飯店內沒有多餘的裝潢，感覺相當清爽素雅，充滿時尚感。房間的隔音設備也相當完善。浴室十分寬敞，房客可以自行選擇紅色或白色的燈光，相當別致。飯店內附設有健身房、按摩池及三溫暖。

每間客房都有一張明亮的大桌子，相當方便。

## Radisson Miyako Hotel

區域 日本城

### 瑞迪森‧都飯店

| | |
|---|---|
| 住址 | 1625 Post St. |
| ☎ | 415-922-3200 |
| FAX | 415-921-0417 |
| 交通 | 由日本城徒步約2分鐘 |
| 費用 | ⑤$99～①$99～ |
| 客房 | 218室 |
| MAP…P216-A4 | 🍴 |

#### 日本與西洋傳統文化的融合

位於日本城內，乍看之下以為是現代西洋式建築，但中庭卻是日式的庭園。客房內的窗戶都以紙糊拉窗裝飾，部份房間還是鋪被褥的和室。此外，採用日式的洗澡方式，將洗澡的地方與泡澡的浴缸分開，這對於不習慣使用西式浴缸的房客而言，可以洗得安心又舒適。

品味高雅的大廳。櫃台的態度也相當得體。

# 舊金山的中級・經濟型飯店

| 旅館名／區域 | 住址／電話號碼／FAX | 費用／MAP | 備註 |
|---|---|---|---|
| 卡爾萊特飯店<br>Cartwright Hotel | 524 Sutter St.<br>☎415-421-2865<br>FAX 415-398-6422 | S$79~<br>T$79~<br>P274-B3 | 聯合廣場<br>充滿古典風情的傢具,展露出歐式風格的裝潢。可以感受到居家的氣氛。 |
| 克萊瑞恩貝德佛飯店<br>Clarion Bedford Hotel | 761 Post St.<br>☎415-673-6040<br>FAX 415-563-6739 | S$159~<br>T$159~<br>P227-B4 | 聯合廣場<br>這家小巧的飯店離聯合廣場僅3個路口。內部裝潢採用歐式風格。 |
| 薩佛伊飯店<br>Savoy Hotel | 580 Geary St.<br>☎415-441-2700<br>FAX 415-441-0124 | S$139~<br>T$189~<br>P227-B4 | 聯合廣場<br>距離聯合廣場4條街口。內部裝潢採用優雅的歐洲風格,深受客人喜愛。 |
| 夏儂閣飯店<br>Shannon Court Hotel | 550 Geary St.<br>☎415-775-5000<br>FAX 415-755-9388 | S$139~<br>T$159~<br>P274-A3 | 聯合廣場<br>優雅寬敞的客房相當受到女性顧客的歡迎。每天都有提供下午茶的服務。 |
| 葛拉瑞亞精緻旅館<br>The Galleria Park Hotel | 191 Sutter St.<br>☎415-781-3060<br>FAX 415-433-4409 | S$129~<br>T$129~<br>P275-D3 | 聯合廣場<br>距離聯合廣場2個路口,飯店內的餐點相當知名。 |
| 漢得麗聯合廣場飯店<br>The Handlery Union Square Hotel | 351 Geary St.<br>☎415-781-7800<br>FAX 415-781-0269 | S$189~<br>T$289~<br>P274-B3 | 聯合廣場<br>家族經營的飯店,讓人有回到家的感覺。歐式建築與優雅的氣氛深受顧客的喜愛。 |
| 法蘭西斯德瑞克爵士飯店<br>Sir Francis Drake Hotel | 450 Powell St.<br>☎415-392-7755<br>FAX 415-397-8559 | S$185~<br>T$191~<br>P274-B3 | 聯合廣場<br>長久以來就深受知名人仕的喜愛,是家歷史悠久的飯店。豪華的大廳曾經出現在電影場景裡。 |
| 卡爾登飯店<br>Carlton Hotel | 1075 Sutter St.<br>☎415-673-0242<br>FAX 415-673-4909 | S$89~<br>T$89~<br>P216-B3 | 聯合廣場<br>洋溢歐洲風情的小型飯店。距離聯合廣場6條街。 |
| 舊金山君悅飯店<br>Grand Hyatt San Francisco | 345 Stocton St.<br>☎415-398-1234<br>FAX 415-403-4878 | S$249~<br>T$249~<br>P274-B3 | 聯合廣場<br>坐落在聯合廣場北側,暗色系的客房令人感到心情平和,深受顧客喜歡。 |
| 海港飯店<br>The Harbor Court Hotel | 165 Steuart St.<br>☎415-882-1300<br>FAX 415-882-1313 | S$235~<br>T$259~<br>P227-D4 | 金融區<br>從飯店走到渡輪大樓約需5分鐘。優雅的內部裝潢深受好評。住宿時,建議選擇可以看到海景的房間。 |
| 舊金山金融區國際假日酒店<br>Holiday Inn San Francisco Financial District | 750 Kearny St.<br>☎415-433-6600<br>FAX 415-765-7891 | S$189~<br>T$189~<br>P226-C3 | 金融區<br>飯店附近有許多中國餐廳。距離北灘區只有3個路口,十分方便。 |
| 舊金山市政中心國際假日酒店<br>Holiday Inn San Francisco Civic Center | 50 8th St.<br>☎415-626-6103<br>FAX 415-552-0184 | S$109~<br>T$109~<br>P297-A3 | 市政中心<br>位於市場街的南邊,距離灣區的捷運站只要5分鐘。 |
| 舊金山萬豪飯店<br>San Francisco Marriott | 55 4th St.<br>☎415-896-1600<br>FAX 415-442-0141 | S$229~<br>T$229~<br>P297-A1 | 蘇瑪區<br>階梯狀的摩登外觀令人印象深刻。所在位置極佳,距離聯合廣場僅2個街口。 |
| 大教堂山飯店<br>Cathedral Hill Hotel | 1101 Van Ness Ave.<br>☎415-776-8200<br>FAX 415-441-2841 | S$159~<br>T$159~<br>P227-A4 | 凡尼斯大道附近<br>面對凡尼斯大道,距離日本城僅有4個路口。 |
| 尊爵飯店<br>The Majestic Hotel | 1500 Sutter St.<br>☎415-441-1100<br>FAX 415-673-7331 | S$125~<br>T$125~<br>P216-B3 | 凡尼斯大道附近<br>典型維多利亞式建築的飯店。大部份的房間都附有壁爐,口碑極佳。 |

## 經濟型飯店 ～$119

區域 聯合廣場

*The Stratford Hotel*

### 史特拉福飯店

| 住址 | 242 Powell St. |
|---|---|
| ☎ | 415-397-7080 |
| FAX | 415-397-7087 |
| 交通 | 由聯合廣場徒步約1分鐘 |
| 費用 | Ⓢ$95～ Ⓣ$95～ |
| 客房 | 100室 |

MAP‥‥P274-B4

女性獨自一人也能安心住宿
位於禮品街的一角。如果怕吵，
可以指定不靠馬路的房間。客房
共有兩種，一種是翻新過的房
間；另一種是充滿懷舊風情的房
間。每間房間的內部裝潢都不盡
相同，如果手頭寬裕的話，建議
選擇已經翻新的客房。充滿懷舊
風情的房間雖然比較樸素，但安
全設施都很完善。

區域 日本城

*Best Western Miyako Inn*

### 優西都旅館

| 住址 | 1800 Sutter St. |
|---|---|
| ☎ | 415-921-4000 |
| FAX | 415-923-1064 |
| 交通 | 由日本城徒步約1分鐘 |
| 費用 | Ⓢ Ⓣ $89～ |
| 客房 | 125室 |

MAP‥‥P216-A3

面向日本城的正門
無論是外觀或內部裝潢，都呈現
出現代都市飯店的情趣。每間客
房內都有客廳、附照明的桌子、
咖啡機，以及吹風機。部份房間
有陽台。雙人房內大多是擺兩張
單人床（部份房間是一張加大型
雙人床）。獨自一人時，可選擇
有大型床的房間。

飯店內有會說多國語言的員工值勤。

區域 聯合廣場

*Andrews Hotel*

### 安德魯飯店

| 住址 | 624 Post St. |
|---|---|
| ☎ | 415-563-6877 |
| FAX | 415-928-6919 |
| 交通 | 由聯合廣場徒步約4分鐘 |
| 費用 | Ⓢ$89～ |
| | 48室 |

MAP‥‥P274-A3

品格獨特，有家的感覺
飯店規模不大，有家的感覺。
大廳很小，但飯店內有一間書
房的會客室。房間空間不大，
整體使用黃綠色與淡粉紅色的
搭配，加上碎花的窗簾，相當
可愛，深受女性顧客喜愛。大
部份的浴室只有淋浴設備。也
提供紅酒服務。

客房的裝潢可愛迷人。飯店的所在位
置令人無可挑剔。

區域 中國城

*Grant Plaza*

### 葛蘭特廣場飯店

| 住址 | 465 Grant Ave. |
|---|---|
| ☎ | 415-434-3883 |
| FAX | 415-434-3886 |
| 交通 | 由聯合廣場徒步約5分鐘 |
| 費用 | Ⓢ$79～ Ⓣ$79～ |
| | 72室 |

MAP‥‥P274-C2

許多女性顧客喜愛的飯店
面對中國城最熱鬧的凡尼斯大
道。從飯店的位置及內部的設施
來看，這裡的住宿費用真的很公
道。房間的佈置以粉紅與白色系
為主，另外還有附照明的桌子、
床舖、櫃子，及電視。房間內都
有淋浴設備（沒有浴缸）。櫃台
人員的服務態度相當友善。

安全設施十分完善。飯店經常客滿，
最好提早預約。

區域 聯合廣場

*Quality Inn*

### 品質飯店

| 住址 | 610 Geary St. |
|---|---|
| ☎ | 415-673-9221 |
| FAX | 415-928-2434 |
| 交通 | 由聯合廣場徒步約10分鐘 |
| 費用 | Ⓢ$99～ Ⓣ119～ |
| | 90室 |

MAP‥‥P227-B4

乾淨、舒適、廉價的飯店
外觀看來稍嫌寒酸，內部漂亮得
令人驚豔。即使單人房，床舖也
是小型雙人床。大部份的房間內
都有浴缸。早上都有提供咖啡，
櫃台人員的服務態度相當親切。
住宿的客人從學生到老年人，客
層十分廣泛。女性顧客即使是單
獨一個人也可以住得安心。

頂樓7樓的客房最為明亮，可以在住房
時提出要求。

區域 聯合廣場

*Union Square Plaza*

### 聯合廣場大酒店

| 住址 | 432 Geary St. |
|---|---|
| ☎ | 415-776-7585 |
| FAX | 415-776-4749 |
| 交通 | 由聯合廣場徒步約3分鐘 |
| 費用 | Ⓢ Ⓣ $119～ |
| | 75室 |

MAP‥‥P274-A3

住宿費用低廉對外交通便利
飯店大門並不顯眼，很容易就走過
頭，其實離聯合廣場很近，對面就
是柯倫劇場。建築本身雖然老舊，
但每間房間都重新裝潢過，相當乾
淨。如果只是要找個地方過夜，這
裡是不錯的選擇。從飯店前的巴士
站直走就可以到達日本城，而中國
城就在3條街巷外。

隨房間的位置不同，大小與室內亮度
也會有所差別，但內部裝潢都一樣。

# 舊金山的中級・經濟型飯店

| 旅館名／區域 | 住址／電話號碼／FAX | 費用／MAP | 備註 | |
|---|---|---|---|---|
| 費茲傑羅飯店<br>The Fitzgerald Hotel | 620 Post St.<br>☎415-775-8100<br>FAX415-775-1278 | Ⓢ$99〜<br>Ⓣ$109〜<br>P274-A3 | **聯合廣場**<br>小巧精緻的飯店，附近有許多藝廊林立。 | |
| 康文多爾環球飯店<br>Commodore<br>International Hotel | 825 Sutter St.<br>☎415-923-6800<br>FAX415-923-6804 | Ⓢ$95〜<br>Ⓣ$95〜<br>P227-B4 | **聯合廣場**<br>一樓的牆壁漆成藍綠相間的直條圖案，相當引人囑目。客房得佈置簡樸雅致，令人感到輕鬆自在。 | |
| 貝瑞斯福飯店<br>Hotel Beresford | 635 Sutter St.<br>☎415-673-9900<br>FAX415-474-0449 | Ⓢ$189〜<br>Ⓣ$189〜<br>P274-A3 | **聯合廣場**<br>維多利亞式建築的飯店，深受歐洲觀光客的喜愛。一樓的酒吧也頗受好評。 | |
| 貝瑞斯福勳紋飯店<br>Hotel Beresford Arms | 701 Post St.<br>☎415-673-2600<br>FAX415-474-0449 | Ⓢ$139〜<br>Ⓣ$149〜<br>P227-B4 | **聯合廣場**<br>距離聯合廣場3個路口。飯店是利用維多利亞式的優美建築改建而成。 | |
| 坎特伯雷飯店<br>Canterbury Hotel | 750 Sutter St.<br>☎415-474-6464<br>FAX415-474-0831 | Ⓢ$115〜<br>Ⓣ$155〜<br>P227-B4 | **聯合廣場**<br>分成10層樓的本館與4層樓的別館兩部分。餐廳與溫室花園的口碑極佳。 | |
| 佳石飯店<br>Hotel Bijou | 111 Mason St.<br>☎415-771-1200<br>FAX415-346-3196 | Ⓢ$89〜<br>Ⓣ$89〜<br>P227-B5 | **聯合廣場**<br>距離聯合廣場的旅遊服務中心僅一個街口。規模雖小，但相當乾淨。 | |
| 聯合廣場樂美達旅館<br>Ramada Inn Union Square | 345 Taylor St.<br>☎415-673-2332<br>FAX415-398-0733 | Ⓢ$89〜<br>Ⓣ$89〜<br>P227-B4 | **聯合廣場**<br>馬克吐溫將飯店全面改裝後，重新開幕。距離聯合廣場3個街口。 | |
| 漁人碼頭瑞迪森飯店<br>Radisson Hotel at<br>Fisherman's Wharf | 250 Beach St.<br>☎415-392-6700<br>FAX415-986-7853 | Ⓢ$159〜<br>Ⓣ$159〜<br>P284-C2 | **漁人碼頭**<br>位在罐頭工廠南邊一條街的四層樓建築。飯店內有游泳池、健身房與三溫暖等，設備相當完善。 | |
| 環球樂美達飯店<br>Ramada Plaza Hotel<br>International at Market Street | 1231 Market St.<br>☎415-626-8000<br>FAX415-487-4436 | Ⓢ$109〜<br>Ⓣ$109〜<br>P297-A3 | **市政中心**<br>面對市場街，是棟維多利亞式建築的大型飯店。 | |
| 美西頂級飯店<br>Best Western Americania | 121 7th St.<br>☎415-626-0200<br>FAX415-862-2529 | Ⓢ$100〜<br>Ⓣ$100〜<br>P297-A3 | **市政中心**<br>汽車旅館形式的飯店。與聯合廣場之間有免費接駁巴士，相當方便。 | |
| 雷諾瓦飯店<br>Renoir Hotel | 45 Mcallister St.<br>☎415-626-5200<br>FAX415-626-5581 | Ⓢ$89〜<br>Ⓣ$89〜<br>P297-A3 | **市政中心**<br>位於聯邦大廈的東邊，是一棟歷史悠久的高雅飯店。距離灣區捷運站只要1分鐘。 | |
| 市政中心每日旅館<br>Days Inn Downtown<br>Civic Center | 465 Grove St.<br>☎415-864-4040<br>FAX415-552-4914 | Ⓢ$70〜<br>Ⓣ$110〜<br>P216-B4 | **市政中心**<br>汽車旅館形式的飯店。大廳有提供早餐服務。與歌劇院大樓相距兩個路口。 | |
| 安妮皇后飯店<br>Queen Anne Hotel | 1590 Sutter St.<br>☎415-441-2828<br>FAX415-775-5212 | Ⓢ$139〜<br>Ⓣ$139〜<br>P216-B3 | **凡尼斯大道附近**<br>由一棟維多利亞式豪宅改建而成，位在日本城附近。 | |
| 舊金山金色大道國際假日酒店<br>Holiday Inn San Francisco<br>Golden Gateway | 1500 Van Ness Ave.<br>☎415-441-4000<br>FAX415-775-4425 | Ⓢ$129〜<br>Ⓣ$129〜<br>P227-A3 | **凡尼斯大道附近**<br>擁有498間客房的大型飯店。以學生的住宿居多。飯店內有美式酒吧與戶外游泳池。 | |
| 葛羅斯溫那第一飯店<br>Best Western Grosvenor Hotel | 380 South Airport Blvd.<br>☎650-873-3200<br>FAX650-589-3495 | Ⓢ$85〜<br>Ⓣ$85〜<br>P212-D1 | **機場附近**<br>機場到飯店有專用的接駁巴士，車程約需10分鐘。24小時都有車班，相當方便。 | |

# 尋訪美酒之旅

最近，加州葡萄酒的評價愈來愈高，已經不讓法國的葡萄酒專美於前。其中，品質最好，口味最佳的就屬那帕谷與索諾瑪谷生產的葡萄酒。酒鄉的風景也相當漂亮，延伸到蔚藍天空的一片緩丘、綠油油的葡萄樹、滿山遍野的玫瑰等。每年有多達8萬名遊客造訪酒鄉，除了可以試喝新酒、參觀酒廠、享用佳餚之外，還可以盡情地暢飲道地的加州葡萄酒。

那帕谷入口的招牌。

整片的葡萄園。

## 那帕谷　　　Napa Valley

### 向加州葡萄酒致敬

一提到加州葡萄酒，一般都會認為那只是普通的餐酒而已。「價格便宜，味道還算過得去，但也只是一般的葡萄酒罷了，根本比不過法國的葡萄酒。」如果是抱持這種想法的人，就一定要到那帕谷，參加當地的酒廠參觀之旅。最值得參觀的是**貝林格酒莊**及**羅伯蒙岱維酒廠**。在參觀的過程中，除了大開眼界外，更讓人對加州葡萄酒產生敬意，將傳統的刻板印象完全去除。

左：參觀行程的門票在此索取
上：在參觀行程中，遊客可以盡情發問。

**貝林格酒莊Beringer Vinyards**
這家釀酒廠創立於1876年，無論是規模或品質都是上上之選，免費參觀。整套參觀行程共45分鐘，30分鐘參觀，15分鐘試飲。試飲需US$5，如果當場購買葡萄酒，只需US$3。2000 Main St., St. Helena ☎707-963-7115｜10～17點（5～10月～18點），無休
MAP/P325-B1

### 透過參觀行程認識葡萄酒

如果要參觀**羅伯蒙岱維酒廠**，先在入口處申請。由於這家酒廠人氣很旺，最好安排在上午。如果一切順利，申請後1～2個小時就可以進場，到時候須帶著入場券到起點集合。每一組15人，遊客大部分都來自美國國內。

首先在葡萄園前，介紹這家酒廠的歷史與葡萄。為遊客導覽的居然是來這裡學習的法國學生。只見這名導遊一直謙虛地說英文不好，其實介紹得非常清楚。每位參加者都聚精會神地聆聽，其中有的是葡萄酒的行家，也有什麼都不懂的門外漢，無論是什麼背景的人，都非常踴躍地問問題。

「為什麼葡萄的樹枝是平向伸展？」

「園裡到處種滿了玫瑰，有什麼作用嗎？」

「嗯，好問題。事實上，我就知道你們會這樣問。」

將樹枝剪定，讓它平向伸展是為了讓陽光均勻地照射在葡萄上。種植玫瑰則是由於玫瑰相當嬌弱，只要有害蟲、土壤變化，或是天氣異常的情況發生，玫瑰就會枯萎，因此可做為觀測葡萄是否能順利栽種的指標。

上：在品酒室內，每個人都躍躍欲試。
左：在葡萄園中聽取介紹

## 導遊精彩絕倫的說明

　　遊客一邊聽取導遊詳盡的介紹，一邊緩緩走向製造葡萄酒的地方。在行進的過程中，每個人的心中都充滿了期待，不停地向導遊發問。沿途看到攪碎葡萄的機器、不銹鋼槽，耳裡聽著導遊充滿活力的說明，每個人的心情都相當愉快。在參觀了貯藏葡萄酒酒樽的倉庫及葡萄酒裝瓶的作業之後，終於來到遊客最期待的品酒區了。品酒區就在美麗庭園的樹蔭底下，在此品嚐葡萄酒，美妙的滋味令人無法言喻。一到這裡，遊客之間的隔閡瞬間瓦解。每個人手上拿著酒杯熱情地攀談，和睦的氣氛頓時擴展開來。品嚐幾種葡萄酒後，讓人有點飄飄然的，感覺相當舒服。酒廠參觀之旅之在這裡畫下句點。之後，如果有喜歡的葡萄酒，可以到販售處購買。

　　酒廠的參觀行程大致可分為二種，一種是導遊隨行，另一種則是自助式的行程。不過還是建議大家參加像貝林格酒莊及羅伯蒙岱維酒廠所推出的導覽行程。如果參加這種行程，就要盡量發問，千萬不要覺得不好意思，留給自己一個美好的回憶。

羅伯蒙岱維酒廠Robert Mondavi Winery
美國的代表酒廠之一，全世界有許多人喜歡這裡出產的葡萄酒。免費參觀（部份除外）。免費試飲（部份除外）。7801 St-Helena Hwy., Oakville ☎ 707-963-9611圓5～10月9～17點、11～4月9～17點，無休 MAP/P325-B2

往蒙特拿堡酒廠
往🅷加利斯托卡水療溫泉

柏斯-那帕谷州立公園
Bothe-Napa Valley
State Park
Calistoga
Calistoga
Chamber of Commerce P.328
泰勒餐館 P.327
Terra Restaurant

索諾瑪郡
SONOMA
COUNTY

史特林酒莊
Sterling Vinyards P.326

聖海琳娜
高級暢貨中心
P.309

貝林格酒莊
Beringer VineyardsP.324
St.Helena
Chamber of
Commerce P.328

聖海琳娜車站

聖海琳娜
ST-HELENA

薩圖伊酒廠
V.Sattui Winery P.326

約瑟費普酒莊
Joseph Phelps Vinyards
P.326

哈維斯特旅舍
Harvest Inn
P.328

塔頒山州立公園
Sugarloaf Ridge
State Park

魯瑟佛
RUTHERFORD

尼巴姆柯波拉酒廠
Niebaum Coppola Estate Winery
P.326

那帕郡
NAPA COUNTY

羅伯蒙岱維酒廠
Robert Mondavi Winery
P.325

銀橡酒庫
Silver Oak Cellars P.326

布里克斯餐廳
Brix Napa Valley Restaurant
P.328

歐克維爾
OAKVILLE

芥末燒烤
Mustards Grill P.327

華盛頓
廣場

多曼香登酒廠
Domaine Chandon P.327

法國洗衣店

尤恩維爾
YOUNVILLE

橡丘旅舍
Oak Knoll Inn P.328

赫斯酒廠
The Hess Collection Winery
P.326

那帕高級
暢貨中心
P.309

那帕谷葡萄酒
列車車站
Napa Valley Wine Train Station

Napa Valley Conference
and Visitors Bureau
P.328

那帕市中心
NAPA DOWN TOWN

往舊金山

🍷=酒廠

那帕谷
NAPA VALLEY

0　　　300m

史特林酒莊Sterling Vineyards
位於加利斯托卡的小丘上，修道院式的建
築讓人印象深刻。自助參觀行程US$10，免
費試飲（部份除外）。1111 Dunaweal Ln.,
Calistoga ☎707-942-3444時10點30分～16點
30分，無休 MAP/P325-B1

尼巴姆柯波拉酒廠Niebaum Coppola Estate Winery
以電影《教父》等片走紅的知名導演法蘭西斯柯波拉是這家酒廠的老
闆。參觀行程每天4次。費用US$20（附葡萄酒、起司，需電話預約）。試
飲US$8.50。1991 St.Helena Hwy., Rutherford ☎707-968-1100時10～17點，無
休 MAP/P325-A2

## 酒廠與美酒之旅

　　如果想在酒鄉品嚐美酒，可以用
試飲的方法。試飲的情形不一，有
免費品嚐的地方，也有付費就可以
喝到昂貴葡萄酒的地方。不過，要
特別注意的是，試飲的前題是為了
購買自己喜歡的葡萄酒。即使是試
飲了不同價格的葡萄酒後，只買了
便宜的葡萄酒也無妨。如果無心購
買，只是一味地試飲，就顯得太沒
格調了。多試試不同種類的酒，記
下心得之後再購買最滿意的葡萄
酒，或許這才是聰明的方法。

銀橡酒庫Silver Oak Cellars
卡本內-蘇維濃是主打商品。這
種酒的味道無與倫比。參觀行
程的時間在每週一～五的13點
30分。試飲US$10（週六）需電
話預約。915 Oakville Crossroad,
Napa ☎707-944-8808時9～ 16
點，例假日公休 MAP/P325-B2

赫斯酒廠The Hess Collection Winery
生產的葡萄酒相當可口，受歡迎的程
度急速上昇。附設現代藝術的藝廊。
自助參觀行程 無料，試飲US$3。4411
Redwood Rd., Napa ☎707-255-1144時10～
16點，無休。MAP/P325-A3

### 其他的酒廠

| | 酒廠名 | 地址／電話 | 時間／地圖位置 | 備註 |
|---|---|---|---|---|
| 那帕谷 | 蒙特拿堡酒廠<br>Chateau Monteilena Winery | 1429 Tubbs Ln., Calistoga<br>☎707-942-5105 | 9點30分～16點<br>休無<br>MAP/P325-A1 | 在1976年巴黎舉行的品酒大賽中榮獲冠軍。每天有二次免費參觀行程，分別在11點、14點。免費試飲。 |
| | 約瑟費普斯酒莊<br>Joseph Phelps Vineyards | 200 Taplin in Rd., St-Helena<br>☎707-963-2745 | 10～17點、週日10<br>～16點 休無<br>MAP/P325-B2 | 位於西爾佛拉多小徑東邊的酒廠。限量生產的葡萄酒品質極佳，獲得相當高的評價。參觀行程與試飲均免費。 |
| | 薩圖伊酒廠<br>V. Sattui Winery | 1111 White Ln., St-Helena<br>☎707-963-7774 | 9～18點（9～2月<br>～17點）休無<br>MAP/P325-B2 | 薩圖伊酒廠是擁有100多年歷史的老牌酒廠。廠內附設熟食店，遊客可以在外面的餐桌，同時享用葡萄酒與美食。參觀行程採自助方式。 |
| 索諾瑪谷 | 班滋格家族酒廠<br>Benziger Family Winery | 1883 London Ranch Rd.,<br>Glen Ellen<br>☎707-935-3000 | 10～17點<br>休無<br>MAP/P329-B3 | 整套酒廠參觀行程約45分鐘。過程中，導遊會針對製酒與土壤加以說明。附設酒標展示館。免費參觀。免費試飲（部份除外）。 |
| | 塞巴斯蒂亞尼酒莊<br>Sebastiani Vineyardsa | 389 Fourth St. East.,<br>Sonoma<br>☎707-938-5532 | 10～17點 休無<br>MAP/P329-B4 | 從索諾瑪谷的市中心可搭接駁巴士，對於往返的遊客而言，交通十分方便。另外，也有開放種滿橄欖樹的野餐區。參觀與試飲均免費。 |

**多曼卡梅洛斯酒廠 Domaine Cameros** 生產全加州質地最細緻的氣泡酒。免費參觀。試飲US$5～10。1240 Duhig Rd., Napa ☎707-257-0101 ⑤10～18點，無休 MAP/P325-A4

**多曼香登酒廠 Domaine Chandon** 生產香檳之王「唐培里儂」的莫那軒尼詩在1973年建造了這家酒廠，主要生產氣泡酒。免費參觀。試飲 US$9。1 California Dr., Yountville ☎707-944-8844⑤10～18點，11～2月的週一‧二公休。MAP/P325-B3

**泰勒餐館 Terra Restaurant** 1345 Railroad Ave., St-Helena ☎707-963-8931⑤18～21點，週五‧六‧日～22點。週二公休。費用US$54～，需預約。MAP/P325-B1

**芥菜燒烤 Mustards Grill** 7399 St.Helena Hwy., Yountville ☎707-944-2424，11點30分～21點⑤週五‧六～22點，無休⑩US$37～ MAP/P325-B3

葡萄酒與料理的美味組合

　　那帕谷的餐廳都擁有相當高的素質。當然，每一家餐廳都有適合搭配葡萄酒的佳餚及種類齊全的那帕谷葡萄酒。「吃要八分飽」，這句話在那帕谷的餐廳裡根本就沒辦法做到，恐怕連平常不常吃的甜點都全部下肚了。在那帕谷，饕客如同是進入了天堂一般。部份酒廠附設餐廳或熟食店，一天吃下來一定會超過三餐的份量。市鎮裡也有幾家專賣熟食與美味麵包的店，中午可在這裡享受葡萄酒、麵包、起司或沙拉。

　　如果要到餐廳用餐，可以到日本人開的**泰勒餐館**，這家餐館是那帕谷內具代表性的法式與義大利式餐廳；**布里克斯餐廳**（→P328）的招牌是帶有亞洲風味的海鮮料理；如果想到氣氛比較輕鬆的店，芥菜燒烤的美味料理頗受好評，店裡還有種類眾多、售價便宜的葡萄酒。

　　另外，在那帕谷還有深受遊客喜愛的活動餐廳「**那帕谷葡萄酒列車**」（→P328）。這輛豪華列車行駛在那帕谷市中心與聖海琳娜之間，來回共58km，遊客可在車上一邊欣賞窗外的葡萄園美景，一邊享用葡萄酒與加州料理。

327

### ㊣ 步在雲端，搭乘熱氣球欣賞葡萄園美景

　　如果想要一覽美國獨特的雄壯景色及散佈在平緩丘陵的葡萄園美景，那就來一趟充滿樂趣的熱氣球之旅吧。集

飛行距離視風力大小而定

合時間是早上5點30分左右，整趟空中漫步的旅程約為1小時。行經路程視當日風向而定，飛行過程中有那帕谷當地導遊隨行，絕對包君滿意。飛行結束，回到地面後，還可享用香檳和美味早餐。週末報名的遊客相當多，最好在2～3週前預約。

**那帕谷熱氣球 Napa Valley Balloons**
☎707-944-0228，無休，US$175～
**西方天空 Above The West**
☎707-944-8638，無休，US$185～
**冒險漂浮 Adventures Aloft**
☎707-944-4408 FAX707-944-4406，無休，US$185～

準備完成之後，就等著飛上空中翱翔了。

那那谷葡萄酒列車Napa Valley Wine Train
全程36哩，約需3小時。1275 Mckinstry St., Napa☎707-253-2111 午餐US$72～，晚餐US$80～，週末早午餐US$59.50，需預約。

布里克斯餐廳Brix Napa Valley Restaurant
7377 Hwy29, Yountvillo☎707-944-2749 11點30分～15點（週日10～14點）、17～22點（週六16～、週日16～21點30分），無休
US$22～
MAP/P325-B2。

## 住宿酒鄉

那那谷附近有許多住宿的地方，這裡原本就是著名的度假勝地，大部份的飯店都有游泳池或水療設備，住宿環境相當舒適。許多客房都附有簡單的廚房，旅客還可以在房間內舉行葡萄酒派對。住宿的飯店種類相當多，有獨棟的小木屋、古典雅致的小飯店，還有各種B&B，即住宿附早餐的民宿等。如果時間充裕，建議可以在那那谷渡過兩個悠閒的夜晚，如果沒有時間，至少也要安排一晚。

上：群樹環繞綠蔭度假村裡的小木屋
右：令人心曠神怡的游泳池

哈維斯特旅館的辦公室

只有四間客房的小型B&B民宿—橡丘旅舍

### 🐌 酒鄉的住宿

那那谷旅遊服務中心
🅿Napa Valley Conference and visitors Bureau
1556 First St., Napa☎707-226-7459 10～16點，無休。
MAP/P325-A4。

加利斯托卡商業公會
🅿Calistoga Chamber of Commerce
1458 Lincoln Ave. #9, Calistoga☎707-942-6333 9～17點（週六10～16點，週日10～15點），無休。MAP/P325-B1。

聖海琳娜商業公會
🅿St.Helena Chamber of Commerce
1010 Main St., St-Helena☎707-963-4456 10點～16點30分，週六·日公休。MAP/P325-B1。

前往那那谷的交通　如果自行開車，從海灣大橋沿80州道北上，經由西向的37公路，以及北上的29公路後，在第1街（First St.）的出口下交流道。所需時間約1小時30分鐘。從舊金山機場有直達巴士，也有搭灰線巴士一日遊的觀光行程☎1-888-428-6937。

| 旅館名 | 住址／電話號碼／FAX | 費用／MAP | 備註 |
|---|---|---|---|
| 加利斯托卡水療溫泉<br>Calistoga Spa Hot Springs | 1006 Washington St., Calistoga<br>☎707-942-6269<br>FAX707-942-4214 | ⓈUS$111～<br>ⓉUS$132～<br>P325-B1 | 那那谷<br>部份房間附有簡易廚房的溫泉渡假村。住宿的旅客可免費使用戶外溫泉，徹底享受加州風情。 |
| 哈維斯特旅舍<br>Harvest Inn | 1 Main St.,<br>St-Helena<br>☎707-963-9463<br>FAX707-963-4402 | ⓈUS$199～<br>ⓉUS$199～<br>P325-A2 | 那那谷<br>在佔地廣大的土地上，蓋了好幾處獨棟的小木屋。寬敞的客房空間與浴室，搭配古色古香的傢俱，氣氛相當優美。 |
| 橡丘旅舍<br>Oak Knoll Inn | 2200 East Oak Knoll Ave.,<br>Napa Valley<br>☎707-255-2200<br>FAX707-255-2296 | ⓈUS$350～<br>ⓉUS$350～<br>P325-B3 | 那那谷<br>橡丘旅舍　只有4間客房的小型B&B民宿，住在這裡卻可以感受到濃濃的度假氣氛。這裡的景色相當優美，傍晚舉行的派對還提供起司與葡萄酒。 |
| 綠蔭度假村<br>Meadowood Resort | 900 Meadowood Ln., St. Helena<br>☎707-963-3646<br>FAX707-963-3532 | ⓈUS$350～<br>ⓉUS$445～<br>P325-B1 | 那那谷<br>在這家高級度假飯店內，提供了相當完備的設施，可以讓住宿的旅客充份品嚐葡萄酒的美味。在「世界100大飯店」的排行榜上，經常在前20名內。 |
| 索諾瑪米遜旅館<br>Sonoma Mission Inn & Spa | 100Boyes Blvd., Boyes Hot Springs<br>☎707-938-9000<br>FAX707-938-4250 | ⓈUS$299～<br>ⓉUS$299～<br>P329-B3 | 索諾瑪谷<br>這家水療觀光飯店採用教堂式建築，還有獨棟小木屋，知名影星席維斯史特龍與湯姆克魯斯都是這裡的常客。 |

## 不讓那帕谷專美於前的葡萄酒王國

　　索諾瑪谷就位於那帕谷的隔壁，同樣是塊細長形的土地，但面積較那帕谷大，土壤條件也較好，栽種的果實受到舊金山霧氣的滋養更多，卻沒有那帕谷那麼有名。事實上，在索諾瑪谷就有超過170家的葡萄酒釀酒廠，製成的葡萄酒酒質優良、味道甘醇，絲毫不遜於那帕谷。

　　然而，索諾瑪谷由於面積太廣，很難找到一個做為導覽的重點。索諾瑪教堂聳立的市中心，雖然適合購物與散步，但這裡比較像是一個小鄉村，反而缺乏酒鄉的風情。在索諾瑪谷，最佳的旅遊方式是先決定目的地，例如有美景美食的**維安薩酒廠**，或是加州歷史最久的**美景酒廠**，然後在當地好好地玩上一天。

### 維安薩酒廠Viansa Winery & Italian Marketplace

免費試飲，在酒廠內還可以享用各式的熟食。自由參觀（導覽服務需電話預約）。
25200 Arnold Dr., Sonoma
☎707-935-4700⏰10～17點，無休
MAP/P329-A4

在維安薩酒廠的葡萄園內，葡萄葉綠油油地發亮。

參觀累了，可以在樹蔭下休息片刻。

### 美景酒廠Buena Vista Winery

充滿歷史風情的參觀之旅。一天有2次免費導覽服務，分別在11點、14點（10～6月僅14點一次）。免費試飲。
18000 Old Winery Rd., Sonoma☎1-800-926-1266⏰10～17點，無休 MAP/P329-B4

西密酒廠
Simi Winery
P.330

庫貝爾香檳廠
Körbel Champagne Cellars
P.330

佛皮亞諾酒莊

波特·克里克酒莊

派帕·索諾瑪

羅利亞

馬克威斯特酒莊

阿皮尼家族酒莊

馬提尼　班恩酒莊

利佛羅德酒莊　旺懷德酒廠

漢納

帕拉達斯里吉酒莊

艾德哈菲茲酒莊

Sonoma Valley Visitors Bureau
P.330

馬丹薩斯·克里克酒莊

大峽谷酒莊

坎伍德酒莊
Kenwood Vineyards P.330

班滋格家族酒廠
Benziger Family Winery P.326

索諾瑪米遜旅館
Sonoma Mission Inn & Spa P.328

帕他魯馬村高級暢貨中心
Petaluma Village Premium Outlets P.309

塞巴斯蒂亞尼酒莊
Sebastiani Vinyards P.326

索諾瑪酒莊

索諾瑪起司工廠
Sonoma Cheese Factory P.330

美景酒廠
Buena Vista Winery P.329

往柳樹梢咖啡屋

Sonoma Valley Visitors Bureau at Viansa Winery P.330

維安薩酒廠
Viansa Winery & Italian Marketplace P.329

## 索諾瑪谷
SONOMA VALLEY

🍷=酒廠、酒莊

0　　　　　　10km

**庫貝爾香檳廠Korbell Champagne Cellars**
景色相當優美的一家釀酒廠，所製造的
氣泡酒深獲好評。參觀與試飲都免費。
13250 River Rd., Guerneville ☎707-824-7000
🕐9～17點，無休 MAP/P329-A1

**坎伍德酒莊Kenwood Vinyards**
生產的葡萄酒「卡本內-蘇維濃」香純可
口。導覽服務需電話預約。免費試飲。
9592 Sonoma Hwy., Kenwood ☎707-833-5891
🕐10點～16點30分，無休 MAP/P329-B3

**西密酒廠Simi Winery**
路威酩軒集團經營的酒廠。11點、13點
及15點各有一次免費導覽服務。免費試
飲（部份需自費）。16275 Healdsburg Ave.,
Healdsburg ☎707-433-6981🕐10～17點，無
休。MAP/P329-B1

### ●知名的起司產地

索諾瑪谷也生產起司，在市場上十
分暢銷。位於索諾瑪市中心的「**索諾
瑪起司工廠**」附設熟食店，千萬不可
錯過。享受葡萄酒與起司的完美組
合，是來到索諾瑪的樂趣之一。

**索諾瑪起司工廠Sonoma Cheese Factory**
2 West Spain St., Sonoma ☎707-996-1931🕐
8點30分～17點30分（週六・日18點），
無休 MAP/P329-B4

**柳樹梢咖啡屋Willowside Cafe**
3535 Guerneville Rd., Santa Rosa
☎707-523-4814🕐17點30分～
21點30分，週一・二公休
MAP/P329-B4

### ●品嚐田園風味的美食

相較於那帕谷，索諾瑪谷的觀光雖
然不興盛，仍有許多充滿田園風格的
餐廳。其中，又以**柳樹梢咖啡屋**最值
得推薦。這家店就位於那帕谷通往索
諾瑪谷的道路上，店面雖然不大，像
是電影《巴格達咖啡》中的小餐廳一
般，但是餐點的味道無懈可擊。找尋
這種店也是旅行途中的樂趣之一。

**索諾瑪谷旅遊服務中心**
❓Sonoma Valley Visitors Bureau
453 1st St. East, Sonoma ☎707-996-1090
🕐9～17點，無休 MAP/P329-A2
**索諾瑪谷旅遊服務中心維安薩酒廠支局**
❓Sonoma Valley Visitors Bureau at Viansa Winery25200 Arnold Dr.,
Sonoma ☎707-935-4747🕐9～17點，無休 MAP/P329-B4。
**前往索諾瑪谷的交通** 從那帕谷出發，沿著121公路西行，
與12公路交會處右轉，一路開到終點就是索諾瑪谷了，所需
車程約30分鐘。如果從金山出發，過金門大橋後，沿101州
道北上，經過37公路後，再駛入121公路，繼續往北開。所需
車程約2小時。在舊金山機場有直達巴士。

---

## Calistoga & Napa

# 令人身心舒暢的酒鄉溫泉之旅

從那帕最北端的溫泉鄉加利斯托卡算起，酒鄉
有許多水療Spa的地點。如果要當天來回，又要玩
得盡興，加利斯托卡是不錯的選擇。許多住宿的地
方都有水療的設備，可以多加利用。其中有一些旅
館可以選擇當天來回或住宿，例如加利斯托卡水療
溫泉與索諾瑪米遜旅館。在這裡雖然不能一絲不掛
地悠哉泡湯，但也能達到消除疲勞的效果。在游泳
池般的溫泉內，可以看看書，也可以在按摩池內優
閒地打發時間。如果有時間，不妨體驗看看能讓全
身筋骨舒暢、徹底放鬆的水療美容。

加利斯托卡水療溫泉（→P328）。當天來回的遊客相當
多。

如同游泳池般的美式溫泉

索諾瑪米遜溫泉旅館
（→P328）

## California Wine

最近，喜歡喝葡萄酒的人才開始對加州葡萄酒另眼相看。事實上，加州葡萄酒在20多年前，巴黎所舉行的品酒大賽上，就曾打敗過法國古堡生產的葡萄酒，奪得冠軍獎座。從那時候開始，加州葡萄酒在世界上就已經開始嶄露頭角。

味美甘醇的加州葡萄酒幾乎都是產自於舊金山附近的酒鄉。能夠吸引愛酒人仕的獨特味道與舊金山著名的霧氣有很深的淵源。上午，舊金山附近的葡萄園通常都籠罩在濃霧之中，到了下午，又受到燦爛陽光的照射。涼爽的霧氣增加了葡萄的酸味，而火熱的陽光則提高了葡萄的甜度，這就是加州葡萄酒甘醇美味的秘訣。

除此之外，加州葡萄酒的知名產地那帕谷與索諾瑪谷雖然只相隔數百公尺，氣候卻截然不同，這項耐人尋味的特徵造就了兩地不同風味的葡萄

酒。這裡的土壤並不適合栽種蔬菜，因為土壤中小石子太多，又缺乏營養，但是在這片貧瘠的土地上，為數不多的養分竟然可以濃縮在小小的葡萄果實當中。此外，在葡萄收穫期的秋季，這裡幾乎不會下雨，這也是造就美味葡萄酒的原因之一。相較於秋雨連綿的法國，這種氣象條件要好太多了，可以在葡萄完全成熟的情況下釀酒。如果到了加州，就先嚐嚐看這裡的葡萄酒吧。

土壤與氣候是製造美味葡萄酒的秘方

1976年，在大賽中拔得頭籌的夏多娜葡萄酒（蒙特拿堡酒廠→P326）

葡萄園與美麗的玫瑰花

許多釀酒廠導入最新的釀酒技術

傳統的酒窖

331

---

## Santa Rosa

2002年8月，查理舒茲博物館Charles M. Schulz Museum在聖塔羅沙開幕。查理舒茲就是以「史努比」而聞名的漫畫《花生米》的作者。館內除了作者的原畫之外，還展示了許多與《花生米》相關的收藏品。1950年代，查理舒茲親手在一面高2.4m、寬3.6m的牆壁上繪畫也在展示的行列之中。這是與家人住在柯羅拉多時，年輕的舒茲在家中牆壁上畫下的作品。除此之外，館裡收藏了日本藝術家大谷芳照的兩件作品，一件是磁磚壁畫，另一件是木雕；這兩項作品更加深了人們對這間博物館的興趣。磁磚壁畫共用了3588枚磁磚，每枚磁磚上都印有『花生米』的漫畫，對於漫畫迷而言，這項作品的魅力無法擋。

在博物館旁還有許多有趣的地方，例如被暱稱為「史努比冰宮（Snoopy's Home Ice）」的紅木帝國冰

（聖塔羅沙博物館外觀圖）

宮（Redwood Empire Ice Arena），以及販售玩偶、商品的史努比禮品店（Snoopy's Gallery & Gift Shop）等。

如果要到這座博物館所在的聖塔羅沙，可以從舊金山沿著101公路北上，大約開1小時左右下公路，在第一個紅綠燈左轉進鋼鐵巷（Steel Lane），然後再直接開到西鋼鐵巷（West Steel Lane）。

從舊金山到聖塔羅沙車程約需1小時。

查理舒茲博物館
Charles M. Schulz Museum
2301 Hardies Lane, Santa Rosa, CA 95403
☎707-579-4452
http://www.schulzmuseum.org/（英語）

# 走在電腦時代前端的矽谷

無論是查詢哪一份地圖，都無法在上面找到矽谷的名稱。事實上，矽谷是聖塔克拉拉谷的暱稱。聖塔克拉拉谷可說是電腦科技的發源地，許多電腦矽晶片都在此製造，因此被暱稱為矽谷。市中心的聖荷西市，現代化的大樓林立，此外，可以實際體驗電腦科技的一些娛樂景點，更是吸引了人們的目光。

領導電腦科技的英特爾公司

聖荷西旅遊服務中心 ⓘ San Jose Convention & Visitors Bureau
125 South Market St. Suite 300, San Jose ☎ 1-800-726-5673 ⏰ 8～17點（週六・日11點～）。MAP/P332-C3。
前往聖荷西的交通　從舊金山搭乘加州鐵路系統，在聖荷西迪瑞登San Jose Diridon車站下車，約需1小時25分鐘。出站後，轉搭免費接駁巴士Dash（6點15分～22點25分，每10分鐘一班，這班公車幾乎可以到達所有的觀光景地。接駁巴士僅在平日發車，週末請搭市營巴士）。
聖塔克拉拉旅遊服務中心 ⓘ Santa Clala Convention & Visitors Bureau
1850 Warburton Ave., Santa Clala. ☎ 408-244-9660，1-800-272-6822（免付費）⏰ 8～17點，週六・日休息。MAP/P332-C2。
前往聖塔克拉拉的交通　從舊金山搭乘加州鐵路系統，在勞倫斯加州鐵路站Lawrence Caltrain下車，約需1小時15分鐘。也可在聖塔克拉拉車站下車。

在聖荷西日本城（MAP/P332-C2）舉行的盂蘭盆祭Bon Festival。

舊金山灣 San Francisco Bay

丹巴頓橋 Dumbarton Bridge

佛利蒙 FREMONT

往舊金山

帕羅奧多機場 Palo Alto Airport

帕羅奧多市 PALO ALTO

史丹佛大學 Stanford Univ. P.333

灣區超級購物中心 Great Mall of the Bay Area Ⓢ P.308

英特爾博物館 Intel Museum P.333

聖荷西國際機場 San Jose International Airport

聖塔克拉拉 Santa Clala Convention & P.332 Visitors Bureau

聖荷西 SAN JOSE

日本城 Japan Town P.332

聖塔克拉拉谷 SANTA CLALA VALLEY

技術創新博物館 The Tach Museum of Innovation

聖荷西美術館 San Jose Museum of Art P.333

P.333 Children's Discovery Museum of San Jose 兒童探索博物館

San Jose Convention & Visitors Bureau P.332

往洛杉磯基爾貨洛頂級暢級中心

坎貝爾 CAMPBELL

## 矽谷

### SILICON VALLEY

0　　　8km

### 親身體驗最新的電腦技術

直到1950年代，任誰也沒想到這一帶會成為電腦產業製造地。一望無際的田園、清澈的空氣，所有的條件都相當適合電腦晶片的製造。矽谷雖然有多家電腦相關公司或研究單位，但是開放遊客參觀的地方卻出人意料之少。其中，最引人矚目的是1998年在聖荷西重新開幕的**技術創新博物館**The Tech Museum of Innovation（201 South Market St.☎

408-294-8324，10～17點，週一休館，US$19.95。MAP／P332-C3）。在這座博物館內，除了有可讓遊客體驗目前最新電腦技術的藝廊之外，還設有全天域太空劇院，內有約366m的超大螢幕，並且輔以電腦科技做成的影像，相當具有震憾力。可以暢遊矽谷獨一無二的遊樂設施。除此之外，矽谷還有許多景點，例如**兒童探索博物館、聖荷西美術館**、聖塔克拉拉市內的**英特爾博物館**等。

兒童探索博物館Children's Discovery Museum。180 Woz Way, San Jose ☎408-298-5437（開）10～17點（週日12點～），週一休館，US$7 MAP/P332-C3

英特爾博物館Intel Museum。內有英特爾公司的歷史介紹。2200 Mission College Blvd.☎408-765-0503（開）9～18點（週六10～17點）週日休館，免費 MAP/P332-B2。

展示最新現代藝術的聖荷西美術館 San Jose Museum of Art。110 S. Market St. ☎408-294-2787（開）10～17點（週四～20點），週一休館，US$7 MAP/P332-C3

## （與）哈佛大學並駕齊驅的史丹佛大學

史丹佛大學（MAP/P332-A2）位於矽谷內的帕羅奧多市Palo Alto。這所名門大學的特徵就是圍繞在綠色樹林內的廣大校地，以及優雅的紀念教堂。1885年，大陸橫貫鐵路的主要興建者李蘭史丹佛為了紀念15歲就病逝的獨子，斥資設立了這所私立大學。

來到史丹佛大學，先到旅遊服務中心（☎650-723-2560）索取地圖，然後再開始校園之旅吧。校園中央是稱為方院Main Quad的建築群，從創校到現在仍保持原貌的的羅馬式建築就散布在校園之中，典雅脫俗。除此之外，校園內還有許多觀光景點，例如藝術博物館與羅丹雕塑公園等。
■**交通** 從舊金山搭乘加州鐵路，在帕羅奧多站下車，約需1小時10分鐘。出車站後，再搭乘巴士或徒步前往史丹佛大學。接駁巴士只平日行駛。

學生活動中心內的書店，在這裡可買到最新的電腦軟體。

舊學生活動中心與噴水池

學生的結婚典禮也可以在學校內舉行

方院後方的紀念教堂。內部相當漂亮。

# 沉醉在黃金夢想中
# 的城市──金鄉

1848年，一名男子在興建中的鋸木廠溝渠內發現了金塊，從那一刻起，一切都改變了。聽到這個傳言，人們前仆後繼地湧入這個尚未開發的城市，所有人都抱著一夜致富的黃金夢，而金鄉也在一夕之間熱鬧了起來。在這波淘金熱潮下，金鄉的重鎮沙加緬度成了加州首府，而金塊的出現也改變了加州的歷史。現在，在沙加緬度與其周邊的城市，依稀還能從街景中看見幾分往日的風貌。

舊沙加緬度 Old Sacramento
（MAP/P334-A1）的街景

右：馬車穿梭在舊沙加緬
度的情景
下：在沙特堡，介紹拓荒
時代的穿著。

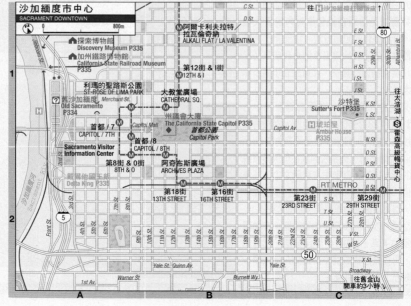

沙加緬度市中心
SACRAMENT DOWNTOWN

0        800m

阿爾卡利夫利特 /
拉瓦倫奇納
ALKALI FLAT / LA VALENTINA

探索博物館
Discovery Museum P335
加州鐵路博物館
California State Railroad Museum
P335

第12街 & I街
12TH & I

利瑪的聖路斯公園
ST-ROSE OF LIMA PARK

大教堂廣場
CATHEDRAL SQ.

沙特堡
Sutter's Fort P335

舊沙加緬度
Old Sacramento
P334

州議會大廈
The California State Capitol P335

首都 / 7
CAPITOL / 7TH

首都公園
Capitol Park

琥珀屋
Amber House
P335

沙加緬度市訪客服務中心
Sacramento Visitor
Information Center

首都 /8
CAPITOL / 8TH

第8街 & O街
8TH & O

阿奇布斯廣場
ARCHIVES PLAZA

戴爾他國王號
Delta King P335

RT METRO

第18街
13TH STREET

第16街
16TH STREET

第23街
23RD STREET

第29街
29TH STREET

Yale St. Quinn Av.

Yale St.

Warner St.

Burnett Wy.

Broadway

1st Av.

往舊金山
開車約3小時

## 沙加緬度　Sacramento

### 走訪這座因淘金熱而興起的城市

　　美國拓荒時期的西部是電影或電視影集中常出現的舞台。不修邊幅的淘金客、熱鬧非凡的商家酒場、全天奔馳的快馬郵遞、街上穿著花枝招展的女仕等。在沙加緬度，遊客可以親身體驗到淘金熱時期的城市景觀。尤其是在舊沙加緬度，將上百個建築物重新復原、整修，重現1850～1870年淘金熱時期的情景，包括玉石舖成的道路、木製的人行道、川流不息的馬車等，依稀還可以看到當年的影子。除此之外，北美最大的鐵路博物館——**加州鐵路博物館**及**探索博物館**都是不錯的觀光景點。

走進州議會大廈，在正面大廳的挑高圓形天花板上，全都貼滿了金箔。

宛如西部電影中的城市——沙特堡

　　如果走在舊沙加緬度的街上，可以讓人感受到當年的繁華模樣，那麼若想了解西部平民的生活情景，就一定得到沙特堡Sutter's Fort瞧瞧。透過一些有趣的遊樂設施，可以讓遊客體會到當時一般人的生活型態及服裝打扮。不同於舊沙加緬度，沙特堡所呈現的又是另一種獨特的面貌，值得一遊。建於1900年代初期的**州議會大廈**就位於沙加緬度，至今仍可看到模仿1906年代政務室所打造的房間。

在加州鐵路博物館California State Railroad Museum內，陳列了許多美洲大陸橫貫鐵路完成時的展品。111 I St., Old Sacramento ☎916-445-6645　10～17點，無休，US$4 MAP/P334-A1

探索博物館Discovery Museum。展出的內容主要與淘金熱有關。101 I St., Old Sacramento ☎916-264-7057　10～17點，例假日及週一休館，US$5 MAP/P334-A1。

沙特堡 Sutter's Fort 2701 L St. ☎916-445-4422　10～17點，無休，US$6 MAP/P334-C1。

州議會大廈The California State Capitol。9～16點的每小時均有一次免費的導覽服務。10th St. Between L & N St. ☎916-324-0333　9～17點，無休，免費。MAP/P334-B1。

### 沙加緬度旅遊服務中心
Sacramento Visitor Information Center
1101 Second St., Old Sacramento ☎916-442-7644　10～17點，無休 MAP/P334-A1。
前往沙加緬度的交通　從舊金山搭乘灰狗巴士約需2～3小時。美國國鐵每天有三班開往沙加緬度。

### 🏨 沙加緬度的住宿

| 旅館名 | 住址／電話號碼／FAX | 費用／MAP | 備註 |
|---|---|---|---|
| 琥珀屋<br>Amber House | 1315 22nd St.<br>☎916-444-8085<br>FAX916-552-6529 | SUS$149～<br>TUS$149～<br>P334-C1 | 沙加緬度最受歡迎的住宿附早餐（B&B）旅館。整體的氣氛相當溫馨，部份房間還有按摩浴缸。適合喜歡住B&B的遊客。 |
| 戴爾他國王飯店<br>Delta King Hotel | 1000 Front St.<br>☎916-444-5464<br>FAX916-444-5314 | SUS$119～<br>TUS$119～<br>P334-A1 | 住泊在沙加緬度河外的船上飯店。這艘船於1926～1941年，往來於沙加緬度與舊金山之間，主要是為了運送物資，住在這裡特別可以感受到舊沙加緬度的風情。 |
| 沙加緬度紅獅飯店<br>Red Lion's Hotel<br>Sacramento | 1401 Arden Way<br>☎916-447-1700<br>FAX916-447-1701 | SUS$169～<br>TUS$169～<br>P334-C1 | 沙加緬度最豪華的飯店。飯店裡的設施可媲美度假飯店，有游泳池、水療設施、健身房、餐廳、可聽現場演奏並盡情跳舞的俱樂部等。 |

## 49號公路沿線的黃金城市

因淘金熱而興起的城市並非沙加緬度而已。49號公路沿線，還有許多城市拜淘金熱之賜而興盛，例如**傑克森Jackson**、**沙特溪Sutter Creek**、**普雷瑟米爾Placerville**、**玻璃谷Glass Valley**、**內華達市Nevada City**等。沿著49號公路一路馳騁，可以看到一些反映歷史的建築物及重現當時面貌的雄偉大自然。這裡所有的城市幾乎都與舊沙加緬度一樣，是以人工的方式再現往日情景，但相形之下，懷古風情似乎更為濃厚，宛如走進時光隧道一般。在49號公路沿線上，**馬歇爾金礦州立歷史博物館**是不可錯過的好地方。潺潺的河川流過內華達山脈，望著這般景致，彷彿看到了淘金客的身影。

1848年最早發現黃金的地方就在馬歇爾金礦州立歷史博物館Marshall Gold Discovery State Historic Park（MAP/P23-B3）。

上：49號公路的標誌。租車是這個地區最方便的遊覽方式。
左：內華達山脈裡的小旅館。主要城市都有旅館。

336

---

## Gold Rush

1848年1月，約翰沙特鋸木廠的廠長詹姆斯馬歇爾在溝渠內發現金塊，引發了淘金的熱潮。在這股淘金熱中，最早成為富翁的山姆布萊納在發現金塊的幾個月後，才來到克洛馬Coloma。在半天的時間裡，山姆就挖到了200g左右的金塊。於是他又回到舊金山，大肆購入淘金所需的工具與生活用品，並將發現金塊的消息告訴報社。山姆在城內盛大地宣傳，他一手拿著金粉，口裡喊著：「黃金就在內華達山脈的山腳處！」結果可想而

鮑迪州立歷史公園Bodie State Historic Park（MAP/P23-B4）是加州最大的荒廢城鎮。聯外交通只能靠車子。從優勝美地或太浩湖到這裡約需3小時。

知，他預先採購的工具在轉眼之間就全部賣光了。

淘金的熱潮最早源於1848年的春天。當時，任何人都可以輕易地找到黃金。這個消息迅速地傳開，在1848年底，約有3萬人來到這塊土地。到了隔年1849年，為了追求一夜致富的美夢，又有超過6萬名的淘金客從各地趕來，這群人又被稱為49年代的人。之後，河底的金塊開始減少，即使如此，淘金客仍深信黃金還未挖完，過了5年之後，黃金的蘊藏量已經少到要將岩石敲碎才能找得到。直到1870年，淘金的美夢才正式結束。

## 淘金熱
### 一夜致富的誘人美夢

內華達山脈的景色及克洛馬河

沙漠裡的不夜城——拉斯維加斯的霓虹燈光

# 拉斯維加斯

## LAS VEGAS

荒涼的沙漠裡出現了一座不夜城，夜夜狂歡的秀場與燦爛炫目的賭場，吸引了全球的目光。近年來，拉斯維加斯不再只是賭城，已經成為老少咸宜的娛樂度假村了。

# 前往拉斯維加斯的交通

在美國國內，通常都是從洛杉磯或舊金山轉機，班機密集，非常方便。如果為了經濟考量，建議乘坐灰狗巴士，雖然時間很長，但可以沿路欣賞荒涼的景致，也別有一番樂趣。2000年之後，連接洛杉磯與拉斯維加斯之間Talgo列車也正式開跑，一天往返一次，相當便捷。

## 麥卡倫國際機場 McCarran International Airport

在機場內就可以感受到賭場的氣氛

■麥卡倫國際機場
☎ 702-261-5211
MAP P341-B4

■前往拉斯維加斯的飛機
從洛杉磯約1小時，從舊金山約1小時半。與洛杉磯之間的班次較多（平均1小時約5班），航空公司有好幾家可供選擇。

拉斯維加斯的對外玄關，依不同的航空公司共分為四個航站。一年平均有3600萬名遊客使用，一天的起降就超過450個班機，是一個熙來攘往的熱鬧機場。與美國國內70多個城市串聯，直飛國外的航班也為數不少。距離當地的觀光勝地長街約2km、市中心8km，對於觀光客而言，機場的地理位置非常理想。

### 機場內的主要設施

若抵達國內線的航站，在下飛機之後，沿著指標前進領取行李，一路上都有電動步道，非常方便。同樣在機場的2樓，還有主題飯店的專賣店、餐廳、咖啡館、郵局、銀行及提款機。在樓下取好行李之後，可直接到旅遊服務中心，這裡有秀場門票的預約櫃檯、租車公司的櫃檯及飯店預約專用電話等設施，如果有交通與旅遊等任何問題，也可直接洽詢旅遊服務中心的櫃檯。

飯店與租車的預約專用電話，只要拿起話筒即可通話。

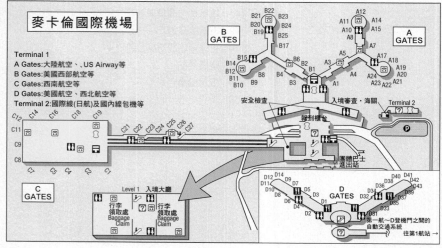

麥卡倫國際機場

Terminal 1
A Gates：大陸航空、、US Airway等
B Gates：美國西部航空等
C Gates：西南航空等
D Gates：美國航空、西北航空等
Terminal 2：國際線(日航)及國內線包機等

## 由機場前往市區的交通

Baggage Claim
Ground Transportation

取好行李之後，直接到接駁巴士或計程車招呼站。

即使是一個人也能坐得安心又方便是機場接駁巴士，可直接坐到住宿的飯店門口，感覺像是共乘的計程車，從機場沿著飯店的路線一站一站地接送。如果不只一個人，還是搭計程車最快，市區範圍並不大，不用太擔心車資的問題。接駁巴士與計程車招呼站在機場1樓，飯店的接駁巴士則在下一層樓，所有的指標都很清楚，不會迷路。

機場內的旅遊服務中心，可提供旅客任何服務。

### 接駁巴士
Shuttle

有好幾家公司經營機場與市區之間的接駁巴士。告知自己的住宿飯店之後，先確認價格，每一家的價格都不盡相同，貨比三家總是不吃虧。如果飯店不在接駁的範圍內，也可跟司機商量。接駁巴士也可坐回程，最好買來回票比較划算。

決定好飯店之後，前往接駁巴士的站牌搭車，這是最省錢的方法。

### 計程車
Taxi

計程車US$2.70起跳，到長街US$10～11，約10～15分鐘；到市中心US$13～17，約20～35分鐘。這是大約的訊息，當然會隨路況與地點有所不同，可事先向司機確認價格。

■主要的租車公司
**艾維斯 AVIS**
☎ 702-261-5595
**省錢 Dollar**
☎ 886-434-2226
**赫茲 Hertz**
☎ 702-736-4900
**預算 Budget**
☎ 702-736-1212
■接駁巴士公司
**灰線**
Gray Line Express
☎ 702-739-5700
**門鈴交通公司 Bell Trans**
☎ 702-739-7990
■接駁巴士的價格
●往長街
單程US$4～
（所需時間15～30分鐘）

## 灰狗巴士 Greyhound Bus

每天都有很多班灰狗巴士往返洛杉磯與拉斯維加斯之間，分成快速的直達巴士與每站都停的當地巴士兩種，在乘車前最好先確認清楚。其他的城市少有發車，通常都從洛杉磯上車。巴士總站在市中心，離觀光客聚集的佛利蒙街Fremont St.不遠，相當方便。總站內有態度親切的旅遊服務中心、置物櫃、商店及洗手間。個人的行李要自行看好。

灰狗巴士是往返洛杉磯與拉斯維加斯之間最經濟實惠的交通工具

■灰狗巴士總站
☎ 1-800-231-2222（免費）
MAP▶P341-C1
■往拉斯維加斯的灰狗巴士
●從洛杉磯
1天17班，所需時間6～9小時，直達巴士少1個小時，費用US$37。
●從聖地牙哥
直達巴士1天10班，費用US$47，也可經由洛杉磯轉乘。

左：在旅遊服務中心可洽詢轉乘的方法
上：售票處

出發站的標示

# 拉斯維加斯一點靈／推薦行程

拉斯維加斯主要分為南邊的長街與北邊的市中心。長街為拉斯維加斯大道的統稱，熱門的主題飯店櫛比鱗次；而市中心則是過去的賭街，以佛利蒙街的炫麗霓虹燈著名。

拉斯維加斯旅遊服務中心
[?] Las Vegas Convention & Visitor's Authority 1F Convention Center, 3150 Paradise Rd.
☎ 702-892-0711
交通 由長街搭計程車US$8～15，或搭長街觀光巴士在希爾頓飯店下車，徒步約10分鐘。
時間 8～17點 休 無
MAP P341-C3

可索取各類旅遊相關訊息的手冊

**長街**為主要的觀光地點，沿著8km的這條大道，有不少的主題飯店與購物中心林立，是拉斯維加斯繁華的表徵。當下人氣最旺的的熱門景點幾乎都聚集在此，簡直是一座不夜城。除了很有看頭的主題飯店之外，免費的遊樂設施也不少，可視個人的需求與目的，決定往南或往北走。

在長街觀光的秘訣之一，就是準備一雙輕便的鞋子。飯店內的規模都相當大，光是飯店內的走動就很吃力，如果要到下一個飯店，至少都得走上15分鐘，雖然飯店間可搭接駁巴士或觀光巴士，但為了節省時間，還是以步行最快。一般而言，拉斯維加斯的治安還不錯，不過除了熱鬧的長街之外，最好不要單獨行動。

人氣已經不如長街的**市中心**，長久以來就是以賭場聞名。觀光客主要集中在**佛利蒙街**附近的狹小地區，在這一帶欣賞歷史悠久的霓虹燈與賭場也別有一番味道。以聲光著名的遊樂設施**佛利蒙街歷險**最受歡迎。

# 推 拉斯維加斯 薦行程

首先列舉出目的地，做好旅遊的規劃。也可考慮大峽谷等近郊的一日遊行程。

■夜生活

**歌舞秀**
拉斯維加斯的豪華大秀是絕對不可錯過的節目之一。可直接到主辦的飯店辦公室或打電話預約。

**晚上的遊樂景點**
免費秀的表演是近年來拉斯維加斯的新賣點。尤其在漆黑的夜裡效果更好，到處看表演也很有意思。

|  |
|---|
| 自助式早餐 |
| ↓ |
| 購物中心或遊樂設施 |
| ↓ |
| 主題餐廳內吃午餐 |
| ↓ |
| 漫遊主題飯店 |
| 米高梅飯店<br>↓ 紐約紐約飯店<br>神劍飯店<br>金字塔飯店 |
| 自助式晚餐 |
| ↓ |
| 賭城 |

雖然拉斯維加斯是24小時不夜城，但也不要太貪心，要做好有效率的旅程規劃。

首先在飯店內簡單地吃頓自助式早餐，然後到購物中心購物或遊樂設施遊玩。接著找一家主題餐廳用過午餐後，開始漫遊主題飯店。飯店之間相隔並不近，最好事先想好順路，其中**米高梅飯店、紐約紐約飯店、神劍飯店、金字塔飯店**是最值得推薦的定點。晚上在自助餐廳填滿肚子之後，就到了晚上的重頭戲了。華麗的秀場表演及刺激的賭場風雲，可能要好幾個晚上才能玩得盡興。

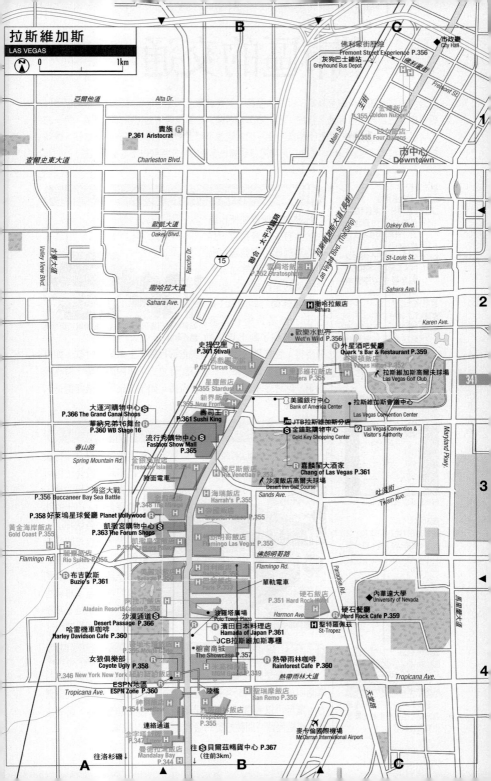

# 拉斯維加斯
## LAS VEGAS

0　　　　　　1km

亞爾他道　Alta Dr.

佛利豪街廳場
Fremont Street Experience P.356
灰狗巴士總站
Greyhound Bus Depot
市政廳
City Hall

金磚飯店 P.355 Golden Nugget
四女飯店 P.355 Four Queens

市中心
Downtown

貴族
P.361 Aristocrat

查爾史東大道　Charleston Blvd.

Oakey Blvd.

St-Louis St.

歐凱大道
Oakey Blvd.

雲霄塔飯店
P.352 Stratosphere

Sahara Ave.

撒哈拉大道

Sahara Ave.

撒哈拉飯店
Sahara

歡樂水世界 P.356
Wet'n Wild

外星酒吧餐廳
Quark 's Bar & Restaurant P.359
希爾頓飯店
Vegas Hilton P.352

史提巴里
P.361 Stivali

飛磁馬戲團
P.357 Circus Circus

星塵飯店
P.355 Stardust

黑那維拉飯店
Riviera P.356

拉斯維加斯高爾夫球場
Las Vegas Golf Club

大運河購物中心
P.366 The Grand Canal Shops

華納兄弟16舞台
P.360 WB Stage 16

新界飯店
New Frontier

壽司王
P.361 Sushi King

美國銀行中心
Bank of America Center

拉斯維加斯會議中心
Las Vegas Convention Center

流行秀購物中心
Fashion Show Mall
P.365

JTB拉斯維加斯分店
JTB
金鑰匙購物中心
Gold Key Shopping Center

Las Vegas Convention &
Visitor's Authority

春山路
Spring Mountain Rd.

金銀島飯店
Treasure Island P.356

威尼斯飯店
The Venetian

嘉麟閣大酒家
Chang of Las Vegas P.361

沙漠飯店高爾夫球場
Desert Inn Golf Course

海盜大戰
P.356 Buccaneer Bay Sea Battle

路面電車

海瑞斯飯店
Harrah's P.355

Sands Ave.

P.358 好萊塢星球餐廳　Planet Hollywood

帝國飯店
Imperial Palace P.355

凱撒宮購物中心
P.363 The Forum Shops

佛朗明哥飯店
Flamingo Las Vegas P.355

佛朗明哥路
Flamingo Rd.

黃金海岸飯店
Gold Coast P.355

麗晶飯店
Rio Suites P.355

Flamingo Rd.

布吉歐斯
Buzio's P.361

百樂宮飯店
Bellagio P.350

巴黎飯店
Paris P.351

單軌電車

硬石飯店
P.351 Hard Rock Hotel

硬石餐廳
Hard Rock Cafe P.359

內華達大學
University of Nevada

沙漠通道
Desert Passage P.366

哈雷機車咖啡
Harley Davidson Cafe P.360

蒙地卡羅飯店
Monte Carlo

波蘿塔廣場
Polo Tower Plaza

濱田日本料理店
Hamada of Japan P.361
JCB拉斯維加斯專櫃

聖特邊佩茲
St-Tropez

Harmon Ave.

Aladain Resort&Casino P.355

櫥窗商城
The Showcase P.357

女狼俱樂部
Coyote Ugly P.358

紐約紐約飯店 P.346 New York New York

米高梅飯店
MGM P.349

熱帶雨林咖啡
Rainforest Cafe P.360

ESPN地區
ESPN Zone P.360

艾斯卡里
P.354 Excalibur

陸橋

聖馬倫飯店
San Remo P.355

熱帶雨林大道

Tropicana Ave.

Tropicana Ave.

連絡通道

金字塔飯店
P.347 Luxor

熱帶飯店
Tropicana P.355

麥卡倫國際機場
McCarran International Airport

連絡通道

最德拉斯飯店
Mandalay Bay P.344

往洛杉磯

往 貝爾茲暢貨中心 P.367
(往前3km)

# 市區的交通

最經濟的交通運輸系統有稱為CAT的市區巴士與在各飯店間巡迴的觀光巴士。市區巴士沿著長街（拉斯維加斯大道）行駛，巴士站牌很明顯，但下車的地點標示卻不清楚，另一方面，連結各飯店間的觀光巴士相當方便，卻常常找不到上車的地點等都有其優缺點，最快的方式還是選擇搭計程車。其他也可考慮搭乘賭城專屬的免費接駁巴士或捷運系統。

■市區巴士
☎ 702-228-7433
時間 5點30分～凌晨1點，每隔10～15分鐘一班，只有301號巴士行駛24小時。
費用 除了301號巴士US$2之外，其他都是US$1.25。每月發售的週遊券 Monthly Pass US$30。

■觀光巴士
☎ 702-382-1404
時間 9點30分～凌晨1點30分，每隔15分鐘一班。
費用 US$1.50

觀光巴士站牌的標示

■計程車價格
剛開始的1哩為US$2.70，之後每1哩跳US$1.80，每分鐘跳35¢。

■主要的計程車公司
ABC
☎ 702-736-8444
Yellow
☎ 702-873-2000
Ace
☎ 702-736-8383

行李多的時候，搭計程車最為方便。但在拉斯維加斯很少有機會利用。

## 市區巴士 CAT

行駛在拉斯維加斯市區內，共有50多條路線，詳細的路線圖可向旅遊服務中心索取。對遊客而言，最方便的是路線是行駛市中心與長街之間的301號巴士，但是長街經常塞車，尤其到了晚上更是動

如果熟練市區巴士的路線，拉斯維加斯就能暢行無阻。

彈不得，往往無法按照時刻表正常行駛。上車後再付款，如有轉乘券即可免費轉乘，下車時記得拉一下車內的拉環，燈亮表示下一站會停車。有的車內會廣播，如果不確定，最好還是問一下司機。

## 觀光巴士 Trolley

分長街與市中心兩條路線，以雲霄塔飯店做為分界點，行駛於各個區域的飯店之間，停靠的站牌多，繞路時間較長，但可

飯店間的移動以觀光巴士最為方便

以直接坐到目的地，還算方便。巴士的路線圖貼在各站牌上，在巴士內也可隨時確認。上車後才付款，最好自備零錢。看到目的地後再下車就可以了，即使是不常旅行的人也不用擔心。

## 計程車 Taxi

在街上無法隨時攔車，必須到飯店的計程車招呼站等車或打電話叫車。雖然有時候招呼站要走很遠，但為了節省時間與體力，還是可以考慮。尤其是要到離市中心較遠的飯店、購物中心，或是停留時間較短暫的旅客最適合坐計程車。

## 免費交通工具

　　行駛於同系列飯店之間的免費捷運共有四條路線。雖然有的上車地點不是很方便，但對於飯店的房客而言相當便捷，可多加使用。

　　最方便的是行駛長街附近，美麗湖飯店與蒙地卡羅飯店之間的路線。如果要到曼德拉灣飯店，可乘坐神劍飯店與曼德拉灣飯店之間的路線。

　　此外，也有免費巴士可以坐到離長街較遠的麗豪飯店（→P355）與硬石飯店（→P351），不妨多加利用。

### 拉斯維加斯主要CAT路線圖

查爾史東大道
Charleston Blvd.

每1街區
1個站牌

301

市中心

Stewart St.
史都華街

佛利蒙街
Fremont St.

撒哈拉大道
Sahara Ave.

雲霄塔飯店

馬戲團飯店 H

H 撒哈拉飯店

15

星塵飯店 H

H 希爾頓飯店
H 里耶維拉飯店

新界飯店 H

109

馬里蘭大道

沙漠旅館路

Desert Inn Rd.

流行秀
購物中心 S

108

H 沙漠旅館

金銀島
飯店

H 威尼斯飯店

Twain Ave.

金殿飯店 H

H 海瑞飯店

Sands Ave.

凱撒
皇宮飯店 H

H 帝國飯店

美麗湖飯店 H

H 佛朗明哥飯店

H 百利飯店

佛朗明哥路
Flamingo Rd.

H 巴黎飯店

H 阿拉丁飯店

H 硬石飯店

蒙地卡羅飯店 H

哈蒙大道
Harmon Ave.

● 波羅塔城廣場

108

紐約紐約飯店 H

201

神劍飯店 H

H 米高梅飯店

熱帶雨林大道

金字塔飯店 H

H 聖瑞德飯店
熱帶雨林飯店

Tropicana Ave.

曼德拉灣飯店 H

109

Paradise Rd.
天堂路

Swenson St.
史威森街

Maryland Pkwy.

✈ 麥卡倫
國際機場

──── #108 Paradise
─┼─── #109 Maryland
──── #201 Tropicana
──── #301 Strip

---

### 金殿飯店〜金銀島飯店

時間 9點30分〜凌晨1點30
分，每隔5〜30分鐘一
班

### 美麗湖飯店〜蒙地卡羅飯店

時間 24小時，每隔15分鐘
一班

### 神劍飯店〜曼德拉灣飯店

時間 4點〜凌晨2點，每隔7
〜10分鐘一班

行駛金殿飯店〜金銀島飯店
之間的候車站牌

百利飯店〜米高梅飯店之間
的捷運目前停駛

硬石飯店專屬的接駁巴士路線
1.硬石飯店→保羅塔城廣場、哈雷機車
2.硬石飯店→流行服飾廣場→會議廣場→星塵飯店
米高梅〜撒哈拉飯店之間的7個地點，新建長6.4km的「拉斯維加斯捷運」預定於2004年正式啟用。

# 主題 飯店與遊樂設施

拉斯維加斯的主題飯店不光是住宿,而是個性明確的主題樂園,提供遊客一個遊玩的娛樂空間。除了人氣不減的各式賭博之外,驚悚的遊樂設施與免費的表演也陸續登場。晚上的歌舞秀場使用最前衛的舞台與特殊效果,震撼人心的精采演出令人眼花撩亂。金字塔旁邊是中世紀的城堡,對面卻是高聳的紐約高樓……,這種奇妙的組合,全球放眼望去,恐怕只有拉斯維加斯一處了。

## 海浪與沙灘,充滿異國風情的度假村

**Mandalay Bay** map…P341-B4

## 曼德拉灣飯店

以南國樂園為主題的曼德拉灣飯店位於長街的南端,金碧輝煌的裝潢是拉斯維加斯受歡迎的飯店之一。

高人氣的秘訣在於大手筆的設備投資。除了熱帶植物林立的飯店大廳、水槽內游來游去的熱帶魚、窗邊的急流瀑布之外,在4萬4500㎡的巨大泳池區,共有4個泳池與按摩浴缸,泳池內的人造海浪與池邊的沙灘,彷彿置身於海邊,規模之大甚至還曾舉行過衝浪比賽,主題明確的設計幾乎令人忘記自己身在沙漠地帶。晚上的歌舞秀

飯店大廳每天都有鸚鵡的迷你表演

飯店內的音樂廳——「藍調之家」,一個月有5~7天的表演,邀請著名的歌手演唱,開幕第一天由鮑伯迪倫掛帥。

表演以地、水、火、風做為四個不同的主題。此外，飯店的35～39樓是頂級的四季飯店，與曼德拉灣飯店的大門有所區隔。

2000年開幕以來即造成轟動的鯊魚灘Shark Reef絕不可錯過。乍看之下可能會以為是一般的水族館，但事實上12種鯊魚與超過100種以上的海洋生物，以360度的廣角一覽無遺。不同於賭城的繁華，這裡的海底隧道異常地寧靜祥和，可以親身體驗在海底漫遊的輕鬆感覺，除了水族箱內的生物之外，也有鱷魚與蜥蜴的專區。遊客雖然身在沙漠地帶，卻能享受熱帶海洋的樂趣，是老少咸宜的娛樂景點。

鯊魚灘的海底隧道值得一遊

壯觀的遺跡

3950 Las Vegas Blvd. ☎702-632-7777 📠702-632-7228 US$99～ 客房3274室
■遊樂設施 游泳池（9～17點，休10～2月，住宿旅客免費）
秀場表演（歌舞秀）媽媽咪呀（週一・六19點、22點30分；週三・四・日19點；週五20點 休週二，US$71.50～93.50）

| 購物商店街 | 游泳池 | 按摩浴缸 | 健身房 | 旅遊服務中心 | 美容院 | 網球場 | 餐廳 | 自助餐 |
|---|---|---|---|---|---|---|---|---|
| ● | ● | ● | ● | ● | ● | - | 15家 | ● |

沙 漠裡的綠洲是現代人所要追求的

沙漠中的城市─拉斯維加斯永遠帶給我們美麗的夢想，無論是大人賭場的需求，小孩都沉醉在夢幻的世界裡，主題樂園都能滿足全家人、購物。

這塊原是美國原住民的土地-沙漠中的綠洲，最早是由墨西哥的貿易商發現於1829年。「拉斯維加斯」的地名其實就是西班牙文「牧草」的意思。在淘金熱的年代成為交通要地，當地的鐵路於1905年正式開通。拉斯維加斯之所以成為度假勝地，是因為內華達州為全美第一個明文規定的賭場，之後雖然有一陣子被禁止，但是在1931年又正式合法化。當時隨著附近胡佛水壩的興建，聚集了許多勞工，賭場於是孕育而生，從1940年代起，一些小規模的飯店相繼開幕，漸漸地成為一個以賭博為主的度假村。另一個改變拉斯維加斯的轉捩點，就是美國政府開放賭博的禁令，其他州也可享有同樣的優惠，使得一向為賭城天堂的拉斯維加斯被迫面臨轉型的命運。目前已將客源擴大到一般觀光客，甚至一些參加國際會議的人士，希望所有的人都能在巨大的娛樂度假村中盡興而歸。即使經營的方向不斷地求新求變，拉斯維加斯帶給大眾的綠洲形象是不曾動搖的。

穿越自由女神與摩天大樓的雲霄飛車

# New York New York map…P341-B4
# 紐約紐約飯店

最高落差43m，時速105km的雲霄飛車，所需時間3分鐘。

紐約的象徵—自由女神像高46m，約為實際尺寸的一半。從池塘的船內會噴出水柱。

## 以紐約人的心情遊玩

　　飯店的實際規模為紐約摩天大樓的三分之一大，每一棟大樓都是飯店的客房。除了自由女神之外，布魯克林大橋的夜景也很有看頭。飯店內到處都可見紐約的地名，在公園街Park Ave.的購物商店裡，裝飾著迷你自由女神像與計程車，有些商店的店員還會表演魔術；在中央公園Central Park內賭博；在市區Downtown的速食店或咖啡館吃披薩、烤肉，如果走累了，可以在石階的椅子上稍作休息。

市中心的古老建築物林立，石階上有塗鴉的垃圾筒與消防栓，令人燃起一陣鄉愁。

不妨到華麗的賭場瞧瞧

連在賭場區都能聽到從雲霄飛車傳來的聲聲驚叫

### 遊樂設施

以時速107km的速度穿梭在摩天大樓之間的雲霄飛車——**曼哈頓快車** Manhattan Express，是最受歡迎的遊樂設施。馳騁於各大樓之間，衝到最高點可以俯瞰整個賭城的迷人景致。當場還可以購買自己驚嚇表情的照片，一張US$7.95～，只要等30秒鐘就可以做為永久的紀念。乘坐地點在小朋友的電玩區——科尼島Coney Island附近，最好事先將行李放在置物櫃內。

3790 Las Vegas Blvd. ☎702-740-6969 ✉702-740-6969 US$59～客房2119室
■遊樂設施 曼哈頓快車
（12～23點，週五、六～23點、全年無休，US$12）

| 購物商店街 | 游泳池 | 按摩浴缸 | 健身房 | 旅遊服務中心 | 美容院 | 網球場 | 餐廳 | 自助餐 |
|---|---|---|---|---|---|---|---|---|
| ● | ● | ● | ● | ● | ● | - | 8家 | - |

## 充滿古埃及氣氛的優雅空間

### Luxor map…P341-B4
# 金字塔飯店

**回到古埃及時代**

在熱鬧的長街南方出現了一座黑色、閃爍的巨大金字塔與獅身人面像。尤其是到了晚上，從金字塔的塔頂朝向空中發射強而有力的燈光，充滿神秘的色彩。在佔地19萬㎡的土地上，共使用25000張的玻璃板打造這座金字塔，走進塔內，可以看到牆上畫有象形文字與壁畫，高度快碰到天花板的巨大神像，莊嚴的眼神往下注視所有的遊客。挑高的建築達30層樓高，必須要搭世界上唯一傾斜39度的電梯才能到達斜

飯店的正面，佇立於金字塔前的獅身人面像，比實際的尺寸還大一倍，是觀光客最愛照相的景點。

氣氛莊嚴的1樓賭場

面的客房。賭場的入口就是古埃及巨大神殿的大門，餐廳與自助餐內都有擺飾一些法老王及古物的複製品，讓人100%融入埃及的世界裡。金字塔飯店的隔壁，新蓋了一座22層樓高，呈塔形的新館。

主題飯店與遊樂設施

在泳池內優閒地望著金字塔與神劍飯店的城堡也是一大享受，泳池邊有小酒吧。

**遊樂設施與秀場表演**

金字塔內中2樓的空間就是一個遊樂設施，首先值得推薦的是尖石塔探索之旅In Search of the Obelisk，這是一段描寫古代地下帝國的影像，震撼力十足。此外，IMAX劇院IMAX Theatre的大螢幕上，輪流放映著3D電影。

典雅的室內裝潢

3900 Las Vegas Blvd. ☎702-262-4100 ＦＡＸ702-262-4452 US$69～ 客房4427室
■遊樂設施 尖石塔探索之旅（9～23點、全年無休，US$7）
IMAX劇院（9～23點、全年無休，US$8.95～12）法老王的墳墓與博物館（9～23點、全年無休，US$5）

| 購物商店街 | 游泳池 | 按摩浴缸 | 健身房 | 旅遊服務中心 | 美容院 | 網球場 | 餐廳 | 自助餐 |
|---|---|---|---|---|---|---|---|---|
| ● | ● | ● | ● | ● | ● | - | 10家 | ● |

從海豚到各種珍禽野獸，如動物園般的南國度假村

## The Mirage map…P341-B3
# 金殿飯店

飯店前的火山爆發，震撼力十足，熱氣衝天。

玩累了，可以在南國氣氛濃厚的泳池裡休息。

與姊妹飯店─金銀島之間的免費接駁車，可多加利用。

沒有其他水族館的海豚秀，工作人員只會向遊客說明海豚的生態，表示飯店相當重視自然保護與自然教育。

除了白老虎之外，還飼養包括亞洲象等6頭珍奇的動物。

### 沙漠裡的南國綠洲

飯店的大門口有珊瑚礁與瀑布，每晚都會噴火的人工火山歡迎旅客的來訪。大廳走到底有一間高27m、玻璃帷幕的熱帶雨林區，茂盛的熱帶花朵、香蕉樹等，彷彿是一座野生叢林。賭場內當然也是充滿濃濃的波里尼西亞風情。此外，泳池的四周環繞著椰子樹與五彩繽紛的花絮，讓人忘卻沙漠的存在，心情像是在南國的小島度假般優閒自在。

#### 遊樂設施與秀場表演

可以參觀海豚區Dolphin Habitat內的8隻海豚、神秘花園Secret Garden內的白老虎與亞洲象等6頭珍奇的野獸。由席格法德與羅依（Siegfried & Roy）主持的白老虎魔術秀，在拉斯維加斯相當轟動，經常是一票難求，最好提早訂位。席格法德與羅依，加上他們最親密的工作夥伴-白老虎的精采表演，令人讚嘆不已。
譯註：2003年因發生白老虎咬人事件，此秀已暫停演出。

VIP的常客不少，客房內相當氣派

3400 Las Vegas Blvd. ☎702-791-7111 ＦＡＸ702-791-7446 US$80～　客房3049室
■遊樂設施　神秘花園＆海豚區（11點～15點30分，週六・日、假日11點～17點30分，休神秘花園週三，US$10）火山噴火秀（日落～24點，每15分鐘一次，全年無休，免費）
■秀場表演　席格法德與羅依（週一・二日19點30分，週一・二・五～日23點，休:週三・四，US$100.50）

| 購物商店街 | 游泳池 | 按摩浴缸 | 健身房 | 旅遊服務中心 | 美容院 | 網球場 | 餐廳 | 自助餐 |
|---|---|---|---|---|---|---|---|---|
| ● | ● | ● | ● | ● | ● | - | ●<br>13家 | ● |

# 以米高梅的電影世界為主題－拉斯維加斯最大的飯店

## MGM Grand map…P341-B4
## 米高梅飯店

在金碧輝煌的獅子前面有音樂的水舞表演

　　正字標記是閃閃發光的金獅子。無論是佔地46萬㎡的大型賭場，或是瑪丹娜等巨星在飯店的會場裡舉辦的演唱會，都是超豪華的排場，尤其是賭場的規模可說是全球第一。飯店內有托兒所的設施Youth Center，讓全家人都可以玩得盡興。飯店的裝潢以電影世界做為主題，購物街與餐廳的照明，令人有置身於攝影棚的感覺，其中自助餐廳Grand Buffet每天都有提供早午餐的服務。如果想體會帝王般的生活，不妨免費租下泳池邊的藤椅，還附贈無限暢飲的飲料及水裡遊玩的浮板。米高梅電影公司的娛樂性及對於流行的敏感度永遠站在領先的地位，至今仍是拉斯維加斯最受歡迎的飯店。

自助餐內的沙拉吧有18種不同的口味

人氣旺的熱帶雨林餐廳Rainforest Cafe，一部份收入將做為保護非洲熱帶雨林的經費。

### 遊樂設施＆秀場表演

在獅子園Lion Habitat內，隔著玻璃可以看到百獸之王的獅子天真地玩耍或在吃東西的情景，無論大人或小孩都會覺得新鮮有趣。此外，從巴黎遠道而來的豪華歌舞秀——蛇蠍美人La Femme非常值得欣賞。舞者們細膩的舞姿，襯托出身上五顏六色的燈光變化，令人眼花撩亂，可說是女性裸體藝術的最高表現。過去頗受歡迎的EFX歌舞劇，已在2002年畫下休止符。

托兒所的時間為11～23點（週五‧六～24點，6月10日～8月20日9～24點）3～12歲的幼兒1小時US\$8.50，房客以外1小時US\$10.50

與百利飯店之間的捷運目前停駛

3799 Las Vegas Blvd. ☎702-891-1111 FAX702-891-7676 US\$69～客房5005室
■遊樂設施　獅子園（11～23點，全年無休，免費）
■秀場表演　蛇蠍美人La Femme（20點、23點30分，休：週二，US\$59，未滿21歲禁止入場）

| 購物商店街 | 游泳池 | 按摩浴缸 | 健身房 | 旅遊服務中心 | 美容院 | 網球場 | 餐廳 | 自助餐 |
|---|---|---|---|---|---|---|---|---|
| ● | ● | ● | ● | ● | ● | - | 11家 | ● |

豪華氣派的成人度假村

## 美麗湖飯店
Bellagio map…P341-B3

以北義大利科莫湖畔的村莊為主題，1998年在長街的精華地段隆重登場。歐洲品味的室內裝潢，豪華典雅，耗資17億美元巨額打造的飯店絕對包君滿意。位於飯店前庭，有5萬㎡大的人工湖為科莫湖的縮影，約佔全部面積的六分之一。每天配合不同的音樂有各種變化的水舞表演Fountains of Bellagio，堪稱拉斯維加斯最美的遊樂設施。由太陽馬戲團領軍的幻象舞台秀「O」是目前最搶手的戲碼。

位於拉斯維加斯的精華地帶，與蒙地卡羅飯店之間有捷運連結。

牛排館內也有名畫

商店街內的名牌精品店林立

| 3600 Las Vegas Blvd. S. ☎702-693-7111 ℻702-693-8585 US$100～　客房3000室 |
| --- |
| ■遊樂設施　水舞表演（15～20點，每個整點與半點，20～24點，每隔15分鐘，週六・日、假日日12點～） |
| ■秀場表演　O（19點30分、22點30分，休：週一・三，US$121～150） |

| 購物商店街 | 游泳池 | 按摩浴缸 | 健身房 | 旅遊服務中心 | 美容院 | 網球場 | 餐廳 | 自助餐 |
| --- | --- | --- | --- | --- | --- | --- | --- | --- |
| ● | ● | ● | ● | ● | ● | - | 16家 | ● |

350

主題飯店與遊樂設施

古代羅馬、埃及帝國的高貴氣息

## 凱撒皇宮飯店
Caesars Palace map…P341-B3

佇立於中央廣場上的莊嚴雕刻

連泳池邊都有雕刻擺飾，相當氣派。

從長街乘坐電扶梯走進飯店，首先進入眼簾的是古代羅馬帝國的小城市。飯店內有巨大的噴水池、大衛之神等的雕刻，宛如一座活生生的博物館。購物商店與餐廳都是世界級的水準，其中附晚餐的凱撒魔術秀Caesars Magical Empire，更是深受旅客喜愛。可以在洞穴般的古代帝國內一邊看精采的魔術表演，一邊享受美食。前進亞特蘭提斯Race For Atlantis是利用3D的效果，在虛擬的海底裡追逐的遊樂設施。由席琳狄翁挑大樑的「A New Day」已於2004年3月上演。

洋溢著現代感，名副其實的高級飯店。

| 3570 Las Vegas Blvd. ☎702-731-7110 ℻702-731-7172 US$89～客房2643室 |
| --- |
| ■遊樂設施 前進亞特蘭提斯（10～23點，全年無休，US$10） |
| 秀場表演　凱撒魔術秀（首演16點30分，每一場相隔30分～2小時，隨季節而不同，休：週日・一，US$75.50） |
| 馬戲團劇院（每隔1～4星期換節目，30天前開始售票） |

| 購物商店街 | 游泳池 | 按摩浴缸 | 健身房 | 旅遊服務中心 | 美容院 | 網球場 | 餐廳 | 自助餐 |
| --- | --- | --- | --- | --- | --- | --- | --- | --- |
| ● | ● | ● | ● | ● | ● | - | 15家 | ● |

最適合全家人共遊的飯店

Circus Circus  map…P341-B2
## 馬戲團飯店

以馬戲團為主題的奇幻世界。在賭場上空，可以看到千變萬化的馬戲表演Cicus Act，包括魔術表演、各種特技表演、空中飛人等，免費提供精采的節目。此外，大型室內遊樂場——**冒險巨蛋樂園**Adventuredome更是小朋友的最愛。高42m，環繞著山頭旋轉的雙圈雲霄飛車及峽谷雲霄飛車Canyon Blaster等遊樂設施都值得一試。除了住宿費用便宜之外，自助餐的價錢也很合理，餐廳外經常可以看到大排長龍的遊客。不到US$9.99的禮品店也不妨去逛逛。

外觀如同馬戲團的棚子，棚內則是令人意想不到的奇幻樂園。

冒險巨蛋樂園內的遊樂設施提供小朋友一個夢想的世界

在室內也能體驗驚悚的峽谷雲霄飛車

2880 Las Vegas Blvd. ☎702-734-0410 FAX702-734-5897US$44～客房3744室
■遊樂設施 馬戲團表演（11點15分～深夜，每隔30分鐘，全年無休，免費）
冒險巨蛋樂園（10～18點，週五、六～24點，隨季節調整，全年無休，1日周遊券US$12.95～18.95）

| 購物商店街 | 游泳池 | 按摩浴缸 | 健身房 | 旅遊服務中心 | 美容院 | 網球場 | 餐廳 | 自助餐 |
|---|---|---|---|---|---|---|---|---|
| ● | ● | ● | - | ● | ● | - | 8家 | ● |

搖滾迷絕不可錯過的飯店

Hard Rock Hotel  map…P341-B4
## 硬石飯店

世界聞名的硬石餐廳所經營的飯店。飯店門口的大吉他是最明顯的標誌。在拉斯維加斯大型飯店的環繞之下，精緻小巧的客房數反而令人覺得安詳寧靜。吉他形狀的泳池邊有白色的沙灘，池裡更有150個音箱，徹底發揮飯店主題的精神。整個飯店就如同一座搖滾博物館，可以參考大廳裡的書面簡介與導覽慢慢地參觀。除此之外，披頭四、瑪丹娜及其他傳奇性歌手的服裝與吉他的展示，也令影迷們瘋狂。飯店內可容納1400人的演唱會會場The Joint，也是一些著名藝人的表演舞台。

全球統一的大型吉他，以重視環保的經營方式聞名

槍炮與玫瑰樂團愛用的機車。後面的鼓是門戶樂團所使用的樂器。

禮品店內賣氣旺的平價T恤與帽子

4455 Paradise Rd. ☎702-693-5000 FAX702-693-5000 US$75～客房670室
■交通　由長街可乘坐免費的接駁巴士（10～21點30分，每小時1班，停靠站有星塵飯店、流行秀購物中心、凱撒宮購物中心）
■秀場表演 演唱會的相關訊息可電洽1-800-473-7625（免付費）

| 購物商店街 | 游泳池 | 按摩浴缸 | 健身房 | 旅遊服務中心 | 美容院 | 網球場 | 餐廳 | 自助餐 |
|---|---|---|---|---|---|---|---|---|
| ● | ● | ● | ● | ● | ● | - | 5家 | - |

351
主題飯店與遊樂設施

挑戰300m高的自由落體

# 雲霄塔飯店

聳立在350m高的夜空裡，這座紫色高塔已經成為拉斯維加斯的地標，是鳥瞰璀璨賭城的最佳景點。從塔的上端往下掉48m的自由落體Big Shot、位在全世界最高點的雲霄飛車High Roller都是不可錯過的遊樂設施。此外，秀場表演的內容也非常充實，有模仿著名藝人的**美國模仿秀**American Superstars、歌舞劇「**賭城萬歲**」Viva Las Vegas等，即使不懂英文的人，也可以看得很開心。

賭城難得一見的塔形建築，最上端即是遊樂設施的舞台。

人氣最旺的自由落體，驚險刺激。

有空不妨逛逛商店街裡的50多家個性商店

2000 Las Vegas Blvd. ☎702-380-7777 ＦＡＸ702-383-7732 US$32～　客房2500室
■遊樂設施　雲霄飛車、自由落體、觀景台（10點～凌晨1點，週五‧六～凌晨2點，全年無休，各US$5、$8、$8）
■秀場表演　美國藝人模仿秀（週日‧一‧二19點，週三‧五‧六19～22點，休：週四，US$38.75）賭城萬歲（14點，16點，休：週日，US16.85）

| 購物商店街 | 游泳池 | 按摩浴缸 | 健身房 | 旅遊服務中心 | 美容院 | 網球場 | 餐廳 | 自助餐 |
|---|---|---|---|---|---|---|---|---|
| ● | | | | | - | - | 8家 | ● |

---

乘坐星船，走進星際迷航的世界

# 希爾頓飯店

希爾頓的大看板一目了然，飯店內有高級精品店與餐廳。

不虧是世界級的希爾頓，氣派的飯店大廳，賭場的氣氛也較安靜。

星際迷航歷險記中的戲服值得一看

緊鄰國際會議中心的優渥條件，一向都受到商務人士的青睞。自從「**星際迷航歷險記**」Star Trek The Experience的遊樂設施正式登場之後，更突顯出主題飯店的特色。連賭場都充滿了宇宙的神秘氣氛，但整體而言，仍不失世界級希爾頓飯店的高雅與舒適。星際迷航歷險記，是重現星際迷航記場景的遊樂設施，在通過太空船的船艙大門之後，就進入了宇宙世界。迷航記的重頭戲就是乘坐星船做虛擬的動態飛行，臨場感十足，主題相當明確。晚上的俱樂部也會舉辦各式演唱會。

3000 Paradise Rd. ☎702-732-5111 ＦＡＸ702-732-5584 US$59～客房3174室
■交通　長街觀光巴士的停車站（9點30分～凌晨2點，每15分鐘1班，US$1.50）
■遊樂設施　星際迷航歷險記（11～23點，全年無休，US$24.99）

| 購物商店街 | 游泳池 | 按摩浴缸 | 健身房 | 旅遊服務中心 | 美容院 | 網球場 | 餐廳 | 自助餐 |
|---|---|---|---|---|---|---|---|---|
| ● | ● | ● | ● | ● | ● | ● | 13家 | ● |

拉斯維加斯內的小威尼斯

# 威尼斯飯店

以威尼斯水都做為主題的浪漫飯店，於1999年5月隆重開幕，以清一色的豪華套房自居。無論是總督府、比薩斜塔、聖馬克廣場、利亞德橋，或是運河裡的扛多拉水舟，在在展現出威尼斯的風華。飯店大廳與賭場打造成義大利文藝復興時期的風格。遊客還可以坐在運河的扛多拉水舟裡，優閒地穿越賭場二樓的購物中心與大運河購物中心，享受哼著義大利短歌的船夫划船的服務。穿越小橋之後，可以到別館2樓的塔索夫人蠟像館參觀，這裡有超過100個世界知名人物的蠟像。

從大廳一直延續到賭場的長廊。以聖馬克寺院為景的壁畫令人讚嘆不已。

從總督府附近的露天座位遠望的風景，令人忘記拉斯維加斯的存在。

室內的乘船處

3355 Las Vegas Blvd. ☎702-414-1000 ℻702-414-4805 US$99～ 客房3036室
■遊樂設施　運河泛舟之旅（所需時間約15分鐘，10～22點45分，全年無休，US$12.50）塔索夫人蠟像館（10～20點，全年無休，US$15）

| 購物商店街 | 游泳池 | 按摩浴缸 | 健身房 | 旅遊服務中心 | 美容院 | 網球場 | 餐廳 | 自助餐 |
|---|---|---|---|---|---|---|---|---|
| ● | ● | ● | ● | ● | ● | - | 16家 | ● |

353

拉斯維加斯

主題飯店與遊樂設施

走在鋪滿石階的路上，沉醉在「Bon-Jour」的世界裡

# 巴黎飯店

飯店門口可以看到凱旋門、歌劇院、羅浮宮美術館等觀光勝地，尤其是鶴立雞群的艾菲爾鐵塔，更是長街的象徵之一。雖然高度只有本尊的一半，但從140m高的觀景樓往下俯瞰，拉斯維加斯的迷人夜景全都盡收眼底。此外，道地的法國料理與咖啡館也令人垂涎，包括30m高的觀景餐廳、可享用法國五大城市不同口味的鄉村自助餐等，經常都是大排長龍，但絕對值得推薦。飲食街與商店街林立的大道上，瀰漫著巴黎的鄉村氣息。麵包店、雜貨店、飾品店等的商品都能令人感受到濃濃的法國風情。

凱旋門，約為實際尺寸的三分之二大

飯店大廳，工作人員親切地以「Bon-Jour」跟遊客打招呼。

在飯店內到處可見表演法國地方風情的藝人

3655 Las Vegas Blvd. ☎702-946-7000 ℻702-946-4405 US$60～客房2916室
■遊樂設施　艾菲爾鐵塔觀景（所需時間30分鐘，10～24點，全年無休，US$9）

| 購物商店街 | 游泳池 | 按摩浴缸 | 健身房 | 旅遊服務中心 | 美容院 | 網球場 | 餐廳 | 自助餐 |
|---|---|---|---|---|---|---|---|---|
| ● | ● | ● | ● | ● | ● | - | 16家 | ● |

海盜秀精采逼真的演出

Treasure Island map···P341-B3

# 金銀島飯店

　　重現小說「金銀島」的世界，並以此做為飯店的主題。望著大門口上的大型骷髏頭與尖刀，跨過一座吊橋後進入飯店，迎接旅客的是在天花板上瞪大雙眼的海盜們。連賭場與電玩中心都是塑造成加勒比海的海盜形象。**海盜秀**Buccaneer Bay Sea Battle中海盜船大戰英國軍艦的情景栩栩如生；晚上的表演是由大家所熟悉的太陽馬戲團主演的「**不可思議特技秀**」Mystere，頗受各方好評。

飯店前的海灣上有英國軍艦與海盜船停泊

海盜秀的砲擊戰相當壯觀，贏得觀眾一致的掌聲，值得一看。

客房內裝飾著海盜的圖畫，氣氛安靜典雅。

3300 Las Vegas Blvd. ☎702-894-7111 FAX702-894-7414 US$55～客房2900室
■遊樂設施　海盜秀（16～23點，冬季週日～四17點30分～22點，相隔90分鐘，週五・六23點30分～也有表演，全年無休，免費）
■秀場表演　不可思議特技秀（19點30分，22點30分，休：週三・四，US$88）

| 購物商店街 | 游泳池 | 按摩浴缸 | 健身房 | 旅遊服務中心 | 美容院 | 網球場 | 餐廳 | 自助餐 |
|---|---|---|---|---|---|---|---|---|
| ● | ● | ● | ● | ● | ● | - | 6家 | ● |

主題飯店與遊樂設施

最受小朋友喜愛的中世紀城堡

Excalibur map···P341-B4

# 神劍飯店

歡迎來到童話世界

2樓的藝品店裡可以看到從前的照相館

王子復仇記中的小丑Jester

　　紅藍相間的屋頂與純白的牆壁，一看就知道是以中世紀城堡做為主題的浪漫飯店，深受小朋友的喜愛。自助餐的價錢合理，經常都是高朋滿座。2樓的餐廳與商店完全參考中世紀的村莊景色，在一些商店裡，甚至可以租到當時的服裝並拍相留念。地下樓層有一個老少咸宜的電玩中心與虛擬遊樂設施，還可以免費欣賞**小丑魔術秀**The Court Jester's Stage的盛況。晚上秀場的節目——**王子復仇記**King Arthur's Tournament也很精采，一面欣賞英雄亞瑟王騎馬打戰的英姿，一面享用豐盛的晚餐。

3850 Las Vegas Blvd.,S. ☎702-597-7777 FAX702-597-7040 US$55～客房4032室
■遊樂設施　小丑魔術秀（10～21點30分，全年無休，免費）
■秀場表演　王子復仇記（18點，20點30分，全年無休，US$41.95）

| 購物商店街 | 游泳池 | 按摩浴缸 | 健身房 | 旅遊服務中心 | 美容院 | 網球場 | 餐廳 | 自助餐 |
|---|---|---|---|---|---|---|---|---|
| ● | ● | - | ● | ● | ● | - | 5家 | ● |

| 旅館名 | 住址／電話號碼／FAX | 費用／MAP | 備註 | |
|---|---|---|---|---|
| 新界飯店<br>New Frontier | 3120 Las Vegas Blvd. S.<br>☎702-794-8400<br>FAX 702-794-8401 | ⓈUS$35～<br>ⓉUS$35～<br>P341-B3 | 長街<br>以牛排及墨西哥料理著名的老牌飯店，室內裝潢採西式風格。 | |
| 羅微娜飯店<br>Riviera | 2901 Las Vegas Blvd. S.<br>☎702-734-5110<br>FAX 702-794-9451 | ⓈUS$35～<br>ⓉUS$35～<br>P341-B2 | 長街<br>閃亮的霓虹燈光在賭城算是數一數二的規模，水花四濺的歌舞秀口碑佳。 | |
| 星塵飯店<br>Stardust | 3000 Las Vegas Blvd. S.<br>☎702-732-6111<br>FAX 702-732-6257 | ⓈUS$32～<br>ⓉUS$32～<br>P341-B2 | 長街<br>自助餐的口味好、份量多。客房的裝潢儉樸雅致。 | |
| 熱帶雨林飯店<br>Tropicana | 3801 Las Vegas Blvd. S.<br>☎702-739-2222<br>FAX 702-739-2492 | ⓈUS$60～<br>ⓉUS$60～<br>P341-B4 | 長街<br>在南國風情的泳池邊，居然也有玩21點的牌桌，適合喜歡隨時賭一把的客人。 | |
| 帝國飯店<br>Imperial Palace | 3535 Las Vegas Blvd. S.<br>☎702-731-3311<br>FAX 702-735-8578 | ⓈUS$50～<br>ⓉUS$50～<br>P341-B3 | 長街<br>玄關為青色的瓦片屋頂，東方色彩濃厚。以展示古典車著名。 | |
| 蒙地卡羅飯店<br>Monte Carlo | 3770 Las Vegas Blvd. S.<br>☎702-730-7777<br>FAX 702-730-7250 | ⓈUS$39～<br>ⓉUS$39～<br>P341-B4 | 長街<br>飯店外觀為優雅的維多利亞風。藍斯波頓的魔術秀不可錯過。 | |
| 海瑞飯店<br>Harrah's | 3475 Las Vegas Blvd. S.<br>☎702-369-5000<br>FAX 702-369-5008 | ⓈUS$50～<br>ⓉUS$50～<br>P341-B3 | 長街<br>亞洲料理的餐廳與自助餐廳口碑佳。主要的賭場設計成一艘船，非常有創意。 | |
| 佛朗明哥飯店<br>Flamingo Las Vegas | 3555 Las Vegas Blvd. S.<br>☎702-733-3111<br>FAX 702-733-3353 | ⓈUS$55～<br>ⓉUS$55～<br>P341-B3 | 長街<br>飼養紅鶴的中庭與寬敞的泳池。中國料理的餐廳也頗受歡迎。 | |
| 聖瑞摩飯店<br>San Remo | 115 E. Tropicana Ave.<br>☎702-739-9000<br>FAX 702-736-1120 | ⓈUS$55～<br>ⓉUS$55～<br>P341-B4 | 長街<br>日系飯店提供日文的服務，連賭場規則也以日文講解。設有壽司吧。 | |
| 百利飯店<br>Bally's | 3645 Las Vegas Blvd. S.<br>☎702-739-4111<br>FAX 702-967-3890 | ⓈUS$55～<br>ⓉUS$55～<br>P341-B3 | 長街<br>寬敞的客房面積在賭城屈指可數。地下樓為大型購物中心。 | |
| 阿拉丁飯店<br>Aladdin Resort & Casino | 3667 Las Vegas Blvd. S.<br>☎702-785-5555<br>FAX 702-785-5558 | ⓈUS$69～<br>ⓉUS$69～<br>P341-B4 | 長街<br>瀰漫著異國風情、以歐式的賭博方法聞名。 | |
| 麗豪飯店<br>Rio Suites | 3700 Flamingo Rd.<br>☎702-252-7777<br>FAX 702-777-7611 | ⓈUS$59～<br>ⓉUS$69～<br>P341-A3 | 長街附近<br>天天都是熱鬧的節慶，五花八門的化裝舞會總是吸引人群的目光。 | |
| 黃金海岸飯店<br>Gold Coast | 4000 W. Flamingo Rd.<br>☎702-367-7111<br>FAX 702-365-7505 | ⓈUS$32～<br>ⓉUS$32～<br>P341-A3 | 長街附近<br>位在麗豪飯店西側的小型飯店。保齡球館是當地居民常去的地方。 | |
| 四后飯店<br>Four Queens | 202 Fremont St.<br>☎702-385-4011<br>FAX 702-387-5160 | ⓈUS$42～<br>ⓉUS$42～<br>P341-C1 | 市中心<br>面向佛利蒙街。飯店內的酒吧與餐廳氣氛滿點。 | |
| 金磚飯店<br>Golden Nugget | 129 E. Fremont St.<br>☎702-385-7111<br>FAX 702-386-8362 | ⓈUS$35～<br>ⓉUS$35～<br>P341-C1 | 市中心<br>市中心唯一的豪華度假飯店，讓道地的水療法消除旅遊的疲憊。 | |

# 娛樂景點

霓虹燈閃爍不停的佛利蒙街,就像是一座燦爛溪谷。

## 五彩繽紛的燈光照亮市中心的夜晚

### Fremont Street Experience　map⋯P341-C1
### 佛利蒙街歷險

在長450m、高30m的佛利蒙商店街,每天晚上都展開聲光與音樂和鳴的豪華大秀。210萬個燈泡齊放,魅力無法擋,照相的亮度保證百分之百足夠。市中心的人氣雖然已經遠不如長街,但到了晚上,還是會吸引不少遊客前來欣賞,可以藉此體會一下市中心獨特的氣氛。

Fremont St. ☎702-678-5600、1-800-249-3559(免付費)日落~24點的整點(隨季節而調整)約5分鐘、全年無休、免費

   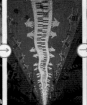 

千變萬化的影像,令人目不暇給;208個音響聲勢浩大、聲音響徹雲霄。

## 清涼又火辣的景點

### Wet'n Wild　map⋯P341-B2
### 歡樂水世界

不只是游泳,而是徹底融入水中的主題樂園,也是拉斯維加斯最健康的消暑景點,每到了旺季,整個樂園都會擠滿人山人海的遊客。除了人工波浪及水流的泳池之外,標榜快速的炸彈海灣Bomb Bay等,共有五個驚險刺激的遊樂設施,值得一一挑戰。貴重物品最好放在置物櫃內。

坐在橡皮艇內往下衝,遊樂設施的名稱就叫做「萬歲.萬歲」(Banzai Banzai)。

2600 Las Vegas ☎702-871-7811、5月26日~8月17日10~20點(週五.六~22點、週日11點~)、4月12日~5月18日和8月25日~10月28日週六10~20點、週日11~19點、週一~五休息 1日券大人US$32、兒童US$25、3歲以下免費

## 不用花錢就能體會到緊張刺激的表演

### Buccaneer Bay Sea Battle　map⋯P341-B3
### 海盜大戰

位在金銀島飯店內,面對長街的海盜灣所發生的海盜大戰。海盜船「西班牙號」正在將戰利品搬上岸時,遇到前來制止的英國艦隊「布列顛尼亞號」,因此展開一場激烈的戰爭。故事的結局相當精采。

等上30分鐘也在所不惜,強風或氣候不佳時,會停止表演。

3300 Las Vegas Blvd. S. ☎702-894-7111、15~20點每小時整點與30分、20~24點每15分鐘一場(週六.日.節日12點~)

## 新景點陸續登場

# 櫥窗商城
The Showcase　map…P341-B4

聳立在米高梅飯店北邊，高30m的大型可口可樂就是櫥窗商城的標地。除了可樂之外，大型M&M巧克力的看板也頗有看頭，讓晚上的霓虹燈更加耀眼奪目。其他不可錯過的景點還有電玩中心、著名藝人所經營的主題餐廳等。

3785 Las Vegas Blvd.S.

### World of Coca-Cola
### 可口可樂世界

1、2樓的商店內，陳列了T恤、皮包等與可口可樂相關的各種周邊商品。在店內還能買到最近已經很少見的瓶裝可口可樂等懷舊商品。

外牆的大型瓶裝可口可樂無人不曉

兼具美食、購物、娛樂等效果，人氣旺盛的景點。

☎702-270-5953、商店：10〜23點（週五・六〜凌晨1點）、觀光行程10〜23點（週五・六〜24點）、全年無休

可以買到不少美國風格的紀念品

### M&M's World
### M&M 世界

大家耳熟能詳的M&M巧克力周邊商品店。馬克杯、人偶等眾多商品令人眼花撩亂。值得推薦的是秤重販賣的21色巧克力。無論是茶色、豆沙色、藍色等應有盡有。

### Gameworks
### 電玩中心

史蒂芬史匹柏所經營的店面，共有432種不同的電玩機器，音效極佳，是娛樂性很高的景點。設計成可口可樂瓶內的攀岩牆頗受歡迎。

仔細看攀岩的人在哪裡

☎702-736-7611、9〜22點（週五・六〜23點）、（隨季節而調整）、全年無休、免費

價錢合理的馬克杯US$7，按照不同顏色陳列。

☎702-432-4263、10〜24點（週五・六〜凌晨2點）、全年無休、攀岩牆10〜22點（週五・六〜24點）、75呎US$10

## 在 賭城舉行婚禮

每年約有超過10萬對的新人在拉斯維加斯舉行婚禮，單純地計算，平均每五分鐘就會產生一對新婚夫婦，數量之多令人嘖嘖稱奇。特地跑來賭城舉行婚禮的名人也不在少數，人氣不減的秘訣在於內華達州的婚禮手續簡單，不需要做血液檢查等項目。市區內歷史悠久的教堂為數不少，主要的大飯店也都設有教堂，可以依照個人的喜好與預算做規劃。包括結婚證書的費用（US$55），最

情人節是人氣最旺的日子，其次是除夕夜，最好提早預約。

節省的整套花費約為US$180左右。至於主題飯店的花樣就多了，有的會用主題的特色做為婚禮的規劃，有的則乘坐熱氣球或直升機，在空中宣誓結婚等。

在結婚的程序上，首先要到克拉克郡婚姻執照局Clark County Marriage License Office（200 S. 3rd St.☎702-455-4416）申請結婚證書。外國人必須提示雙方的有效護照，而未滿18歲的年輕人則必須經過監護人的同意。新人在相關的文件上簽字，表示同意結婚之後，就可以直接到會場了。在全世界最豪華艷麗的拉斯維加斯舉行婚禮，一定可以留下畢生難忘的回憶。要記得這份結婚證書在內華達州發行，在國內並不具備法律效力。

# 主題餐廳

最近熱門的主題餐廳不但可以讓遊客吃得盡興，還能玩得開心。無論是出現在酒吧裡的怪獸，或是會噴霧的潛水艇，花樣百出，創意十足。在拉斯維加斯，連餐廳都變成了有趣的遊樂設施。

## 怪獸聚集的第三世界
### Planet Hollywood map…P341-A3
### 好萊塢星球餐廳

由阿諾史瓦辛格、布魯斯威利等好萊塢巨星合開的主題餐廳，在全球已經是聲名遠播。骷髏頭、太空船等曾經在電影裡出現的珍貴道具都是餐廳內的擺設，令人沉

醉在不同時空的境界裡。怪獸酒吧裡的紅色燈光，製造出詭異的氣氛，到處可見怪獸穿梭其中。輕快的音樂加上活潑的服務生，讓人吃得安心、玩得開心。加

餐廳內的裝飾都很有看頭，也不要忘記順便瞧瞧牆上的巨星手印。

州料理、披薩、義大利麵等的義大利料理及墨西哥料理都是本店的招牌菜。調酒的名稱都是以電影命名，例如「小鬼當家」、「魔鬼總動員」等，內文的說明生動有趣，更能讓人會心一笑。

在長街非常顯眼的標誌

3500 Las Vegas Blvd.（凱撒宮購物中心內）
☎702-791-7827、11～23點（週五・六～24點）、全年無休、US$10～

## 體驗在最瘋狂的美式酒吧
### Coyote Ugly map…P341-B4
### 女狼俱樂部

追求瘋狂熱情的美式風格，經常可見排隊的人潮。

紐約的一家酒吧，拜電影賣座之賜，酒吧聲名大噪，於是在拉斯維加斯的紐約飯店內也開了這家酒吧。與對面米高梅飯店內的超人氣迪斯可餐廳Studio54之間有陸橋相連，非常方便。自2001年11月開幕以來，精采的現場演唱或是著名DJ的助陣，夜夜都在熱鬧的音樂聲中狂歡。

熱情性感的女酒保在搔首弄姿之餘，還得幫客人調酒。可別小看這些被稱為女狼的小姐們，她們都是調酒比賽中的佼佼者，不但技巧熟練，韻律感十足，個個長得美艷動人，可說是酒吧裡的台柱。超級名模泰勒班克所主演的電影——女狼俱樂部的場景就在

3790 Las Vegas Blvd. South（紐約飯店內）
☎702-740-6969、18點～凌晨2點（咖啡館11點～）、全年無休、US$25～

「噴射女狼」這道菜，就是請女狼幫客人直接灌酒的意思。

搖滾迷都很熟悉的店

## Hard Rock Cafe map…P341-C4
# 硬石餐廳

緊鄰硬石飯店。與長街之間有接駁巴士行駛，可多加利用。

地煙燻，肉質才會變得柔軟多汁，而南部的傳統口味─以生醋調成的BBQ醬更是令人垂涎。在飽餐一頓之後，不要忘了順便逛逛商店，找一些餐廳原創的商品。

花時間慢慢煙燻、用手撕開的豬肉紮實地夾在麵包裡。

以搖滾做為主題的餐廳，在國內也頗負盛名。連菜單與看板都是吉他的形狀。餐廳內可以看到貓王、麥克傑克遜等著名歌手使用過的物品，值得影迷們仔細地欣賞。在搖滾樂的伴奏之下，享用大盤的美式料理，其中最受歡迎的是豬排三明治Pig Sandwich。美味的秘訣在於花10小時慢慢

> 4475 Paradise Rd. ☎702-733-8400、11～23點（週五・六～24點）、全年無休、US$10～

輕快的搖滾樂炒熱餐廳的熱鬧氣氛，服務生也相當活潑熱情。餐廳內也有販賣原創商品的直營商店。

沒看過星際迷航，也能共享歡樂的時空

## Quark's Bar & Restaurant map…P341-C2
# 外星酒吧餐廳

位在希爾頓飯店（→P352），星際迷航歷險記遊樂設施內的餐廳。主題當然是24世紀的宇宙太空。餐廳與遊樂設施的入口有所區隔，進餐廳不用另收門票。餐廳的氣氛就如同在企業號星鑑般

星際迷航記，銀河前哨裡曾出現的外星酒吧，招牌調酒的口味極佳。

連天花板上都有星艦。

在入口處有一些電影人物會出來迎接，往右是遊樂設施，往左是餐廳與商店。

地科幻神奇。值得推薦的一道菜是用墨西哥薄片夾火雞、生菜、培根，份量滿點的火雞捲Turkey Wrap。

> 3000 Paradise Rd.（希爾頓飯店內）
> ☎702-697-8725、11～23點、全年無休、US$10～

聽覺效果極佳的個性餐廳

## 熱帶雨林咖啡
Rainforest Cafe map…P341-B4

大家所熟悉的熱帶雨林咖啡看板

餐廳內的空氣清新自然

以熱帶叢林做為主題的餐廳。店內到處都是猩猩家族、非洲象、犀牛、蟒蛇等瀕臨絕種的動物立體模型。時而響起轟轟的雷聲，時而下起傾盆大雨，特殊效果的演出令人讚嘆不已。以熱帶雨林相關名稱命名的菜單，主要的菜色為講究食材的大盤美式料理。

3799 Las Vegas Blvd. （米高梅廣場內）
☎702-891-8580、8點～凌晨、全年無休、US$15～

機車騎士最嚮往的哈雷蒐藏品

## 哈雷機車咖啡
Harley Davidson Cafe map…P341-B4

**360**
主題餐廳

商店大門。內有T恤、帽子等印有哈雷標誌的商品。

第一代哈雷機車

親切的服務生會幫客人帶位

大門口就擺著一台大型哈雷，主題一目了然。熱鬧的餐廳內，裝飾著古典哈雷的各種蒐藏品，令哈雷迷愛不釋手。除此之外，也展示了不少哈雷的歷史商品與照片。在此可以盡情地享用義大利麵及漢堡等份量夠、營養足的美味料理。

3725 Las Vegas Blvd.
☎702-740-4555、11～23點（隨季節而調整）、全年無休、US$20～

在電影攝影棚裡吃飯

## 華納兄弟 16 舞台
WB Stage16 map…P341-B3

餐廳內以北非諜影、瞞天過海、蝙蝠俠、淘金者等四部1988年的好萊塢電影做為主題，重現當時的情境。現代感十足、藝術氣息濃厚的料理是地中海料理、美式料理、亞洲料理的完美組合。來店的客人大多裝扮輕鬆，也有專為小孩準備的兒童餐。此外，喜歡小酌一番的客人可以移師到氣氛不錯的華納音樂酒吧。

3377 Las Vegas Blvd. South（威尼斯飯店內）
☎702-414-1699、11～23點、全年無休、US$11～

可以一邊觀賞球賽的餐廳

## ESPN地區
ESPN ZONE map…P341-B4

體育電視台ESP所經營的主題餐廳。店內共分為三大區；牛排等的燒烤料理區；在大型螢幕與電視的空間內，邊看球賽邊享用美食；2樓的電玩中心適合全家出動。

3790 Las Vegas Blvd. S.（紐約飯店內）☎702-933-3776、11點30分～24點（週五～凌晨1點30分、週六11點～凌晨1點30分、週日11點～）、全年無休、US$11～20

# 其他的飯店

拉斯維加斯的觀光客來自世界各國，為了因應廣大消費者的需求，創意十足的餐廳不斷地孕育而生。尤其是話題性較高的餐廳通常都不會錯，從高級法國料理到亞洲料理樣樣齊全，對於老饕而言，簡直就是美食天堂。

---

## Chang of Las Vegas　嘉麟閣大酒家　〔中國料理〕

在高級的餐廳內品嚐道地的港式中國菜。將鴨肉料理與調味料巧妙地融入豬排內，是本店最自豪的一道菜。除此之外，螃蟹與龍蝦等的海鮮也值得一試。

3055 Las Vegas Blvd.（金鑰匙購物中心內）☎702-731-3388（需預約）、10～23點、飲茶時間10～15點、全年無休、午餐US$15～、晚餐US$25～、MAP/P341-B3

一份飲茶US$2～，頗受當地居民喜愛。

---

## Aristocrat　貴族　〔法國料理〕

在拉斯維加斯的餐廳排行榜上名列前矛。只有14個張餐桌、小巧精緻的店內，簡樸的裝潢加上迷人的燭光，令人沉醉在優雅的氣氛裡。

有濃濃的居家氣氛也是吸引客人的主要原因之一

840 South Rancho Dr.（市區與鄉村購物中心內）☎702-870-1977（須預約）、24小時營業、全年無休、午餐US$5～、晚餐US$10～、MAP/P341-B1
交通：2人以上同行，可從市區的飯店搭接駁巴士，從長街搭計程車約US$14。

---

## Stivali　史提巴里　〔義大利料理〕

於1998年獲得LV雜誌票選第一名的義大利餐廳。主要的客源大部分都是當地居民，飯店的住宿客人反而比較少。

2880 Las Vegas Blvd. South（馬戲團飯店內）☎702-691-5820、17～22點、US$30～、MAP/P341-B2

位在往冒險巨蛋樂園途中的商店街內

---

## Hamada of Japan　濱田日本料理店　〔日本料理〕

拉斯維加斯著名的日本料理連鎖餐廳，在佛朗明哥希爾頓與金字塔飯店內都設有店面。菜單內容多少有些不同，但主要的壽司、天婦羅、生魚片等口味都是保持一流水準。保羅塔城廣場店的新鮮壽司口碑極佳。

商業午餐的手捲壽司套餐US$8～

3743 Las Vegas Blvd.（保羅塔城廣場內）☎702-733-3455、17～24點（隨季節而調整）、全年無休、午餐US$6～、晚餐US$20～、MAP/P341-B4

---

## Buzio's　布吉歐斯　〔海鮮料理〕

以美味料理與服務品質聞名的海鮮餐廳。客人可以自行選擇加拿大或路易斯安那州等不同產地的生蠔，點菜時最好先確認。

3700 W. Flamingo Rd.（麗豪飯店內）☎702-252-7777（須預約）、11～23點（隨季節而調整）、全年無休、午餐US$10～30、晚餐US$15～、MAP/P341-A3

炸螃蟹的口味絕佳，可整隻食用。

---

## Sushi King　壽司王　〔日本料理〕

使用最新鮮的食材，享受最道地的日本料理。店內的氣氛輕鬆雅致，備有包廂。也有外帶的服務。晚上10點過後，還會推出貼心的宵夜—拉麵。

壽司王套餐US$38.50

3000 Las Vegas Blvd. S.（流行秀購物中心往北走5分鐘、星塵飯店內）☎702-696-0606、12～15點、17～22點（週五、六、日～24點）、全年無休、午餐US$8～、晚餐US$20～、MAP/P341-B3

# 拉斯維加斯的飯店自助餐

幾乎所有的飯店自助餐都是無限供應餐點。從US$3的早餐到US$20的豪華晚餐，種類眾多，絕對物超所值，廉價的餐廳主要還是為了吸引客人到賭場消費。包括沙拉、水果、主菜的魚、肉、蛋糕等平均都有45種不同的菜色。飲料要外點，但價錢都已內含在餐費內，唯有酒類必須另外收費。餐點的品質有好有壞，參差不齊。

大致上料理的品質與價格相當，一分錢一分貨。

金殿飯店內的自助餐種類眾多、精緻可口的菜色頗受好評。

- 早餐
- 午餐/早午餐
- 晚餐

| 自助餐名稱／飯店名稱 | 6點 7 8 9 10 11 12 13 14 15 16 17 18 19 20 21 22 23 |
|---|---|
| 法老王自助餐 金字塔飯店（→P347） | $9.49　　　$9.99　　　$15.99 |
| 米高梅自助餐 米高梅飯店（→P349） | $9.99（週六・日早午餐7點～14點30分$12.99）　$11.99　　　$16.99 |
| 金殿自助餐 金殿飯店（→P348） | $9.50　　　$10.95　　　$14.95<br>週六、日香檳早午餐US$14.95 |
| 金銀島自助餐 金銀島飯店（→P354） | $7.99　　　$8.99　　　$12.99<br>週六、日香檳早午餐US$12.99 |
| 圓桌自助餐 神劍飯店（→P354） | $8.99　　　$9.99　　　$11.49 |
| 嘉年華世界自助餐 麗豪飯店（→P355） | $9.99　　　$11.99　　　$16.99<br>週六、日香檳早午餐8點30分～15點30分 US$16.99 |
| 鄉村自助餐 巴黎飯店（→P353） | $11.95　　　$16.85　　　US$21.95 週五・六～23點 |
| 巴拉汀自助餐 凱撒皇宮飯店（→P350） | $10.71　　　$12.86　　　$18.22<br>週六、日香檳早午餐／8點30分～15點30分 US$16.99（附香檳外加US$5）週五・六 晚餐／追加海鮮料理US$24.80 |
| 馬戲團自助餐 馬戲團飯店（→P351） | $6.99　　週六、日早午餐7～16點US$7.99　　$8.99 |
| 雲霄塔自助餐 雲霄塔飯店（→P352） | $6.99　　　$7.99　　　$10.99<br>週五～日 海鮮晚餐／16～22點 US$14.99 週日早午餐／11～16點 US$10.99 |
| 冠軍自助餐 希爾頓飯店（→P352） | $9.64　　　$10.71　　　$15<br>週六、日香檳早午餐/8點～14點30分 US$13.93 |

# 購物中心

現在的拉斯維加斯可說是世界級的購物天堂。從高級精品店、個性商店，到便宜的暢貨中心應有盡有。當紅的購物中心內，更有各種主題遊樂設施與餐廳，千萬不可錯過。

購物後不要忘了順便玩玩

The Forum Shops map···P341-A3

## 凱撒宮購物中心

購物中心位於凱撒皇宮飯店（→P350）內，同樣是以古代羅馬、埃及做為主題。巨大的空間內有噴水池與美麗神像的雕刻作品。屋頂為彩色的天空，每隔一小時就會從日出逐漸變成滿天的星空。100家以上的商店與餐廳，包括LV、Gucci等知名品牌。

熱門的遊樂設施一前進亞特蘭提斯Race for Atlantis ☎702-733-9000、10～23點、週五・六～24點、US$10

在許多熱門的餐廳內還可看到名人，而購物中心內的各種遊樂設施也值得一試。

3500 Las Vegas Blvd. ☎702-893-4800、10～23點（週五・六～24點）、全年無休

面對長街的大門，從凱撒皇宮飯店的賭場也有一個入口。

亞特蘭提斯秀Show at Atlantis（10～22點、週五～24點）、每隔1小時

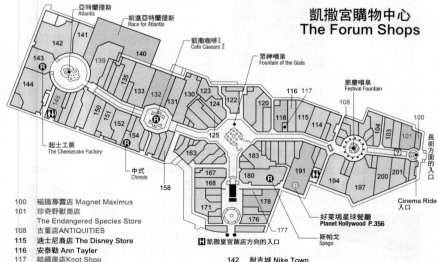

凱撒宮購物中心
## The Forum Shops

亞特蘭提斯 Atlantis
前進亞特蘭提斯 Race for Atlantis
凱撒咖啡Ⅱ Cafe Caesars Ⅱ
眾神噴泉 Fountain of the Gods
節慶噴泉 Festival Fountain
長街方面的入口
Cinema Ride 入口
好萊塢星球餐廳 Planet Hollywood P.356
斯帕戈 Spago
起士工房 The Cheesecake Factory
中式 Chinois
凱撒皇宮飯店方向的入口

142 141 143 144 140 139 135 145 150 151 152 154 133 132 131 130 123 124 122 125 120 118 115 114 116 117 108 104 103 101 100 102 163 183 167 168 171 180 191 197 194 200 201 158 178 176 177

| 100 | 磁鐵專賣店 Magnet Maximus |
| 101 | 珍奇野獸商店 The Endangered Species Store |
| 108 | 古董店ANTIQUITIES |
| 115 | 迪士尼商店 The Disney Store |
| 116 | 安泰勒 Ann Tayler |
| 117 | 結繩商店Knot Shop |
| 118 | 拉森 Galarie Lassen |
| 122 | 古奇 Gucci |
| 124 | 強尼・凡賽斯 Gianni Versace |
| 125 | 路易威登 Louis Vuitton |
| 132 | FAO 休瓦魯茲 FAO Schwarz |
| 139 | 風尚現貨 Abercrombie＆Fich Co. |
| 142 | 耐吉城 Nike Town |
| 145 | 沐浴用品商店 Bath & Body Works |
| 150 | 蓋普Gap |
| 158 | 馬克斯・馬拉 Max Mara |
| 177 | 兒童城 Kids Kastle |
| 178 | 華納攝影城商店 Warner Bros. Studio Store |

## Magnet Maximus 100
### 磁鐵專賣店

看到店內的整面牆壁，一直到天花板都是密密麻麻的磁鐵，不禁令人仰首讚嘆。冰淇淋聖代及霜淇淋等的食

各種磁鐵售價約US$6

物做得如出一轍；黃金獵犬、哈斯基狗的表情更是栩栩如生。其他有趣的商品種類眾多，有時間可以慢慢挑選。☎702-791-5227

## FAO Schwarz 132
### FAO 休瓦魯茲

在如同主題樂園的玩具店內，有充滿氣體的空間，也有會發熱的植物等各種不同的變化。以星際大戰做為主題的吧台後面，可以看到一些活動的人

店內的大型木馬就是FAO的大門

偶。☎702-796-6500

## ANTIQUITIES 108
### 古董店

店內的商品從古典的看板、50年代的海報等小飾品，到可口可樂的自動販賣機

等，都是道地的美國

店內宛如一個玩具百寶箱

古董。若要挑選最具美國味的紀念品，本店是一個不錯的地方。價格約US$5左右。☎702-792-2274

## Abercrombie & Fitch Co. 139
### 風尚現貨

在休閒服飾中屬於高價位的品牌。不褪色、不變形的優質布料是最大的賣點。本

店的棒球帽與格子襯衫，無論是設計或顏色的搭配都是高品味、高格調，在講究高品質的名人之間口碑極佳。☎702-731-0712

高品質的服飾，吸引了不少男女客人。

## Knot Shop 117
### 結繩商店

空間不大的店內掛滿了6000多條領帶，從中挑選一條喜歡的樣式應該不困難。從各種高級品牌到自家品牌的商品都有，價

格在US$25～110之間。其中義大利的絲綢領帶品質不錯，價錢合理，約US$15～

也有賣女用絲巾

39。☎702-369-4144

## The Endangered Species Store 101
### 珍奇野獸商店

以一些瀕臨絕種的生物做為商品的主題，例如T恤、布偶、小飾品等。走進佈置成叢林的店內，猩猩會向客人打招呼，

增添不少購物的樂趣。除了兒童用品之外，女用T恤也值得看看。☎702-794-4545

T恤US$20～、原子筆US$5～

## Bath & Body Works 145
### 沐浴用品商店

全美都有分店的沐浴用品及保養品專賣店。氣氛熱鬧的店內擺滿了各種泡澡粉與乳液。如果有特別的商品，不妨聞聞看味

道，多做選擇。3瓶約US$16，價格公道。☎702-796-4902

西瓜等的季節性商品也頗受歡迎

## Kids Kastle 177
### 兒童城

大門口的魔術師、店內的巨龍等令人眼睛一亮的擺飾其實是一間童裝專賣店。從嬰兒服到小學生的服裝貨色齊全，棉質的

衣服一套不到US$20，

大門口的魔術師目標顯著

是送禮的最佳選擇。五顏六色的搭配突顯出美國加州的特色。☎702-369-5437

Fashion Show Mall map…P341-B3

## 流行秀購物中心

飲食街裡可吃到世界各國的料理

　　包括薩克斯第五大道Saks Fifth Avenue、梅西Macy's、魯賓遜Robinsons May等一流百貨公司在內，共有140多家商店與餐廳進駐的大型購物中心。走廊上有一些賣T恤與小飾品的攤位，氣氛很熱鬧。

3200 Las Vegas Blvd. S. ☎702-369-8382、10～21點、週六～19點、週日12～18點、全年無休

### H₂O Plus
### 補充水分

　　全美都有連鎖店，主要的商品是對肌膚溫和的自然化妝品與沐浴用品。積極攝取海水中的礦物質與養分，盡量排除會造成過敏性皮膚的原料，即使是皮膚不好的人也能安心使用。價格在US$10～，並不會太貴☎702-893-1332

有任何問題可以請教態度親切熱情的店員

### Discovery Channel Store
### 發現者頻道商店

　　凡是能親近世界文化、自然科學的相關書籍、錄影帶、CD這裡都有。除了望遠鏡、捕蟲網等實用的器具之外，印有恐龍、蜥蜴圖樣的T恤US$15也很有創意。中南美洲原住民的手工藝品也值得瞧瞧☎702-792-2121

喜愛大自然者必訪

### Williams-Sonoma
### 威廉斯聖諾瑪

　　廚具專賣店，也有開設烹飪教室。鍋子等的用具太大，不方便購買，但是店內其他小飾品不少，光是參觀也很有趣。英國的小牛手工藝品US$70～、廚房毛巾與餐桌墊約US$14～20，適合餽贈親友。另有賣義大利麵條、醬汁、大蒜、橄欖油等食材。☎702-734-5699

店內有賣各類食譜。商品型錄則可免費索取。

### Betsey Johnson
### 貝茲強生

　　店內的裝潢為鮮豔的粉紅色，商品的擺飾相當前衛新潮。名設計師所經營的服飾店，以輕薄帶有光澤的性感禮服為主，頗具震撼力。對好萊塢的最新流行有興趣者絕對值得去瞧瞧。阿拉丁飯店內也有商店進駐。☎702-735-3338

想讓自己性感一點的人必訪

### El Portal
### 阿波多

　　本店就位在拉斯維加斯的皮包專賣店。除了最近相當熱門的Equinox Collection之外，也有推出自家品牌的商品。除此之外，還有大家都很熟悉的Bally、Polo、Coach等品牌的皮包，樣式眾多。☎702-369-0606

品牌商品都是自家工廠所製造

### DETOUR
### 繞道

　　無論是一般的休閒服飾，或是晚上要穿去俱樂部、酒吧的盛裝，都能滿足現代都市人的社交空間。動物圖樣的外套與帽子、小飾品等的整體搭配深受顧客的青睞，女性客人的年齡層也非常廣泛。

襯托女性魅力的休閒服飾 ☎702-894-5030

聆聽優美的歌聲輕鬆購物

## The Grand Canal Shopes map…P341-B3
# 大運河購物中心

位於威尼斯飯店（→P353）內的購物中心。運河直接穿過館內，可以看到唱著義大利短歌的船夫搖著水舟前進。無論是大衛杜夫、奧立佛等歐洲品牌或是香蕉俱樂部等的美國休閒品牌商店眾多，令人目不暇給。

3355 Las Vegas Blvd. S.（威尼斯飯店2樓）
☎702-414-4500、10～23點（週五・六～24點）、全年無休

## Houdini's Magic
# 荷汀尼茲魔術館

魔術用品店。從初學者的玩具，到專業魔術師所使用的US$250道具、魔法書、入門學習錄影帶等的相關商品應有盡有。

店內也會示範魔術秀

## Sephora
# 聖佛拉

法國化妝品店，在日本也設有門市。除了自家品牌的化妝品與香水之外，Anna Sui、Stila、資生堂等世界著名品牌的商品也很齊全。

商店在1樓，2樓是塔索夫人蠟像館。

充滿異國風情的寧靜空間

## Desert Passage map…P341-B4
# 沙漠通道

類似阿拉伯回教堂奇幻空間的購物中心。邊聽著民族風的背景音樂，邊享受購物的樂趣。以休閒服飾品牌的商店居多。

3663 Las Vegas Blvd. S.（阿拉丁飯店內）☎702-866-0703、10～23時（週五・六～24時）、全年無休

露天商店前的法老王木乃伊非常顯眼

## Thousand & One Boxes
# 一千零一個盒子

英國、埃及及世界各國的復古式小飾品。單價並不貴，約US$10。精緻的珠寶盒也適合送禮。位在走廊上的露天商店。

---

## Hoover Dam

（水）電的供給源——
胡佛水壩

為了防止科羅拉多河的洪水氾濫，於1928年在拉斯維加斯東南約55km處興建了胡佛水壩。

這座高218m、長273m的大型重力式拱形水壩橫跨內華達州與亞利桑那州，最多曾經動員5000多名勞工投入這項大工程。目前的胡佛水壩是內華達州、亞利桑那州、加州三地的主要供電來源，而伴隨水

壩的興建所開挖的人工湖——密湖Lake Mead，更是拉斯維加斯與附近居民最珍貴的水源。

胡佛水壩與密湖其實也是熱門的觀光景點，在旅客服務中心內有觀景台、旋轉螢幕等設施；在展示畫廊內，更有針對科羅拉多下游地區的殖民歷史、水力發電的原理、傳電方法等進行解說。密湖還是一個可以從事海上運動與露營的戶外旅遊景點。

胡佛水壩 MAP/P389-A2
Hoover Dam Visitors Center
☎702-293-8321 開9點～17點15分、全年無休、交通：🚗🚌

可以挖到寶藏的地方

Belz Factory Outlet World map…P341-B4

# 貝爾茲暢貨中心

共有超過155家工廠直營的暢貨中心。無論是維他命、食品類；牛仔褲、鞋子等休閒服飾店；知名品牌的陶瓷器、服飾店等，最多可享有75%的折扣。一流百貨公司薩克斯第五大道Saks Fifth Avenue的直營暢貨店Off 5th（電話702-263-7692）的商品也很可觀。暢貨中心內還有旋轉木馬讓小朋友玩耍。兩處的飲食街內有提供泰式料理、牛排、披薩等簡餐。

五個入口處都有大型看板。Off 5th在隔壁棟。

7400 Las Vegas Blvd. ☎702-896-5599、10〜21點（週日11〜18點）、全年無休交通：從長街搭1〜4號觀光巴士，每30〜60分1班，所需時間30〜50分鐘、US$1.40，或搭301點巴士在貝爾茲暢貨中心下車，US$2。

## Nike
# 耐吉

寬敞的店內總是擠滿了購物的人潮。除了最熱門的球鞋之外，還有運動用的T恤、慢跑褲等衣類，幾乎都可以便宜30%，因此大部分的客人都會忍不住一次買齊。☎702-896-7444

Nike商品在當地也很受歡迎

## Esprit
# 艾斯普利

深受女性客人喜愛的休閒服飾品牌。以7折的價錢就可以買到最流行的款式，值得推薦的一家店。其他如涼鞋、球鞋、皮包等商品也相當齊全☎702-269-4450

從頭到腳只要US$100就能搞定，不妨考慮在當地購買替換的衣服。

## Harry & David
# 哈利&大衛

創立於1934年的食品專賣店。藍莓乾等在國內較昂貴或買不到的食材這裡都有。在空間並不大的店內，義大利麵與醬汁等排列得井然有序☎702-269-8228

排列整齊的盆栽，既然不能帶回國內，純欣賞也不錯。

## Fossil
# 佛西爾

除了鐘錶與皮帶之外，一些皮製品、太陽眼鏡、T恤等都可以打5〜7折。仔細挑選，會有意想不到的收穫，餽贈親友也是一個明智的選擇。☎702-897-4770

商品種類非常齊全

## Noritake
# Noritake

小心不要一次買太多

是日本知名餐具品牌的暢貨商店，最便宜的商品可以打到對折，千萬不可錯過。除了整組陶瓷器的餐具之外，杯墊、紙巾等的廚房用品也應有盡有，對烹飪或餐具有興趣的客人最值得進去瞧瞧。☎702-897-7199

## The Fragrance Outlet
# 香水暢貨中心

用非常合理的價錢就能買到Gucci等世界一流品牌的香水與古龍水。男士專用的古龍水以LANCOME品牌貨色最多，約4折的價錢就能買到。排列整齊的香水，保證購物愉快，最適合送禮。☎702-896-3901

以最公道的價錢購買世界一流品牌的商品

與莊家聊聊天可以
舒緩緊張的情緒

華麗熱鬧的賭場

# 拉斯維加斯賭場面面觀

近年來，一提到拉斯維加，通常會聯想到超級巨星的秀場表演、刺激的拳擊冠軍爭霸賽，或是可以讓小朋友築夢的主題飯店內的遊樂設施等，但是大家千萬不要忘了拉斯維加斯的原點，那就是在大人的世界裡，充滿著無限希望與夢想的賭博。這個讓人又愛又恨的遊戲可以幫我們圓夢，相對的，也會讓我們悔不當初。為了不要嚐這種苦頭，在出發之前應該針對內容做好功課，也要了解自己的運勢、個性與膽量，記得要知己知彼，才能百戰百勝。

遊戲的難易度與勝算

| 難易度 | 勝算 |
|---|---|
| 吃角子老虎 | ★★★ |
| 基諾 | ★★★ |
| 21點 | ★ |
| 撲克牌 | ★★ |
| 輪盤 | ★★ |
| 百家樂 | ★★ |
| 擲骰子 | ★★★ |

↓難

## 賭場心得

1. 了解遊戲的內容與規則

進了賭場，當然要先了解遊戲的內容與規則。建議初學者先玩吃角子老虎或基諾，等稍微熟練了之後再挑戰輪盤等其他項目。（參考右上表格）

2. 要能適應賭場的氣氛

賭場的氣氛通常都很熱鬧吵雜，而玩遊戲的莊家，不分男女都非常地專業。如果不能適應這種特殊的氣氛是不可能成為贏家的。千萬不要害怕開口，或不敢回答莊家的問題，否則就無法以愉快的心情大膽地玩了。最重要的一點，就是不要玩過頭，小心樂極生悲。

3. 未滿21歲者

CASH

各樓層都有提款機，小心不要玩過頭了。

不得進入

根據拉斯維加斯的規定，一定要年滿21歲才能進入賭場。通常東方人看起來會比實際年齡小，為避免不必要的麻煩，最好隨身帶著護照。萬一真的被抽查，也不要緊張，記得要面帶微笑，大方地交出護照。

4. 不要忘了服務生的小費

賭場內的飲料不收費。場內經常會看到女服務生穿梭其間，可以直接向她們點飲料，但不要忘了給US$1左右的小費。如果因為免費而喝太多，或是玩得太緊張而忘了給小費，都是不可能贏錢的。

## 兌換外幣與籌碼

大部分的賭場都可以兌換外幣，但必須負擔一些手續費。另外，可以到兌換所或找兌換員，將現金換成遊戲的籌碼，也可以將贏得的籌碼換回現金，最近兌換機的使用越來越普遍。要特別注意的是，只要一踏出賭場，所有的籌碼及代幣就變得一文不值了。

## 吃角子老虎　　Slot Machine

投入專用的代幣，自己拉霸或用按鍵轉動螢幕，如果在同一排列上出現相同的圖樣即可中獎，可說是賭場內最簡單的一種遊戲。分成5￠、25￠、50￠、US$1等不同機器。每一台機器可投入的代幣數量都不同，若想大撈一筆，就下最大賭注吧！其中最有機會中大獎的是Jack Pot，獎金可高達數萬美金。

> **重點** 玩Jack Pot遊戲至少要US$1的機器，並選最大賭注。

既然要玩吃角子老虎，就應該挑戰Jack Pot

## 基諾　　Keno

在賭場、餐廳或是自助餐廳內都可拿到基諾票，票上共印有1～80號，每一個人最多可選15號碼，在選好的號碼上畫上×之後，將賭金與基諾票一起交給服務生。數分鐘之後，就可以在螢幕上看到20個搖出的號碼。以US$1賭注為例，如果中一碼，可得US$3，15碼全中，就可獲得高達10萬美元的獎金。

到處都可以看到基諾票

基諾的搖票地點與螢幕

> **重點** 建議選4個號碼比較保險，如果4碼全中，就可得到130元美金。15個號碼全中的機率遠比吃角子老虎的Jack Pot還要低。

## 21點　　Black Jack

首先要特別留意的是，每一張桌子上都會標示最低賭注的金額，如果不小心坐到最低消費100美元的位子，那可就後悔莫及了。莊家發給客人與自己各兩張牌，一張牌面朝上，另一張朝下。遊戲的規則就是看哪一方可以剛好得到21點，或是比21點小並最接近者就贏了。所有的人頭牌，如J、Q、K為10點，A可算為1或11點。在收到兩張牌之後，客人可以決定要加牌Hit或停止Stand。要求加牌時，用手指輕點桌面即可；如果不

## 撲克牌　　Poker

大家都非常熟悉的撲克牌遊戲，在此不再一一做介紹。與莊家之間的鬥智相當刺激過癮。除了一般的撲克牌之外，還有所謂的加勒比海撲克與牌九撲克。撲克牌的種類、手續費及賭金的額度都清楚地標示在桌上。

> **重點** 除了熟悉遊戲規則之外，更要做好自己的情緒管理。手邊如果是好牌，可千萬不要露出破綻，冷靜思考，大膽地下賭注。

在21點的牌桌上，可以看到客人與莊家之間緊張的氣氛。

想再加牌，就向莊家搖搖手表示不用了。萬一超過21點，表示輸牌；雙方都在21點以下，則比合計點數，如果客人較接近21點，就可獲得賭金的雙倍獎金；如果同分，則退還賭金。

> **重點** 基本上，兩張牌的點數相加不到11點時，最好加牌，如果超過17點，就不要再追加了。問題是12～16點的情形，這時就要看好莊家的牌子，如果朝上的牌子在2～6點，就不要再加牌，如果是7～K或A，通常會追加到17點為止。當然，並非遵守這個原則就能贏牌，還是要靠自己的判斷。

## 輪盤　　Roulette

輪盤的方法簡單，節奏快，一下子就能融入賭場的氣氛，因此人氣指數一向都很高。輪盤專用的籌碼必須向莊家購買，用不同的顏色區別US$1～100的賭注金額。如果用現金下注就沒有任何額度的限制。至於遊戲的賺賠率，則視賭注金額與賭法而有所不同。

> **P** 重點　如果覺得手氣不錯，通常會忍不住增加賭注，但是奉勸各位最好還是保守些，跟著其他人下賭注比較安全，因為通常賭大會賠得更多。

最好先了解遊戲規則之後再挑戰擲骰子

### 輪盤的賭法與賠率

| 賠率 | 賭法 |
| --- | --- |
| 35:1 | 包括0、00在內，只下注單一號碼 |
| 17:1 | 下注在任何2個連續號碼之間 |
| 11:1 | 下注同一橫列的3個連續號碼，如13、14、15 |
| 8:1 | 下注在4個號碼的十字線上，如17、18、20、21 |
| 6:1 | 下注在5個號碼邊緣，如0、00、1、2、3 |
| 5:1 | 下注在兩個橫列的6個連續號碼，如22、23、24、25、26、27 |
| 2:1 | 下注縱列的12個數字 |
| 2:1 | 下注同一區的12個數字，如1～12 |
| 1:1 | 下注紅或黑、奇數或偶數、1～18或9～36 |

## 百家樂　　Baccarat

在拉斯維加斯如果沒有百家樂的牌桌就不能算是一流的賭場，因此還被冠上「賭場之王」的美名。規則相當複雜，玩法有點像日式的撲克牌。用8組牌子跟12個人一起玩。勝負關鍵在於頭兩張牌的總點數，以9點最高。這是一種高難度的遊戲，挑戰賭客的智慧。

> **P** 重點　一定要先了解遊戲規則，否則最好不要輕易嘗試。最低賭注的金額都很高，如果沒有兩把刷子是不可能贏錢的。

## 擲骰子　　Craps

可說是賭場內最緊張刺激的一種遊戲，玩法有些複雜，又稱之為骰子遊戲。一次擲兩個骰子，簡單地說，只要自己下的數字與骰子的數字一樣就贏了。一般的玩法是擲手在擲骰子之前，客人要先下賭注在「過關」Pass Line區，如果骰子出現7或11，賭客就算贏了。另外也有「不過關」Don't Pass Line等多種不同的玩法。

> **P** 重點　初學者最好先押「過關」區，邊玩邊學習，然後再進一步了解整個遊戲規則。

雄偉的大自然令人嘆為觀止

# 國家公園與大自然

## NATIONAL PARKS & GREAT NATURE

美國國家公園全年遊客眾多，但還是春、秋兩季特別讓人感覺心曠神怡。

# 國家公園與大自然 基本概念

NATIONAL PARKS & GREART NATURE

全美通行的國家公園年票「金鷹護照」Golden Eagle Passport（US$65），在收費站可買得到。

公園地圖。地圖與下圖的旅遊資料皆可在公園入口處取得。

園內的設施等公園相關資訊齊全（僅限英文版）

## 先到旅遊服務中心Visitor Center

到達國家公園入口時要先在收費站買票。票價依公園及交通工具不同而定，也有公園不收費，但通常只要買一次票就能在一週內自由進出。原則上國家公園是24小時開放，但收費站晚上休息，因此晚上想進園或遇沒

公園入口處的收費站。也有入口不設收費站。

利用旅遊服務中心的遊客眾多

有設立收費站的國家公園時，就必須到旅遊服務中心買票。

多數的國家公園均設有旅遊服務中心，在此可以查詢日出日落時間、園內住宿的預約情形，或公園的相關資訊，因此一定要先到這裡找尋有用的資訊。

## 國家公園怎麼玩

遠眺雄偉的自然景觀就已經值回票價了，但是徒步走過國家公園才能體驗其真正的美。每個公園均設有公園步道Trail，步道種類眾多，從數小時的簡單步道到適合登山者的登山步道都

有。不過像大峽谷這種沙漠型公園就要謹慎選擇，相關資訊可詢問旅遊服務中心的人員。若是一天以上的行程，就得另外在荒野辦公室Backcountry Office登記。另外也可參加國家公園管理處Park Ranger所辦的講習，對於國家公園的成立及自然景觀都有非常詳盡的解說（僅限英文），詳情會公告在旅遊服務中心。另外，像大峽谷國家公園的科羅拉多河泛舟等戶外活動也深受遊客歡迎。

在大峽谷舉辦的講習，有的場次須預約。

## 如何到達

只有優勝美地或大峽谷等幾個國家公園有大眾運輸工具，也不是所有的國家公園都有旅遊團。國家公園範圍之大，不可能在園中任意漫步，常常會看到「離下一個景點20km」之類的標語，因此租車是一個不錯的方法。只是，內華達山脈Sierra Nevada的公園及峽谷圓環（→P389）在冬季可能會降雪，因此出發前最好先到附近城鎮裡的旅遊服務中心確認路況。

指定區外不得露營

## 住宿導覽

優勝美地等大型國家公園在園內有小木屋等住宿設施，但可容納的人數不多，且冬天通常不開放。7、8月旺季時除了露營地之外，其餘的設施也非常齊備，可事先預約，或早上早點去等候補。若公園沒有提供住宿或已客滿，也可以到附近城鎮找汽車旅館投宿。多數的公園都設有露營地，但是除了優勝美地及大峽谷國家公園之外，都不能在園內烹煮食物，因此糧食得備齊。另外，在園內切記要注意熊之類的野生動物出沒。

熊隻出沒頻繁，相關資訊可詢問旅遊服務中心人員。

食物一定要放在上鎖的食物容器內，連後車廂都會被熊輕易地打開。

國家公園與大自然
NATIONAL PARKS & GREAT NATURE
0       200km

太浩市 Tahoe City
雷諾 Reno
卡森市 Carson City
太浩湖 Lake Tahoe P.379
南太浩湖市 South Lake Tahoe
往舊金山
優勝美地國家公園 Yosemite National Park P.374
默賽德 Merced
佛瑞司諾 Fresno
懷特尼山 Mt.Whitney
孤松 Lone Pine
維沙利亞 Visalia
水杉國家公園 Sequoia National Park P.380
貝克菲爾德 Bakersfield
巴斯托 Barstow
往洛杉磯
國王谷國家公園 Kings Canyon National Park P.380
死亡谷國家公園 Death Valley National Park P.381
拉斯維加斯 Las Vegas
往鹽湖市
綠河 Green River
峽谷圓環 GRAND CIRCLE
喜達市 Cedar City
卡那鎮 Kanab
鮑威爾湖 Lake Powell P.392
聖喬治 St-George
佩吉鎮 Page
大峽谷國家公園 Grand Canyon National Park P.382
金格曼 Kingman
威廉斯 Williams
旗竿市 Flagstaff

P389

1

2

A       B       C

# 優勝美地國家公園

優勝美地國家公園位於加州東部、內華達山脈的中央位置，在1851年合眾國的騎兵隊初抵此處後才廣為世人所知。繼黃石公園，1890年被指定為美國第二個國家公園。目前一年約有355萬人來訪，是全球人氣最旺的國家公園，其中有94%完整的保持原始風貌。標高2000m的山岳地帶中，處處可見瀑布、湖泊、山岩，小溪穿流過森林與草原。想要一窺如此美麗的大自然至少也需3天時間。另外不同季節呈現的不同風貌，也能帶來不同的感受。

| 優勝美地 一點靈 |
|---|

主要景點有：公園南部的**瓦窩那及瑪麗波沙紅杉林區**Wawona & Mariposa Grove、沿著公園東部太歐加路Tioga Road（冬季封鎖）的**土歐魯米草原**Tuolumne Meadows及公園中央的**優勝美地山谷**Yosemite Valley。從舊金山出發的觀光巴士或馬塞德Merced發車的巴士都能到達優勝美地山谷。山谷中心的**優勝美地村**Yosemite Village內設施完善。山谷內有免費的循環巴士巡迴各景點，到了夏季，也有收費巴士行駛山谷外的各景點。

由隧道景點Tunnel View（MAP/376-A2）望去的景觀。此景點距公園中心優勝美地村約10km。

從哨兵橋遠望半圓頂

船長岩具有莊嚴的樣貌

**往冰河點的登山巴士 Hiker's Bus**
●優勝美地小屋發車（去程）
●冰河點發車（回程）
春～秋季每天發車，約1小時
費用 單程大人US$10.5、3～17歲US$5.5

### Half Dome
## 半圓頂 MAP/P377-B2

被冰河削切一半的圓形岩塊，由於其奇特的形狀而成為優勝美地的象徵。事實上，真正的體積並非原來岩塊的一半，而是四分之三。與北圓頂North Dome遠遠相望，其中坦那亞溪Tenaya Creek流過，顯出半圓頂的高聳。以前想登頂是極為困難之事，而今已有步道可通到2695m高的岩頂。若從優勝美地山谷出發，可規劃一日遊的行程。（行程難度高、標高落差有1493m、往返計14km）。

🔍 從哨兵橋Sentinel Bridge遠眺的景觀最美。從優勝美地村往南徒步10分鐘可達，或搭接駁巴士在第11站下車。

### El Capitan
## 船長岩 MAP/P376-B2

從公園的西側進入首先會看到的是巨大花崗岩石，遊客都會先在路肩停車，駐足仰望這塊巨石。世界頂級的登山者們也需耗費5到8天才能登上岩頂（高1095m）。凝神注目或許可見攻頂者的身影呢。鄰近有**緞帶瀑布**Ribbon Falls。

### Glacier Point
## 冰河岬 MAP/P377-C3

公園內有一座360度的展望台。半圓頂就在眼前，遠處與內華達山脈的尾端相連，腳下可見小小的優勝美地山谷，標高差距有992m。到展望台需走步道3～4小時，搭巴士約1小時，也有許多人搭巴士登山，再徒步下來。除非是滑雪，不然只有夏天才適合登頂。

●區域代碼..........優勝美地國家公園☎209
●優勝美地的交通......如果利用大眾運輸工具，則以馬塞德Merced做為據點。由馬塞德（巴士總站發車，會經過美國國鐵車站）到優勝美地山谷，有VIA ADVENTURES /GRAY LINE全年無休（☎1-888-727-5287）。單程US$10，來回US$20。夏季也有佛瑞司諾Fresno發車的巴士（需時3小時）
（2003年5月資料）

| 7:00 8:45 10:30 | 馬塞德 | ↓ | 19:22 22:22 |
| 9:45 11:48 13:10 | 優勝美地 | 17:15 19:45 |

●馬塞德的交通（班次與票價因季節不同有所變動）
🚌由舊金山搭灰狗巴士需4小時，單程US$26.25（崔明碑Transbay車站發車，7:15、9:45、14:35、17:10、18:30）
🚃由舊金山搭國鐵需4小時，單程US$25～30（6:35、5:55、12:04、14:00、16:45，在愛莫利維雷Emeryville車站換車）
✈由舊金山（機場北航站87A）搭國內線（聯合快捷United Express／斯開威Sky West）約40分鐘。單程US$211～（1天2～4班）
※從洛杉磯到佛瑞斯諾班次較多，約30分鐘一班，需1小時
🚗由舊金山取道⑧⓪、⑤⑧⓪、⑨⑨號公路約190km，3小時。再走⑫⓪號公路可前往優勝美地，約150km。馬塞德的租車公司有艾德租車（AIDE-RENT-A-CAR☎722-8084）等。機場內沒有設櫃檯，但有專車接送。佛瑞斯諾的機場則有5家租車公司進駐。
●優勝美地旅遊團......從舊金山每天出團（奧克蘭也有出團，但有些季休），當天來回或三天兩夜的行程都有。主要的旅行社如下：
加州豪華旅行社California Parlor Car Tours

☎ 415-474-7500
灰線旅遊公司Gray Line
☎ 1-888-428-6937（免付費）
JTB舊金山分店
☎ 415-357-4640
JTB拉斯維加斯分店
☎ 702-893-4040

❓優勝美地村旅遊服務中心
Yosemite Valley Visitor Center
優勝美地村內 MAP P377-C3 ☎ 372-0299
另外還有三個旅遊服務中心，開放時期、時間各異。
瓦窪那旅遊服務中心❓Wawona Information Station（公園南部）MAP P376-B3
大橡樹旅遊服務中心❓Big Oak Flat Information Station（公園西部）MAP P376-A2
土歐魯米草原旅遊服務中心❓Tuolumne Meadows Visitor Center（公園東部）MAP P377-C2
●郵局Main Post Office
優勝美地村內 MAP P377-C3
⏰ 8點30分～17點（週六10～12點）休週日
卡利弗山莊、優勝美地小屋、瓦窪那、土歐魯米草原內也有郵局，營業時間各異
●優勝美地診所Yosemite Medical Clinic
優勝美地村東側 MAP P377-C3 ☎ 372-4637
⏰ 8～17點休無（急症24小時）
鄰近也有牙醫診所（☎372-4637）
●加油站Gas Station
園內周邊共有四處 MAP P376-377
優勝美地村內無加油站，但有汽車修理廠（☎372-8320）

*Yosemite Falls*

# 優勝美地瀑布 MAP/P376-B2

　　為優勝美地許多瀑布中氣勢最磅礡之瀑布，高度落差稱世界第五位（尼加拉瓜瀑布的15倍）。由旅遊服務中心散步到瀑布底下是個不錯的路線，腳力好的人可試著走到瀑布的頂端。

大自然偉大的景觀令人嘆為觀止

🔍 接駁巴士第七站附近的停車場，或離停車場400m的橋上眺望的景觀最美（初夏以外季節水量少，要注意）。

●世界落差十大瀑布

| Angel Falls（委內瑞拉） | 979m | Espelandsfoss（挪威） | 703m |
| Tugela Falls（南非） | 948m | Østre Mardalsfossen（挪威） | 655m |
| Utigordsfossen（挪威） | 800m | Sentinel Falls（優勝美地）610m |
| Mongefossen（挪威） | 774m | Cuquenan Falls（委內瑞拉） | 610m |
| Yosemite Falls（優勝美地）739m | Sutherland Falls（紐西蘭） | 580m |

默賽德與優勝美地山谷之間往返的VIA巴士

優勝美地的空中大門——默賽德機場

*Mariposa Grove*

# 瑪麗波沙水杉林區 MAP/P376-B3

　　巨大的水杉Sequoia森林。其中最大且最老的水杉名為灰熊Grizzly Giant。從停車場走步道約40分鐘。也可參加神木小火車之旅Bigtrees Tram Tour（大人US$11，約1小時）。

步道中途有解說版

■瑪麗波沙水杉林區的交通
免費接駁循環巴士
夏季才有免費接駁巴士往返瓦窪那與瑪麗波沙水杉林區，9～18點。瓦窪那的末班車是16點30分到站，瑪麗波沙水杉林區的末班車則是18點到站。

## ■入園費（全年24小時可入園）

| | 費用 | 有效期間 |
|---|---|---|
| 汽車 | US$20 | 7天 |
| 巴士 | | |
| 徒步 | | |
| 摩托車・ | US$10 | 7天 |
| 腳踏車等 | | |
| 優勝美地年票 | US$40 | 1年 |

有效期間內再度入園時必須出示收據，請妥善保管。出園時有時也會要求出示收據

### ■園內交通

園內的接駁巴士十分方便。有以下4條路線（☎209-372-1240），均免費
●優勝美地山谷內（全年）
●瓦窩那～瑪麗波沙水杉林區間（夏季）（參考P375）
●太歐加隘口Tioga Pass～坦那亞湖Tenaya Lake（夏季），7點～18點30分，30分鐘一班
●卡利山莊、瓦窩那、優勝美地小屋～滑雪場（冬季）
優勝美地山谷的接駁巴士7～22點，10～20分鐘發車，共停靠19個站（因季節不同會有變動）。詳細時刻表公告在旅遊服務中心、各停靠站的公告欄，或刊登在「優勝美地導覽」（YOSEMITE GUIDE），入園處皆可索取

### ■園內主要旅遊團

●溪谷旅遊團
Valley Floor Tour
參觀優勝美地山谷，約需2小時。9～16點每30分鐘在售票口前發車。大人US$20.5，兒童US$15.5
●冰河岬旅遊團Glacier Point Tour（夏季）
約需4小時。每天8點30分、13點30分發車，出發與登山巴士同（P374註）。大人US$29.5，兒童US$16.5
●豪華旅遊團
Grand Tour（6～11月）
結合冰河岬與瑪麗波沙水杉林區的旅遊團。9點由優勝美地小屋出發，約8小時，大人US$53.25，兒童US$27.50

※購票處：下列各處的旅遊櫃檯，優勝美地小屋☎372-1240、俄懷尼飯店☎372-1406、優勝美地村（春～秋）、卡利山莊☎372-8323（夏～秋）、優勝美地村的煙報攤（村莊商店內☎372-1268（春～秋）。建議前一天預先購票

### 優勝美地山谷的平均降雨量與氣溫

| 月 | 降雨量(mm) | 最高氣溫(℃) | 最低氣溫(℃) |
|---|---|---|---|
| 1月 | 157 | 9 | -3 |
| 2月 | 155 | 13 | -2 |
| 3月 | 132 | 15 | 0 |
| 4月 | 76 | 18 | 2 |
| 5月 | 33 | 23 | 5 |
| 6月 | 18 | 28 | 9 |
| 7月 | 10 | 32 | 12 |
| 8月 | 8 | 32 | 11 |
| 9月 | 23 | 30 | 8 |
| 10月 | 53 | 23 | 4 |
| 11月 | 140 | 14 | 0 |
| 12月 | 142 | 9 | -3 |

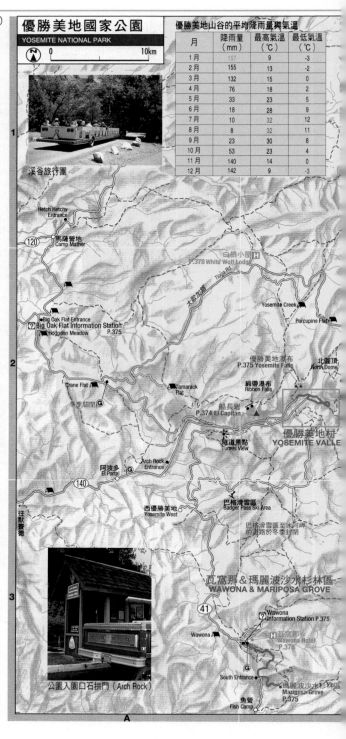

優勝美地國家公園
YOSEMITE NATIONAL PARK
0　　　　　　10km

溪谷旅行團

公園入園口石拱門（Arch Rock）

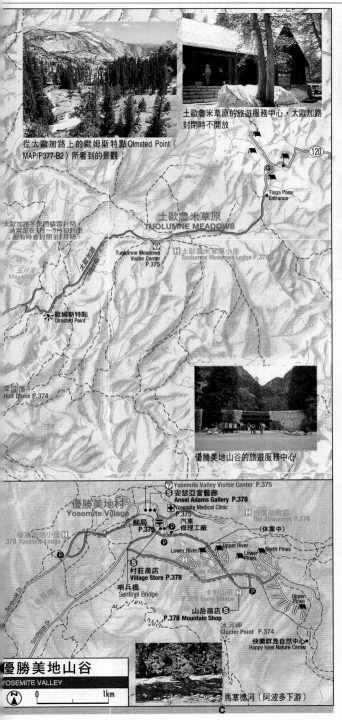

從太歐加路上的歐姆斯特點Olmsted Point（MAP/P377-B2）所看到的景觀

土歐魯米草原的旅遊服務中心，太歐加路封閉時不開放

太歐加路冬季因積雪封閉，通常是在11月～6月初封路，但有時會封閉到7月初

五月湖
May Lake

土歐魯米草原
TUOLUMNE MEADOWS

120

Tioga Pass
Entrance

土歐魯米草原小屋
Tuolumne Meadows Lodge P.378

Tuolumne Meadows
Visitor Center
P.375

歐姆斯特點
Olmsted Point

半圓頂
Half Dome P.374

優勝美地山谷的旅遊服務中心

Yosemite Valley Visitor Center P.375
安瑟亞當畫廊
Ansel Adams Gallery P.378
Yosemite Medical Clinic

優勝美地村
Yosemite Village

郵局
P.375

汽車
修理工廠

優勝美地小屋
378 Yosemite Lodge

俄候尼飯店
The Ahwahnee P.378

Lower River
Upper River
Lower
Pines
North Pines

村莊商店
Village Store P.378

House Keeping Camp

哨兵橋
Sentinel Bridge

卡利山莊
P.378 Curry Village

Upper
Pines

山岳商店
P.378 Mountain Shop

冰河岬
Glacier Point P.374

快樂群島自然中心
Happy Isles Nature Center

優勝美地山谷
YOSEMITE VALLEY

0    1km

馬塞德河（阿波多下游）
C

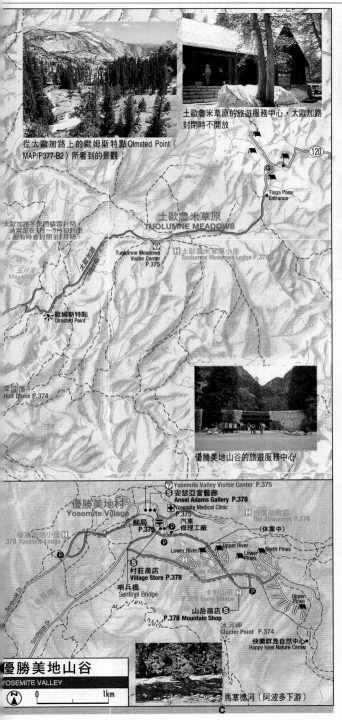

■優勝美地的活動

●登山健行
優勝美地有許多自然步道，距離、難易度也各異。遊客可依時間、體力、技術及經驗來選擇，若是1天以上的行程得先登記。優勝美地村的荒野中心Wilderness Center可受理登記，☎372-0740，步道地圖也可索取

●騎自行車
優勝美地小屋（全年☎372-1208）、卡利山莊（夏季☎372-8319）有出租自行車。營業時間依季節而不同，夏季為8點30分～17點。優勝美地山谷有12km以上的自行車道，可在旅遊服務中心確認路線，並注意勿騎入步道及草地內

●騎馬
氣候或步道的狀況佳時騎馬也是不錯的選擇。優勝美地山谷、瓦窩那的春～秋、土歐魯米草原等，夏季各有2小時（US$40）、半天（US$55）及1天（US$80）的行程。☎372-8348（廠舍）

●攀岩
優勝美地登山學校（卡利山莊）於春～秋季有開初級到高級的課程。☎372-8344

●泛舟
7～9月是泛舟旺季，卡利山莊內的泛舟出租站（Raft Rental Stand）（☎372-8341）提供船、救生衣等全套裝備。優勝美地山谷默賽德河Merced River的5km行程為US$13.5。瓦窩那的麥賽德河南支流亦可泛舟。園外的阿波多 El Portal到下游的麥賽德河有數家旅行社提供泛舟行程

●滑雪
巴格滑雪區
Badger Pass Ski Area
（MAP/P377-C3）
開放時間11月中旬～4月，9點～16點30分，可體驗越野滑雪。越野滑雪中心Cross-Country Ski Center☎372-8444

離旅遊服務中心10分鐘路程處的村莊商店（MAP/P377-C3）

卡利山莊內的帳棚小屋（MAP/P377-C3）

**優勝美地預約服務處**
5410 East Home Ave. ,Fresno
☎ 559-252-4848
FAX 559-456-0542（預約專用）
時間 8～17點

**優勝美地露營總服務處**
National Park Service Camp Grounds Office
☎ 372-8502
時間 車子可直接入內的營地有13處（總數為1479），但只有4個營地全年開放，6～9月幾乎都有開放。
餐費 1晚US$18（優勝美地山谷）
MAP P376～377
預約 國家公園預約系統（The National Park Reservation System, NPRS）
P.O.BOX 1600 Cumberland, MD 21502（從美加預約）
☎ 1-800-436-7275（免費）
〈國際電話專用〉
☎ 301-722-1257
時間 7～19點
有的露營地不提供預約服務，旺季時建議遊客先預約比較安心。每月15日起受理1個月至5個月內的預約。另外，除指定地外不得隨意露營。

🍴**餐**廳 🛍**購**物

飯店或小屋均有餐飲處，此外優勝美地村及對岸的卡利山莊Curry Village內也有飲食店，禮品店亦同。食材等可在瓦窩那Wawona、克雷恩平原Crain Flat等地的商店購買。

| 瓦窩那 Wawona Hotel | 需預約，著正式服裝。☎375-6556，晚餐預約☎372-1485 MAP/P376-B3 |
|---|---|
| 小吃站 Snack Stand | 在快樂島與冰河岬也有提供簡餐。只限夏季。 |
| 村莊商店 Village Store | 優勝美地村內，有豐富的食材、雜貨等。時8～20點 MAP/P377-C3 |
| 山岳商店 Mountain Shop | 登山、露營用品店，卡利山莊內。時9～18點（秋～春季：9～17點）MAP/P377-C3 |
| 安瑟亞當藝廊 Ansel Adams Gallery | 優勝美地第一位攝影家安瑟亞當的相關書籍、卡片外，也販售底片、藝品等。位於優勝美地旅遊服務中心隔壁。時9～18點（秋～春季9～17點）MAP/P377-C3 |

🛏**住**宿　從高級飯店到帳棚小屋有多種選擇。由於遊客增加房間增建不及，常是爆滿的狀態。開車來的遊客可選擇公園外的汽車旅館。下列七個園內的旅館都可在優勝美地預約服務處Yosemite Concession Service，YCS預約。一年之內至前一天為止皆受理預約登記。

| | 住宿 | 費用（旺季，大人一人）/MAP | 營業 |
|---|---|---|---|
| 優勝美地山谷內 | 卡利山莊 Curry Village | US$59（帳棚小屋）～US$112（西式客房）MAP/P377-C3 | 全年 |
| | 豪華營 Housekeeping Camp | US$58/MAP P377-C3 | 夏季 |
| | 優勝美地小屋 Yosemite Lodge | US$118～143（洋室）MAP/P377-B3 | 全年 |
| | 俄懷尼飯店 The Ahwahnee | US$348～1079（洋室）MAP/P377-C3 | 全年 |
| 山谷外 | 瓦窩那飯店 Wawona Hotel | US$93～200.80（洋室）MAP/P376-B3 | 全年 |
| | 白狼小屋 White Wolf Lodge | US$59（帳棚小屋）MAP/P376-B2 | 夏季 |
| | 土歐魯米草原小屋 Tuolumne Meadows Lodge | US$63.50（帳棚小屋）MAP/P377-C2 | 夏季 |

※兩人以上每增一名加收US$9.25～20.5，依季節有不同折扣。卡利山莊內附設廚房的豪華營，四人房US$58，4～10月開放

俄懷尼飯店The Ahwahnee成立於1927年，是園內最高級而優雅的飯店，建築物的外觀與周圍的景觀融為一體。

瓦窩那飯店Wawona Hotel於1870年開始營業，維多利亞風的白堊建築，是園內最具歷史的飯店。

# 太浩湖

美國原住民的語言是「薄如鏡」之意，太浩湖位於加州與內華達州的州界處，其透明度世界知名，鈷藍色的湖面與四周覆蓋著皚皚白雪的群山形成美景。為北加州最大的景觀度假區，夏季的高爾夫、水上運動，冬季的滑雪，甚至也有賭場可小玩兩把，全年遊客如織。

南太浩湖市的觀光資訊

**太浩湖**
**一點靈**

有名的觀光景點是加州境內湖邊的南太浩湖市South Lake Tahoe及太浩市Tahoe City兩個城鎮。南太浩湖市位於湖的南端，沿著⑤⓪公路有許多的度假飯店及汽車旅館，而且靠近內華達側有賭場街，因此初次來訪的遊客可以選定這個城鎮落腳。滑雪場多集中在太浩市周圍。太浩湖的交通以租車最方便，太浩電車Tahoe Trolley（☎530-587-7451）以太浩市為中心，行駛湖的西北側地區；旅程巴士STAGE（☎530-542-6077）行駛南太浩湖市周邊地區。由於班次不多，要先確認時刻。

●區域代碼.........加州530、內華達775
●前往太浩湖的交通......🚗自舊金山可取⑧⓪州際公路或⑤⓪公路約4小時。逢週末高速公路會塞車要注意。🚌由舊金山出發可搭灰狗巴士約5小時，1天3班，US$29.50。南太浩湖市靠近內華達州處的比爾賭場Bill's Casino內有小停車站

南太浩湖市商業總會South Lake Tahoe Chamber of Commerce3066 Lake Tahoe Blvd.
☎ 530-541-5255
時間 9～17點 休週日
此外，在太浩湖等湖畔的主要城鎮設有旅遊服務中心。

## 太浩市等湖邊各城鎮均設有觀光旅遊中心

太浩湖除了有大自然的美麗景致之外，也提供各項運動。第一站先去欣賞美麗的湖面風光。從南太浩湖市開車30分鐘可達美麗的**翡翠灣**Emerald Bay。在此可乘觀光船遊湖，或開車環湖一週，約120㎞。每個港灣均有野餐區，可找一處中意的地方用餐。內華達州側的**微風港**Zephyr Cove Beach廣受年輕人青睞。高爾夫球場位於東北的**斜坡村**Incline Village（☎775-832-1150）。另外，太浩湖以其滑雪度假區最負盛名，旺季是11月底～4月底。1960年冬季奧運比賽場地的**史科谷**Squaw Valley、**樹林坡**Alpine Meadows等滑雪場就在此。

滑雪道小港Ski Run Marina出發的觀光船有5種路線。大人US$25，4～12歲的兒童US$8（附餐點）。因季節不同時間各異，每隔1小時各路線都會發出一班船。詳情請洽Lake Tahoe Cruise ☎530-541-3364

翡翠灣

天加州面的群山到了夏還留有殘雪

面湖的大使度假酒店Embassy Vacation Resort。901 Ski Run Blvd., South Lake Tahoe ☎530-541-6122，US$99～。飯店的西側是觀光船的渡船頭。

夕陽美景

國家公園與大自然

# 水杉及
# 國王谷國家公園

水杉巨木的清幽與國王谷岩石的肅嚴帶來截然不同的感受。車子能夠通行的只是公園西部的一小部份，其餘的都是登山者的世界。水杉國家公園內的懷特尼山Mt. Whitney（4417m）是阿拉斯加地區以外的北美大陸最高峰。

## 水杉及國王谷
一點靈

水杉國家公園與國王谷國家公園南北相鄰，入園費共用。公園入口有兩個，分別是西邊的格蘭特林Grant Grove，及南邊的亞修山Ash Mountain。沿著連結兩入口的道路有旅遊服務中心。園內雖可以開車，但是沿著步道散步更能享受自然情趣，可向旅遊服務中心人員詢問詳情。另外，要注意內華達山脈東側與這兩個公園之間並無道路相通。

●區域代碼……水杉及國王谷559
●水杉及國王谷的交通……🚗自佛瑞司諾Fresno走 ⑱⓪ 公路到巨木叢林Giant Grove（國王谷側）約1.5小時。從維沙利亞Visalia取道 ⑲⑧ 公路抵亞修山（水杉側）約1.5小時。無大眾運輸工具，可租車。

羅吉柏旅遊服務中心Lodgepole Visitor Center
Sequoia National Park
☎ 565-3782 時間 夏季8～18點、春秋季9～12點、冬季9點～16點30分 公休 冬季之週二～四

格蘭特林旅遊服務中心Grant Grove Visitor Center國王谷國家公園
☎ 565-4307 時間 夏季8～18點、春秋季8～17點、冬季9點～16點40分 公休 無

**380**

■入園費
汽車（有效期間）7天…US$10

羅吉柏旅遊服務中心往南5km處的沙曼將軍神木

🏠住宿
這兩個國家公園均遠離都市，無法當天來回。在園內有4個小屋（其中3個全年營業），可在以下的窗口統一預約。7～9月是旺季，要提早預約。
水杉及國王谷公園服務中心
Sequoia/Kings Canyon Park Service
P.O. Box 909
Kings Canyon National Park,
CA93633
☎ 335-5500
巫薩奇山莊
WUKSACH VILLAGE & LODGE
標準房約US$150
☎ 559-253-2199

水杉國家公園內共有32個巨木群集處，平均樹齡高達2700歲，其中最有名的是**沙曼將軍神木**General Sherman Tree，其樹根延伸範圍約32m，高84m。在水杉公園總是得抬頭仰

國王谷高速公路穿過美麗的溪谷，冬季因積雪而封閉。

望，不過也有景點可觀看壯麗的內華達山脈。那就是圓形巨石——**夢諾岩**Mono Rock，走400格階梯登上標高2050m的展望台，眼前全景一望無際。而在國王谷國家公園內，**國王谷高速公路**連結格蘭特林及設有山中小屋（冬季不開放）的雪松叢Cedar Grove，沿途風景變化多端，險峻山峰中有清流小溪，開車上路實為一大享受。

🔍想近觀水杉巨木可選沙曼將軍神木附近的會議步道Congress Trail，約1小時。

夢諾岩位於沙曼將軍巨木南方5km處

往夢諾岩途中也有這般的隧道

# 死谷國家公園

「死谷」,地球上再也沒有其他地方更適合這個名字了。美國氣象觀測史中最高溫攝氏56.6度就出現在這個熱沙漠地帶。強烈的日照造成乾涸的鹽湖、沙丘及寸草不生的廣大平原。這裡的景觀會讓人感受到大自然嚴苛的一面。

**死谷國家公園**
一點靈

南北細長的死谷國家公園入口有東邊拉斯維加斯側的4個,及西邊一個。旅遊服務中心位公園中央,主要景觀多集中在公園南邊,但由於各景點之間距離遙遠,最好要留有充裕的時間。若是1天的行程,可從拉斯維加斯當天來回,參觀幾個主要景點。7、8月白天溫度接近50度,要準備充分的飲水。

煉爐溪旅遊服務中心Furnace Creek Visitor Center,為死谷唯一的旅遊服務中心。

● 區域代碼......死谷760
● 前往死谷的交通......從拉斯維加斯出發約3.5小時。一般是沿著⑨⑤公路往西北,再從㉛⑺、㉛⑺、⑲⓪公路入園。或走⑮公路往南,從⑯⓪、㉜⑺、⑰⑹號公路由東南進入公園,沿途景觀最美。無大眾運輸工具,可租車(→P44)

❓ 煉爐溪旅遊服務中心暨博物館Furnace Creek Visitor Center & Museum Death Valley National Park
☎ 760-786-3200
時間 8~18點 休無
旅遊服務中心內附設博物館,內有展示及解說當地的自然生態。附近有餐廳及加油站。

■入園費
汽車(有效期間)7天⋯US$10
公園入口處無收費站者可在旅遊服務中心買票

光線明暗對照形成的沙丘美景

值得一遊的景點有**丹提斯景**Dantes View及**惡水**Bad Water,就算行程再緊湊,這兩處也絕不能錯過。由⑲⓪公路進入死谷,沿路標直接往丹提斯景前行。從標高1,669m的高度往下望去,教人不寒而慄。回到⑲⓪公路往**則布瑞司基點**Zabriskie Point,可眺望1,000萬年前湖沙的沙石所堆積成色彩鮮豔的岩石層。之後可順道去旅遊服務中心,若時間不夠,直接由⑰⑻公路到惡水。位於海平面下85m,雪白的鹽湖底因乾涸可行走於上。這裡為死谷最熱之處,不可久留。返回⑰⑻公路,往**惡魔高爾夫球場**Devil's Golf Course,最後再去**沙丘**Sand Dune,這些都是死谷的幾個主要景點。

⑲⓪公路往西沿途美景不斷。如果時間充裕,可到孤松Lone Pine,該處有不少的汽車旅館。

泥鹽混雜乾涸而成的惡魔高爾夫球場,只有惡魔才有辦法在這種環境下打高爾夫球吧。往西南4km處為美國最低點,海平面下86m。

旅遊服務中心南方約30km的惡水

日出日落都是美景──則布瑞司基點。太陽光產生色彩的變化令人驚嘆。

# 大峽谷國家公園

科羅拉多河之川流不息，將亞利桑那壯麗的大地切削形成大峽谷國家公園。長達450km的大溪谷，不僅是美國、也是全世界最具代表的自然美景。裸露的岩層可讀到地球17億年歷史的三分之一。其規模之雄大、壯麗，任誰見了都不禁嘆為觀止。搭飛機從空中鳥瞰、走自然步道、從科羅拉多河泛舟而下等活動，都能讓人體驗到大峽谷之美。1天往返的行程是不夠的，這裡的大自然要用心體會與享受。

## 大峽谷
一點靈

大峽谷被溪谷切割，分成北緣North Rim、南緣South Rim兩大區域。多數遊客會去離機場近的南緣，其中心為**大峽谷村Grand Canyon Village**。村內除旅遊服務中心之外，小屋、餐廳等設施也十分完善。主要的景點分布在以村為中

旅遊服務中心可查日出日落的時間

上：大峽谷村的旅遊服務中心

右：公園內發行的報紙「THE GUIDE」提供豐富的資訊，可在入園處免費索取。

心，**東緣East Rim**到**西緣West Rim**的溪谷。村莊的周圍以及村莊西側到西緣一帶有免費的接駁巴士，沒開車的遊客可充分利用。而直線距離才25km的南緣與北緣，因溪谷分隔而不得不迂迴前行，其距離達330km，冬季封閉，不適合觀光。

## 崖邊步道Rim Trail走一回

大峽谷村到西緣鋪設有崖邊步道（MAP/386-387），亞瓦派點Yavapai Point到隱士休息站Hermit's Rest約15km。這路線也有接駁巴士，因此可視自己的狀況善加利用。溪谷內部是沙漠氣候，記得攜帶足夠飲水。

步道未設欄杆，注意不要靠近崖邊。

利用步道應注意事項的公告欄

有崖邊步道行走方便

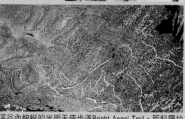
溪谷內蜿蜒的光明天使步道Bright Angel Trail，距科羅拉多河Colorado River約15km。當天往返十分吃力，勿輕易嘗試。

●區域代碼…大峽谷國家公園☎928
●前往大峽谷的交通…✈️ 從拉斯維加斯或洛杉磯均有飛機往大峽谷，因為小型飛機，航班次與票價要先與航空公司確認。拉斯維加斯的班次較多，1天約有10班，飛行時間約1小時。主要航空公司如下。

Air Vegas
☎ 1-800-255-7474
Vision
☎ 1-800-256-8767
Scenic Airlines
☎ 1-800-387-9032

大峽谷的機場在土賽恩Tusayan，位大峽谷村南方，車程40分鐘。從機場到大峽谷村有免費接駁巴士。🚌在旗竿市Flagstaff有停靠站。拉斯維加斯或洛杉磯也有灰狗巴士往返。從此地到大峽谷村有北亞利桑那接駁巴士Northern Arizona Shuttle Tours, Inc.（ ☎928-773-4337）。從旗竿市機場內的流服務中心發車。搭車時要付入園費單程US$25、來回US$45。

8:45 旗竿市，旅遊服務中心
10:20 大峽谷國家公園瑪斯維格村（Maswik Lodge）
4:30 大峽谷國家公園瑪斯維格村（Maswik Lodge）
6:15 旗竿市，旅遊服務中心

🚗 從拉斯加斯走⑲公路往東南、轉㊵公路向東、再走㉔公路往北，約需6小時。
●大峽谷旅遊團…從拉斯維加斯出發有各種旅行團，但冬季出團數少，要注意。
JTB拉斯維加斯分店☎ 702-893-4040、1-800-371-4040（免付費）

**❓ 旅遊服務中心**
Visitor Center
大峽谷村內（MAP/386-B2）
☎ 638-7888
時間 8〜21點 休 無
另外有兩個旅遊服務中心，營業時間各有不同。
沙漠景觀旅遊服務中心
❓Desert View Information Center（公園東部）
北緣旅遊服務中心
❓North Rim Visitor Center（公園北部）
●郵局Post office
☎ 928-638-2521
大峽谷村內MAP/386-B2
時間 9點〜16點30分（週六11〜15點）休 週日
（大廳設有蓋郵戳的自動販賣機，5〜22點）
●南緣診所The South Rim Clinic
大峽谷村內MAP/386-B2
☎ 638-2551
時間 9〜18點（週六10〜14點）休 週日（急診24小時）
附近有牙科診所（☎638-2395）、藥局（☎638-2460）
●加油站Gas station
公園內有三處，MAP/385-B3、C3、386-B2。公園外最近的加油站在土賽恩。大峽谷村內有汽車修理廠：佛來德海維Fred Havey Garage（☎638-2631，24小時）。

---

*Grand Canyon Village*……………………………………………………

# 大峽谷村 MAP…P385-B3

周邊主要景點有**亞瓦派點**Yavapai Point（MAP/386-B1）、**展望台畫室**Lookout Studio（MAP/386-B2）。南緣地區內這兩個景點路線輕鬆，若體力還不錯，可利用崖邊步道從亞瓦派點走到展望台畫室，全長約2.4km。漫步中遠眺高低落差超過1000m的溪谷，約2小時可走完全程。

往亞瓦派點可搭乘「鄉村」接駁巴士Village Roop，從旅遊服務中心往東約2km。

🔍 展望台畫室供應望遠鏡（25¢），可清楚看見裸露岩石之肌理。位於北緣崖邊的大峽谷小屋也看得見。

由展望台畫室遠眺的景觀。在展望台畫室也有禮品店（9〜17點，隨季節而異，無休）。

步道上出現可愛的栗鼠，食物小心被咬，若不幸被咬傷請速速聯絡公園管理處☎638-2477。

從亞瓦派點可看到被夕陽染紅的大峽谷

■入園費（全年24小時可用）

| | 費用 | 有效期間 |
|---|---|---|
| 汽車 | US$20 | 7天 |
| 巴士<br>徒步<br>摩托車<br>腳踏車等 | US$10 | 7天 |
| 大峽谷年票 | US$40 | 1年 |

有效期間內再度入園時必須出示收據，要妥善保管。出園時也有可能要求出示收據。

■園內交通

公園內有免費的接駁巴士 Trans Canyon shuttle

☎928-638-2820，路線如下：

●大峽谷村 Village Route（需時60分鐘）6點30分～22點（12～2月：～21點、5～9月：～23點）

●隱士休息站 Hermit's Rest Route（需時90分鐘）7點30分～日落

●開伯步道 Kaibab Trail Route（需時20分鐘）（每30分鐘一班）詳細時刻表刊登在「公園導覽」（THE GUIDE），入園處可索取。

巴士車前方標有路線名稱，上車前要確認清楚。

車內禁止飲食，到站前會廣播。

上：接駁巴士的候車亭<br>下：停站地點都會標示

VILLAGE LOOP<br>AND<br>YAKI POINT/<br>SOUTH KAIBAB<br>SHUTTLES<br>STOP HERE

# 大峽谷國家公園
## GRAND CANYON NATIONAL PARK

0      10km

北緣最有人氣的景點：光明天使點 Bright Angel Point（MAP/385-B2）

岩石紋路因陽光的照射而呈現多樣色彩

土賽恩內除了5家汽車旅館外，還有餐廳、禮品店。開車來的遊客可選擇在此投宿。往返機場與大峽谷村的接駁巴士也有經過這裡，但班次不多。

大峽谷機場，是空中觀光行程的出發點。

### 南緣的平均降水量與氣溫

| 月 | 降雨量<br>（mm） | 最高氣溫<br>（℃） | 最低氣溫<br>（℃） |
|---|---|---|---|
| 1月 | 34 | 5 | -8 |
| 2月 | 39 | 7 | -6 |
| 3月 | 35 | 10 | -4 |
| 4月 | 24 | 15 | 0 |
| 5月 | 17 | 21 | 4 |
| 6月 | 11 | 27 | 8 |
| 7月 | 21 | 29 | 12 |
| 8月 | 57 | 28 | 12 |
| 9月 | 40 | 24 | 8 |
| 10月 | 28 | 18 | 2 |
| 11月 | 24 | 11 | -3 |
| 12月 | 41 | 6 | -7 |

Muav Canyon

下雨時關閉

沙布萊姆點<br>Point Sublime

P386～387

西緣<br>P.386 WEST RIM<br>有接駁巴士行駛

A

公園管理處舉辦的免費講習資訊，旅遊服務中心都會公佈。

**■大峽谷的活動**

**●健行**

最有人氣的是崖邊步道及光明天使步道。光明天使步道路程崎嶇，記得帶足夠的飲水，千萬不要逞強。上午或傍晚溪谷內部較陰涼走來比較舒服。若是一日以上的行程要先登記，受理窗口是瑪斯維格運輸中心 Maswik Transportation Center內的荒野辦公室（☎638-7875）

**●空中旅遊**

可搭乘直升機或小型飛機俯瞰大溪谷。旅遊服務中心或飯店有各種廣告傳單，依個人喜好與旅行社聯絡。費用與內容各有不同，一般30分鐘的行程約US$79〜90

**●泛舟**

泛舟季節是3月中旬〜11月。同樣地，挑選自己中意的旅行社，1天收費約US$71，也有2〜3週的正式行程

**●騎騾**

騎著馬驢交配所生出的騾，行走溪谷內的步道，是大峽谷最受歡迎的活動。1天約US$129.12（含午餐），洽☎1-888-297-2757（免費），或直接到光明天使小屋的運輸櫃檯登記。

北緣到南緣距離330km，需1天才能抵達

平常北緣的遊客不多，但逢夏季與南緣一樣遊客如織。

北緣的旅遊服務中心
North Rim Visitor Center

• North Rim Entrance

由於冬季道路關閉，北緣內的所有設施也都關閉

帝國點
Point Imperial

Nankoweap Creek

Kwagunt Creek

Colorado River

大峽谷旅館
Grand Canyon Lodge
North Rim Vister Senter

光明天使點
Bright Angel Point

Bright Angel Creek

Bright Angel Canyon

皇家角
Cape Royal

方特姆牧場
Phantom Ranch

Visitor Center

眺望台
Watch Tower

沙漠景觀點
Desert View

Desert View Information Center

大峽谷村
GRAND CANYON VILLAGE P.383

東緣
EAST RIM P.387

大景觀點
Grandview Point

Desert View Campground

East Entrance

莫朗點
Moran Point

• South Entrance

土賽恩
Tusayan

大峽谷機場
Grand Canyon Airport

64 往南緣

公園南邊的入口

180
64

↓往旗竿市

C

驛車隊的預約需提早好幾個月，等候補幾乎是不可能。

往西緣的接駁巴士，在光明天使小屋之西約100m處的候車站發車，折返點是隱士休息站，單程約45分鐘。要注意接駁巴士之去程、回程停靠站不同，此外，要注意此接駁巴士並不會進入大峽谷村。夏季行駛接駁巴士時，一般車輛禁止進入西緣

*West Rim* ..............................

# 西緣 MAP/384-B3

與東緣相較之下，西緣顯得袖珍，加上夏季有接駁巴士，因此廣受遊客喜愛。主要的景點都在大峽谷村附近，從東往西分別是：**馬利寇帕點 Maricopa Point**

被夕陽染紅的大峽谷

（MAP/386-B2）、**鮑威爾點 Powell Point**（MAP/386-A2）、**哈比點 Hopi Point**（MAP/386-A2）及**摩哈夫點 Mohave Point**（MAP/386-A2）。其中哈比點是西緣中往溪谷方向最突出的點，俯瞰下方的科羅拉多河，令人震撼。

由大峽谷村到哈比點，走崖邊步道約2.5km。

哈比點與大峽谷村東邊的亞瓦派點，都是遠眺峽谷夕陽之絕佳景點。

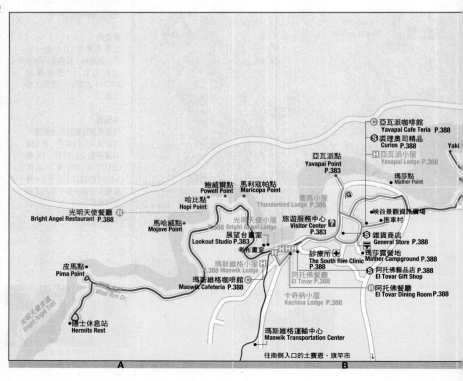

亞瓦派咖啡館
Yavapai Cafe Teria P.388

裘理奧司精品
Curios P.388

亞瓦派小屋
Yavapai Lodge P.388

瑪莎點
Mather Point

亞瓦派點
Yavapai Point P.383

Yaki

鮑威爾點
Powell Point

馬利寇帕點
Maricopa Point

雷鳥小屋
Thunderbird Lodge P.388

哈比點
Hopi Point

光明天使餐廳
Bright Angel Restaurant P.388

馬哈威點
Mojave Point

光明天使小屋
Bright Angel Lodge

旅遊服務中心
Visitor Center P.383

峽谷觀資訊廣場
拖車村

展望台畫室
Lookout Studio P.383

考布畫室

診療所
The South Rim Clinic
P.388

雜貨商店
General Store P.388

瑪莎露營地
Mather Campground P.388

皮馬點
Pima Point

瑪斯維格小屋
Maswik Lodge

阿托佛餐廳
P.388

阿托佛藝品店
El Tovar Gift Shop P.388

阿托佛餐廳
El Tovar Dining Room P.388

瑪斯維格咖啡館
Maswik Cafeteria P.388

卡奇納小屋
Kachina Lodge P.388

West Rim Dr.

隱士休息站
Hermits Rest

光明天使步道
Bright Angel Trail

瑪斯維格運輸中心
Maswik Transportation Center

往南側入口的土賽恩、旗竿市

A                                    B

## East Rim
# 東緣 MAP…P385-C3

從大峽谷村到公園的東邊入口，沿著東緣道路East Rim Dr.有數個景點。由西向東分別是：亞基點Yaki Point（MAP/386-B1）、大景觀點Grandview Point（MAP/387-D2）、莫朗點Moran Point（MAP/385-C3）及位於公園最東、也最主要的沙漠景觀點Desert View（MAP/385- C3），雖然交通不便，但絕對有參觀價值。

沙漠景觀點內的眺望台Watch Tower，是美國原住民留下來的遺跡修復而成。沙漠景觀點內有旅遊服務中心（9～18點，無休）、小咖啡館（冬季休）

🔍 沙漠景觀點因西側溪谷開闊，晨間的太陽值得觀賞，最好是來看日出。

■前往東緣的交通
東緣無接駁巴士，可參加巴士旅行團參觀各景點，從沙漠景觀點折返共約4小時。可向各飯店櫃檯旁的運輸Transportation櫃檯登記。
費用 US$28

大景觀點上遠望的景色（2256m）。大峽谷各個景觀點標高皆超過2000m。

沙漠景觀點離大峽谷村有40km

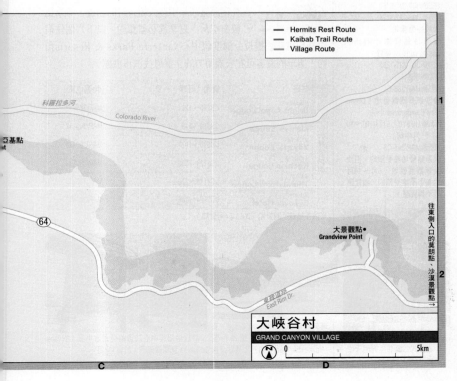

— Hermits Rest Route
— Kaibab Trail Route
— Village Route

科羅拉多河
Colorado River

亞基點

64

大景觀點
Grandview Point

往東側入口的莫朗點、沙漠景觀點→

東緣道路
East Rim Dr.

大峽谷村
GRAND CANYON VILLAGE

0 5km

C D

雜貨商店General Store除了食品之外，露營用品也一應俱全（MAP/386-B2），東邊有郵局。

瑪斯維格咖啡館Maswik Cafeteria

**香提拉公園度假中心**
Xanterra Parks & Resorts
☎ 303-297-2757
FAX 303-297-3175
**大峽谷露營地**
● 瑪莎露營地（Mather Campground）（南緣）
☎ 301-722-1257
費用 US$15
MAP MAP/386-B2
● 沙漠景觀露營地（Desert View Campground）
費用 US$10（5月中旬～10月中旬）
MAP MAP/385-C3

瑪莎露營地接受預約，但沙漠景觀露營地（5月～10月中旬）不接受預約。指定區外不得露營。

# 🍴餐廳 🛍購物

住宿飯店內幾乎都有餐廳或咖啡館。兩家禮品店內售有工藝品。在雜貨商店買三明治帶在身上，在遊各景點時可果腹充飢。

裘理奧司精品Curios。MAP/386-B2。

| 光明天使餐廳<br>**Bright Angel Restaurant** | 家庭式餐廳。費US$10～20，時6點30分～10點45分，休無/MAP/386-B2 |
|---|---|
| 阿托佛餐廳<br>**El Tovar Dining Room** | 晚餐需預約。☎638-2631EX6432，時6點30分～11點、11點30分～14點、17～22點，休無 MAP/386-B2 |
| 瑪斯維格咖啡館<br>**Maswik Cafeteria** | 費US$3～6，時6～22點，休無。有休息室、運動中心，時11～22點 MAP/386-B2 |
| 亞瓦派咖啡館<br>**Yavapai Cafe Teria** | 位亞瓦派小屋內。費US$4.5～8，時6～20點，休無 MAP/386-B2 |
| 雜貨商店<br>**General Store** | 從礦泉水、啤酒到露營用具等應有盡有。時8～20點休無 MAP/386-B2 |
| 裘理奧司精品<br>**Curios** | 亞瓦派小屋內的禮品店，工藝飾品種類繁多。時8～21點休無 MAP/386-B2 |
| 阿托佛製品店<br>**El Tovar Gift Shop** | 販賣美國原住民風味的珠寶，手工藝品。時7～22點休無 MAP/386-B2 |

# 🛏住宿

住宿設施多集中在大峽谷村的西邊，冬季比較有空房，夏季就必須預約。以下六個住宿設施均可在香提拉公園度假中心Xanterra Parks & Resorts預約。開車的遊客可在公園南方的土賽恩找汽車旅館。

| 住宿 | 費用（旺季，一房） | 地圖位置 |
|---|---|---|
| 光明天使小屋<br>**Bright Angel Lodge** | US$50～126 | MAP/386-B2 |
| 瑪斯維格小屋<br>**Maswik Lodge** | US$76～118 | MAP/386-B2 |
| 亞瓦派小屋<br>**Yavapai Lodge** | US$90～102 | MAP/386-B2 |
| 卡奇納小屋<br>**Kachina Lodge** | US$124～286 | MAP/386-B2 |
| 雷鳥小屋<br>**Thunderbird Lodge** | US$116～226 | MAP/386-B2 |
| 阿托佛飯店<br>**El Tovar Hotel** | US$124～286 | MAP/386-B2 |

（左欄縱書）大峽谷村內

※依季節有不同折扣（2003年4月資料）

小木屋式的飯店：光明天使小屋Bright Angel Lodge

瑪斯維格小屋（Maswik Lodge）有250個房間，那娃哈比旅行團（Nava-Hopi Tours）的巴士就在此飯店前出發。

位於旅遊服務中心南邊的亞瓦派小屋（Yavapai Lodge），房間數最多，計有358間。

# 峽谷圓環

從亞利桑那州北部到猶他州南部的廣闊大地，處處是自然雕琢的景物。其中最為顯著的是包圍著鮑威爾湖形成一個半徑230km的峽谷圓環。烈日、雷雨與冰雪雕刻出來天然藝品，眼見不足為信。

### 峽谷圓環
一點靈

想要有效率地走過寬廣無邊的峽谷圓環，就得先擬好周全的計劃。一個國家公園只花數個小時是不夠的，如果時間允許，最少也要停留1天以上，利用步道等享受大自然之美。開車是最方便的交通工具，不過有時參加旅行團反而節省時間。若想走過數個國家公園，建議從拉斯維加斯出發，以畫圓狀前進。7、8月是旺季，要提前預約。公園內找不到住宿者，可到附近的城鎮尋找，隨機應變十分重要。冬天淡季時有的飯店會休息，有的則會大打折扣。冬天不僅氣溫低、有時還會因為下雪而造成步道無法通行。

未經人工雕琢的巨岩聳立。錫安國家公園的西殿峰West Temple。

國家公園適合全家出遊

貫穿峽谷圓環的科羅拉多河

389
峽谷圓環

## 峽谷圓環
GRAND CIRCLE

0　　　　100km

往鹽湖市

綠河
Green River

石拱國家公園
Arches National Park
P.394

摩阿布
Moab

死馬點州立公園
P.394 Dead Horse Point State Park

峽谷地
國家公園
Canyonlands
National Park
P.394

大陷礁
國家公園
Capitol Reef
National Park

天然橋國家公園
Natural Bridge
National Monument

布萊斯峽谷國家公園 P.391
Bryce Canyon National Park P.391

錫安國家公園
P.390 Zion National Park

喜達市
Cedar City

鮑威爾湖
Lake Powell P.392

紀念碑山谷
Monument Valley P.393

格蘭峽谷國家娛樂區
Glen Canyon National
P.392 Recreation Area

聖喬治
St.George

春谷鎮
Springdale

卡那鎮
Kanab

彩虹橋
國家公園
Rainbow Bridge
National Monument

佩吉鎮
Page

卡恩塔
Kayenta

拉斯維加斯
Las Vegas

北緣
North Rim

大峽谷
國家公園
Grand Canyon National Park

德切利峽谷國家公園
Canyon De Chelly
National Monument

胡佛水壩 P.366
Hoover Dam P.366

大峽谷村
Grand Canyon Village

往阿爾帕加基

米德湖國家娛樂區
Lake Mead National
Recreation Area

P.384～385

往洛杉磯

金格曼
Kingman

威廉斯
Williams

旗竿市
Flagstaff

加拉普
Gallup

A　　　　　　　　B　　　　　　　　C

■前往錫安的交通

從拉斯維加斯出發
走⑮公路北上上，再轉⑨
公路向東，可抵錫安峽谷，
約4小時。若要去科羅布峽
谷，則走⑮公路一直往
北，在40號出口下公路，約
3.5小時。要記得與拉斯維
斯有1小時的時差。公園內
無大眾運輸工具，可利用免
費的接駁巴士來往各景點。
依時間帶不同，每隔10~30
分鐘發車。

●春谷接駁巴士
（Springdale Loop）
**時間** 5點30分~23點

●錫安峽谷接駁巴士
（Zion Canyon Loop）
**時間** 5點45分~23點

■入園費

汽車（有效期間）7天…
US$20

錫安國家公園年票
Zion National Park Pass（有效
期間1年）…US$40

錫安峽谷旅遊服務中心
②Zion Canyon Visitor Center
☎ 435-772-3256（24小時）
**時間** 8~19點（冬季~17
點）**休**無

科羅布峽谷旅遊服務中心
②Kolob Canyons Visitor Center
☎ 不公開
**時間** 24小時 **休** 無

**住宿**

園內的住宿設施只有一個小
木屋，旅遊服務中心附近有
兩個露營區（US$14~16），
不接受預約。錫安峽谷入口
前的春谷鎮Springdale有數家
汽車旅館。如果連這裡也客
滿，就得到聖喬治St. George
去找了。

全年開放的錫安小屋，附設
餐廳。
☎ 435-772-3213
**費用** US$107~

■錫安小屋預約

香提拉公園度假中心
Xanterra Parks & Resorts
☎ 303-297-2757、
1-800-287-2757
長12km的錫安峽谷景觀路
線，沿途絕妙景色不斷。

# 錫安國家公園 MAP/P389-B1

從拉斯維加斯當天可往返之外，錫安也是峽谷圓環中僅次於
大峽谷的人氣公園。
遊大峽谷都是由上往
下俯瞰，而錫安則反
之。氣勢震天的巨岩
高聳入雲。公園大致
分為北部的科羅布峽
谷Kolob Canyons與
南部的錫安峽谷
Zion Canyon，各
有旅遊服務中心。要
注意這兩個景點之間

往錫安峽谷之路，正面映入眼簾的是高聳的處女之塔
Tower of the Virgin。由旅遊服務中心後門看到這巨岩令
人懼震。

並無道路相通。主要的景觀多集
中在錫安峽谷，沿著貫穿公園南
北的維琴河Virgin River的**錫安
峽谷景觀路線**Zion Canyon
Scenic Dr.上。公園內唯一的住
宿設施──錫安小屋Zion Lodge
也在這條路線上。這路線止於西
納威殿Temple of Sinawava，
接下來則是沿著維琴河往北延伸
的河邊小徑Riverside Walk，長
約1.5km。中途小徑逐漸消失，
其實最經典的部分從這裡才開

河邊小徑連接狹道，若想走河底，球
鞋會比海灘鞋好走

始，因為接下來要走的是河中步道，稱之為**狹道**The
Narrows，夏天乾季時水深僅及膝。兩側巨岩壓頂深感壓迫，
因步道無特定行程，走一段路後要視體力折返。

若想俯瞰錫安，天使降臨Angel Landing（1765m）是個好景點，步道來回
共8km，但越往岩頂越難攀爬，不是個輕鬆的行程，需5小時。

沿⑨公路矗立的棋盤山壁群
Checkerboard Mesa，公園東
部與錫安峽谷景觀迥異。

日出點與日落點之間，廣闊的奇岩構成皇后花園Queen's Garden。

那瓦何步道的入口，回程是上坡，要掌控好體力。

*Bryce Canyon National Park*

# 布萊斯峽谷 MAP／P389-B1

　　跨過洪荒漫長時間、經過雨水河川沖刷，大自然的力量刻鑿出1000座岩柱。層層疊疊裸露出地層的奇岩，在陽光下散發出變幻的色彩，此美景堪稱峽谷圓環第一。

　　布萊斯峽谷南北長40km，為一細長形國家公園，只有一個北邊入口。主要的景觀多集中在入口處附近，旅遊服務中心也在此。與其他的公園相比，景觀集中，可以有效率的參觀。

　　俯瞰巫毒Hoodoo奇岩，有幾個重要景點，從北的**日出點**Sunrise Point、**日落點**Sunset Point、**靈感點**Inspiration Point及**布萊斯點**Bryce Point，這幾個景點除一般道路外，也以崖邊步道Rim Trail連結。從日出點到日落點約1km，可先選這條路線，如果還有體力，可再往南前進。想欣賞布萊斯峽谷的人可試通往溪谷內部的步道。以日出點為起點的皇后花園步道Queen's Garden Trail，及以日落點為起點的那瓦何步道Navajo Loop Trail最受遊客歡迎。兩者皆需2小時。兩步道在溪谷底部連結，環繞一圈剛好是1天的行程。由於岩石脆硬，非常容易崩落，注意不要遠離步道，小心為要。

從日出點與日落點都能看到布萊斯峽谷清晨與黃昏之美，因此命名之。

上：布萊斯峽谷的標高超過2000m，因此冬季常有覆雪。
左：沿⑫公路穿過的奇岩隧道，是為奇景。

■前往布萊斯峽谷的交通
從錫安出發走⑨公路往東，再接⑧公路北上，轉入⑫號公路向東後，轉63號公路往南走就是公園的入口了，約2.5小時。或從鮑爾湖走⑧公路往西北，其餘路線皆同。約4小時。

■入園費
汽車…US$20
Golden Eagle PassPort可用
**旅遊服務中心** [?]Visitor Center
☎ 435-834-5322
時間 8～20點（因季節不同而異）休 無

峽谷圓環／錫安國家公園

旅遊服務中心

觀看奇岩的景觀最佳時間是清晨與黃昏時，可在旅遊服務中心確認日出日落的時間與氣候。

住宿
園內住宿設施只有布萊斯峽谷小屋（☎303-297-2757，4～10月營業，US$92～122），預約窗口與錫安小屋同。小屋附近有兩個露營區（US$10），不接受預約。公園入口前有兩家汽車旅館。附近無大城鎮，必須到喜達市Cedar City或卡那鎮Kanab才有較多的汽車旅館。

大型遊艇聚集的華威普

格蘭峽谷國家娛樂區西南端的那瓦何橋Navajo Bridge，往下望可見科羅拉多河。大峽谷泛舟的起點就是離這裡10km的李氏渡口Lee's Ferry，中途景色極美。

## Lake Powell

# 鮑威爾湖 MAP/P389-C1

鮑威爾湖是在科羅拉多河上建造**格蘭峽谷水壩**Glen Canyon Dam而形成的湖泊，可說是世界級的人工湖，耗費17年才將整個湖注滿。複雜的溪谷結構因峽灣而更形多姿，人類無法接近

格蘭峽谷國家娛樂區內的旅遊服務中心，位於格蘭峽谷水壩旁，可詢問鮑威爾湖的相關資訊。

的自然景觀搖身一變成為全美最有人氣的水上休閒運動區。湖周圍南北長達200km的細長溪谷及沙漠區，於1972年指定為**格蘭峽谷國家娛樂區**Glen Canyon National Recreation Area。緊鄰這個區域的，有東北的峽谷地Canyonlands、西北的大暗礁Capitol Reef、南邊的彩虹橋Rainbow Bridge等公園，自然寶庫環集，真可謂峽谷圓環的中心。

鮑威爾湖的湖口位於西南方的佩吉鎮Page，格蘭峽谷水壩也在此。水壩西北9km處是水上休閒活動基地**華威普**Wahweap，彩虹橋或鮑威爾湖的觀光船也從這裡出發，購票處在華威普的碼頭。冬季是淡季，遊客稀少，觀光船也不開，非旅遊的適當時期。

### ■前往鮑威爾湖的交通
不論從錫安或布萊斯峽谷出發，都要走⑧⑨公路向南前進，約4小時。若從紀念碑峽谷出發，走⑯③公路南下，轉入⑯⑧公路往西，再走⑨⑧公路往北，約3小時。從大峽谷的南緣出發，先走⑥④公路往西，接⑧⑨公路向北，約3.5小時。無大眾運輸工具，可租車。

### ■入園費
汽車（有效期間7天）…US$5
金鷹護照Golden Eagle Passport可用

### 卡爾海登旅遊服務中心
📞 Carl Hayden Visitor Center
☎ 520-608-6404
⏰ 7～19點（冬季8～17點）休無

### ■景觀遊覽船
Scenic Cruise Adventure
☎ 520-645-1070
彩虹橋Rainbow Bridge（半天）
…US$80、需時5小時
那瓦何橋 Navajo Bridge…
US$43、需時2.5小時
羚羊峽谷Antelope Canyon…
US$27、需時1.5小時

### ☕住宿
華威普內有數家汽車旅館，有的冬季不營業。露營區（US$6）在西北5km處的孤岩道路Lone Rock Rd.盡頭，面湖，不接受預約。另外湖邊的佩吉鎮也有汽車旅館。

上：可遠眺孤岩Lone Rock的露營地
左：格蘭峽谷水壩耗費10年、1000萬噸水泥，於1966年完成。免費參觀水壩可在隔壁的旅遊服務中心申請。8點30分～16點30分每小時出發。

*Monument Valley* ·······

# 紀念碑山谷

MAP···P389-C1

《驛馬車》、《要塞風雲》等片的導演約翰福特導演所製作的一系列西部電影，或《回到未來第三集》等，多部電影或廣告中出現的場景就是紀念碑山谷。相當具有美國風，對外國人而言也是常在電影中看到的景物，卻極少人能叫出其名。紀念碑山谷位於猶他州與亞利桑那州邊界，目前是那瓦何部落公園 Monument Valley Navajo Tribal Park，由美

走近看可感受布特的氣勢，但距離太遠，無法徒步前往。

國原住民那瓦何族負責經營管理。

紀念碑山谷內的布特「Butte」原意是「平原中矗立的孤石」，往山谷內參觀可參加那瓦何族人擔任嚮導的旅行團。布特周邊皆為泥土路，多處只有四輪傳動車才過得去，有一部份的道路僅限旅行團才能通行。參加旅行團可在旅遊服務中心前停車場的購票窗口買票。窗口總共有5個，只要人數夠就出發，可選最先出發的隊伍。行程有4種，最受歡迎的是去看約翰福特常常取鏡的約翰福特點John Ford Point，沿途也參觀其他的景點。總共約需1.5小時，US$25～30，不必預約。另外，⒃⒊公路往紀念碑山谷沿途有當地居民開的藝品店，可在此買些紀念品。

冬雪覆蓋的紀念碑山谷也是美景，但多數的旅行團都暫停，要先在旅遊服務中心問清楚。

夕陽染紅了紀念碑峽谷，如果有時間，可考慮住上一晚。

■前往紀念碑峽谷的交通

🚗 由鮑爾湖出發沿 ⑱ 公路南下，轉 ⑯⓪ 公路向東，再走 ⒃⒊ 公路北上，順著路標往東走6km即可到達，約3.5小時。或從大峽谷的南緣出發，取 ⑭ 公路向東，走到盡頭接 ⑯⑨ 公路往北，再接 ⑯⓪ 公路往東，其餘的與上述路線同，約4.5小時。無大眾運輸工具，可租車(→P44)。

■入園費

8-59歲 US$2.5
60歲以上 US$1
7歲以下 免費

**那瓦何部落公園**

❓Monument Valley Navajo Tribal Park

☎ 435-727-3231

時間 7～20點（冬季8～17點）休無

旅遊服務中心旁是紀念碑峽谷的景觀之一

🛏 **住宿**

園內的住宿設施只有一個小屋，旅遊服務中心旁有露營地（營地內紮營住宿US$15～25，可開車入內，若在車內過夜只收US$10），不接受預約。往南35km處的凱淵塔Kayental）有汽車旅館。由於附近無大城鎮，從大峽谷或鮑威爾湖當天往返也行。

園內唯一的住宿設施古爾丁小屋 Goulding's Lodge，☎ 435-727-3231，US$75～。全年營業，有餐廳、禮品店及加油站。位於旅遊服務中心西邊10km處。

■前往峽谷地的交通
🚗從紀念碑山谷走⑯公路北上，接⑲公路往北，約6小時。無大眾運輸工具，可租車。

■入園費
汽車…US$10
（含石拱國家公園Arches National Park及天然橋國家公園Natural Bridges之入園費）Golden Eagle PassPort可用

旅遊服務中心
❓Visitor Center
☎ 435-719-2313
時間 8點～16點30分 休 無

■死馬點州立公園
入園費
汽車（有效期間5天）…US$15
☎ 435-259-2614
MAP P389-C1

🏕住宿
天空之島（US$5）與針山（US$10）各有露營地，但供水設備只有針山才有。兩者皆不接受預約。莫亞布周邊有B&B（提供床及早餐，Bed & Breakfast）及汽車旅館。

■前往石拱的交通
🚗從峽谷地走⑲公路北上，約1小時

## Canyonlands National Park

# 峽谷地國家公園 MAP…P389-C1

猶他州最大的國家公園，公園被科羅拉多河及綠河Green River切割而成三大區域，各區因景觀不同而被賦予其名，如北邊的「天空之島」Island in the Sky、南邊的「針山」Needles及西邊的「迷宮」Maze。三區的入口各不相同，兩河湍急的水流侵蝕而成針狀、尖塔狀、直立形的奇岩，形成一座迷宮。這裡不僅是柔性冒險旅遊Soft-Adventure的聖地，也能盡情的進行四輪傳動越野、自行車登山越野、健行或泛舟等戶外活動。科羅拉多河及綠河的泛舟，或登山越野都是從莫亞布（MAP/P389-C1）出發。眺望天空之島最佳地點是北邊的死馬點州立公園Dead Horse Point State Park（MAP/389-C1），也可從600m上空鳥瞰科羅拉多河。

參觀三個區域需要2～6小時，行前計劃要規劃詳細。

## Arches National Park

# 石拱國家公園 MAP…P389-C1

電影《聖戰奇兵》的外景地：石拱國家公園。在此可看到地球上最多的天然石拱，總數超過1700，平衡石Balanced Rock細而高聳的石柱上頂著一顆大石，保持著絕佳的平衡，煉爐Fiery Furnace像是冒著熊熊烈火，而雙拱Double Arch就像一座眼鏡橋。各景點都是自然力量塑造的天然之姿。而其中猶他州的標誌：優雅拱Delicate

自然步道帶領你充分領略石拱的魅力，記得飲水及底片要帶足。
圖片提供／UTAH TRAVEL COUNCIL（OH）

中央靠東的位置就是煉爐，果真是燃著熊熊烈火的熔爐貌。

Arch的姿態別樹一格。其高13.7m、寬10.1m，藝術家也調配不出的金黃色彩，是風與水連同歲月所雕刻出來的傑作。石拱之前像是個大研缽，往下走到底再抬頭上望，別有一番景致。園內有10～30分鐘簡單的健行路線，到平衡石約300m，而往返雙拱有800m，在窗系列地區The Window Secti-on有北窗及南窗，往返有1.4km。而到優雅拱單程就有2.4km，加上觀賞的時間約需花2.5～3小時。優雅拱最美的時刻是日落時分，遠方青紫色的拉薩爾山脈La Sal Mountains為背景，襯托被夕陽染紅的拱石，叫人不禁屏息讚嘆。觀賞美景之際不要忘記衡量時間，天色一暗，路可就不好走了。

冬季拉薩爾山脈的積雪，更襯托出優雅拱的紅色岩肌。

■入園費
汽車（有效期間7天）…US$10
金鷹護照Golden Eagle Passport可用

旅遊服務中心
[?] Visitor Center
☎ 435-719-2299
[時間] 8點～16點30分（4～10月～18點）

北窗。窗系列在平衡石的東邊。

♨住宿
公園內有惡魔花園Devil's Garden露營地，☎435-259-4351（週一～五8點～12點30分）可確認是否有空位，但不接受預約。石拱旅遊服務中心的預約時間為7點30分～8點，露營地8點後受理露營登記

# JTB世界自由行系列

精英出版社 電話：(02)2311-2843 FAX：(02)2311-2847 E-mail：elite01@ms4.hinet.net

❶捷克‧匈牙利　　❷希臘‧愛琴海　　❸伊斯坦堡‧土耳其　　❹法國　　❺英國

捷克‧匈牙利 Czech‧Hungary 360元　希臘‧愛琴海 Greece‧Aegean Sea 480元　伊斯坦堡‧土耳其 Istanbul‧Turkey 480元　法國 France 650元　英國 United Kingdom 650元

❻加拿大　　❼瑞士　　❽維也納‧奧地利　　❾澳洲　　❿紐西蘭

加拿大 Canada 550元　瑞士 Swiss‧France 550元　維也納‧奧地利 Vienna‧Austria 480元　澳洲 Australia 650元　紐西蘭 New Zealand 520元

⓫美國西海岸　　⓬西班牙　　⓭義大利　　⓮德國　　⓯美國東海岸

美國西海岸 U.S.A West Coast 650元　西班牙 Spain 550元　義大利 Italy 650元　德國 Germany 550元　美國東海岸 U.S.A. 520元

⓰北歐　　⓱埃及　　⓲荷比盧　　⓳倫敦　　⓴巴黎

北歐 Northern Europe 550元　埃及 Egypt 480元　荷‧比‧盧 Holland‧Belgium‧Luxembourg 550元　倫敦 London 550元　巴黎 Paris 520元

愛爾蘭　　夏威夷　　峇里島　　香港　　韓國

愛爾蘭 280元　陸續出版 敬請期待　陸續出版 敬請期待　陸續出版 敬請期待　陸續出版 敬請期待

＊歡迎就近至各大連鎖書店或其他書店購買，也歡迎郵購　＊單本郵購9折、掛號請加14元

＊郵政劃撥：1166416-5　＊曾桂美帳戶 http://www.elitebook.com.tw

# TRAVEL
# INFORMATION

旅遊資訊

# 護照與簽證/機票

護照是用來證明護照持有者的國籍、身分的證件。除了出入境時,也是旅遊途中最重要的身分證明文件,要妥善的保管。目前中華民國護照有效期限延長為10年。

■美國在台協會台北辦事處
台北市信義路3段134巷7號
☎(02)2709-2000
FAX(02)2701-4854

各種證明文件
■國際駕照
準備身分證、駕照、護照、2吋照片2張向全國監理單位辦理。

■國際學生證
世界90餘國都有發行的國際學生證。參觀博物館、或搭車都可享受折扣優待。有關申請方法可向康文文教基金會洽詢(☎(02)2721-1978)。

■青年之家會員證
可以便宜的價錢住進世界30國、約5000家的青年之家。有些設施也接受非會員住宿,不過價錢略高。洽詢處同上。

## 如何申請護照

●申請普通護照須知
1 申請書
2 身分證正本及正反面影本各1張
3 白底彩色照片2張
4 每冊新台幣1200元
5 工作天:自繳費之日起算4天

## 簽證的定義

簽證是進入目的國家的入境許可書。按國與國之間的協議,部分國家之間並不需要簽證。前往需要簽證的國家,必須前往訪問國家的大使館或駐台機構申請手續。按國家不同,所需文件與手續費也有所不同,請直接向該單位洽詢。簽證並不等於入境許可證,最終入境許可權在該國入境查驗的海關官員手上,即使持有簽證,也有可能會被拒絕入境。

## 機票種類與特色

機票大致可分為「團體票」與「個人票」。這些機票的價錢、使用條件不同,遊客可多加比較後再行購買。目前在網路購買機票已蔚為一股風氣,有興趣者可以上網購買。

●團體票:如有10人以上就可以訂購「團體票」。若超過15人,航空公司還免費贈送1張「無票面價格」的來回機票。只有少數1、2人想購買團體票的話,可參加合團湊票。

●個人票:若以「有效期限」區分可分為年票、半年票、3～90天票、30天票等。所謂「有效期限」是指出發到回國之間的「有效時間」。報章雜誌經常可看到促銷便宜機票的廣告,其票種實際上很複雜,有些是15+1贈送的「無票面價格」票、或是航空公司的「特別票」、是深夜出發的、是凌晨抵達的、是轉機多次的、是繞遠路的、是轉機銜接不上的…,要買這種票可得要做點功課。

●網路購票:無遠弗屆的網路,使得網路購票已不再是個夢想。網路扮演的是「資訊傳達」與「比價」功能,您當然不能錯過。有興趣的讀者可進入玉山票務中心http://www.ysticket.com/瞧一瞧。

# 機票解讀

**ISSUED BY**
航空公司名稱
搭乘的航空公司名稱。
此處除外是以2個文字
的代碼標示。例如日本
航空則為JL。其下方為
發票旅行社名稱。

**DATE OF ISSUE**
開票日期
這是機票的發票日期。
無此日期標示無效。

**CLASS/DATE/TIME**
等級/日期/時間座位的
等級。一般Y表經濟艙、
C表商務艙、F表頭等
艙。按航空公司等級標
示略有差異。其右手邊
為出發日期與時間。

**RES.座位預約狀況**
OK表已預約、RQ表洽
詢中、OPEN表無預約
狀況、NS表不須座位
的幼兒。一定要取得
OK狀況才能搭機。

**NAME OF PASSENGER**
乘客姓名
乘客的姓名。拼錯一個
字就無法搭機,要特別
注意。最後2個文字是
表尊稱的MR（先生）、
MS（女士）。

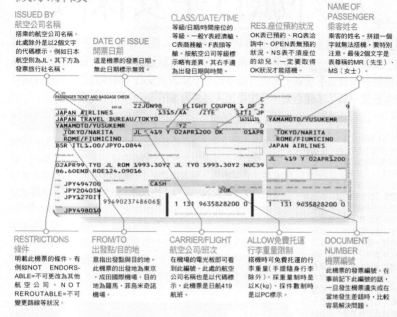

**RESTRICTIONS**
條件
明載此機票的條件。有
例如NOT ENDORS-
ABLE=不可更改為其他
航空公司、NOT
REROUTABLE=不可
變更路線等狀況。

**FROM/TO**
出發點/目的地
意指出發點與目的地。
此機票的出發地為東京
‧成田國際機場、目的
地為羅馬‧菲烏米奇諾
機場。

**CARRIER/FLIGHT**
航空公司/班次
在機場的電光板即可看
到此編號。此處的航空
公司名稱也是以代碼表
示,此機票是日航419
航班。

**ALLOW免費托運**
行李重量限制
搭機時可免費托運的行
李重量（手提隨身行李
除外）。採重量制時是
以K(kg)、件件數制時
是以PC表示。

**DOCUMENT NUMBER**
機票編號
此機票的發票編號。在
事記下此編號的話,一
旦發生機票遺失或在
當地發生差錯時,比較
容易解決問題。

## 機位確認（Reconfirm）

在回國班次出發前72小時,必須直接前往航空公司辦事處或打電話進行機位確認（方法請參照右述）。疏於機位確認的話,有可能被取消預約或成為超額訂位（overbooking）的對象。所謂超額訂位是指1個座位接受2人以上的訂位。航空公司通常都會接受超過機位數量的訂位,實際上當天發生臨時取消機位的情況並不多。超額訂位是航空公司的責任,因此大多會採取優先替乘客變更下一班航次的處置方式,不過如此一來難免會影響到既定行程。一般而言,便宜的旅遊票最容易碰到這種情形。不過最近許多航空公司大多已不再要求乘客做回程機位確認的動作,行前請向航空公司或購票旅行社確認。

## 里程優惠

里程優惠是指每次的搭機飛行距離以累計里程,根據累計里程換取該航空公司免費機票的優惠服務。累計里程是以搭乘單一航空公司或加盟航空公司飛機時累積的,通常旅遊票或套裝自由行的機票並不包括在內。有些則是連住宿特定旅館、租車或信用卡都可累計,累計里程的方式按各航空公司而異。至於累計里程的有效期限也按各航空公司而有所不同,通常有效期大多為3年。有關入會細節,可洽各航空公司或直接上網申請,也可以在機場內的櫃台或機上申請入會。一般都是免手續費。

行前準備　護照與簽證／機票

# 海外旅行平安保險

不論到哪一個國家，不管行程多短，沒有人可以預測會發生什麼事。遭竊、事故、生病、遺失…，很多事情不是只要自己注意就可以避免的。整體而言，海外醫療險的保費並不便宜。即使行程很短也不能因而安心，時間越長碰到意外的可能性更高。為了求個心安，一定要加入海外醫療險。

發生海外緊急就醫，一定要記得申請三份文件，包括「醫療費用收據正本」、「費用明細」、「診斷書」，另外還有入境證明。若民眾出國前購買商業保險的話，商業保險給付診療費時，也會要求正本診斷書，但若民眾只持有一份診斷書的話，就只能申請一種給付，就醫後，最好申請兩份正本以便同時向商業保險、健保局申請費用。另由於各國醫療費用不一，若只是小痛，花的醫藥費不高的話，最好衡量一下申請證明書的費用是否與回國申請給付的醫療費是否划算。

■健保申請期限
民眾在海外緊急就醫後六個月內，必須向健保局提出費用核退申請，健保局會受理內三個月內完成審核，將結果通知民眾，並以支票給付。

### 理賠時必備文件
（必須在當地取得）

■生病・事故（受傷）
治療費的明細（收據）
a detail account
醫師的診斷書
a medical certificate
事故證明書（目擊者證明書）
accident report
■攜帶物
警察的失竊證明書
certificate of theft
破損物品的照片
■損害賠償責任
醫師的診斷書
醫療費明細
被損物品的照片

## 加入什麼保險

保險是由規定必須加保的基本契約以及可任意加入的特約所構成的。也有將各種保險合而為一的套裝商品（含傷害、疾病、賠償責任、救援費用、隨身攜帶品），保戶也可購買自行組合金額與種類的保險。由於單一物品的保險金額有額度限制，應避免攜帶高價的物品出國。預定參加危險性較高的運動（例如飛行傘等）的保戶，追加額外的保險費於發生狀況時也可獲得理賠，相關事宜請與保險人員洽談。此外，每家保險公司各自推出各種不同的特約，以便豐富其保險的內容。保險費用按各公司略有差異，請讀者仔細閱讀其賠償條件，仔細檢討後再行加入。

## 投保手續

可透過保險公司、旅行社投保。也可於出發當天到機場加保，不過海外旅行平安保險涵蓋來回住家及機場之間，最好是在出發前就辦妥投保手續。投保海外旅行平安保險的手續十分簡單，只需提供出生年月日、身分證字號、目的地、受益人資料等即可。

## 申請理賠

碰到生病、意外後，必須在30天內向保險公司報備。備齊規定的文件（醫療證明書、保單等），若有自行代墊的費用請妥善保管收據，向保險公司申請理賠。

### ●善用海外急救服務

許多人壽保險公司為了加強對個人壽險客戶的服務，目前大多已推出海外急難救助的服務。通常這種服務對象是屬於加入該公司人壽保險期間有一段時間或個人基本壽險單件基本保額超過規定額度者；各家壽險公司的條件略有差異。海外急救服務的範圍相當廣泛，由電話醫療諮詢、安排就醫、遺失行李、護照協尋、代墊住院醫療費用及交通費（有額度限制，以國泰人壽為例約5000美元以下）等，範圍相當廣泛。出國前記得向壽險公司索取海外急難救助手冊，並記下急難救助24小時的免費華語服務專線電話號碼，以備不時之需。

# 行李

想要有一趟自由自在的旅行，最重要的原則是將行李減到最低限度。除了必備用品之外，有些東西可按旅途目的地或目的加以取捨。現今在世界各地，幾乎可說什麼東西都買得到。除非特別重視品質，否則不須特別從國內隨身攜帶。在飲食方面也應「入境隨俗」，儘可能吃當地的食物。換洗衣物也可利用旅館的洗衣服務，或自己勤勞洗滌，如此一定可以減輕衣物數量。花點心思就可以讓自己享受輕鬆的旅遊。

## 行李檢查重點

| 檢查 | 名單 | 建議 |
|---|---|---|
| 最低限度 | 護照 | 預防遭竊、遺失，準備一份影印、照片（2張） |
| | 現金／旅行支票 | 可攜帶美金 |
| | 機票 | |
| | 海外旅遊卡 | 可在失竊、接受醫療時使用 |
| 首要必備品 | 信用卡 | 可當身分證明，簽卡購買機票可享受保險。 |
| | 常備藥・急救盒 | 外國藥物可能太強，攜帶慣用藥物。 |
| | 盥洗用品 | 高級旅館以外不提供盥洗用具 |
| | 洗滌用品 | 長期旅行者必備。衣夾、繩子、衣架等。 |
| | 相機・底片 | 在國內買比較便宜 |
| | 筆記用品・備忘錄・計算機 | 筆談時用得到 |
| | 小袋子 | 到市街閒逛時用得到 |
| 領隊推薦旅遊必備品 | 拖鞋 | 可在機上、旅館內穿著。也可以涼鞋代替。 |
| | 大膠帶 | 用於整理行李、包裹東西，基至可用來修理皮箱。 |
| | 鬧鐘 | 有時候旅館叫人起床的系統會失靈 |
| | 塑膠袋 | 大小都要。可裝濕的東西、或當雨具使用 |
| | 手霜・護脣膏 | 對付乾燥的天氣。嘴唇、手部最容易變乾 |
| | 漱口水 | 除了防乾燥還可預防感冒 |
| | 糖、喉糖 | 飛機離地時可防止耳鳴。也可防乾燥的氣候。 |
| | 大圍巾 | 可當帽子、保暖之用 |

※「領隊推薦旅遊必備品」
摘自JTB宣傳科發行的「百名領隊問卷調查」

## 安全對策必備用品

護照、現金、信用卡。比照身處國內，在國外旅遊時對隨身貴重物品必須更加的注意安全問題。在旅館時可多加利用旅館的保險箱，不過外出時也不可大意。自己要謹慎的保管自己的貴重物品。

**安全腰袋**
**防菌防臭**
腰帶型的內藏式貴重物品袋。品質較佳的安全腰帶經除菌處理可透氣，即使到氣候較熱的國家也可安心使用，同時也有防臭效果。可直接繫在內褲上方。尺寸有S、M、L。價格約500元上下。

**安全掛袋**
**可調節長度**
繞過頸部垂吊式的貴重物品袋。有口袋可分別放置護照、卡片、現金。繩索結在頸後，可隨個人所需調節長度。

※上述商品可到各百貨公司的旅行用品部門或戶外用品專賣店洽購。

---

### 有關托運
### 行李

■往美國（含關島、塞班）、加拿大、墨西哥、巴西的班機（採件數制）
頭等艙、商務艙可攜帶2件。尺寸為長、寬、高總計158cm以內，每件32kg以內。經濟艙除了上述條件外，如為2件行李合計，條件為3邊合計273cm以內。

■往歐洲、亞洲、紐澳方面的班機（採重量制）
頭等艙40kg、商務艙30kg、經濟艙20kg以下。超重必須支付超重費。

■底片放在隨身行李中
部分國際機場引進新型的托運行李檢查儀器，由於這些儀器可能會讓未沖洗的底片感光，為了預防萬一，最好將底片放在手提行李中提上機內。將底片放入特製底片保護袋是最安全的方法，特別是高感度的底片，則必須與海關工作人員交涉，另行檢查避免通過儀器。

■上機手提行李限制
按照規定只能攜帶1個長、寬、高合計115cm以內的手提行李上機。手提袋1只、大衣、折疊式嬰兒車、小型相機則在此限制外。

（例）

38cm
57cm
20cm

行前準備
行李

401

# 出境手續

在飛機起飛前2小時抵達機場，最好多留一點餘裕辦理登機手續。此外，在通過出國審查之後可利用的免稅店，除了菸酒之外，入境時無法到免稅商店購物。

■機場稅
由桃園中正機場出境必須支付機場稅，目前機場稅都以內含的方式含在機票內，因此不需另行繳交。

■轉乘的注意事項
●向購買機票的旅行社或航空公司確定在轉乘國的機場是否必須再辦一次登機手續，以及是否必需再索取新的登機證。
●向航空公司櫃台地勤人員確定托運行李是否會自動運送到目的地，或者必須在轉乘機場先領取托運行李，然後再辦1次登機手續。

行前準備
出境手續

登機手續
審查 出境
海關
安全檢查

前往搭機航空公司的櫃台，在櫃台提示護照、機票，將行李過磅並接受X光檢查。取得登機證（boarding pass）和行李保管條（claim tag）。萬一行李沒有送達目的地，就得憑行李條交涉，因此要將行李條妥善保管，以便不時之需。登機手續通常是在飛機起飛前2小時開始辦理。

在排隊辦理出境審查前，記得先行在出入境卡填妥必要事項，輪到自己之後將護照、出入境卡和登機證交給海關人員查驗。沒有特別問題的話，海關人員在蓋上出境章之後，就會將護照、登機證交還給乘客。之後前往登機證所列的登機門等候登機。

持有貴重的外國製品出境時，最好向海關申告「攜帶外國製品出國」。如果沒有申告，有時會被視為是在國外購買的物品而被扣稅。申告時必須出示該項物品，記得不要將此物品放入托運行李中。

檢查是否攜帶刀類危險物品。隨身攜帶上機的行李必須通過X光檢查，個人則是通過旁邊的金屬探測門。感光度800以下的底片不會因X光檢查而曝光，可安心放入行李內。

| 第1航站進出的航空公司 | 機場服務電話 | 大韓航空(KE) | (03)383-3248 |
|---|---|---|---|
| 吳哥航空(G6) | (03) 398-3968 | 復興航空(GE) | (03)398-2404 |
| 華航(CI) | (03) 398-8888 | | |
| 日亞航(EG) | (03)398-2282 | 第2航站進出的航空公司 | 機場服務電話 |
| 澳門航空(NX) | (03) 398-3121 | 澳洲航空 | (02) 2559-0508 |
| 遠航(EF) | (03)398-3170 #8101 | 立榮航空(B7) | (03) 351-6805 |
| 馬航(MH) | (03) 398-2521 | 聯合航空(UA) | (03) 398-2781 |
| 美國大陸航空(CO) | (03) 398-2404 | 華航(含美國(含關島)、 | |
| 國泰航空(CX) | (03) 398-2501 | 加拿大、 | |
| 泰航(TG) | (03)383-4131~4 | 澳洲及日本航線(CI) | (03) 383-4106-7 |
| 越南太平洋航空(BL) | (03)398-2404 | 荷蘭(KL) | (03)398-2769 |
| 西北(NW) | (03) 398-2471 | 韓亞航空(OZ) | (03)351-6805 |
| 捷星亞洲航空(3K) | (03)398-8888 | 新加坡航空(SQ) | (03) 398-3988 |
| 越南航空(VN) | (03)398-3026 | 紐航(NZ) | (03) 398-3018 |
| 華信航空(AE) | (03)398-2620 | 長榮(BR) | (03) 351-6805 |
| 菲律賓航空(PR) | (03) 398-2419 | 港龍(KA) | (03) 351-6805 |
| 帛琉太平洋航空(GP) | (03)398-3170 | 日空航空(EL) | (03) 351-6805 |

出境

# 入境手續

想到就要踏入國土，心情也不禁跟著放鬆。不過有後送行李的人，或者購物超過免稅範圍的人，在機場還有一道手續等著辦理。最好事先查閱一下國人的免稅範圍以及課稅額。只要有這個概念，入境手續其實是非常簡單的。

**入境審查**

在本國人專用入境審查櫃台前排隊，將護照與入境卡交給海關人員查驗，截蓋入境章之後即辦妥入境手續。

**領取行李**

前往標示班機航班的行李轉檯前等候行李。如果行李沒有出現，或者發生破損狀況時，應在通過海關之前向機場人員提出申訴。

**海關**

旅客提領行李後，所攜行李如未超過免稅額且無管制、禁止、限制進口物品者免填寫「中華民國海關申報單」，可持護照選擇「免報稅檯」（即綠線檯）通關。除此之外應填寫「中華民國海關申報單」向海關申報，並請選擇「應報稅檯」（即紅線檯）通關。

旅客嚴禁攜帶下列產品入境：

a.新鮮水果及瓜果類植物
b.攜帶各種生鮮、冷藏、冷凍、鹽漬或煮熟之水產品物，如查獲後一律銷毀。
c.未經核可之動植物產品（含活動物、肉品、活植物）

**旅客後到行李之處理**

旅客抵達機場，發現行李短少需待後送時，應先洽詢該屬航空公司職員，取得行李意外報告單 (PIR)，並在入境申報單上註明未到行李件數後，交由航空公司職員影印乙份，旅客通關時，應持該申報單正、影本由指定檢查檯通關，影本經檢查關員簽證後，退存航空公司，俟後到行李抵達時，旅客即可逕洽航空公司辦理提領及查驗手續。

**超過免稅範圍者**

由海關核算課稅額，並製作付稅單據。持此單據至繳稅櫃台繳交稅金。

● 准予免稅物品之範圍及數量：
旅客攜帶行李物品（禁止或管制進口物品除外）如係自用家用者，其免稅物品範圍如下：
1. 雪茄25支，或捲菸200支，或菸絲1磅及酒類1公升（不限瓶數）或小樣品酒（限每瓶 0.1公升以下）1公升，但限滿20歲之成年人始得適用。
2. 少量罐頭及食品。
3. 上列1.2.項以外已使用過之行李物品，其單件或一組之完稅價格在新台幣10,000元以下者。
4. 上列1.2.3.項以外之物品，其完稅價格總值在新台幣20,000元以下者，但未成年人減半計算。
5. 貨樣，其完稅價格在新台幣12,000元以下者。

---

**下列物品禁止攜帶入境（持有、使用、販售均將受嚴罰）：**

1. 偽造之貨幣、證券、銀行鈔券及印製偽幣印模。
2. 賭具及外國發行之獎券、彩票或其他類似之票券。
3. 有傷風化之書刊、畫刊及誨淫物品。
4. 宣傳共產主義之書刊及物品。
5. 侵害專利權、圖案權、商標權及著作權之物品。
6. 其他法律規定之違禁品。例如：土壤、未經檢疫或從疫區進口之動植物及其產品或各種生鮮、冷藏、冷凍、鹽漬及煮熟等水產品物或新鮮水果。
7. 未開放准許進口之大陸地區物品。但合於「入境旅客攜帶少量自用大陸土產限量表」範圍，其完稅價格總和未超過美金10,000元（未成年人減半）者，准予依規定繳稅放行。（但中藥材及中藥成藥不得超過新幣10,000元整）
8. 槍械（包括獵槍、空氣槍、魚槍）、子彈、炸藥、毒氣、刀械以及其他兵器。
9. 槍型玩具及其用品。
10. 毒品危害防制條例所列毒品及其製劑、罌粟種子、古柯種子及大麻種子。
11. 所有非醫師處方或非醫療性之管制物品及藥物（包括大麻煙）。
12. 野生動物之活體及保育類野生動物之製產品，未經中央主管機關之許可，不得進口。警告！販賣、運送毒品、槍械彈藥可判處死刑。

**資料來源：中正機場網站**

# 入境／出境

## 手續簡便，保持鎮定

美國出入境的手續簡便，流程順暢。除非有特別的問題，通常只要循著一般流程即可通過海關。前往美國不論觀光或商務都必須申請簽證。

### 入境時的英語會話

審查人員：What is the purpose of your visit?（旅遊的目的為何？）
入境旅客：Sightseeing.（觀光）
審查人員：How long do you stay here?（你會待幾天？）
入境旅客：Just five days.（5天）
審查人員：What are you doing in Taiwan?（你在台灣的職業是什麼？）
入境旅客：I am a student.（學生）

### 海關的英語會話

海關人員：Your passport and declaration card, please.（請拿出你的護照與海關申報單）/Do you have anything to declare?（有東西要申報嗎？）
入境旅客：Nothing（沒有）
海關人員：Please open this bag.（請打開你的行李）/What are these?（這是什麼？）
入境旅客：These are for my personal use.（這些都是我的隨身用品）

## 入境

### 入境審查

　　如果是直達班機，到了機場就接受入境審查，如果還要轉機，在抵達美國的第一站就必須審查。飛機一降落就往入境審查的櫃檯方向前進，將護照、出入境卡及回程機票交給海關人員查驗。有時會被問到旅遊目的與滯留天數，如果不會回答，可以請機場內的翻譯人員幫忙。審查結束之後，海關人員會在護照上蓋章、撕去入境卡、並將剩下的出境卡訂在護照上退還給旅客，要小心保管，不可遺失。

### 加速旅遊通關

APIS（Advance Passenger Information System）

　　航空公司在飛機抵達目的地之前，就將旅客的姓名、年齡、國籍、護照號碼等資料告知美國的入境審查單位，可以節省不少審查的時間。幾乎所有的航空公司都有提供這項服務。

### 領取行李

　　在入境審查結束之後，前往標示班機的行李轉檯前等候行李。如果行李一直不出現，甚至有破損的情形時，應聯絡機場或航空公司的人員，請求處理。要注意有的機場先領取行李後才接受入境審查。

### 海關

　　將事先填妥的海關申報單及護照交給海關人員，並接受行李檢查。如果不需要申報，就回答「Nothing」，如果有攜帶必須申報的物品，則必須照規定申報。要注意不得攜帶生鮮或加工類等食品。在檢查結束之後，海關人員會在申報單上簽名，連同護照還給旅客。最後在出口將申報單交給負責的人員即可。

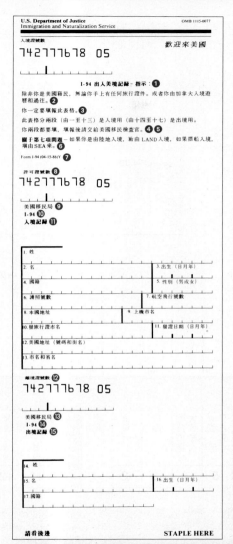

**U.S. Department of Justice**
Immigration and Naturalization Service

OMB 1115-0077

入境證號數

**742777678 05**

歡迎來美國

**I-94 出入美境記錄－指示：❶**

除非你是美國籍民，無論你手上有任何旅行證件。或者你由加拿大入境遊歷和過往。❷

你一定要填報此表格。❸

此表格分兩段（由一至十三）是入境用（由十四至十七）是出境用。

你兩段都要填，填報後請交給美國移民檢查官。❹❺

關于第七項問題－如果你是由陸地入境，請由 LAND 入境，如果搭船入境，填由 SEA 來。❻

Form I-94 (04-15-86)Y ❼

許可證號數 ❽

**742777678 05**

美國移民局 ❾
I-94 ❿
入境記錄 ⓫

1. 姓
2. 名
3. 出生（日月年）
4. 國別
5. 性別（男或女）
6. 護照號數
7. 航空飛行班數
8. 本國地址
9. 上機市名
10. 發旅行證市名
11. 發證日期（日月年）
12. 美國地址（號碼和街名）
13. 市名和省名

離境證號數 ⓬

**742777678 05**

美國移民局 ⓭
I-94 ⓮
出境記錄 ⓯

14. 姓
15. 名
16. 出生（日月年）
17. 國籍

請看後邊

**STAPLE HERE**

❶I-94 入境／離境記錄說明

❷除了美國公民，美國海外僑民、永久居留和加拿大公民外，所有訪問或過境的人士都必須填寫此表。

❸請用大寫字母打字或用筆填寫清楚。不要在此表背面填報任何東西。

❹此表包括兩部份。填寫入境記錄（第1項至第13項）和離境記錄（第14項至第17項兩部份。

❺填寫完畢後，請將此表交給美國移民局官員。

❻第7項內容說明—如果您從陸地進入美國，請在空格欄內填寫LAND。如果您乘船進入美國，請在空格欄內填寫SEA。

❼I-94 表格(04-15-86)Y
❽登記號碼
❾移民局
❿I-94
⓫入境記錄
①姓名
②名字
③生日（日／月／年）
④國籍
⑤性別（男性或女性）
⑥護照號碼
⑦航空公司和航班
⑧您在哪個國家居住
⑨您在哪個城市搭乘飛機
⑩您在哪個城市取得簽證
⑪取得簽證的日期（日／年／月）
⑫在美國的住址（號碼及街名）
⑬在美國的住址（城市及州名）
⑫離境號碼
⑬移民局
⓮I-94
⓯離境記錄
⑭姓氏
⑮名字
⑯生日（日／月／年）
⑰國籍

## 出境

　　有些航空公司在回國前必須確認機位，要特別留意。因考量機場安檢的時間，最好在起飛前2～3小時抵達機場。首先到航空公司的出境櫃檯提示護照與機票。通常出國手續皆由航空公司代辦，並不需要接受特別的審查。航空公司的人員會將護照上的出境卡訂在登機證上，然後發給旅客。在接受安全檢查之後，即完成所有的登機手續，接著就可以到指定的登機門準備登機了。記得出境卡在登機時須繳回。美國的機場稅已經內含在票價內，不用再額外付費。

在航空公司櫃檯辦理手續時，即使是大型的行李也要小心順手牽羊。

# 時差／自然與氣候

| | 英國、葡萄牙 | 法國、義大利 | 開羅 | 伊拉克、肯亞 | 阿拉伯聯合大公國 | 印度 | 緬甸 | 泰國 | 香港、台灣 | 日本、韓國 | 關島、澳洲 |
|---|---|---|---|---|---|---|---|---|---|---|---|
| -9 | -8 | -7 | -6 | -5 | -4 | -3 | -2 | -1 | 0 | +1 | +2 |

## 自然與氣候

洛杉磯…夏季日照強，最好準備帽子與太陽眼鏡。冬季多雨，並不會很冷，但還是得穿厚一點的外套，如果下雨，可能要穿大衣才能保暖。

舊金山…整年都是溫暖的天氣，但是夏季受到寒流的影響，容易起霧，有時氣溫會驟降到5度左右，建議出門時隨身帶一件薄外套。

拉斯維加斯…沙漠型氣候晝夜溫差大。夏季的白天氣溫甚至高達40度，要做好防曬措施，到了晚上，氣溫下降，還會感到涼意。此外，飯店內的冷氣都很強，最好準備一件薄外套免得感冒。

最佳觀光季節…西海岸一帶降雨量少，尤其是夏天幾乎都是晴朗的好天氣。想要目睹加州的萬里晴空，5～10月是最佳時期。氣候雖然溫暖，但受到阿拉斯加海域的影響，太平洋的海水非常冰冷。因此，一整年都可以享受日光浴，能夠玩水的季節卻只有7、8短短的兩個月。

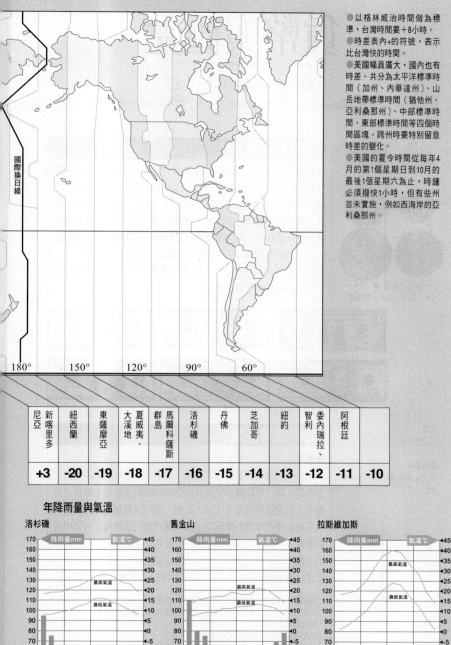

●以格林威治時間做為標準，台灣時間要＋8小時。
●時差表內+的符號，表示比台灣快的時間。
●美國幅員廣大，國內也有時差。共分為太平洋標準時間（加州、內華達州）、山岳地帶標準時間（猶他州、亞利桑那州）、中部標準時間、東部標準時間等四個時間區塊。跨州時要特別留意時差的變化。
●美國的夏令時間從每年4月的第1個星期日到10月的最後1個星期六為止，時鐘必須撥快1小時，但有些州並未實施，例如西海岸的亞利桑那州。

國際換日線

| 180° | 150° | 120° | 90° | 60° |
|---|---|---|---|---|

| 新喀里多尼亞 | 紐西蘭 | 東薩摩亞 | 大溪地、夏威夷 | 馬爾科薩斯群島 | 洛杉磯 | 丹佛 | 芝加哥 | 紐約 | 智利 | 委內瑞拉、 | 阿根廷 | |
|---|---|---|---|---|---|---|---|---|---|---|---|---|
| +3 | -20 | -19 | -18 | -17 | -16 | -15 | -14 | -13 | -12 | -11 | -10 |

## 年降雨量與氣溫

### 洛杉磯
降雨量mm　　氣溫℃
最高氣溫
最低氣溫

### 舊金山
降雨量mm　　氣溫℃
最高氣溫
最低氣溫

### 拉斯維加斯
降雨量mm　　氣溫℃
最高氣溫
最低氣溫

# 貨幣與匯兌

## 最好在出國前換好美金

現金與旅行支票為必備的貨幣，另外信用卡也很方便。了解不同的特性與用法，才不會在貨幣上吃虧。

左上往右分別為1¢、5¢、10¢、25¢、50¢、$1硬幣

## 美國的貨幣

貨幣單位分為元dollar（$）與分cent（¢）。$1=100¢。硬幣分為1分（penny）、5分（nickel）、10分（dime）、25分（quarter），紙鈔除了常見的$1、$5、$10、$20、$50、$100以外，還有$2、$500、$1000、$5000、$1萬的紙鈔，不過難得一見。此外還有50¢與$1的硬幣，常在拉斯維加斯的賭場中使用。

1996年時美國為了防止偽鈔而將紙鈔重新改版，現在市面上所有的紙鈔都有新版流通。大小與原版相同，不過設計有大幅改變，無論新舊鈔都可使用。

左上往右分別為$1、5、10、20、50、100的紙鈔

匯率
$1=約33.3元（2004年6月）

查詢匯率
http://tw.stock.yahoo.com/d/c/ex
.php

## 如何攜帶外幣

### ●信用卡

信用卡的使用在美國非常普遍，已經成為生活必需品。對於旅客而言，除了可以減少兌換及再兌換的麻煩並節省手續費之外，攜帶上也遠比現金安全，另一方面，也可以用信用卡付小費，就不用擔心沒有零錢的問題了。如果遇到遺失或遭竊，可以申請重新補發（→P432），需要現金時，也可以在當地提取。此外，信用卡還可做為身分證明，在租車時必須提示。記得簽名之前要先確認好帳單上的金額，並妥善保管存根，直到接到繳款單為止。

用信用卡可以在特約的ATM（自動提款機）或服務中心的窗口提取現金。通常一天可使用的次數與金額都有限制，出發前最好先向所屬銀行確認。
ATM的操作方法實例
①PLEASE INSERT YOUR CARD（請插入卡片）
②請按下密碼（PERSONAL CODE），接著按確認鍵（ENTRY KEY）
③請選項，如要領錢，請按WITHDRAW CASH
④請指定金額，正確請按CORRECT，錯誤請按INCORRECT
⑤請領取現金與收據
⑥PLEASE REMOVE YOUR CARD（請取回您的卡片）

●旅行支票（T/C）

　　攜帶美金最安全的方法就是旅行支票了（T/C）。可在辦理外匯的銀行或大型旅行社等處購得。旅行支票在美國就如同現金一樣，在各飯店及店家都可使用，如果遺失或遭竊，只要拿著有票號的收據就可以申請補發，因此存根要小心保管。一般而言，匯率比兌換現金好。

旅行支票（T/C）使用方法

下款簽名（countersign）
消費時在店員面前簽，
需與上款簽名一致。

上款簽名（Signature of hold-
er）購買旅行支票時當場
簽，需與護照簽名一致。

面額

T/C票號

購買時請記下票號，申請補發時需要用到。

※各家旅行支票的上款、下款簽名處不盡相同，要特別留意。

●國際現金卡

　　可透過海外的ATM（自動提款機）提領本國帳戶內的存款，依您需要隨時可提領所需的當地貨幣，這就是國際現金卡。凡是有Cirrus 、PLUS標誌的提款機，皆可使用。兌換匯率、手續費各卡不一。

## 攜帶美金的比例

　　視攜帶總金額而定，旅行中可準備US$200～300現金，其他換成旅行支票。也不要忘了兌換一些小額紙鈔，因為在到達美國之後馬上就得付小費。

## 兌換外幣

**國內兌換**　　可在國內以台幣兌換美金。手續費依銀行有所不同，但都不會差太多，在當地兌換時，匯率會隨兌換地點而有很大的不同。

**當地兌換**　　可在機場、銀行、飯店等地兌換美金。一般而言，銀行的匯率較佳，飯店比較不好，但是匯率與手續費各有不同，不能一概而論。此外，最好選擇離飯店最近的銀行或兌換處，以減少時間上的浪費。在兌換美金時，不要忘了換一些小額的紙鈔。

**銀行的營業時間**　　依銀行有所不同，但一般是週一～五的9～18點，部分銀行週六9～12點也有營業、週日及節日休息。至於貨幣兌換處的營業時間並沒有統一，而飯店通常是24小時接受兌換。

## 回國後的兌換

　　回國後，可至銀行將美金換回台幣。不過，銀行只受理紙鈔的再兌換，硬幣最好在當地用掉。另外，如果是T/C的再兌換，有時需出示載有票號的原購買收據，請好好保存。

●不能使用T/C與信用卡的地方
●賣報紙與雜誌的書報攤、賣熱狗與冰淇淋的小攤子
● 路邊攤
● 巴士等的交通工具
● 部分速食店與便利超商

當地資訊

**409**

貨幣與匯兌

ATM（自動提款機）用語

密碼
personal code/secret code/PIN
（personal identification number）

| 交易 | transaction |
|---|---|
| 餘額查詢 | balance inquiry |
| 轉帳 | transfer |
| 明細 | advice |
| 確認 | enter/correct |
| 更正 | incorrect/clear |
| 取消 | cancel |

在路上常見的ATM，依照螢幕上所示的步驟操作。

# 電話與郵政

## 熟練使用方法才能暢行無阻

美國的電話與郵政制度都與國內不太相同，剛開始可能會不知所措，其實試過就知道不會太難。

●國際電話的國碼
美國…………1
台灣…………886

●電話預付卡
在街上的書報攤或禮品店都可購得。依發行預付卡的電信公司，有$10、$20等不同價位。首先打電話到卡上所標示的電話公司（免付費），然後撕下背面的貼紙，輸入密碼，接著依照語音的指示開卡即可。一分鐘的通話費約為$1。

●以英文字母表示的電話號碼
有些電話的鍵盤上英文字母與數字同列，這是因為有些電話號碼是以字母表示。

2、3、4…按鍵亦分別代表為 ABC、DEF、GHI。

例如打 415-NEW-YORK時，就按415-639-9675。

●免付費電話 Toll Free
凡電話號碼開頭為1-800者，通話費皆由收話方支付。有些公共電話須投35¢才能通話，不過打完之後會退還。要特別留意從國內打1-800開頭的電話號碼，必須比照一般的國際電話付費。

●寄到台灣的航空郵件

| 明信片 | 70¢ |
|---|---|
| 一般信件 | 1oz（約28g）以內80¢ |
| | 2oz以內 $1.70 |
| | 超過者每1oz加收90¢ |

## 打國際電話

國際電話的通話方式有兩種，一種是直接撥到對方的電話號碼，另一種是透過國內的電話公司轉接。國際直撥電話最為省錢，但如果擔心語言不通，最好還是透過電話公司。除了便宜的語音接線服務之外，也可以指定受話者的姓名或電話號碼，甚至指名對方付費。

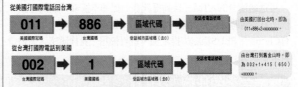

## 國內電話

跟國內的通話系統一樣，依區域的遠近有不同的收費標準。像洛杉磯一般的大城市，區域碼就有好幾個，要特別留意。如果打同一區域的市內電話，不需要再撥區域碼，如果要打長途電話，必須先按1+區域碼+受話者電話號碼。按1是跟國內的打法最大不同之處。此外，從飯店打電話時，要先按9或0，由總機轉接。公共電話 Pay Phone一般的公共電話可使用5¢、10¢、25¢硬幣。如果是打相同區域碼的市內電話，先投基本費35¢，再直接按對方的電話號碼即可。金額不足時，會以語音通知。如果是打長途電話，在按下區域碼之後，依照語音的指示投幣即可。也可以使用電話預付卡。

## 郵寄明信片、信件／郵遞包裹

郵票可以在郵局（營業時間8點30分～17點、週六・日、節日休息）、自動販賣機、飯店、藥局、禮品店購得。有些地方雖然會索取手續費，但在郵局休息的時間也能買得到，相當方便。寄航空信件到台灣約需一星期，機場內也設有郵筒。

旅行途中，除了已經不需要或破損的行李之外，先將一部分寄回國也相當方便。航空包裹只要一星期就可送達，但價格較高（1kg約$25），船運得花上1～2個月，價格卻很便宜（1kg約$10）。郵寄包裹的箱子可在郵局或文具店購得。如果遇到緊急的情況，可利用EMS（Express Mail）等的國際快遞（500g約$35）。EMS從郵局寄出，一次限重約20kg，尺寸大小的限制請事先向郵局確認。

# 蒐集資料

## 出發前資訊蒐集要齊全

旅遊景點的相關資訊永不嫌少。想要完成一趟充實的旅行，就得在行前多蒐集資料，以備不時之需。到了當地，最好先去旅遊服務中心索取最新資訊。

## 在台灣蒐集旅遊資訊

**旅行社**　在報名旅遊團、購買機票的同時，若有資料上的需求，可向旅行社洽詢。透過旅行社拿到的資料大多是屬於目錄簡介，不過如果是專精美國旅遊團的旅行社，其專業工作人員的常識應該遠超過其他一般的旅行社。部分旅行社也可代訂節慶活動的門票。

**交通部觀光局旅遊服務中心**　該中心有蒐藏與國內外旅遊相關的雜誌、書籍、地圖、時刻表、指南等資料的圖書館。書籍不外借，但可供影印。

**網際網路**　從各地方政府觀光局、旅行社到個人架設的網站都能提供各式各樣的資訊。特別是美國為網際網路大國，其網站資訊的質、量都非常充實，可善加利用。

## 在當地蒐集旅遊資訊

**❓旅遊服務中心**

到達旅遊景點後要先到旅遊服務中心"報到"。除了旅遊手冊、大眾運輸的路線圖，住宿、禮品、餐廳、節慶活動等資訊在旅遊中心都有。有不清楚的地方也可詢問工作人員。

**善用免費資訊**　旅遊服務中心、飯店或餐廳多會放置免費的旅遊雜誌，大部分是英文版，也可找看看是否有自己熟悉的語言。特別是洛杉磯的《洛杉磯週刊》LA Weekly（→P156）及舊金山的《衛報》Guardian（→P310）皆有詳細記載電影、音樂會或歌舞劇的最新消息。

**書店**　最新資訊也可到當地的書店找。不論是詳細的地圖、不同領域的雜誌或書籍等。旅遊相關書籍可到邦斯諾伯Barnes & Noble這類的大型書店找。

## 書局等其他地方

在書局或圖書館可找到與美國旅相關的書籍，從一般旅遊景點的介紹書籍，到文化論、歷史等專書都有，可依照自己的興趣選讀。精英出版社出版的《Culture Shock！美國》對美國的歷史、文化背景等有詳細的介紹，是一本適合前往美國移民、就學或旅遊之前詳讀的書籍。

●美國旅遊推展協會
HP www.visitguide.org.tw

●任我行·美國篇
HP www.chinesetraveler.com

●加州政府觀光局
HP gocalif.ca.gov/

●西雅圖·華盛頓州觀光局
HP www.tabifan.com/seattlewa

●拉斯維加斯觀光局
HP www.lasvegasfreedom
●內華達州政府觀光局
HP www.travelnevada.com

●亞利桑那州·猶他·懷俄明州政府觀光局
HP www.visit-unwest.org

●聖地牙哥觀光局
HP www.sandiego.org/

●交通部觀光局旅遊服務中心
台北市忠孝東路四段345號
☎ 02-2717-3737
☎ 0800-011-765

411
當地資訊
蒐集資料

# 歷史

## 了解歷史，讓旅行更有深度

哥倫布發現新大陸，連加州這個地方都還不確定是否存在時，其實加利福尼亞California這個地名早就在歐洲人之間廣為流傳。歐洲的虛幻故事中，美洲西海岸南方被視為「黃金之島」的加利福尼亞都已經登場了。在350年之後的1848年，黃金傳說的說法真的實現了，西海岸的歷史就是從淘金熱正式揭開序幕。

**王者之道**
（ El Camino Real）

為建立傳教活動的據點，方濟各會在加州建立21個傳道教會，其中最早的是1769年建的聖地牙哥教會（→P173）。打頭陣的傳教使節團是賽拉神父（Junipero Serra）等人。這些教會共花了五十年陸續成立，最後一個是1823年的索諾瑪教會。據說其中有九個教會以賽拉神父為中心，他在這些教會中不停的巡迴佈道。而其所傳教的路線便稱為「王者之道」。各教會平均相隔50公里，多選在離河邊近、土地肥沃之處。正因如此，當初建立教會之處現在也多成為加州的重要都市。上述兩都市之外，還有聖塔芭芭拉（→P200）、聖路易斯‧歐皮斯波（San Luis Obispo）、卡梅爾（→P204）、蒙特利以及舊金山等。

**奉獻者餐會**
（ Donor Party）的悲劇

19世紀初美國人開始遷居加州，許多人乘著馬車，往太陽閃耀的大西部前進。1846年，以喬治多那（George Donor）一家為中心的一行共90人，從伊利諾州出發。旅途前半段還算順利，但越過內華達山脈時，卻遇到異於往年的大風雪，導致他們被困在太浩湖附近。雖然救援隊數次前往營救，但還是有50人死於飢寒。據說存活下來的人就是吃死去親友的肉才得以倖存。這是西部開發史最悲慘的一段故事。

### 尋找黃金之島的探險隊
16世紀～17世紀後半

哥倫布發現新大陸40年後的1532年，征服馬雅Maya、阿茲特克Aztca的西班牙人赫爾南‧科爾特斯（Hernan Cortes）發現了加州半島，美國西海岸從此登上歷史舞台。當時探險的目的是為了領土及黃金。一直到1540年左右為止，歐洲人們都還相信加州半島就是黃金之島的一部份，Baha California的意思就是「發現島的下半部分」。而葡萄牙探險家卡夫里略（Rodriguez Cabrillo）受西班牙王室聘請，於1542年發現Aluta California「發現島的上半部」之意，現加州），之後又在聖地牙哥、舊金山停泊，加州的歷史從此展開。當時探險隊曾北上到奧勒岡州，但並沒有發現金礦，灰心的西班牙王室因而停止了探險活動，之後的一個半世紀，加州已經完全被遺忘。

加州再度登上歷史的舞台是為了作為與菲律賓貿易的中途站，西海岸的重要性再度被提及。西班牙體認在太平洋海岸取得一個港口之必要性，於1602年再度派遣具商人背景的維茲蓋諾〈Sabastian Vizcaino〉出航。他從聖地牙哥航行到蒙特利，每停靠一個港就為當地命名。像聖地牙哥、聖塔芭芭拉、蒙特利等，都是沿用當時的名稱。不過當時舊金山港灣因濃霧而沒有被發現，直到170年後才登上歷史舞台。

### 傳教活動與西班牙殖民
18世紀～19世紀前半

進入18世紀後，西班牙國力漸衰，雖然想致力於南美洲的殖民活動，但由於俄國從阿拉斯加南下，加上移民美洲的歐洲人開始從東部往西移動，於是西班牙再度派出探險隊，意圖確保西海岸的權益。1775年由聖地牙哥登陸北上的探險隊發現了舊金山港灣，因此，西班牙的勢力範圍涵蓋了整個太平洋沿岸地區，並且也開始了天主教（方濟各會）傳教及西班牙殖民的活動。

傳教士首先在教會對原住民佈道傳教。接受信仰的原住民學會在教會生活、學習農業及貿易。為了保護教會、防止外國人入侵，1769年之後西班牙依次在聖地牙哥、蒙特利、舊金山、及聖

塔芭芭拉等四處建立寨壘（The Presidio），並為墾荒者在洛杉磯等三處建村莊（Pueblo）。不過1821年墨西哥在脫離西班牙獨立後，為取得包括加州在內的美國西南部土地，墨西哥新政府與教會不時產生摩擦，加上原住民抗爭等原因，西班牙的傳教活動與殖民政策最終還是宣告失敗。

## 淘金熱與橫越美洲大陸的鐵路
### 19世紀後半

墨西哥新政府對於領土並無大野心，相對的美國於1776年爭取獨立後，以「命運宣言」之名，或可說是擴張主義，一再地往西擴張領土。加州於1851年成為美國的第31個州。在此同時，發生一件改變加州歷史的大事，那就是淘金熱。由於發現黃金，加州的人口驟增，而舊金山成為黃金輸出港而蓬勃發展起來。

此外，南北戰爭之後，1869年橫貫美洲大陸的鐵路通車，由東往西的中央太平洋鐵路，與自西向東修築的聯合太平洋鐵路在猶他州的奧登Ogden近郊相接。從篷車隊轉換成鐵路，貨物運輸量大增、時間短縮，對於懷著一攫千金大夢的人而言，加州不再是遙遠的世界，東部的人民也開始往西移居。南北戰爭結束後，各州整合成一個國家、再加上鐵路交通網的完成，使得美國經濟開始起飛，走向世界大國之路。

## 資本主義國家的發展與超級強國的困境
### 20世紀

18世紀末期，美國合併夏威夷，美西戰爭後從西班牙手中奪取菲律賓群島，於是西海岸之沿岸都市成為太平洋貿易的據點，角色也更加重要。舊金山、洛杉磯成為大型都市，港灣設備、郊外開發持續進行。隨著南加州油礦開發上軌道，汽車製造業搭了順風車，更由於第二次世界大戰，加速航空業的發展，西海岸城市之重要性大大提高。二次大戰後，除了經濟之外，美國在政治方面也站上「意見領袖」的地位。

而到了1960年代，身為大國的美國產生各種社會問題。古巴危機引起與蘇聯的對立、甘迺迪總統與馬丁路德‧金恩牧師被暗殺、民權運動、越戰、校園鬥爭等事件，嚴重激盪傳統社會的價值觀。在價值觀混亂的時代當中，特別是舊金山與紐約成為反文化（Counter Culture）的中心（→P304），另外，自稱「花童」等年輕人們所倡導「花與和平」新興文化也不可漠視。

1975年美軍撤出越南，龐大的犧牲者及悲痛的情懷使得美國威信掃地，社會成長也因而停滯。不過，加州還是走在時代的先端，不僅成功地延攬高科技產業，由於地理位置之便，更能與亞洲各國進行經濟合作及發展。

---

### 熊旗
（Bear Flag）共和國
遷居加州的美國人一直對遠在南方、無能的墨西哥新政府感到不安。1835年美國政府打算以50萬美金買下加州，但是談判破裂。1845年由於德州併入美國，墨西哥痛失領土，怒而下令居住在加州的外國人立即離境，這使得美方極為不滿。翌年（1846），美國向墨西哥宣戰。開戰一個月後，北加州商人組成的合眾國軍佔領了墨西哥加州提libremente所在的索瑪諾。此時，經由約翰傅里蒙（John Fremont）大尉的策動，突然建立一個「加州共和國」。合眾國軍隊掛起繡著灰熊的旗幟，宣布加州為熊旗共和國。雖然此共和國隨著美墨戰爭結束而消失，但是熊的標誌及加州共和國之名還留在現加州的州旗上。順帶一提的是，加州又稱黃金之州，加州的格言是：「Eureka」（我發現了！）。

### 49人隊（49ers）
指發現黃金的隔年（1849），前往加州找尋金礦的49名男子。他們帶著十字鎬、鐵鍬，過著喝酒、豪賭的生活不停的尋找黃金。而想從這些男子身上得到好處來到加州的女人們就被稱為51st。

### 黑豹黨（Black Panther）
為確認黑人的身分地位，以「黑色力量」（Black Power）為理念，1966年在奧克蘭成立的組織。其口號是保護受欺壓的黑人社會、黑人民族自決（self-determination），要求僱用黑人、改革教育制度、終止警察虐待黑人之行為等。原本黑人成立了自衛隊，但是卻演變成偏激的武裝團體。其標準裝扮是黑色鴨舌帽、皮夾克、皮褲及皮靴。由於不滿金恩牧師提倡的非暴力運動，這個黨廣受都市年輕人的支持，據說曾經以「對抗」為其象徵。不過到了1970年代中期，由於黨的分裂而漸失其影響力。

當地資訊

歷史

# 節慶日與活動

## 參加慶典活動也能體驗不同的樂趣

每逢節日，除了觀光地區之外，商店或餐廳多半不營業，但是一遇到慶典，舉辦慶典的城鎮不僅熱鬧翻天，連飯店都訂不到。地方性的慶典不到當地走一遭身為外國人根本不會注意，因此要事先與旅遊服務中心確認清楚。

● 美國職業運動

美國職業運動的季節各異，但全年都有不同的職業運動比賽。分為季節賽、季後賽或總冠軍賽等。總冠軍賽在職棒稱為「世界大賽」（World Series），美式橄欖球稱為超級杯（Super Bowl），也有像職籃直接稱為總冠軍賽。季後賽或總冠軍賽通常是季節賽後舉行，比賽時間長達1個月。季節賽的時刻表如下：

| 棒球 | 4月上旬～9月下旬 |
|---|---|
| 足球 | 4～9月 |
| 美式橄欖球 | 8月下旬～12月下旬 |
| 籃球 | 11月上旬～4月中旬 |
| 冰上曲棍球 | 10月上旬～4月中旬 |

● 沙堡大賽

聖地牙哥商業區往南10km的帝國海灘 Imperial Beach 舉行，以沙子作為雕塑藝術品的材料。這裡的沙堡大賽為美國規模最大，歷史最久。大賽期間也有放煙火、遊行等活動。

這只是節慶的序曲而已

## 節慶日

有的節日的日期非固定，因此排行程時要注意。不同都市會在節日舉辦不同的活動，像舊金山每逢獨立紀念日（7月4日）就會施放煙火。在旅遊服務中心可找到這類資訊。另外節日的前後幾天，飛機訂位不易，要提早劃位。

| 1月1日 | 元旦 New Year's Day |
|---|---|
| 1月第3個星期一 | 馬丁路德·金誕辰紀念日 Martin Luther King Day |
| 2月第3個星期一 | 華盛頓誕辰紀念日 President's day |
| 春分月圓後的星期日 | 復活節 Easter |
| 5月最後1個星期一 | 陣亡將士紀念日 Memorial Day |
| 7月4日 | 獨立紀念日 Independence Day |
| 9月第1個星期一 | 勞動節 Labor Day |
| 10月第2個星期一 | 哥倫布紀念日 Columbus Day |
| 11月11日 | 退伍軍人節 Veteran's Day |
| 11月第4個星期四 | 感恩節 Thanksgiving Day |
| 12月25日 | 聖誕節 Christmas Day |

## 活動

除了節日慶典，也有各種各樣的活動。特別是7、8月洛杉磯周邊的海灘會舉辦衝浪、海灘球比賽等，若打算這個時節去旅行，最好提早訂飯店。

| 1月1日 | 玫瑰花車遊行、美式足球玫瑰杯比賽（洛杉磯） |
|---|---|
| 2月上旬 | 中國新年（Chinese New Year）（洛杉磯/舊金山） |
| 3月下旬 | 奧斯卡金像獎頒獎典禮（Academy Awards）（洛杉磯） |
| 4月中旬 | 櫻花節 Cherry Festival（舊金山） |
| 4月中旬 | 舊金山影展 San Francisco International Film Festival |
| 7月下旬 | 沙堡大賽（Sand Castle）（聖地牙哥） |
| 9月第三週 | 蒙特瑞爵士音樂節（Monterey Jazz Festival） |
| 10月31日 | 萬聖節（Halloween）（全美） |
| 11月上旬 | 那帕山谷品酒大賽（Napa Valley Wine Festival） |
| 12月上旬 | 聖誕節點燈儀式（National Christmas Tree Lighting Ceremony）（全美） |

# 觀光

## 遵守當地禮儀　享受旅遊樂趣

出門旅遊很容易因為太興奮而忘了遵守規則，為了能享受旅遊的樂趣，還是要懂得入境隨俗。

### 觀光景點須知

#### 攝影注意事項

每一位遊客都希望能捕捉到國外的優美景致，但是攝影時可得顧慮到地點與周邊環境。

**美術館、博物館內**　很多地方為了保護作品與著作權，是禁止隨意攝影的，遊客必須將相機收好。有的時候只禁止使用閃光燈，要特別小心相機的設定。總之要記得不要造成其他遊客的困擾。

**照人物時的注意點**　這點要特別留意，隨便照人是很不禮貌的舉動。尤其美國是一個非常注重肖像權的國家，在攝影之前，一定要取得當事人的同意。

在美國的美術館內，可以近距離欣賞作品，但是如果貼得太近會造成其他人的困擾。此外，千萬不能用手觸摸作品，小心遭到美術館館員的警告。

#### 服裝儀容

旅行的服裝以輕便為原則，但是如果行程當中有安排去教堂或傳道院，要避免穿短褲、短裙、無袖上衣等過於休閒的服裝，脫帽進入也是一種基本禮儀。有些宗教的規定很嚴格，參觀者甚至不能露出肌膚，最好事先做好確認，以免失禮。此外大聲說話會影響到其他的參觀者，要盡量避免。

#### 票價的標準？

有些教堂與美術館的門票是以捐贈的方式，並沒有金額的限制，完全看個人的心意，通常在$1～3左右。當然如果有特殊的情感，可以多捐贈一些。

無論如何，旅行當中要隨機應變，如果有不懂的地方，最好虛心請教美術館館員或週遭的旅客，千萬不要抱著「算了」或「在外旅行凡事無所謂」的想法，遵守禮儀與公德心，旅遊的心情才會更加愉快。

不可隨地丟垃圾，這是最基本的禮貌。國家公園等地方的垃圾有實施分類，要確實遵守。

門票自由捐款（Donation）多寡由自己決定，只要將錢投入捐贈箱內即可。

**門票的折扣優待**
有些博物館或美術館，每星期會有一天延長營業時間，傍晚入館者可以享有半價、甚至免費的優待。有些地方規定每個月會有一天免門票日。建議要去參館之前，最好先查詢相關的旅遊資訊。此外，如果有國際學生證（ID卡），可以買學生票進館。

# 住宿

## 選擇適合旅遊計畫的住宿設施

住宿的好壞，有時甚至會決定遊客對當地的印象。在行程緊湊、容易疲勞的旅遊當中，舒適的住宿環境是非常重要的。此外，住宿費用雖然比機票便宜，但也佔了相當大的比例，所以更要審慎選擇理想的住宿環境。

### ●房間的種類

有單人房、一張雙人床、兩張單人床、豪華套房等不同選擇。但是美國的飯店少見單人房，大部分都是雙人房。如果是三個人住宿，有些飯店會在雙人房內多加一張小床。豪華套房指的是客廳與寢室分開的大房間。部分高級公寓及汽車旅館的房間內還設有廚房。

### ●以房間計價的方式

基本上，美國飯店的收費不以人數，而是以房間做為計價的方式，例如單人房、一張雙人床、兩張單人床的價錢都不同。單人房的費用並不是雙人房的一半，而是80%左右，有些飯店甚至是同樣價格。也就是說兩人一起住宿，還可以彼此分攤房價，遠比一個人划算。一般而言，暑假、聖誕節到新年、春假等的旺季，以及週末（週五‧六）等期間，住宿費用都會調高。

舊金山有許多精緻的小飯店，通常就在這溫馨的大廳內享用早餐。

## 住宿設施的種類

### 飯店 Hotel

飯店的收費與設施的標準參差不齊。一般而言，位在市中心、設備齊全的飯店費用較高，而地處偏遠的小型飯店則較便宜。原則上，高級飯店都必須事先預約。

中等價位的飯店

### 汽車旅館 Motel

通常都位在郊外或高速公路沿線，車子可以直接停靠在客房前面，對於租車旅行的人而言相當方便。市中心偶而可見汽車旅館，但數量不多。房間以兩張單人床或一張雙人床為主，所有的設備與飯店大同小異。住房時需登記車號，最好記住號碼。通常汽車旅館內沒有附設餐廳，但在附近一定找得到速食店。住宿費用也很公道，一晚在$30～80左右。

### B&B民宿（床與早餐） Bed & Breakfast

通常位在高速公路沿線的汽車旅館，房內空間比市區來得大。

在英國相當盛行的民宿，在美國也頗受歡迎。有些人提供家中的房間做為旅客住宿的地方，同時也可享用早餐的服務。在這裏，有機會跟經營者及其他住宿的旅客打成一片，可以感受得到居家的氣氛。一晚的住宿費用約$50～。一般的民宿只有2～3個房間，旺季容易客滿，最好事先預約。有些城市的民宿位在交通不便的郊區，要確認好所在位置。幾乎所有的民宿都可使用信用卡及旅行支票。

### 其他住宿設施

其他還有青年旅館、YMCA、YWCA等較一般旅館便宜的住宿設施。大部分的青年旅館都是多人房，衛浴設備共用。如果是青年旅館的會員，一個人的住宿費用只要$13～15，但必須另外租床單。YMCA與YWCA都有單人房及雙人房，衛浴設備也是共用，費用約$20～35。在這些地方要特別小心隨身的物品。

## 由台灣預約

**透過旅行社** 最為方便的做法。幾乎所有的旅行社都有代辦，也會酌收手續費。

**透過台灣的聯絡辦事處** 一些大型飯店在國外通常都設有聯絡辦事處，可以直接打電話預約。

**自己預約** 如果知道飯店的地址與傳真號碼，語言上也沒有問題，就可以自己預約。一般的小型飯店或汽車旅館也可接受預約。請參考飯店訂房表格（→P418）的填寫方式，直接與飯店聯絡。在表格上必須填上信用卡卡號。如果順利預約成功，飯店會回傳確認單或預約號碼，在辦理住房時必須提示，不要忘了帶。

## 飯店的設施

在房內的飯店簡介當中，都有介紹客房服務、洗衣服務等的服務內容，可以充分地利用。此外，商務中心可提供各項訊息，大部分的飯店都能免費為房客接收傳真，但發送傳真則須另外收費。例如傳真到台灣，各家的收費都不同，通常A4一張約$10～20。

## 飯店禮儀與注意事項

**客房以外的公共區域** 不要穿著睡衣、拖鞋在走廊走動，免得貽笑大方。

**浴室的使用** 洗澡時務必將浴簾放入浴缸內，小心不要讓熱水滿出來。

**自動上鎖** 客房的門幾乎都是自動上鎖，如果忘了帶鑰匙出門，就會被鎖在門外而無法進入，這時只有求助於櫃檯了。

### 飯店內的服務內容、負責人與小費情形

| 服務內容 | 負責人 | 小費 |
| --- | --- | --- |
| 對客房不滿意、要求換房 | 櫃檯 | 不用 |
| 客房服務 | 服務生 | 費用的15～20% |
| 租用毛巾、吹風機 | 打掃人員 | 約$1 |
| 打掃房間／整理床鋪 | 打掃人員 | 每張床、每晚約$1 |
| 洗衣服務 | 打掃人員 | 約$1 |
| 搬運行李 | 行李員 | 1件行李約$2 |
| 叫計程車 | 門僮 | 約$1 |
| 預約觀光行程、接駁巴士 | 大廳經理 | 約$1 |
| 預約劇場、餐廳 | 大廳經理 | 約$1 |
| 預購各種門票 | 大廳經理 | 約$1 |
| 介紹購物、觀光景點 | 大廳經理 | 約$1 |
| 寄放行李 | 行李員 | 約$1 |

※如果飯店內沒有大廳經理，服務生主任或櫃檯可以代勞。

● 在當地找飯店
抵達當地再找飯店當然也還來得及，但7～9月的旺季就必須事先預約了。大部分的飯店都位在市中心，但是像一些小型飯店、汽車旅館、青年旅館就不一定了。前往住宿前最好先打聽好週遭的環境與治安狀況。此外，電話預約時，大部分的飯店都須登記信用卡的卡號，如果預約之後不去住宿，小心還會被索取費用。

**機場**
機場內都有飯店的預約專線，一到機場就可以馬上付諸行動。

**旅客服務中心**
各種住宿設施的資料齊全，要特別留意的是，這裏只提供諮詢，並不替旅客預約飯店。

汽車旅館的招牌都很大，目標明顯。

標準浴室。有些小型飯店的衛浴更小。

＊傳真到旅館訂房時，可利用下列的訂房表格。在傳真前，務必確認最新的住宿費用再行訂房。收到旅館回傳的訂房資料時，記得確認住宿費、日期等細節。旅館回傳的資料即相當於訂房預約單，出國時要記得攜帶。

＊取消訂房的話，要盡快以傳真、電話等聯絡旅館，並取得旅館的取消回函。要將旅館回傳的傳真號碼、取消訂房的編號記下來。在逼近住宿日才取消訂房的話，按照旅館的規定必須支付取消訂房手續費。疏於取消訂房手續的話，對方會按照訂房表格上記載的信用卡申請住宿費。

＊在訂房表格填寫信用卡號碼，對旅館而言相當於取得保證金。如果沒有填寫信用卡號碼，旅館通常會要求客戶支付保證金。

---

# Reservation Form

To: _____  Date: ____ / ____ / ____
(旅館名稱)  (日·月、西元年度的順序)

Dear Sir,
I would like to make a reservation as follows.
( 我希望按照下列條件訂房 )

Name: _____  ☐Mr. / ☐Ms.
(姓名)  (男性／女性)

Address: _____
(住址)  ,Taiwan/R.O.C.

Telephone: _____  Facsimile: _____
(電話號碼)  (FAX號碼)

E-mail: _____
(電子信箱)

Number of Person: _____
(住宿人數)

Arrival Date: ____ / ____  Time: ____  ☐A.M. / ☐P.M.
(住房報到日期)  (抵達時間)  (上午/下午)

Departure Date: ____ / ____
(退房時間)

Type of Room: ☐Single ☐Twin ☐Double ☐Suite
(房間種類)  (單人房)  (雙人房)  (雙人大床)  (套房)

with ☐Shower ☐Shower & Bath-tub
(限淋浴)  (淋浴加浴缸)

Special Requests: _____
(其他、特別指定)

Credit Card: ☐AMEX ☐VISA ☐MASTER ☐DINERS ☐JCB
(信用卡種類)

Number: _____  Expiration Date: ____ / ____
(信用卡號碼)  (信用卡有效期限)

Signature: _____
(親自簽名)

Please send me the confirmation slip as soon as possible. Thank you.
( 請盡快將訂房確認單寄出 )

# 餐廳

## 美西的料理千變萬化

美國是一個族群眾多的國家,可以盡情地享用各國道地的美食。餐廳的種類應有盡有,有必須盛裝才能入座的高級店,也有非常便宜的速食店。可以配合自己的預算,嚐試各種不同的料理。

## 餐廳設施的種類

**餐廳**　西海岸最具代表性的餐廳有肉類、魚類、披薩、義
Restaurant　大利麵、三明治等的歐陸料理,以及綜合世界各國口味的加州料理。同時也吃得到墨西哥、中國、義大利、日本等其他國家的料理。又因為鄰近海洋,美味的海鮮更是不可錯過的佳餚。一方面可以向住宿飯店的櫃檯打聽當地的餐廳,另一方面如果想要自己找,就將目標鎖定在主要道路附近、人潮較多的店家。大部分的餐廳門口都貼有菜單,有助於了解餐廳的菜色。

**咖啡館**　有標示咖啡館的餐廳,大部分都採自助式。順著前進
Cafeteria　方向,選擇自己喜歡的菜色,裝在托盤上,再到收銀機結帳即可。所有的價格都有清楚地標示,不用擔心預算不足,或不會點菜的困擾了。當然不需要再給小費。如果遇到趕時間,又想吃得比速食店好些時,咖啡館是一個不錯的選擇。

**速食店**　台灣幾家耳熟能詳的速食店,在美國各大城市都能看
Fast food　得到。購買方式跟台灣一樣,又便宜又方便。有時也可以考慮外帶,拿回飯店優閒地享用。美國的速食店,不光只賣漢堡,還有墨西哥、中國料理,甚至連日式的壽司都有。對於本國人而言,份量可能太多,尤其是組合餐的份量更是嚇人,小心不要點太多。

**熟食店**　專賣三明治、沙拉的熟食店也有提供外帶的服
Delicatessen　務。最近使用有機栽培的食材人氣大增,是注重健康取向的商店。

## 營業時間

每一家店都不同。餐廳通常是11～22點,咖啡館與速食店7～23點。有些店到了周五、六會延長營業時間,但大部分都是全年無休。此外,有的餐廳只提供晚餐,有的除了中午與晚上的吃飯時間之外,還有下午茶的服務,因此如果過了吃飯時間,最好先做確認。

●加州料理
融合各國口味的加州料理,現在已經成為象徵美國西海岸的代表料理了。利用地緣之便,使用海鮮的料理也很多,例如以海苔捲螃蟹與酪梨的加州手捲即是大家所熟悉的一道料理。過去認為加州料理量多又粗糙,但是最近的菜色越來越精緻,走的還是健康路線。為了能吃出蔬菜的原味,盡可能使用清淡的烹調方式;有些菜色受到亞洲口味的影響,稍微有點辛辣,各種改良過的料理在加州都可以大快朵頤一番。

加州還有世界著名的葡萄酒產地。最具代表的酒鄉有舊金山近郊的那帕與索諾瑪,如果有時間,值得去參觀。

●晚餐的預算

| 高級餐廳 | US$70～100 |
|---|---|
| 一般餐廳 | US$30～50 |
| 一般小吃 | US$10～20 |
| 咖啡館<br>速食店<br>熟食店 | US$5～10 |

●Happy Hour & Early Bird
晚餐之前的簡餐時間,有些菜色與晚餐一樣,但價格較便宜。

### 預約餐廳的英語會話

**需要預約嗎？**
Do I need a reservation？

**可以幫我預約嗎？**
Could you make a reservation for me？

**我要預約兩個人**
I'd like to reserve a table for two.

**我們有四個人**
We are a group of four.

**我們想要全部坐在一起**
We'd like to have a table together.

**7點會到**
We'll come at seven O'clock.

**我們可以預約幾點？**
What time can we reserve a table？

**餐廳營業到幾點？**
How late is it open？

**有沒有服裝上的限制？**
Do you have a dress code？

**對不起，我想取消預約**
I'm sorry, but I want to cancel my reservation.

早餐的鬆餅與水果，份量不少。

不拘小節，隨時都可以進去用餐的麥當勞。

## 預約狀況與服裝儀容

高級餐廳一定要事先預約，將日期、人數、姓名及指定的座位清楚地告訴店方。可以順便問一下用餐的預算以及有無服裝儀容上的限制。有些餐廳規定男士一定得穿外套、打領帶，而女性也必須比照此標準。如果是一般的餐廳，做休閒的打扮也無傷大雅。

## 付款方式＆小費

結帳時請負責的服務生拿帳單過來，在自己的座位上付款即可。如果以現金付款，就將給服務生的小費直接放在桌上。

### 現金

將帳單與現金放在小盤子或小托盤裏（有的是可以插紙鈔的細縫），服務生就會拿到收銀台結帳。小費的一般行情為午餐總額（加稅）的10～15%、晚餐的15～20%。如果不用找錢，就可以離座；如果必須找錢，在服務生帶回零錢之後，再將小費放在桌上即可。

### 信用卡

將信用卡與帳單放在一起，服務生會拿到收銀台結帳。刷完卡之後，服務生會將信用卡及簽帳單交給客人，確認金額無誤之後，將總金額寫在合計欄內，最後簽上自己的姓名。如果小費要以信用卡支付，則在小費Tip欄內自行填寫金額後加總。簽名之後的發票一張還給餐廳，存根則自行保管。

## 注意事項

進入店內，千萬不要自己找位子坐下，必須等店員帶位。如果有先預約，告知姓名即可。坐好位子之後，負責的服務生會過來點菜，最好記得他的長相。由於美國是一個講求小費的國家，因此點菜、追加、付款，都是由同一位服務生負責。此外，要記得凡事女士優先，當然連就坐也不例外。

### 菸酒的規定

在美國，法律規定要超過21歲才能喝酒。不僅在餐廳內禁止喝酒，就連在超商買酒也受限於此。一般而言，東方人看起來會比較年輕，因此即使超過21歲，有時候還會要求出示護照確認年齡。

近年來，美國非常盛行各種禁菸運動。一些餐廳及公共場所，通常都有分吸菸區與非吸菸區。尤其是在加州，餐廳是全面禁菸的。如果週遭有小朋友，最好到別的地方抽菸，必須遵守抽菸的基本禮儀。此外，飯店內也會問到要住吸菸或是禁菸的房間，想當然爾，禁菸的房間人氣較旺，如果沒有事先預約恐怕還會客滿呢！

# 購物

## 從當地產品到高檔名牌

購物是出國旅行的一大樂趣。無論是個性商店、大型購物中心，或是人氣十足的暢貨中心，各種形式的購物景點都令人無法抗拒。不只是歐洲的名牌商品，美國本土的品牌與休閒服飾也不可錯過。此外，迪士尼的周邊商品更是贈送親朋好友的最佳禮物。

## 去哪裡購物？

**購物中心**Shopping Center 購物中心內有著名品牌，也有梅西等當地的百貨公司進駐，可以在最短的時間之內買足需要的商品。有些地方的佔地廣大，最好先到客服中心Customer Service索取地圖，好好地研究逛街的路線與商店，千萬不要漫無目標地亂逛，小心迷路。購物中心內除了咖啡館與餐廳之外，有的地方還有電影院，可以讓遊客輕鬆愉快地待上一天。有些地方的購物中心又叫做購物商城Shopping Mall或賣場Market Place。

舊金山漁人碼頭附近，以巧克力著名的購物中心——葛拉德禮廣場。

**購物街** 在購物街上優閒逛街，看看各家店面的櫥窗也可以滿足視覺上的享受。典型的購物街有洛杉磯的梅爾羅斯街、聖塔莫尼卡的主要道路、舊金山的聯合街、嬉皮區、莎薩利托等地方。小巧精緻的個性商店、格調高雅的咖啡館林立，可以盡情地享受逛街的樂趣。

洛杉磯的梅爾羅斯街，二手衣等的個性商店林立。

**其他商店** 日常用品與生活雜貨應有盡有的藥局及超商，是最貼近美國人生活的地方。藥局內有各種沐浴用品及旅行商品，而在超商內，可以看到很多國內沒有的食品罐頭、加工食品與醬料。從大型的肉塊到整桶的冰淇淋，可以看出美國人的生活型態。此外，洛杉磯的小東京與舊金山的日本城附近也有一些日系百貨公司。

有機會一定要去逛逛超商，商品的數量多得驚人。

## 營業時間

營業時間各家不同。一般而言，自營商店10～18點、百貨公司及超商10～21點、購物中心10～22點，藥局從早到深夜都有營業。即使是全年無休的商店，週日的營業時間也會縮短。一些主要道路沿線或夜店附近的商店，通常24小時不打烊。

肉類與火腿的份量之多令人嘆為觀止。

暢貨中心的規模都很壯觀，最好先到客服中心索取地圖，鎖定目標後再出發。

千萬要把握名牌商品的折扣

如果行程可以配合，不妨到跳蚤市場逛逛。可以討價還價，享受與市中心截然不同的購物氣氛。

●消費稅Sale's Tax
美國的商品幾乎都要徵收消費稅，但各州的稅率從4～9%不等，例如洛杉磯與舊金山為8%（有些地方每年都會變更）。商品的標示價格都不含稅，在結帳時才會自動加總，消費稅的金額會清楚地標示在收據上。

## 前進暢貨中心

在美國人氣歷久不衰的購物景點就屬暢貨中心了。在這裏，可以看到各種低價的工廠現貨商品、樣本商品、過剩商品、過氣商品及瑕疵品。其中最受好評的是一些著名品牌的直營店，以市價的5～7折就能買得到，有時甚至會打到2～4折，是購買休閒服的最佳選擇。

選好商品後最好試穿，即使是一樣的M號，各家廠商的尺寸標準都不盡相同。商品都不能退貨，因此最好檢查有無破損、脫線、或鈕子掉落的情形。大部分的暢貨中心都位在郊外，交通比較不方便。如果沒有租車，就只能參加當地的旅遊團了。一天不可能逛很多地方，最好鎖定幾個大目標。

## 折扣季節

一年有兩次折扣，分別在夏天與冬天。夏天只從8月中旬～下旬，而冬天卻很長，從12月中旬~1月中旬。冬天的折扣季節涵蓋了聖誕假期，因此規模與內容都遠比夏天來得充實，尤其是名牌商品的折扣更不可錯過。如果想要大血拼一番，建議最好選擇冬天前往。

## 購物的禮儀與注意事項

除了自助式的商店之外，基本上不要觸摸商品，請店員幫忙是購物的禮儀。如果只是純逛街也無妨，只要告訴店員「Just looking」即可，但是千萬不要在店內亂翻。想仔細看商品時，可以請店員幫忙，如果想試穿，問一下店員「Can I try?」。

即使知道自己的尺寸，各家品牌的標準都不相同，有些品牌標示的是美國尺寸，有的卻是法國尺寸。通常商品都不能退貨，因此在購買時要特別留意。

除了一些小商店之外，大部分的商店都能接受信用卡與旅行支票的付款方式，但有時候必須提示護照，因此最好隨身攜帶。要注意的是，美國的商品必須外加稅金。此外，除了跳蚤市場可以講價之外，一般的商店是不能討價還價的。

### 衣物尺寸對照表

| | | | | | | | | | | |
|---|---|---|---|---|---|---|---|---|---|---|
| 女性服裝 | 亞洲尺寸 | 7 | 9 | 11 | 13 | 15 | 17 | 19 | 21 | - | - |
| | 美國尺寸 | 6 | 8 | 10 | 12 | 14 | 16 | 18 | 20 | - | - |
| 男性襯衫 | 亞洲尺寸 | 36 | 37 | 38 | 39～40 | 41 | 42 | 43 | 44 | 45 | - |
| | 美國尺寸 | 14 | 14 1/2 | 15 | 15 1/2 | 16 | 16 1/2 | 17 | 17 1/2 | 18 | - |
| 鞋子 | 亞洲尺寸 | 22 | 23 | 24 | 24 1/2 | 25 | 25 1/2 | 26 | 26 1/2 | 27 | 27 1/2 |
| | 美國尺寸 | 4 1/2 | 5 1/2 | 6 1/2 | 7 1/2 | 7 1/2 | 8 | 8 1/2 | 9 | 9 1/2 | 10 |

# 當地實用資訊

## 了解當地生活習慣 盡情享受旅遊樂趣

美國雖然是偏向個人主義的國家,但還是有許多日常生活的習慣與禮儀必須遵守。即是旅遊期間,也不要忘了「入境隨俗」。如果能了解基本的生活習慣,保證旅途愉快,絕不會敗興而歸。

## 記得女士優先

在美國禮讓女士是基本常識。無論進出商店或搭乘電梯都是如此。例如開門之後,不要急著進去,先確認有沒有人要出來;而要出去的時候,也要確認後面沒有人了再關門。

## 小費的習慣總是令人傷腦筋

國內沒有給小費的習慣,但是在美國,只要接受服務,就必須給小費,並根據服務的內容調整金額的多寡。例如在餐廳(→P420)或計程車內不用找錢,或在帳單上直接填寫小費金額。如果是接受其他的服務,較聰明的方法,是將零錢夾在手指之間,在向對方說聲「謝謝」的同時,利用握手的機會交給對方,因此最好隨時準備一些零錢。此外,速食店與自助餐廳的費用當中已經內含服務費,不需要另外再給。

## 喝礦泉水最安心

美西的水質不錯,其實都可以生飲。只是水質與國內不同,建議旅行當中最好還是買礦泉水喝。大部分的礦泉水品牌來自歐洲,但要小心不要喝到含碳酸gas成分的水。

## 外出前最好先上廁所

基本上美國並沒有所謂的公共廁所。外出時如果想上廁所,最好到飯店、百貨公司或購物中心。舊金山的市中心可以看到一些收費的公共廁所。速食店的廁所通常不對外開放。此外,有些商店的廁所設在外面,必須向收銀員換代幣才能打開廁所的門。公園與海灘的公共廁所不收費,但是通常都沒有放衛生紙,不太乾淨。此外,這些地方的治安也不好,盡量避免。至於巴士總站的廁所,就得更小心隨身的行李了,例如將包包吊在門內的吊鉤上,也有可能被人從門外順手牽羊;將行李放在地上也是非常危險的。

排隊上車。除了女性之外,也不要忘了禮讓老弱婦孺。

●小費的一般行情

**餐廳**
午餐:含稅金額的10~15%
晚餐:含稅金額的15~20%

**計程車**
總額的10~15%

**寄物處**
US$1

**飯店內**
→P417

舊金山的公共廁所。一次25¢,使用時間以20分鐘為限。並不是到處可見,最好在出門前就先解決。

# 旅遊預算

## 根據旅遊的目的與天數，做好預算的規劃

旅遊預算隨旅遊的天數與型態有很大的不同。除了台灣與美國間的來回機票之外，還得負擔住宿、飲食、交通及各種入場券的費用。在此簡單地介紹三種不同等級的旅遊方式。

● 一天的生活費

**A式**

| 住宿費 | \$250以上 |
|---|---|
| 飲食費 | \$150 |
| 交通費及其他 | \$100 |
| 合計 | \$500 |

**B式**

| 住宿費 | \$150 |
|---|---|
| 飲食費 | \$50 |
| 交通費及其他 | \$50 |
| 合計 | \$250 |

**C式**

| 住宿費 | \$100以下 |
|---|---|
| 飲食費 | \$30 |
| 交通費及其他 | \$20 |
| 合計 | \$150 |

電影《比佛利警探》與《麻雀變鳳凰》的拍攝現場，位在洛杉磯的高級飯店——比佛利麗晶威爾榭四季飯店

不妨體驗一下坐加長禮車的感覺

天氣晴朗的時候，可以帶著食物到公園曬太陽。

### 優雅豪華之旅-A

既然是豪華之旅，當然要住高級飯店，吃高級餐廳。一天的生活費用如下，住宿\$250、飲食\$150、交通以計程車為主\$50、入場券約\$20，如果再加上其他雜項支出，大概要花費\$500。當然這筆預算不包括購物及娛樂費用。也可以考慮租車。如果往返機位都坐商務艙，那麼這趟旅遊一定會備感舒適。

### 中等價位之旅-B

基本開銷不能省，但也不能太奢侈，能省最多錢的部分就是住宿費了。最好配合自己的旅遊行程，選擇\$150左右，中價位的飯店。即使晚上外出搭計程車也不會太貴。

至於飲食費的安排，可以在旅程當中，到高級餐廳飽餐一頓。其他像早餐就可選擇到街上的咖啡館、中午吃便宜的組合餐、晚上則利用餐廳的Happy Hour或Early Bird（→P419），物美價廉。一天的食費約\$50。

交通費方面，充分利用地鐵、巴士與計程車，約\$30。一天下來的花費在\$250左右，只要在預算內自行調整即可。

### 節儉保守之旅-C

如果盡可能要省錢，建議選擇\$100以內的小型飯店。吃飯可利用熟食店或超商，包括交通費在內，一天只需要花費\$150。難得在美西可以吃到世界各國的料理，有時也不妨到餐廳享受一番。

住青年旅館、汽車旅館或B&B是更省錢的方法，但是不要只為了經濟考量，卻忽略了治安的問題。有時候選擇郊外的住宿設施，反而得花更多的交通費，得不償失。配合旅遊的行程，如果在晚上搭灰狗巴士或美國國鐵的夜車，也可以省下一晚的住宿費。最好在考量自己的預算之後再安排行程。

# 旅遊會話

## 學習基礎會話是實踐國際禮儀的第一步

在旅遊當中，如果能以當地的語言表達自己的意思，甚至跟當地的居民打成一片，一定可以留下更美好的回憶。尤其是在遇到麻煩時，語言也可以幫助我們度過難關。

### 打招呼與基本會話

**你好　　　Hello.**

一天當中的打招呼依時段而不同—「早安」Good morning.「午安」Good afternoon.「晚安」Good evening. Hello.的用法不分時段，隨時都可以輕鬆地打招呼。更隨性的說法是Hi.

**你好嗎？　　　How are you?**

說完「早安」、「午安」之後，接著會問How are you?也有「近來好嗎？」的意思。通常會回答「託您的福」I'm fine Thank you.，或是「還不錯，你也好嗎？」So- So. And you？

**很高興認識你　　　Nice to meet you.**

另外，How do you do?的用法也經常使用。如果對方說Nice to meet you，就回答Nice to meet you, too. 如果說How do you do，就回答How do you do.

**再見　　　See you again.**

再見說法有很多種，如果馬上又能見面時，用See you later. 或See you again.。一般較普遍的說法是Good bye.或Bye.。在旅行當中與人道別時，可說「保重」Take care.或「祝你好運」Good Luck.。如果雙方都是遊客時，可說「旅途愉快」Have a nice trip.。

**謝謝　　　Thank you.**

如果要強調「非常感謝」，可以說Thank you very much. 或Thank you so much.回答時說「不客氣」You are welcome.或Not at all.。

**是／不是　　　Yes./ No.**

誰都會說的話，但是不要因為不好意思而含糊帶過，為了避免誤會，凡事都要清楚地說出Yes./ No.。

**對不起　　　I'm Sorry.**

如果覺得造成對方的困擾，真的想要道歉時才說I'm Sorry.，並不用在一般的打招呼。回答用「沒關係」That's all right.或「不用在意」Never mind.

**對不起　　　Excuse me.**

在飯店或車內，要叫人或找人幫忙時會以Excuse me.做為會話的起頭，與對方的年齡或性別無關，都可使用。

在美國的社會，最忌諱的談話內容是女性的年齡與種族問題。最好不要涉及到個人隱私或財產，更不能對所在城市做批評。

## 字庫

**●通知危險**

| 往後退！ | Back off！ |
|---|---|
| 停止！ | Break it up！ |
| 安靜！ | Calm it！/Shut up！ |
| 不要動！ | Freeze！ |
| 趴下！ | Duck！ |
| 蹲下！ | Get down！ |
| 走開！ | Get lost！ |
| 把手舉起來！ | Hands in the air！/Hands up！ |
| 住手！ | Hold it！ |
| 危險！ | Look out！ |
| 走開！ | Move it！ |
| 聽我說！ | You listen to me！ |

**●重要的單字**

| 上車 | get on/ride |
|---|---|
| 下車 | get off |
| 單程 | one way |
| 來回 | round trip |
| 空車 | vacant |
| 使用中 | occupied |
| 故障 | out of order |
| 售完 | sold out |
| 退票 | refund |
| 樓梯 | stairs |
| 金額 | amount |
| 另外付費 | extra charge |
| 簽名 | signature |

**●租車用語**

我要一部自排小轎車
I'd like an automatic （a compact）car.

我要在舊金山還車
I'd like to return it in San Francisco.

有里程的限制嗎？
Is the mileage free？

我想保全險 I'd like full insurance.

一天（週）多少錢？
What is the rate per day（week）？

可以給我道路地圖嗎？
May I have a road map？

我的車故障了
My car has broken down.

車子爆胎了 I have a flat tire.

| 油門 | accelerator |
|---|---|
| 油位尺 | oil dipstick |
| 排檔桿 | gear shift |
| 喇叭 | horn |
| 緊急煞車 | emergency brake |
| 充電 | charge |
| 碰撞 | collision |
| 違規停車 | parking violation |
| 過路費 | toll |
| 擋泥板 | mud flap |
| 車牌 | license plate |
| 防凍水 | antifreeze-water |
| 引擎蓋 | hood |

### 什麼？　　　　Pardon？

在聽不懂對方談話內容時的說法。通常在對話時，即使有聽不懂的地方也會覺得不好意思發問，其實應該要勇於面對，大膽地說Pardon？或Excuse me？（句尾的語調拉高）如果要特別強調，可說I beg your pardon.，甚至直說「我聽不懂」I don't understand.。

### 我必須～　　　　I have to～

「我必須去～」I have to go to ～. 或「我必須一早就離開～」I have to leave～ early in the morning.等都是旅行當中常說的話。I must ～也經常使用，只是語氣要強些。疑問句用「我必須～嗎？」Do I have to～？否定句don't have to～有「不必要」的意思。

### 請～　　　　～,please.

麻煩對方時最方便的一句話。例如在餐廳裏可說Coffee, please. 客氣一點的說法是「可以麻煩你～」Would you please ～?或 Could you please～？。

### 我想～　　　　I want～./ I'd like～.

有事拜託對方時的用法。購物時可以指著商品說I want this. 如果是「我想～」，可在I want to～或I'd like to～後面加上動詞即可。

### 我可以～　　　　may I～？

在各種場合當中，徵求對方同意時經常說的話。尤其是在交通工具、商店、餐廳等公共場所要特別注意禮貌。最常聽說的是「我可以抽菸嗎？」May I smoke? 另外Can I～?的用法也差不多。

### 你有～嗎？　　　　Do you have～？

在商店內詢問有無現貨，或在餐廳裏向服務生要菜單時都可以使用。如果只是問有或沒有的答案，可以說Is there～? 或Are there～?

### 多少錢？　　　　How much is it？

How much～? 用在詢問不可數的情況，如果可數，則問「幾個？」How many～?。問距離「從這裏到～有多遠？」How far is it from here to～? ，問時間「多久？」How long～?，問年齡「多大？」How old～?。

### 該怎麼做呢？　　　　How can I～？

詢問用法、做法時的簡單會話。例如問用法時How can I use ～?，問路時How can I get to～?。較有禮貌的問法是Could you tell me how to～? 或Please tell me how to～?。

### 什麼地方？　　　　Where is～？

熟悉5W（Where, Who, When, What, Which）的用法將會受用無窮。「什麼人？」Who is～?、「什麼時間？」When is ～?、「什麼東西？」What is～?、「哪一個？」Which is～?。

以上的疑問句用在句首時，記得句尾的語調不用提高。

## 遇到困難時的用語

### 路上

這附近有郵局嗎？ Do you know a post office around near here？

我迷路了 I'm lost

這裡是哪裡？ Where is this?

哪一輛巴士？ Which bus？

在第幾站下車？ How many bus stops until we get there？

可以幫我在這裡畫個地圖嗎？ Could you draw a map for me here？

可以借一下洗手間嗎？ May I use your bathroom, please?

### 緊急狀況

非常緊急！救命！ Emergency！Help！

快！ I'm in a hurry.

停止！ Stop it！

走開！ Get out of here！

快打電話給警察！ Call the police！

有小偷！ A robber！

我遺失了護照 I'd lost my passport.

錢包被偷了 My purse was stolen.

皮包掉在計程車裡 I left my bag in the taxi.

去哪裡報備？ Where is the lost-and-found？

請幫我找一位懂中文的人 Could you call for a Chinese-speaking staff？

可以重新申請嗎？ Can I have them reissued？

請幫我開意外證明 May I have a certificate of the accident, please？

我的卡要作廢 Could you please cancel my card number？

### 交通工具

我想換到5月10號的班機 I'd like to change my flight for May 10th.

離這裡最近的地鐵車站在哪裡？ Where is the nearest subway station？

計程車招呼站在哪裡？ Where can I catch a taxi？

請帶我到這個地方 To this place, please.

價錢跟碼表不符 The fare is different from the meter.

我認為價錢有問題 I'm afraid that is not the right price.

### 飯店

我現在可以訂房嗎？ Is it possible to reserve a room now？

可以幫我介紹同等級的飯店嗎？ Could you tell me another hotel equivalent to yous?

我把鑰匙忘在房間裡 I left the room key in my room.

沒有熱水 There's no running hot water.

可以找個人幫忙嗎？ Could you send anybody for me？

---

### 字庫

**●路上**

| | |
|---|---|
| 市區地圖 | city map |
| 路線圖 | route map |
| 時刻表 | timetable |
| 回數票 | coupon tickets |
| 交叉口 | intersection/crossing |
| 十字路口 | crossroads |
| 轉角 | corner |
| 路上 | street |
| 大道上 | Avenue/Boulevard |
| 單行道 | one way |
| 信號燈 | traffic lights |
| 違反 | violation |
| 郊區 | suburbs |
| 交通阻塞 | traffic jam |
| 垃圾桶 | trash box |
| 洗手間 | restroom/bathroom |

**●交通事故**

| | |
|---|---|
| 交通事故 | traffic accident |
| 救護車 | ambulance |
| 警察 | police |
| 警車 | patrol car |
| 急診醫院 | emergency hospital |
| 受傷 | injury |
| 意外證明 | certificate of accident |
| 故障中 | breakdown/broken down |

**●交通工具**

| | |
|---|---|
| 機場 | airport |
| 班機 | flight number |
| 時刻表 | timetable |
| 航空公司 | airline/carrier |
| 目的地 | destination |
| 國際航線 | international service |
| 國內線 | domestic service |
| 乘客 | passenger |
| 登機證 | boarding pass |
| 行李提單 | claim tag |
| 普通列車 | local train |
| 特級列車 | limited express |
| 臥鋪列車 | sleeping car |
| 車費 | fare |
| 剪票口 | wicket/gate |
| 車掌 | conductor |
| 直達巴士 | non-stop（direct）bus |
| 轉乘 | transfer |
| 出發時間 | departure time |
| 抵達時間 | arrival time |
| 停車場 | depot |
| 巴士站 | bus stop |
| 駕駛 | driver |
| 路線圖 | route map |
| 地鐵 | subway |
| 入口 entrance | 出口 exit |
| 往～方向 | bound for～ |
| 計程車招呼站 | taxi stand |
| 空車 | for hire/vacant |
| 不提供載客服務 | |
| | off duty/not in service |
| 碼表 meter | 近路 short cut |

當地資訊
旅遊會話

### 字庫

**●飯店**

|  |  |
|---|---|
| 保證金 | deposit |
| 單人房 | single room |
| 雙人房 | twin（double）room |
| 帳單 | bill |
| 經理 | manager |
| 櫃檯 | reception |
| 會計 | cashier |
| 服務生 | porter |

**●餐廳**

|  |  |
|---|---|
| 飯前酒 | aperitif |
| 前菜 | appetizer |
| 鄉土料理 | local food |
| 海鮮 | seafood |
| 肉類 | meat |
| 蔬菜 | vegetables |
| 湯 | soup |
| 沙拉 | salad |
| 甜點 | dessert |
| 水果 | fruit |

**●商店**

|  |  |
|---|---|
| 百貨公司 | department store |
| 專賣店 | specialty store |
| 禮品店 | gift shop |
| 店員 | sales person |
| 折扣 | discount |
| 包裝 | wrap |
| 紀念品 | souvenir |

**●生病**

|  |  |
|---|---|
| 打針 | injection |
| 吃藥 | medicine |
| 處方籤 | prescription |
| 手術 | operation |
| 冷（熱）敷 | compress |
| 消毒藥 | disinfectant |
| 繃帶 | bandage |
| 軟膏 | ointment |
| 感冒藥 | cold medicine |
| 安眠藥 | sleeping pills |
| 止痛藥 | pain killer |
| 眼藥水 | eye drops |
| 腸胃藥 | stomach medicine |
| 食物中毒 | food poisoning |
| 消化不良 | indigestion |
| 脈搏 | pulse |
| 體溫 | temperature |
| 血壓 | blood pressure |
| 檢查 | physical examination |
| 尿 | urine |
| 便 | stool |
| 蕁麻疹 | hives |
| 扭傷 | sprain |
| 老毛病 | old complaint |

### 餐廳

點的菜還沒來　My order hasn't come yet.

這跟我點的不一樣　This is not what I ordered.

我沒有點這道菜　I didn't order this.

你好像算錯了　I think there is a mistake with the bill.

請給我收據　May I have the receipt, please?

### 商店

請問服飾的賣場在哪裡？　Where can I buy clothes?

我可以看看這件嗎？　I'd like to see this.

我可以試穿嗎？　Can I try this one?

太大（太小）　This is too big（small）.

可以換一件新的嗎？　Can you exchange this for a new one?

### 生病

請幫我叫醫生　Call a doctor, please.

請帶我去醫院　Please take me to the hospital.

身體不舒服　I feel languid.　沒有食慾　I have a poor appetite.

喉嚨痛　I have a sore throat.　我有發燒　I have a fever.

我的身體一直發熱　I have a constant slight fever.

鼻塞　I have a stuffy nose.

咳嗽很嚴重　I have a terrible cough.

我想吐　I feel nauseous.

頭痛得很厲害　I have severe headaches.

肚子痛　I have a stomachache.

我跌倒了　I fell down.　腳踝扭到了　I sprained my ankle.

眼睛痛　My eyes hurt.

牙齒痛　I have a toothache.

請幫我治療，但不要拔牙　Can you give me some treatment without removing?

請開藥給我吃　May I have a medicine?

一天要吃幾次藥？　How many times a day should I take it?

人體部位的說法

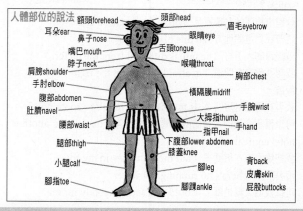

# 旅遊安全問題應對

## 缺乏警覺心容易鑄成大錯

在愉快的旅遊當中，如果遇到麻煩或發生意外，一切行程就泡湯了。對於不熟悉的外國，最好小心謹慎，千萬不要到治安不好的地方。

## 西海岸的治安

　　美國的犯罪情形遠比國內嚴重，連西海岸的一些著名觀光景點也不例外。尤其是持槍犯罪的件數不斷地增加。在加州雖然法律規定不能隨身帶槍，卻可以買槍，因此據說持槍的人口還不少。持槍搶劫的案子不少，就連觀光客也有遇到這類犯罪的危險。

　　針對觀光客的犯罪以汽車搶匪居多。利用旅客將車子停在路邊購物的時間，將車門或行李箱撬開，竊取車內的物品。尤其是洛杉磯是一個必須開車的城市，因此如果觀光客在路上行走，其實非常明顯，也容易成為犯罪的對象。除了觀光景點之外，不要一個人走進巷內。此外，人潮洶湧的購物街或市區巴士裡，扒手也相當橫行。有些人只會被扒走皮包內的錢包，因此要特別留意，皮包的口千萬不要朝向外面。

　　白天搭計程車還算安全，但是晚上就要盡量避免。即使是人潮眾多的商業街、繁華地區、公園等地方，晚上一個人獨行還是很危險的。

　　近年來，毒品犯罪不斷增加，儘管警方嚴加取締，施以重刑，青少年的吸毒還是層出不窮，已經造成嚴重的社會問題。只要持有一根大麻，罰金就高達1萬美金。

　　機場內的偷竊案頻傳是令各城市頭疼的問題。尤其是轉國內線，在檢查行李時，往往是小偷下手的好時機。因為任何人都可以進出國內線的航站，因此要特別留意，就算機場人員催趕，在前面的旅客行李過關之前，千萬不要將自己的行李放在輸送帶上。如果真的遇到歹徒，記得不要反抗，也不要正視對方的臉。除了錢包之外，另外準備少量的錢，在非常的時候可以立刻掏給對方，這時候要小心不要將手伸入上衣內側的口袋內，以免被誤認為掏槍或小刀。

## 問題範例

　　旅行中遇到麻煩，除了意外事故之外，通常都是自己不小心或太大意所造成。在此介紹一些真實的例子，提供遊客作為參考。要記得晚上絕對不要到治安不好的地區、現金要分開放、貴重物品不要帶在身上等，都是保護自己的不二法門。

槍擊案與毒品
在洛杉磯與舊金山等的大城市經常發生槍擊案。最近，從車內擊槍的犯罪逐年增加，更有一些無辜的民眾遭到波及。另一方面，毒品問題也屢見不鮮，已經成為嚴重的社會問題。便宜的新品種氾濫，吸毒的年齡層也有降低的趨勢，因毒品交易而殺人的事件更是層出不窮。有些人專門針對觀光客，在酒吧或夜店內兜售毒品，千萬不要沖昏了頭，做出違法的事情。
警察／救護車
☎911

問題範例與注意事項

旅遊安全問題應對

| | | |
|---|---|---|
| 扒手/小偷 | ①在路上故意撞人，趁道歉的時候搶皮包<br>②一個人佯裝問路，其他的同夥趁機偷行李或錢包<br>③將旅客的皮包或背包割破，扒走錢包<br>**注意事項**<br>扒手最常出現在人群眾多的地方或擁擠的巴士內。此外，在機場的航空公司櫃檯前及安檢時，或是在飯店的大廳及辦理住房與退房時，都是小偷下手的好時機。 | <br>機場內要特別小心扒手與小偷。最近有很多人在安檢時，行李無故消失。因此在行李檢查完畢之後，要記得馬上帶走。 |
| 詐欺 | ①購買的商品在包裝時被掉包<br>②買到冒牌貨<br>③信用卡簽單上的金額被灌水<br>**注意事項**<br>使用信用卡在簽名之前，要確認好實際消費與小費的金額，千萬不能空白，最好自己在金額前寫上$的符號。 | <br>在迪士尼樂園等的主題樂園內，扒手橫行，要提高警覺。 |
| 恐嚇 | ①在觀光景點任意照相，並向遊客索取金錢<br>②在飯店的電梯內恐嚇，甚至佯裝飯店的服務生進入房內<br>**注意事項**<br>如果有人任意照相並索取金錢，要明確地告訴對方不需要，態度要堅定，千萬不可微笑以對，否則會讓對方會錯意。當有人闖進房內或在路上被襲擊時，他們通常都握有刀、槍等凶器，最好不要反抗，花一點錢消災了事。在飯店內，除非客人有需要，服務生不會自己敲門。況且在服務要來之前，櫃檯會先通知客人，或在門口夾張紙條。記得在開房門前，要先向櫃檯確認，或拴好門鏈後再開。 | <br>通常一些小飯店的房間內並沒有保險箱，貴重物要自己管理，千萬不要留在房內。 |
| 暴力酒吧 | ①在觀光景點搭訕示好，熱情招待之後，邀請遊客到自己熟悉的酒店或介紹好吃的店。<br>②在飲料中放入安眠藥，趁遊客昏迷之際，洗劫一空。<br>**注意事項** 當然並不是所有對遊客友善的人都有嫌疑，但千萬不可掉以輕心，還是有人虎視眈眈，專找觀光客下手。 | <br>路邊停車時，最好將東西全部帶走，或鎖在後車廂內。 |
| 汽車搶案 | ①車子停放在路邊時，將車門或車窗打破，偷取物品<br>②在走出停車場時，被歹徒威脅<br>③製造假車禍，趁下車時襲擊<br>**注意事項** 開車遊玩固然方便，但要小心有人專找出租車下手。停車時最好找有管理員的停車場。 | |

在人潮眾多的地方要格外留意手提行李

## 當地的因應對策

首先要保持冷靜，不要讓人覺得是很好騙的觀光客。隨時提高警覺，學習保護自己。

### 貴重物品及行李的管理

出門不要攜帶貴重物品，最好放在飯店的保險箱內。

為了預防萬一，可以準備一份護照與機票的影印本，另外保管。無論去哪裡，隨身的行李都要看好，歹徒可能會利用遊客分心或太專注於觀光等時候下手。行李切忌放在椅子上。此外，容易打

開的背包或背在肩上的皮包都是很明顯的目標。尤其是背包，雖然雙手可以提東西，非常方便，但是自己看不到後面的背包，要提高警覺。皮包的開口要隨時關好，最好抱在胸前。

## 外出及晚上的活動

盡量避免到治安不好的地區，尤其是晚上，徒步外出是非常危險的。即使距離很近，也要搭計程車，或是繞路走安全的大街。大部分的洛杉磯市民出門都開車，因此觀光客在外走路其實很顯眼，即使是白天或短距離，還是坐車較為安全，但不要忘了，單獨一個人在深夜裏坐計程車反而是危險的。此外，人少的時段也盡量不要搭地鐵。

晚上治安比較好的地方是拉斯維加斯，但還是避免單獨行動。

## 租車時

不要讓車外的人看得到車內的行李，要小心收好。不要到人煙稀少的地方停車，最好找有收費管理員的地方，而且盡量停在管理員附近或光線較好的車位。

週末的商業街人煙稀少，氣氛冷清，最好不要太靠近。

## 飯店及餐廳

就算是一流的高級飯店，出入的人很多，千萬不可掉以輕心。假裝飯店服務生，闖入客房的事情也時有所聞，要多加警惕，在房內的時候，最好隨時鎖上門鏈。坐電梯時，不要往裏面靠，盡量站在警鈴附近。此外，在餐廳用餐時，要仔細確認帳單上的金額。不要到客人稀少，或地處偏僻的餐廳。至於自助式的餐廳，在取菜時不要將隨身行李留在座位上。

即使是高級飯店也不可掉以輕心，尤其在大廳要小心隨身的行李。

## 外出時

不要穿金戴銀，也不要將貴重物品暴露在外。除了觀光景點之外，盡量走在人多的地方，避免走到小巷內。在路上要快步行走，不要大方地攤開地圖及旅遊書或東張西望，容易引人注目。建議在出發前，就要確實地掌握前往目的地的方法。如果是參加旅行團，在自由活動的時間，最好不要戴旅行社的徽章，以免被視為觀光客。遇到陌生人搭訕時，不要加以理會，或是保持適當的距離再說話。搭乘巴士等的大眾運輸工具時，盡量在車掌或駕駛員附近較為安全。

市區巴士的竊盜案頻傳，尤其是在尖峰時段。還未適應環境之前，最好在駕駛員附近較安全。

## 貴重物品失竊或遺失時的處理方法

即使是提高警覺，卻仍然發生物品失竊或遺失時，該如何處理？尤其是護照及機票，如果不立刻妥善處理，還有可能無法回國。

首先應到警察局報案，請警方開立事件報告書與失竊．遺失證明書。這些都是申請保險金與補發護照時的必備資料，非常重要。雖然失竊的物品很難找回，但是如果有備案，即使現金被偷，皮包也有可能失而復得。如果是遺失信用卡，必須先跟發卡公司聯絡，申請作廢，之後再向警方報案。

大部分的城市，巴士總站附近的治安都不太好。如果有較大的行李，最好搭計程車。

舊金山的警車，除了常見的黑白相間之外，還有純白的樣式。

美國沒有派出所，如果遇到緊急狀況，可通知巡邏的員警或到最近的警局報案。

旅遊安全問題應對

## 護照

①向警局報案　請警局開立失竊‧遺失證明書。如在飯店內失竊，就請飯店開證明。

↓

②到台灣駐外單位　申請補發。在窗口填寫補發護照申請書及申請遺失等資料後，提示警方所開立的失竊‧遺失證明書、護照用照片兩張（4.5×3.5cm）、身分證等證件。最好隨時準備護照影本及照片，以備不時之需。

↓

③取得補發證件　護照的補發需1～2星期。如果急著回國，2～3天就可拿到臨時護照，但此臨時護照不得前往其他國家，只能直接回國。

## 機票

①向警局報案　請警局開立失竊‧遺失證明書。如在飯店內失竊，就請飯店開證明。

↓

②聯絡航空公司　前往航空公司，出示失竊‧遺失證明書、旅客姓名、護照號碼及機票號碼。通常重新補發需1星期。手中如果有機票影本，時間會更快些。但是通常機票的補發需自行付費，尤其是便宜的機票更沒有保障。

## 旅行支票

①向警局報案　請警局開立失竊‧遺失證明書。如在飯店內失竊，就請飯店開證明。

↓

②向發票銀行或其分行申請補發　到發票銀行或其分行申請補發。提示失竊‧遺失證明書、護照、購買旅行支票時的副本及使用過後的旅行支票編號。

↓

③補發　通常只要資料齊全，2～3天內就可以補發一定的金額，剩餘的部份要等到回國之後才能退回。如有保留購票時的副本，清楚地標示已使用與未使用的部分，就可以縮短補發的時間。

## 信用卡

①聯絡發卡公司　立刻聯絡發卡公司，申請作廢。之後如果有被盜刷的事實，可以向保險公司申請理賠，因此動作要快。聯絡發卡公司之後，接著到警察局報案，申請失竊‧遺失證明書。

↓

②補發　根據信用卡的種類，補發的時間也有所不同，有的隔天就可補發，但通常都必須等到回國之後。最好記住卡號與有效期限。

使用路邊的ATM提款時，要注意四周有無可疑的人物。提款後要將錢立刻收好，不要太招搖。

# 疾病與健康管理

## 行程安排得當，做好自我管理

旅遊中的環境改變，必較容易疲勞，行程越長越明顯。健康管理得當，才能享有一段愉快的旅程。

## 健康管理（預防）

西海岸並沒有特殊的疾病，只是春天要小心花粉症，冬天則有流感盛行。對於遊客而言，飲用生水容易腹瀉，最好還是喝礦泉水比較安心。身處在水土不服的地方，要格外注意健康管理，千萬不要將行程排得太緊湊，以免睡眠不足，造成疲勞，甚至生病。在當地避免暴飲、暴食或三餐不正常。此外，晝夜溫差大，要小心穿衣服。

如果有老症狀，出國前就應該在國內準備好英文的處方箋，不要忘了帶藥。如果要在當地買藥，除了感冒藥與止痛藥之外，幾乎都需要處方箋。

## 生病了怎麼辦？

美國的醫療費用很高，因此出國前一定要加入海外旅遊保險。如果生病了，請參照保險公司所發的小冊子的內容，立刻打電話到保險公司的辦事處或緊急聯絡處，根據他們的指示，到指定的醫院或相關單位接受治療。如果病情嚴重，可以請飯店的櫃檯代為聯絡。救護車的費用也不少，要特別小心。有些與保險公司簽約的醫院，可以代繳醫療費，最好事先做確認。

如果是輕微的受傷或症狀，可以自行繳納，回國後再跟保險公司申請理賠。申請理賠時，必須出示醫師的診斷書及醫療費用的收據。依保險公司的規定，事故發生之後到申請理賠之間有一定的期限，在買保險時就得讀清楚合約書的內容。

## 在當地治療

一般的治療與手術應該都沒有問題，但有的地方規定一定要加入保險。醫院內的醫療水準很高，為了預防院內感染，使用免洗針頭等的衛生管理相當完善。通常要掛號才能看病，這點要特別留意。

**在當地買藥**
購買感冒藥與止痛藥不需要處方箋。在洛杉磯的Sav-on與舊金山的Walgreen's等的連鎖店都買得到

美國的藥物種類很多，非常複雜，最好在國內自行準備。

**愛滋病**
美國的HIV感染者人數年年擴增。藥物與抗體的開發雖然沒有進展，預防與研究的腳步卻從未終止。主要的感染途徑為性交，一般人的生活並不會傳染。預防方法包括性行為全程使用保險套、避免共用注射針筒、小心輸血過程等。血液檢查相當徹底，觀光客的檢查也很方便。

# 實用電話

## 台灣

◆大使館／觀光局
美國在台協會台北辦事處
104台北市信義路3段134巷7號
☎(02)2709-2000
FAX(02)2701-2251
美國在台協會高雄辦事處
800高雄市中正三路2號中正大樓5樓
☎(07)238-7744
FAX(07)223-5237
◆航空公司
◆實用網址
外交部領務局網站 http://www.boca.gov.tw
Hertz http://www.hertz.com
Avis http://www.avis
◆領務局旅外國人急難救助聯絡中心
☎800-0885-0885

## 美國

◆駐美國代表處
駐美國台北經濟文化代表處
4201 Wisconsin Avenue, N.W.,Washington,
DC 20016-2137 U. S. A.
☎(002-1-202) 895-1800
緊急聯絡電話(002-1-202) 8951885, 6690180
FAX(002-1-202) 363-0999
時差 較國內時間慢13小時（夏令時間慢12小時）
駐洛杉磯台北經濟文化辦事處
3731 Wilshire Blvd., Suite 700 Los Angeles,
CA 90010 U. S. A.
☎(002-1-213) 389-1215
緊急聯絡電話(002-1-213) 923-3591
FAX(002-1-213) 389-1245
時差 較國內時間慢16小時（4～10月慢15小時）
駐西雅圖台北經濟文化辦事處
One union Square, Suite 2020,
600 University St. Seattle WA 98101
☎(002-1-206) 441-4586
緊急聯絡電話(002-1-206) 510-8588
FAX(002-1-206) 441-1322
●備忘錄

時差 較國內時間慢16小時（4～10月慢15小時）
駐舊金山台北經濟文化辦事處
555 Montgomery Street,
Suite 501 San Francisco,
CA 94111 U. S. A.
☎(002-1-415) 362-7680
緊急聯絡電話(002-1-415) 265-1351
FAX(002-1-415) 362-5382
時差 較國內時間慢16小時（4～10月慢15小時）
◆觀光資訊
洛杉磯　☎323-467-6412
聖地牙哥　☎619-236-1212
西雅圖　☎206-461-5840
舊金山　☎415-391-2000
拉斯維加斯　☎702-892-7575
◆緊急連絡
警局・救護車・消防車☎911
航空公司／機場／交通機構/租車公司
長榮航空 洛杉磯☎1-310-362-6600
　　　　　舊金山☎1-650-579-1818
　　　　　西雅圖☎1-206-242-8888
華航　　　☎1-800-227-5118（免付費）
日本航空　☎1-800-525-3663（免付費）
全日空　　☎1-800-235-9262（免付費）
美國航空　☎1-800-237-0027（免付費）
西北航空　☎1-800-692-2345（免付費）
聯合航空　☎1-800-241-6522（免付費）
美國西部航空☎1-800-235-9292（免付費）
Trans World航空☎1-800-428-4322（免付費）
US.Airways　☎1-800-428-4322（免付費）
洛杉磯國際機場☎310-646-5252
聖地牙哥機場☎619-231-2100
西雅圖機場　☎206-431-4444
舊金山國際機場☎650-821-8211
聖荷西國際機場☎408-277-4759
拉斯維加斯麥卡倫國際機場☎702-261-5211
灰狗巴士　☎1-800-231-2222（免付費）
美國鐵路　☎1-800-872-7245（免付費）
Avis　　　☎1-800-331-1212（免付費）
Dollar　　☎1-800-800-4000（免付費）
Hertz　　☎1-800-654-3131（免付費）
Budget　　☎1-800-527-0700（免付費）

| 護照號碼 | |
| --- | --- |
| 護照發行年月日 | |
| 護照發行地 | |
| 班次編號 | |
| 機票號碼（→P399） | |
| 海外平安旅遊險電話號碼 | |
| 旅行支票號碼 | |
| 遺失旅行支票時的聯絡電話 | |
| 信用卡號碼 | |
| 信用卡有效期限 | |
| 信用卡公司緊急聯絡處 | |

＊信用卡號碼被他人得知的話有可能會被盜用，要特別注意。

# INDEX
## 索引

# INDEX
## 索引

# INDEX
## 索引

## 中英索引

### 洛杉磯

# INDEX
## 索引

# INDEX
## 索引

# 美國西海岸

## JTB世界自由行

**11**

WORLD GUIDE SERIES

Title:U.S.A.West Coast

©JTB Publishing Inc. (2004)

Originally published in Japan in 2004 by JTB Publishing Inc.

Chinese translation rights arranged with JTB Publishing Inc.

through TOHAN CORPORATION, TOKYO

作者／JTB Publishing Inc.

譯者／王真瑤

發行人／曾桂美

出版者／精英出版社

聯絡處／台北市西寧南路12號14F-1

電　話／(02)2311-2843

FAX／(02)2311-2847

E-mail／elite01@ms4.hinet.net

郵政劃撥／1166416-5曾桂美帳戶

登記證／局版台業字第4073號

封面設計／張士勇

印　刷／世和印製有限公司

總經銷／大和書報圖書股份有限公司

地　址／台北縣新莊市五工五路2號

電　話／(02)8990-2588

初版一刷／2004年8月

初版七刷／2009年5月

定價／新台幣 650元

**國立圖書館出版品預行編目資料**

美國西海岸／JTB Publishing Inc.〔著〕；
王真瑤譯-初版
台北市：精英，2004〔民93年〕
面；　公分（JTB世界自由行：11）含索引
ISBN 978-957-9556-72-9（平裝）
譯自：U.S.A.West Coast
美國--描述與遊記

752.779　　　　　　　　　　93010513